Allgemeines deutsches Lieder-Lexikon

oder

Vollständige Sammlung aller bekannten deutschen Lieder und Volksgesänge in alphabetischer Folge

Herausgegeben von
Wilhelm Bernhardi

II

F-M

o

1968

Georg Olms Verlagsbuchhandlung
Hildesheim

Die Originalvorlage für diesen Faksimiledruck ist im Besitz der Niedersächsischen Staats- und Universitätsbibliothek Göttingen.
Signatur: Poet. Germ. I, 4748

Reprografischer Nachdruck der Ausgabe Leipzig 1844
Printed in Germany
Herstellung: fotokop wilhelm weihert, Darmstadt
Best.-Nr. 5102076

732.

Fahret hin, fahret hin, Grillen, geht mir aus dem Sinn! Bruder mein, schenk' uns ein, laß uns lustig sein! Drum, ihr Grillen, weichet weit, die ihr meine Ruh' zerstreut! ich bin nicht so erpicht, der auf Grillen dicht't.

Grillisiren, Phantasiren muß aus meinem Kopf marschiren, wo man blas't, Trarah blas't, in dem Waldpalast. Und ich sag', es bleib' dabei, lustig ist die Jägerei, so im Wald sich aufhalt, bis das Herz erkalt't.

Hasen, Füchse, Dachse, Luchse, schieß' ich oft mit meiner Büchse, das vertreibt manches Leid, manche Traurigkeit. Löwen, Bären, Pantherthier, wilde Schwein' und Tigerthier, sind nicht frei vor dem Blei der edlen Jägerei.

He, he, he! Hirsch' und Reh' dorten ich von ferne seh'; eins davon, weiß ich schon, wird mir bald zum Lohn. Drum, ihr Götter, gebet zu, daß ich ja nicht fehlen thu'! Puff und Knall! daß es schall' und das Hirschlein fall'!

Volkslied aus Büsching's u. v. d. Hagen's Samml.

733.

:,: Feinde ringsum! :,: Um diese zischende Schlange, Vaterland, ist dir so bange? :,: Bange, warum? :,:

Zittre du nicht! Hörst im unsinnigen Rasen du die Trompeten sie blasen? Zittre du nicht!

Zittern, wofür? daß sie mit Schauder und Schrecken deine Gebirge bedecken? sind wir doch hier!

Vater und Sohn, flammende Schwerter gezogen, kommen wie Raben geflogen, sprechen ihm Hohn.

Blücher voran! Seht auf dem Rappen ihn sitzen! schaut, wie die Augen ihm blitzen! Er macht den Plan.

Stern in der Nacht! Greis mit den silbernen Haaren, Blücher, wo sind die Gefahren? wann, wo die Schlacht?

Feind nur herab! Nicht mit dem schnaubenden Gaule, nicht mit dem prahlenden Maule schreckst du uns ab!

Muth in der Brust! Scharf wie der Blitz unsre Säbel, dunkel die Blicke wie Nebel! Kampf unsre Lust!

Vaterland weint? Hörst du? und Vaterlandsthränen machen aus Kriegern Hyänen, Fluch für den Feind!

Kopf in die Höh'! Stolzer, wir kommen, wir kommen! haben schon Abschied genommen, that uns so weh!

Dort rings umher sengen und brennen die Feinde, weinende Mädchen und Freunde hinter uns her!

Weib, gute Nacht! Pallasche zwischen die Zähne! Fällt auch darauf eine Thräne, fort in die Schlacht!

Nach einem Liede von Cramer. 1813.

734.

Herbstlied.

Feldeinwärts flog ein Vögelein, und sang im muntern Sonnenschein mit süßem wunderbaren Ton: Ade! ich fliege nun davon! weit, weit reis' ich noch heut'!

Ich horchte auf den Feldgesang, mir ward so wohl und doch so bang; mit frohem Schmerz, mit trüber Lust stieg wechselnd bald und sank die Brust: Herz! Herz! brichst vor Wonn' oder Schmerz?

Doch als ich Blätter fallen sah, da dacht' ich: ach, der Herbst ist da! der Sommergast, die Schwalbe, zieht, vielleicht so Lieb' und Sehnsucht flieht, weit, weit! rasch mit der Zeit!

Doch rückwärts kam der Sonnenschein, dicht zu mir drauf das Vögelein, es sah mein thränend Angesicht, und sang: die Liebe wintert nicht! Nein! nein! ist und bleibt Frühlingsschein!

Ludwig Tieck.

735.

Die Gefallenen.

Ferne in der fremden Erde ruhet ihr bei eurem Schwerte in des Todes sicherer Hut! Heil'ger Frieden lohnt euch Müden nach des Tages heißer Gluth!

Feindesadler saht ihr fallen, hörtet Siegesdonner schallen, als der Tod das Auge brach. Heil euch Lieben, träumet drüben von des Sieges gold'nem Tag.

Selig preis' ich eure Loose in der Erde kühlem Schooße, denn ihr saht der Freiheit Licht! Saht sie steigen über Leichen, — doch sie sinken saht ihr nicht.

Wilhelm Hauff. 1822.

736.
Das Kind der neuen Zeit.

Fern in Osten wird es helle, graue Zeiten werden jung; aus der lichten Farbenquelle einen langen tiefen Trunk! Alter Sehnsucht heilige Gewährung, süße Lieb' in göttlicher Verklärung!

Endlich kommt zur Erde nieder aller Himmel sel'ges Kind, schaffend im Gesang weht wieder um die Erde Lebenswind, weht zu neuen, ewig lichten Flammen längst verstiebte Funken hier zusammen.

Ueberall entspringt aus Grüften neues Leben, neues Blut; ew'gen Frieden uns zu stiften, taucht er in die Lebensfluth; steht mit vollen Händen in der Mitte, liebevoll gewärtig jeder Bitte.

Lasse seine milden Blicke tief in deine Seele gehn, und von seinem ew'gen Glücke sollst du dich ergriffen sehn. Alle Herzen, Geister und die Sinnen werden einen neuen Tanz beginnen.

Greife dreist nach seinen Händen, präge dir sein Antlitz ein, mußt dich immer nach ihm wenden, Blüthe nach dem Sonnenschein; wirst du nur das ganze Herz ihm zeigen, bleibt er wie ein treues Weib dir eigen.

Unser ist sie nun geworden, Gottheit, die uns oft erschreckt, hat im Süden und im Norden Himmelskeime rasch geweckt, und so laß im vollen Gottesgarten treu uns jede Knosp' und Blüthe warten.

Novalis. (Friedrich v. Hardenberg.)

737.
Melodie: Brüder, laßt uns lustig sein.

Festlich schwebt ein Freudentag unserm Kreise nieder; jeder helle Stundenschlag hallt uns Freude wieder. Wer ein Herz im Busen trägt, wem es laut und feurig schlägt, singe Jubellieder.

Schön ist's, wenn zum engern Band Menschen sich verknüpfen, Seel' in Seele, Hand in Hand, ihren Pfad zu hüpfen! Selig durch der Freundschaft Glück, müsse jeder Augenblick ihres Seins entschlüpfen!

Allen Großen, die sich gern ketten an die Kleinen, allen, die, von Selbstsucht fern, trösten, die da weinen, unserm deutschen Vaterland, jedem Alter, jedem Stand soll die Sonne scheinen!

Alle Mädchen, die entzückt Lieb' um Liebe geben, wem, durch Minnesold beglückt, Herz und Puls sich heben, was sich feurig liebt und küßt, traulich Seel' in Seel' ergießt, soll sich freun und leben!

Allen Weibchen, fromm und treu, hold dem muntern Zecher, allen braven Männern sei heilig dieser Becher! Selbst nach langer Jahre Bund leer' auf sie, bis auf den Grund, Amor seinen Köcher!

738.

Bekannte Melodie.

:,: Flamme empor! :,: steige mit loderndem Scheine auf den Gebirgen am Rheine glühend empor!

Siehe! wir stehn :,: treu im geweiheten Kreise, dich, zu des Vaterlands Preise, brennen zu sehn.

Heilige Gluth! rufe die Jugend zusammen, daß bei den zischenden Flammen wachse der Muth!

Hier auf den Höh'n leuchte du, flammendes Zeichen, daß alle Feinde erbleichen, wenn sie dich sehn!

Finstere Nacht lag auf Germaniens Gauen; da ließ Jehovah sich schauen, der uns bewacht.

„Licht, brich herein!" sprach er; da sprühten die Flammen, schlugen die Gluthen zusammen über den Rhein.

Und er ist frei! Flammen umbrausen die Höhen; die um den herrlichen stehen, jauchzt, er ist frei!

Stehet vereint, Brüder! und laßt uns mit Blitzen unsere Gebirge beschützen gegen den Feind!

Leuchtender Rhein! siehe, wir singenden Paare schwören am Flammenaltare Deutsche zu sein!

Höre das Wort! Vater! auf Leben und Sterben, hilf uns die Freiheit erwerben! sei unser Hort! C. Nonne.

739.

Flattre, flattre, kleiner Vogel, tändle durch des Lebens Mai, sieh, zerbrochen ist dein Käfig, flattre, flattre, du bist frei. Aber horch! es lockt im Busche ein verführerischer Ton; traue nicht dem süßen Locker! flattre, flattre husch davon.

Siehst du nicht die falsche Schlinge, wo die rothe Beere hängt? Flattre, flattre, armer Vogel, eh' sie dich Betrognen fängt. Haſt du ſie einmal verſchlungen, jene Beere ſüß und roth, o dann flatterſt du vergebens: dieſe Schlinge iſt dein Tod.

740.

Flüchtiger, als Wind und Welle, flieht die Zeit; was hält ſie auf? Sie genießen auf der Stelle, ſie ergreifen ſchnell im Lauf, das, ihr Brüder, hält ihr Schweben, hält die Flucht der Tage ein. Schneller Gang iſt unſer Leben; laßt uns Roſen auf ihn ſtreun!

Roſen — denn die Tage ſinken in des Winters Nebel= meer; Roſen — denn ſie blühn und blinken links und rechts noch um uns her. Roſen ſtehn auf jedem Zweige jeder ſchö= nen Jugendthat. Wohl ihm, der bis auf die Steige rein gelebt ſein Leben hat.

Tage werden uns zum Kranze, der des Greiſes Schlaf um= zieht, und um ſie in friſchem Glanze, wie ein Traum der Jugend, blüht. Auch die dunklen Blumen kühlen uns mit Ruhe doppelt ſüß, und die lauen Lüfte ſpielen freundlich uns in's Paradies.
Herder.

741.

Eigne Melodie.

Fordre Niemand mein Schickſal zu hören, dem das Leben noch wonnevoll winkt! Ja, wohl könnte ich Geiſter beſchwö= ren, die der Acheron beſſer verſchlingt. Aus dem Leben mit Schlachten verkettet, aus dem Kampfe mit Lorbeer umlaubt, hab' ich nichts, hab' ich gar nichts gerettet, als die Ehr' und dies alternde Haupt.

Keine Hoffnung iſt Wahrheit geworden, ſelbſt des Jüng= lings hochklopfende Bruſt hat im liebeglühenden Norden ihrer Freiheit entſagen gemußt; zu des Vaterlands Rettung beru= fen, ſchwer verwundet, von Feinden umſchnaubt, — blieb mir unter den feindlichen Hufen nur die Ehr' und dies al= ternde Haupt.

In Amerika ſollte ich ſteigen, und in Polen entſagt' ich der Welt; — laſſet mich meinen Namen verſchweigen, ich bin nichts als ein ſterbender Held. O mein Vaterland, dich nur beklag' ich, denn du biſt deines Glanzes be= raubt; — dich beweinend, zum Grabe hin trag' ich meine Ehr' und dies ſinkende Haupt.
„Der alte Feldherr."

742.

Melodie: Ohne Lieb' und ohne Wein.

Fort ist fort, und hin ist hin, gebt dem Wein die Sorgen! Haben wir nur frohen Sinn, dann sind wir geborgen Stoßet an und trinket leer diesen vollen Becher; nimmer wird das Leben schwer einem frohen Zecher!

Wozu, Freunde, glüht der Wein wohl im Sonnenstrahle, als daß Menschen sich erfreun an dem Göttermahle! Höher steiget unsre Lust, wenn das Glas uns winket, höher hebt sich unsre Brust, wenn die Zunge sinket.

Und nun, Freunde, ist's vollbracht; seht, uns ist's gelungen! Nun noch einmal recht gelacht, und das Glas geklungen. Heil dem Geist, der uns belebt! Giebt er uns nicht Freuden? Muth denn, Freunde, nicht gebebt bei der Erde Leiden!

Reinbeck.

743.

Melodie: Wo Kraft und Muth.

Fragst du nach unsers Bundes Geist und Sinnen, so such' ihn nicht im ird'schen Flitterglanz; was unsre Seele kühnlich will gewinnen, ist nicht ein leicht verschwundner Farbenkranz. Von deutschem Stamm geboren, hat's hoch das Herz geschworen, für's Hohe männiglich allein zu glühn und alle Sklaverei der Welt zu fliehn.

Der hohe Geist, der wie im Schöpfungswahne durch alle gute Herzen kräftig floß, der, wie ein Sonnenstrahl von Bergeshöhen in's matte Thal des Lichtes Lust ergoß, der hohe Geist sucht Wahrheit, sucht makelreine Klarheit, und reißt drum deutsam alle Seelen fort, zu schiffen rüstig nach dem lichten Port.

Er sucht die Wahrheit, die im Leben liebet, die wohlthut, wo des Bruders Thräne klagt; er sucht die Wahrheit, die in That sich übet und nichts nach Gold und Menschengröße fragt. Er sucht der Freiheit Leben, treu jedem Recht ergeben, und bauet in der Welt ein frommes Haus aus seines Herzens Heiligthum hinaus.

Des alten Vaterlandes Heil zu gründen, was seinem Herzen theuer ist und werth, trägt er, wo sich geweihte Flammen finden, sie alle hin zum großen Bruderherd, hochmächtig drängt sein Sinnen, das Rechte zu gewinnen, und kräftig greift er zu dem freien Schwert, wird seines Vaterlandes Ruh' gestört.

Und einen Gott glaubt er in seinem Herzen, der über'n Sternen hält ein recht Gericht, und schauet fröhlich zu des Himmels Kerzen, wenn auch der treue Wanderstab zerbricht. Drum, ob die Sonnen wanken, ob Berg' und Hügel schwanken, in unserm Bund kein Sklavenherz erbebt, so lange solch ein Geist noch uns erhebt!

744.

Frau Nachtigall, mach' dich bereit, der Tag bricht an, es ist hoch Zeit! du sollt mein treuer Bote sein wohl zu der Allerliebsten mein;

Die dein in ihrem Würzgärtelein thut warten mit groß Angst und Pein; manch heißer Seufzer ihr 'raus dringt, bis ihr von mir gut Botschaft bringt.

So mach' dich auf, säum' dich nicht lang', fahr' hin mit schön und fröhlichem Gesang, sprich ihr mein'n Gruß in's Herz hinein, sag', ich woll' selbst bald bei ihr sein.

Sie wird dich heißen zu tausendmal willkommen sein, Frau Nachtigall, wird dir auch zeigen zur selben Stund' ihr treues Herz, mit Lieb' verwund't.

Durch Venus Pfeil ist es verletzt; drum du sie alles Leids ergötz', sag', daß sie ihren Unmuth laß fall': richt's nur recht aus, Frau Nachtigall!

Aus den Gaillardten v. Rosthio. 1593.

745.

Freiheit, die ich meine, die mein Herz erfüllt, komm mit deinem Scheine, süßes Engelsbild! Magst du nie dich zeigen der bedrängten Welt, führest deinen Reigen nur am Sternenzelt?

Auch bei grünen Bäumen in dem lust'gen Wald, unter Blüthenträumen ist dein Aufenthalt! Ach, das ist ein Leben, wenn es weht und klingt, wenn dein stilles Weben wonnig uns durchdringt.

(Wenn die Blätter rauschen süßen Freundesgruß, wenn wir Blicke tauschen, Liebeswort und Kuß. Aber immer weiter nimmt das Herz den Lauf, auf der Himmelsleiter steigt die Sehnsucht auf.

Aus den stillen Kreisen kommt mein Hirtenkind, will der Welt beweisen, was es denkt und minnt. Blüht ihm doch ein Garten, reift ihm doch ein Feld auch in jener harten, steinerbauten Welt.

Wo sich Gottes Flamme in ein Herz gesenkt, das am alten Stamme treu und liebend hängt; wo sich Männer finden, die für Ehr' und Recht muthig sich verbinden, weilt ein frei Geschlecht.)

Hinter dunkeln Wällen, hinter eh'rnem Thor kann das Herz noch schwellen zu dem Licht empor; für die Kirchenhallen, für der Väter Gruft, für die Liebsten fallen, wenn die Freiheit ruft.

Das ist rechtes Glühen, frisch und rosenroth, Heldenwangen blühen schöner auf im Tod. Wollest auf uns lenken, Gottes Lieb' und Lust, wollest gern dich senken in die deutsche Brust!

Freiheit, die ich meine, die mein Herz erfüllt, komm mit deinem Scheine, süßes Engelsbild! Freiheit, holdes Wesen, gläubig, kühn und zart, hast ja lang erlesen dir die deutsche Art.

Max v. Schenkendorf. 1813.

746.

Melodie: Wo Kraft und Muth.

Frei oder todt! frei leben oder sterben! so schwören wir auf dieses freie Schwert. Wir zittern nicht, mit Blut den Stahl zu färben, der nur dem freien Vaterland gehört. Im Herzen heil'ge Flammen, stehn freudig wir zusammen! Wir leben frei und legen Hand in Hand: wo Freiheit wohnt, ist unser Vaterland!

Herein, herein die alte Kraft der Reben! denn ohne Wein ist alles Leben todt. Im Wein allein ist Liebe, Licht und Leben, und schöner Träume goldnes Morgenroth. Im Herzen heil'ge Flammen, stehn freudig wir zusammen! Wir trinken Wein und legen Hand in Hand: wo Reben blühn, ist unser Vaterland!

Wir werden Gluth, wo Lippen, Stirn und Wangen, wo blaue Augen lichte Sterne glühn, die aufgeblüht in sehnendes Verlangen, in süßes Lied den Freund hinüber ziehn. Im Herzen heil'ge Flammen, stehn freudig wir zusammen! Wir lieben treu und legen Hand in Hand: wo Liebe lebt, ist unser Vaterland!

Auf! trinkt und singt und fliegt, geliebte Brüder, den Sternen zu im schwärmenden Gesang! In freier Seele klingt es freudig wieder, was voll und rein in lauter Stimme klang. Im Herzen heil'ge Flammen, stehn freudig wir zusammen! Wir singen laut und legen Hand in Hand: wo Lieder glühn, ist unser Vaterland!

Glückauf, Glückauf! wir haben es errungen, ein freies Land ist unser deutsches Land! Von Lieb' und Wein in heil'ger Gluth umschlungen, sind wir vereint durch deutscher Sprache Band. Im Herzen heil'ge Flammen, stehn freudig wir zusammen! Wir rufen laut und legen Hand in Hand: **das deutsche Land ist unser Vaterland.**

747.

Frei und unerschütterlich wachsen unsre Eichen; mit dem Schmuck der grünen Blätter stehn sie fest in Sturm und Wetter, wanken nicht, noch weichen.

Wie die Eichen himmelan, trotz den Stürmen, streben, wollen wir auch ihnen gleichen, frei und fest wie deutsche Eichen unser Haupt erheben.

Darum sei der Eichenbaum unser Bundeszeichen: daß in Thaten und Gedanken wir nicht schwanken oder wanken, niemals muthlos weichen.

748.

Melodie: Alles schweige.

Freudenklänge, Festgesänge, rauscht empor zum Himmelszelt. Von der Sorge losgerungen, von der Liebe sanft umschlungen, stehn wir fröhlich Hand in Hand.

Ernste Stunde, unserm Bunde bringe Segen und Gedeihn! Treue Liebe in dem Herzen achtet Opfer nicht und Schmerzen, wenn's das Glück des Freundes gilt.

Der dort oben fest gewoben unsers Bundes ew'ges Band, er, der Herr, blickt segnend nieder auf des deutschen Landes Brüder, wenn sie treu und bieder sind.

Nun ertöne Liebchens Schöne unsers Liedes Preisgesang! Jeder denk' sich treu die Seine, die er liebt als Einzigeine, der sein Leben er geweiht.

Sie bei Stürmen stark zu schirmen, stählt das Herz zu heißem Streit; und wenn Siege euch gelungen, legt den Kranz, den ihr errungen, froh auf ihr geliebtes Haupt.

749.

Melodie: In des Waldes düstern Gründen.

Freudensänge, deutsche Brüder, schwellen jeden Busen hoch; lautes Echo halle wieder: Heil dem Land, das uns erzog! :,:

Krönte schon vor grauen Jahren deutsche Heere Heldenruhm; Tapferkeit und Treue waren stets des Deutschen Eigenthum.

Nur in Deutschlands Schooß gedeihet jede Kunst und Fertigkeit. Deutscher Geist und Sprache freuet auch den Fremdling weit und breit.

Anmuthvoll verstreicht das Leben, wo man voll' Genüge sind't. Deutsche Erde kann sie geben; wohl uns, daß wir Deutsche sind!

Drum so schwelle, deutsche Brüder, Freudensang den Busen hoch! Lautes Echo halle wieder: Heil dem Land, das uns erzog!

750.

Bekannte Melodie.

Freude, schöner Götterfunken, Tochter aus Elysium, wir betreten wonnetrunken, Himmlische, dein Heiligthum! Deine Zauber binden wieder, was die Mode streng getheilt. Bettler werden Fürstenbrüder, wo dein sanfter Flügel weilt. (Chor:) Seid umschlungen, Millionen! diesen Kuß der ganzen Welt! Brüder, über'm Sternenzelt muß ein guter Vater wohnen.

Wem der große Wurf gelungen, eines Freundes Freund zu sein, wer ein holdes Weib errungen, mische seinen Jubel ein! Ja — wer auch nur eine Seele sein nennt auf dem Erdenrund! und wer's nie gekonnt, der stehle weinend sich aus unserm Bund! (Chor:) Was den großen Ring bewohnet, huldige der Sympathie! zu den Sternen leitet sie, wo der Unbekannte thronet.

Freude trinken alle Wesen an den Brüsten der Natur; alle Guten, alle Bösen folgen ihrer Rosenspur. Küsse gab sie uns und Reben, einen Freund, geprüft im Tod; Wollust ward dem Wurm gegeben, und der Cherub steht vor Gott. (Chor:) Ihr stürzt nieder, Millionen? Ahnest du den Schöpfer, Welt? Such' ihn über'm Sternenzelt, über Sternen muß er wohnen.

Freude heißt die starke Feder in der ewigen Natur. Freude, Freude treibt die Räder in der großen Weltenuhr. Blumen lockt sie aus den Keimen, Sonnen aus dem Firmament, Sphären rollt sie in den Räumen, die des Sehers Rohr nicht kennt. (Chor:) Froh, wie seine Sonnen fliegen durch des Himmels prächt'gen Plan, laufet, Brüder, eure Bahn, freudig wie ein Held zum Siegen.

Aus der Wahrheit Feuerspiegel lächelt sie den Forscher an. Zu der Tugend steilem Hügel leitet sie des Dulders

Bahn. Auf des Glaubens Sonnenberge sieht man ihre Fahnen wehn, durch den Riß gesprengter Särge sie im Chor der Engel stehn. (Chor:) Duldet muthig, Millionen! duldet für die beßre Welt! Droben, über'm Sternenzelt, wird ein großer Gott belohnen.

Göttern kann man nicht vergelten; schön ist's, ihnen gleich zu sein. Gram und Armuth soll sich melden, mit dem Frohen sich erfreun. Groll und Rache sei vergessen, unserm Todfeind sei verziehn; keine Thräne soll ihn pressen, keine Reue nage ihn! (Chor:) Unser Schuldbuch sei vernichtet, ausgesöhnt die ganze Welt! Brüder, über'm Sternenzelt richtet Gott, wie wir gerichtet.

Freude sprudelt in Pokalen; in der Traube goldnem Blut trinken Sanftmuth Kannibalen, die Verzweiflung Heldenmuth. — Brüder, fliegt von euren Sitzen, wenn der volle Römer kreist, laßt den Schaum zum Himmel spritzen! dieses Glas dem guten Geist! (Chor:) Den der Sterne Wirbel loben, den des Seraphs Hymne preist, — dieses Glas dem guten Geist über'm Sternenzelt dort oben!

Festen Muth in schweren Leiden, Hülfe, wo die Unschuld weint, Ewigkeit geschwornen Eiden, Wahrheit gegen Freund und Feind, Männerstolz vor Königsthronen, — Brüder, gält' es Gut und Blut, — dem Verdienste seine Kronen, Untergang der Lügenbrut! (Chor:) Schließt den heil'gen Zirkel dichter! schwört bei diesem goldnen Wein, dem Gelübde treu zu sein; schwört es bei dem Sternenrichter!

Rettung von Tyrannenketten, Großmuth auch dem Bösewicht, Hoffnung auf den Sterbebetten, Gnade auch auf dem Hochgericht! Auch die Todten sollen leben! Brüder, trinkt und stimmet ein: allen Sündern soll vergeben und die Hölle nicht mehr sein. (Chor:) Eine heitre Abschiedsstunde! Süßen Schlaf im Leichentuch! Brüder, einen sanften Spruch aus des Todtenrichters Munde! *Schiller.*

751.

Freude, schweb' hernieder, würze unser Mahl, stimm' in unsre Lieder Frohsinn bei'm Pokal; alle Sorgen schwinden, wo der Frohnsinn wacht; laßt ihn Kränze winden, singet, liebt und lacht.

Haltet hier im Kreise ja den Frohsinn fest, der nach seiner Weise Fröhl'che nie verläßt; er bringt heitres Scherzen, giebt stets neuen Schwung, selbst bemooste Herzen macht er frisch und jung.

Frohsinn, dir erklinget der Pokal mit Wein, Freunde! auf und singet fröhlich im Verein: laßt den Zirkel leben, der sich Frohsinn nennt; Einigkeit wird geben, daß er nie sich trennt.

752.

Freude! Schwester edler Seelen, die im Kreis der Engel wohnt, du nur bist es, die die Mühe, die den Schweiß des Lebens lohnt! Komm von deinem Strahlenthrone, Göttin, mit der Blumenkrone! Dir ertönt bei Becherklang hoch empor ein Preisgesang.

Was im Weltenrunde kreiset, was im Sonnenstrahl sich wiegt, liegt an deinem Mutterbusen, wie ein Säugling angeschmiegt; Engelshymnen, Menschenlieder hallen durch die Schöpfung wieder, und der Geister großes Reich wird an deinem Altar gleich!

Deutsche sind wir, in den Adern rollt uns noch der Väter Blut, unentweiht in unsern Herzen klopft noch Hermann's Heldenmuth! Schwöret, Hermann's edle Söhne, daß es nach Walhalla töne, ewig unserm Vaterland Gut und Blut und Herz und Hand!

Göttern gleich die Welt beglücken, ist der Fürsten schönes Loos; nur allein der stille Segen ihrer Völker macht sie groß. Näher, Freunde, in die Runde, reicht die Hand zum ernsten Bunde, schwört bei diesem Becher Wein, unserm König treu zu sein!

Enger sei der Kreis geschlossen! Dieser volle Becher Wein soll der Freundschaft Bruderküsse, soll der Liebe heilig sein! Liebe schuf der Gott der Liebe, daß kein Wesen einsam bliebe, und um edle Seelen wand er der Freundschaft heil'ges Band.

Jedes deutsche Mädchen lebe! Freunde, auf! und stimmt mit ein, Sittsamkeit soll ihr Geschmeide, Unschuld ihre Zierde sein! Schönheit soll das Mädchen schmücken, Liebe soll ihr Herz beglücken, und ihr Auserwählter sei ewig standhaft, ewig treu.

Jeder Jüngling, dessen Seele, groß wie seiner Väter Geist, niemals kriecht und niemals schmeichelt, Unrecht ewig Unrecht heißt, der, wenn's um ihn stürmt und wittert, wie ein Fels steht, unerzittert, und allein der Redlichkeit seine deutsche Rechte beut!

Ewigkeit dem Schwur der Liebe, Dauer in der zweiten Welt! Selig, wer in seinen Armen eine fromme Gattin hält! Seiner Tage schöne Reihe fließe hin im Bund der Treue, sonder Zwang und sonder Müh', eine lange Harmonie.

Hülfe, Freunde, wo im Stillen die verkannte Unschuld weint! Licht, wem in des Kummers Dunkel nicht der Hoffnung Sonne scheint! Wer von Schmerz und Angst umnachtet seinem Grab' entgegen schmachtet, wem sein Leben nicht gefällt, Tröstung in der bessern Welt!

Muth, wenn einst in Todes Armen matter unser Herz sich regt, wenn zum bangen Abschiedskusse unsre letzte Stunde schlägt! Nach der Erde Last und Kummer süße Ruh' im langen Schlummer! und dereinst nach Grab und Tod das gehoffte Morgenroth!

753.

Melodie: Arm und klein ist meine Hütte.

Freudig traten wir zusammen mit des Liedes hohem Gruß, und des Altars reine Flammen glühten dir, Gott Cynthius. Dank dir, Schlangenüberwinder, für den vielbegabten Mund, du vereintest deine Kinder zu Gesang und Bruderbund.

Ward das schönste nicht der Loose, ward uns nicht die höchste Lust? — Für das Edle, für das Große schlägt wohl glühend manche Brust, doch es treibt ein dunkles Sehnen sie in tiefe Nacht hinaus; und es sprechen ihre Thränen, ihre Freuden sich nicht aus.

Aber wir mit kühnen Herzen halten fest, was in uns glüht, unsre Freuden, unsre Schmerzen hauchen wir in's warme Lied, weben sinnig unsre Worte zu der Saiten tiefem Klang, und lebendig im Accorde wird die Sprache zum Gesang.

Flach und kalt entflieht das Leben, läßt dem Schwachen keine Wahl; nur des Starken ächtes Streben folgt dem flücht'gen Ideal. Darum singt in lauten Tönen, was die Gunst der Musen schafft, und dem Edlen und dem Schönen weihen wir des Bundes Kraft. *Theodor Körner.*

754.

Bekannte Melodie.

Freudvoll und leidvoll, gedankenvoll sein; hangen und bangen in schwebender Pein; himmelhoch jauchzen, zum Tode betrübt, — :,: glücklich allein ist die Seele, die liebt! :,:

Thränen auf Erden, ach, fließen so viel, Kummer belastet so manches Gefühl, Schwermuth macht Herzen zum Tode betrübt, — glücklich allein ist die Seele, die liebt!

Veilchen und Rosen im Garten verblühn, Jugend und Anmuth im Leben entfliehn, Ahnung und Hoffnung und Himmel sich trübt, — glücklich allein ist die Seele, die liebt!

Winket das Schicksal, und winket das Grab, alles, was athmet, sinkt endlich hinab, selig, wem Liebe den Todtenkranz giebt! Glücklich allein ist die Seele, die liebt!

Göthe, und nach ihm.

755.
Melodie: Auf und trinkt! Brüder, trinkt!

Freuet euch! Freuet euch! Dieses weise Sprüchlein ist dem Golde gleich; weder Buch, noch Büchlein lehrt ein beßres euch. Freuet euch! Freuet euch! Freude wandelt, wie ein Engel, durch den weiten Erdensprengel.

Acht und Bann jedem Mann, dessen Herz die Holde nimmer lieb gewann! Bei der Höll' im Solde, spinnt er Unheil an. Acht und Bann diesem Mann! Eiskalt ist des Schmollers Seele, fliehet dieses Bären Höhle!

Ehrt auch nicht einen Wicht, der Dukaten sammelt, immer Schicht auf Schicht. Was die Armuth stammelt, rührt den Hamster nicht, schlechter Wicht! schlechter Wicht! Unwerth ist des Blicks der Sonne, wer nicht fühlt des Wohlthuns Wonne.

In die Welt, Bücherheld! Das Gebild' der Musen wird nicht wohl bestellt, ist des Gärtners Busen selbst ein todtes Feld, in die Welt, Bücherheld! Werde jetzt von uns gemeistert: Liebe, Liebe nur begeistert.

Grämler, seid doch gescheidt! Wie der Eul' im Baume, schwindet euch die Zeit; wacht aus diesem Traume auf zur Fröhlichkeit! Grämler, seid doch gescheidt! Hier von unserm frohen Kreise lernt die beste Lebensweise.

Uns erfreun Lieb' und Wein, Durstige zu laben, schenken gern wir ein; doch die Küsse haben lieber wir allein. Uns erfreun Lieb' und Wein; seit der Weltbau steht, bis heute, lebten so die bravsten Leute.

Nun so trinkt, küßt und trinkt! Heisa! lustig, Kinder, wenn die Freude winkt! Spott dem armen Sünder, der sich weiser dünkt! Küßt und trinkt, küßt und trinkt! Brav und froh! — Dies nehmt vom Schmause fein als Denkspruch mit nach Hause!

Langbein.

756.

Freunde! heißet euch willkommen, Anfang hat das Fest genommen! Auf, und weiht es fröhlich ein! Unter frohem Sangesschalle lasset in geschmückter Halle heut' uns Alle, Alle, Alle fröhlich sein! (Chor:) Unter frohem Sangesschalle wollen in geschmückter Halle heut' wir Alle, Alle, Alle fröhlich sein!

Scherz und Witz im weisen Bunde kröne diese frohe Stunde, Freude kehrt dann bei uns ein. Daß das Opfer unsrer Halle allen Gästen wohlgefalle, laßt uns Alle, Alle, Alle einig sein! (Chor:) Daß das Opfer dieser Halle Wirth und Gästen wohlgefalle, laßt uns Alle, Alle, Alle einig sein!

Die da Eines Weges wandeln, Eines Geistes reden, handeln, weihet ew'ge Freundschaft ein. Edle Gäste dieser Halle, die wir sind in gleichem Falle, laßt uns Alle, Alle Freunde sein! (Chor:) Die wir sind in dieser Halle Eines Geistes, laßt uns Alle, ewig Alle, Alle, Alle Freunde sein!

Seht, bald ist der Tag hinüber, schon ziehn Schatten lang vorüber und verkünden nahe Nacht. Unter frohem Sangesschalle ende, Fest, in froher Halle! Rufet Alle, Alle, Alle: 's ist vollbracht! (Chor:) Ende, Fest, in froher Halle! Und bei froher Lieder Schalle rufet Alle, Alle, Alle: 's ist vollbracht!

Freunde halt! — noch am Verklingen will der Spruch zum Herzen bringen: — volle Gläser nehmt zur Hand! — „Gäste dieser deutschen Halle! klingt und singt, daß weit es schalle, trinket Alle, Alle, Alle: Vaterland!" (Chor:) Brüder dieser deutschen Halle, klingen wir, daß weit es schalle, trinken Alle, Alle, Alle: Vaterland!

Spiritus Asper.

757.

Freunde, heut' erklingen, unter frohem Singen, Gläser hier im Saal, bei dem Freundschaftsmahl! (Chor:) Freunde, heut' erklingen c.

Die fröhliche Stund' sehn jährlich wir kehren, der Stiftung zu Ehren, vom traulichen Bund'.

Stumm sei jede Klage heut' am Freudentage, wo die Welt verjüngt in Pokalen blinkt. (Chor:) Stumm sei jede Klage c.

Uns frommet die Zeit; wir stürzen die Sorgen, von gestern und morgen, in's wonnige Heut'.

In der trauten Hütte war dies immer Sitte: bei Gesang und Scherz hebt sich froh das Herz. (Chor:) In der trauten Hütte c.

Uebt freundlichen Sinn, sonst rinnet die Welle des Lebens mit Schnelle euch nutzlos dahin.

So laßt fest uns halten, Freunde — nie erkalten! Gut und froh zu sein, schwört bei diesem Wein. (Chor:) So laßt fest uns halten c.

758.

Freunde, hört die weise Lehre, die zu euch Erfahrung spricht: schickt die Freude ihre Heere, öffnet alle Thore nicht; Mann für Mann laßt nur herein, wollt ihr lang' ihr Feldherr sein.

Wenn des Lebens Bajadere hält den goldnen Wagen still und für ihres Glücks Chimäre euren Frieden täuschen will: jagt die feile Dirne fort, denn Fortuna hält nicht Wort.

Doch, wenn voll der Becher blinket, Bacchus Geist den Saal durchrauscht, euch die Freundschaft zu sich winket, und Gefühle mit euch tauscht: drückt sie Beide an die Brust, sie gewähren Götterlust!

759.

Melodie: God save.

Freunde, im Bunde hier feiern der Freude wir heute ein Fest; Liebe und Eintracht sei, von allem Zwange frei, in unserm Kreise nur das Losungswort.

Seht hier bei'm Weinpokal und bei dem Freudenmahl fröhlich euch an; folget bei'm Gläserklang, bei Harmonie-Gesang, willig der schönen Spur, die sie euch zeigt.

Brüder, der Freude Glanz giebt uns die Wonne ganz, und wir sind froh; liebt euch mit Treue fort, und dann wird dieser Ort für jeden Biedermann ein Tempel sein.

Ferne von Mißgeschick, richtet jetzt euren Blick auf unsre Pflicht; diese wird immer sein, unsern Bund zu erneu'n, freudig und hoffnungsvoll werde er groß!

Hebet das Glas empor, stimmet in Einem Chor euer Lied an: Hoch lebe, was uns liebt, was reine Freuden giebt, und nach erfüllter Pflicht uns Ruhe schenkt!

Jeder Freund lebe hoch, bleibe viel Jahre noch mit uns vereint! So innig und verwandt gehen wir Hand in Hand, wenn uns das Schicksal ruft, an's ferne Ziel.

760.

Freunde im Kreise hier, Eintracht sei unsre Zier und deutsche Treu'. Stimmet im Freudenklang fröhlich zum Festgesang: Unser Bund blühe lang heiter und frei!

Dir Typographia in unsrer Augusta töne dies Lied. Wonne und edler Scherz scheuch' von uns jeden Schmerz, Jedem schlag' deutsches Herz in seiner Brust.

Leidende zu erfreun, ihnen ein Opfer weihn, ist unser Zweck. Wird ein Ziel so erreicht, ist schwere Bürde leicht; die Freundschaft niemals weicht, ewig grünt sie.

Dem Typographen=Bund sei nun in dieser Stund' ein Hoch gebracht! Unsern Beschützern sei dreifach ein Hoch dabei, dankend für ihre Treu'; herzlich geweiht!

761.

Freunde, laßt die Gläser klingen! Was das Herz mit Freude füllt, muß der Mund zu Tage bringen, wenn das Blut der Reben quillt; darum laßt uns heute singen, bis wir Durst und Lust gestillt. (Chor:) Laßt uns trinken, laßt uns singen, bis wir Durst und Lust gestillt!

Treuer Freundschaft, treuer Liebe sei der erste Trunk geweiht! Daß sie ewig grünend bliebe unsers Lebens Rosen=zeit! Doch der Menschheit edle Triebe sprossen für die Ewigkeit. (Chor:) Treue Freundschaft, treue Liebe sprossen für die Ewigkeit.

Freunde dieser Tafelrunde, thut mir ehrlichen Bescheid! Heil der segensvollen Stunde, wo in stiller Einigkeit unsern Bund mit Hand und Munde wackre Männer eingeweiht! (Chor:) Heil und Dauer unserm Bande, ewig Fried' und Einigkeit!

Freunde! Muth zur Pilgerreise, Kraft und Licht auf unsrer Bahn! Jedem, der aus unserm Kreise schon den letz=ten Schritt gethan, sanften Schlummer! — ernst und weise stoßt auf sein Gedächtniß an! (Chor:) Sanften Schlummer! gut und weise gingt ihr unsern Weg voran.

Noch ein Glas trinkt mit Verstande, das der Nagel Probe hält. Friede bleib' im Vaterlande, Friede in der ganzen Welt, Friede unter jedem Stande, Friede unter jedem Him=melszelt! (Chor:) Fried' im Herzen, Fried' im Lande, Friede in der ganzen Welt!

Spiritus Asper.

762.

Melodie: Brüder, lagert euch im Kreise.

Freunde, laßt die kleinen Seelen sich mit Neid und Hoff=nung quälen, laßt die Thoren, Thoren sein; wir, wir trin=ken dafür Wein.

Laßt dem Murrkopf seine Grillen, kommt, wir wollen Gläser füllen! Lieblich lächelt uns der Wein, trinkt und laßt uns fröhlich sein.

Schaut, dort muß bei vollem Kasten Harpagon, der Geizhals, fasten; er trinkt Wasser, niemals Wein, drum kann er nie fröhlich sein.

Wir sind fröhlich, können lachen, schlafen, wenn die Wuchrer wachen; wenn sie bang' vor Dieben sein, singen wir und trinken Wein.

Mag die Streitsucht Zank erregen, mag das Laster Tücke hegen, unser Herz ist davon rein, wir sind froh und trinken Wein.

Auf! laßt uns die Gläser leeren! singt, daß es die Thoren hören, wie so froh bei Lieb' und Wein ganz zufriedne Herzen sein.

763.

Freunde, laßt uns fröhlich sein! volle Gläser blinken: Narren mögen sich kastei'n, wir, wir wollen trinken.

Heuchler sind die allzumal, die die Köpfe hängen; Sittenlehrer find' ich schaal, die die Lust verdrängen.

Mitleidswerthe Menschen sind, die nach Schätzen geizen. Lausegold, du machst sie blind, will sollst du nicht reizen.

Seifenblasen haschen, die „was ist Wahrheit?" fragen; grübelnde Philosophie widert meinem Magen.

Auf dem Seile tanzt der Mann, der nach Hofgunst strebet; aber sicher lebt der Mann, der im Stillen lebet.

Unerträglich ist uns der, der uns vorempfindelt; doch noch unerträglicher, der fanatisch schwindelt.

Ueben, üben will ich mich im Genuß des Lebens, alles ist ja ohne dich, frohes Herz, vergebens. Dr. Bahrdt.

764.

Eigne Melodie.

Freunde, man muß nicht so thöricht sein, sein Leben im Galopp dahin zu fliegen, leicht stößt man den Fuß an Stock und Stein, und läßt doch manchen Schatz am Wege liegen. Drum sind Polonaisen stets beliebt gewesen, weil sie nicht im Springen uns zum Ziele bringen. (Chor:) Wohl dem Manne, dem's recht bald gelingt, sein rasches Blut in Schranken einzuschließen; wer mit Hüpfen durch das Leben springt, der kann des Lebens Lust nur halb genießen.

Wollet ihr so rasch bei'm Trinken sein, und Glas auf Glas bei'm Mahl hinunterstürzen, ei, so werdet ihr bei'm besten Wein die schönsten Lebensfreuden euch verkürzen. — Um bei'm raschen Trinken nicht so leicht zu sinken, leert der kluge Zecher langsam seinen Becher. (Chor:) Wohl dem Manne, dem's 2c.

Doch besonders nehmet euch in Acht, den Kelch der Liebe nicht zu rasch zu leeren, sparsam eure Lippen naß gemacht, erhält euch Amor's Dienste stets in Ehren. — Allzurasche Spende macht dem Spaß ein Ende, wenn dann Seufzer winken, wird der Muth euch sinken. (Chor:) Wohl dem Manne, dem's ꝛc.

Vollen Sprungs kommt man zwar bald zum Ziel, doch kann man auch das Athem leicht verlieren, und dann hat die Schwindsucht freies Spiel, wo kein Klagen hilft und Lamentiren. — Laßt von jungen Greisen dieses euch beweisen. Sieht man sie nicht täglich ausgedürrt und kläglich? (Chor:) Wohl dem Manne, dem's ꝛc.

Freunde, darum laßt den Lebenstanz im Takt der Polonaisen uns aufführen, so genießt man jede Freude ganz, und braucht nicht gar zu früh zu moderiren. — Mit den Lebensreizen wollen wir stets geizen; laßt in späten Zügen nur den Quell versiegen. (Chor:) Wohl dem Manne, dem's ꝛc.

765.

Freunde, nützt das kurze Leben, hascht die Freud', eh' sie verblüht, schlürft sie ein im Saft der Reben, sprecht sie aus im frohen Lied. (Chor:) Wir sitzen im traulichen Kreise, von Wein und von Frohsinn durchglüht; wir zechen nach alter deutscher Weise, und singen ein lustiges Lied.

In Palästen und auf Thronen lauscht die Sorge trüb und bleich; neidet Schätze nicht und Kronen! Nur wer froh ist, der ist reich. (Chor:) Wir sitzen im traulichen Kreise ꝛc.

Wasserherrschaft will der Britte; laßt ihn Herr zu Wasser sein! Hier in unsrer frohen Mitte herrschet friedlich edler Wein. (Chor:) Wir sitzen im traulichen Kreise ꝛc.

Alles in der Welt ist eitel! Das ist wahr, Herr Salomo; nur nicht ein gefüllter Beutel und ein Herz vergnügt und froh. (Chor:) Wir sitzen im traulichen Kreise ꝛc.

Laßt dem Weisen seine Schlüsse, dem Eroberer die Welt, den Verliebten ihre Küsse; Frohsinn haltet fest und Geld! (Chor:) Wir sitzen im traulichen Kreise ꝛc.

Freunde, stoßet an und trinket: frohen Muth und täglich Brod! Und wenn einst das Schicksal winket, ein geschwinder leichter Tod. (Chor:) Wir sitzen im traulichen Kreise ꝛc.

766.

Melodie: Mich ergreift, ich weiß nicht wie ꝛc.

Freunde, sagt, welch' süße Lust mag mich plötzlich fassen? Sagt mir, welche Freude macht mich so ausgelassen? Küssen möcht' ich jeden heut', keinen könnt' ich hassen: drum, ihr Freunde, müßt ihr schon mich gewähren lassen.

Sagt mir nur, was hat denn das Alles zu bedeuten? Eine Tafel sah ich wohl festlich hier bereiten, und nun seh' ich sie besetzt rings von frohen Leuten: Becherklang und Jubelsang tönt von allen Seiten.

Die sich Jahre lang nicht sahn, lang' getrennte Brüder, finden endlich plötzlich hier froh erstaunt sich wieder; bringen froh sich Gruß und Kuß, lassen sich hier nieder, und begeistert singen sie längst verklungne Lieder.

Ha, daran erkenn' ich sie, an dem kecken Wesen, und nun kann ich auch gar leicht mir dies Räthsel lösen: auf der Stirne kann man's ja jedem deutlich lesen, daß auch er im Musenhain Lehrling einst gewesen.

Ha, und alle, alle hier, in der großen Runde, alle waren Glieder einst in dem großen Bunde, horchten einst im Musenhain hoher Weisheit Kunde: preisen nun die goldne Zeit All' aus einem Munde.

Drum, ihr Freunde, bitt' ich euch, mich nur nicht zu stören, sollt' ich auch, wie sich's wohl fügt, unserm Fest zu Ehren, heut' ein Gläschen mehr als sonst süßen Weines leeren: bitt' euch, lieben Freunde, schön, laßt mich nur gewähren!

767.
Melodie von Himmel.

Freunde, seht die Gläser blinken, wollt ihr müßig sein? Knaben mögen Wasser trinken, Männer trinken Wein. Denn aus diesem edlen Saft strömt die wahre Männerkraft; und wer es anders lehrt, der ist bethört.

Chronik und Geschichte melden deutlich schwarz auf weiß: Bacchus war der Ruhm der Helden und der Männer Preis; Agamemnon's Ritterschaft holte schon bei'm Weine Kraft; und wer es anders 2c.

Auch die Weisen ält'rer Zeiten zechten allzumal; Sokrates und Plato freuten sich bei'm Weinpokal; dessen Geist kein Unfall schwächt, selbst der ernste Cato zecht; und wer es anders 2c.

Seht auf unsrer Ahnen Sitten, die mit kühner Hand muthvoll für die Freiheit stritten und für's Vaterland; diese Männer (glaubt es mir) zechten zehnmal mehr als wir; und wer es anders 2c.

Freunde, drum so laßt uns trinken frohen Muth in Wein! Wenn sich Andre weise dünken, wollen wir es sein! Denn das Licht der Weisheit brennt nur in diesem Element; und wer es anders 2c.

768.
Melodie: Gaudeamus igitur.

Freunde, seht nicht sauer aus bei dem süßen Weine!
Thöricht trägt man mit zum Schmaus seine Sorgensteine.
Werft sie rasch von eurer Brust, daß sich Frohsinn, Muth
und Lust hier am Tisch vereine!

Manches, was ihm nicht gefällt, muß der Mensch ertragen; jetzt besonders ist die Welt aus der Art geschlagen.
Doch es gehe, wie es geht! Unser alter Wohnplanet schafft
uns noch Behagen.

Seht hier einen Kraftbeweis, den ich gleich erwische!
Feurig, und doch kühl wie Eis, steht er auf dem Tische. Uns
erwächst der goldne Wein, und die Wasser groß und klein
strömen für die Fische.

Wasser ist auch ehrenwerth, treibt das Rad der Mühle,
trägt das Schiff, mit Fracht beschwert, zu des Hafens Ziele:
doch vom Herzen hebt es nicht, wie der Wein, das Felsgewicht drückender Gefühle.

Hätt' ihn aber das Geschick feindlich uns entzogen, wäre
drum nicht Freud' und Glück von der Erd' entflogen: denn
die Freundschaft wandelt drauf, und sie geht bei Stürmen
auf, wie ein Regenbogen.

Auch der Liebe holder Stern strahlt durch trübe Nächte,
Schande dem, der ihr nicht gern Ehrenopfer brächte. Weihet
denn, mit Becherschwung, Lebehoch und Huldigung dieser
Macht der Mächte!

Sie, nur sie kann Wunderheil und die Kraft uns geben,
über Berge schroff und steil, wie ein Aar, zu schweben. Du,
den es nicht selig macht, wenn ihr Engelsblick dir lacht, bist
nicht werth zu leben! *Langbein.*

769.
Melodie: Gaudeamus igitur.

Freunde, singt dem Genius unsres Kreises Lieder! Seht,
er winkt zum Vollgenuß holder Freude wieder. Und zum
frohen Rundgesang töne laut der Becherklang: auf! und leert
die Gläser!

Füllt sie nun und stoßet an nach der Väter Weise! Wer
sich nicht mehr freuen kann, flieh' aus unsrem Kreise! Wem
hat Trübsinn je gefrommt? Drum verscheucht ihn, Brüder,
kommt, füllt und leert die Gläser!

Wem ein treues Bruderherz unter'm Busen klopfet; wer
gern in des Bruders Schmerz Trost und Lind'rung tropfet:

ihm, dem edlen Biedermann, gilt dies Glas, drum stoßet an, laßt den Edlen leben!

Wem ein holdes Mädchen lacht, zärtlich, treu und bieder, ihm sei dieses Glas gebracht! Trinkt, doch füllt es wieder! Solch ein Weib ist Kronen werth, wie schon Salomo gelehrt; lasset hoch sie leben!

Wer nicht Mädchenliebe kennt, liebe treu die Brüder! Und ihr, die ihr Freund ihn nennt, liebt ihn innig wieder! Also tön' im Hochgesang froh auch seines Bechers Klang, bis auf beff're Zeiten!

Jedem, der mit uns vereint sich der Tugend weihet, gern in Freundes Thränen weint, gern sich mit ihm freuet: ihm dies Glas! Der Freude Dank tön' ihm laut im Becherklang, sanft im Bruderkusse!

770.

Melodie: Rosen auf den Weg gestreut.

Freunde, unser frohes Mahl hemmt den Tanz zu lange! Seht nur! seht der Sehnsucht Qual auf so mancher Wange! — Aber, Freunde, eh' wir nun von dem Becher scheiden, so bedenkt noch: wohlzuthun, würzt des Lebens Freuden.

Gab uns Gott nicht reichres Loos, als den ärmern Kindern? Brüderelend ist so groß, sollten wir's nicht lindern? Folgt darum des Vaters Ruf frei aus Herzenstriebe, der zu einem Zweck uns schuf, sein Gebot ist Liebe.

Seht, dort schleicht der Kranke schon, wankend hin zum Grabe; weinend fleht er Gotteslohn eurer frommen Gabe! Hört, wie seine Stimme bebt, schaut, sein Blick wird trüber! — Und mit Segenswünschen schwebt er verklärt hinüber.

Selig, wer der Armen Noth zu erleichtern eilet, wer mit Hungrigen sein Brod ohne Zaudern theilet; denn der bange Schmerzensmann, den wir tröstend pflegen, kommt uns froh als Engel dann über'm Grab entgegen.

771.

Eigne Melodie.

Freunde, vernehmet die Geschichte von einem jungen Postillon! Glaubt mir, daß ich hier nichts erdichte, Jedermann hier weiß ja davon! — Hörte man nur sein Horn ertönen, freute sich jede Dirn' im Ort, selbst auch das Herz der spröd'sten Schönen stürmt' im Galoppe mit ihm fort. Ho,

ho, — ho, ho! so schön und froh, du Postillon von Lonju=
meau. :,:

Damen von hohem Rang und Stande fiel es zuweilen
plötzlich ein, Reisen zu thun in ferne Lande, nur um von ihm
geführt zu sein! Treu hat er sein Geschäft versehn, Vor=
wurf traf den Geschickten nie, und sollt' ein Unglück je gesche=
hen, warf er stets auf den Rasen sie. Ho, ho, — ho, ho! so
schön 2c.

Einstens ist er mit einem Wagen Abends von hier hinweg=
geeilt, Niemand vermag uns nur zu sagen, wo jetzt der
muntre Bursche weilt! Doch daß die Angst der Freude
weiche, hört, daß er eine Königin fand, die in verlaßnem In=
selreiche ihn hat zum Könige ernannt. Ho, ho, — ho, ho!
so schön 2c. „Der Postillon von Lonjumeau."

772.
Bekannte Melodie.

Freunde, wählt euch einen Talisman, dann ficht euch
kein einz'ges Unheil an. Lachend tret' ich Jedem mit dem
Glase nah': Hahaha, hahaha, hahaha!

Erstlich in der Freunde trauten Kreis, wo ich meine Ka=
meraden weiß, trinke ich herum und mein Gesang tönt da:
Hahaha 2c.

Wenn das Schifflein meines Lebens wankt, und wenn
einst mein Mädchen mit mir zankt, stell' ich trinkend wieder
her die Ruh': Nu, nu, nu 2c.

Ist die Kasse einmal leer, was schadt's? Bei der Flasche
hole ich mir Raths, ja ich zeche, schließt sich einst mein Auge
zu: Su, su, su 2c.

Auch dient mir mein immer volles Glas auf dem Him=
melswege zum Kompaß, trinkend segl' ich dann dem Luzifer
vorbei: Ei, ei, ei 2c.

Petrus öffnet mir die schmale Thür, trinkt zuvor ein
Gläschen Wein mit mir, zeigt mir dann den großen Saal,
und nennt mich Du: Ju, ju, ju 2c.

Du, o Petrus, hast vor dem Respekt, der sich trinkend
gegen Laster deckt. Stell' dich, sprichst du, zu den lust'gen
Engeln da: Hahaha 2c.

Ich rangir' mich in die Compagnie, bin nunmehr ein
Engel, weiß nicht wie! Trinke, singe, springe mit dem Chor
Galopp: Hop, hop, hop 2c.

Seht ihr nun, wohin das Trinken bringt, wie dem Ze=
cher Alles wohlgelingt? Gram und Kummer wird besiegt,
sie wurzeln nie: (Gepfiffen).

Fröhlich hat man alle Mädchen lieb; kommt mitunter auch ein kleiner Hieb, thut nichts! Schlaft und wacht gleich wieder nach der Ruh': Glu, glu, glu ꝛc.   C. Stein.

773.
Eigne Melodie.

Freunde, welchen Rebensaft schlürft ihr gern hinunter? Schaut, des Herzens stolze Kraft lodert im Burgunder. Glüht er nicht mit deutschem Muth und mit deutschen Flammen, eint er doch des Südens Gluth mit dem Ernst zusammen. (Chor:) Wer in sich Muth und Thatengluth und stolze Kraft zusammenrafft, und wer im Wollen fühlt die Macht, dem sei der Becher dargebracht!

Aber hier ringt Jugendlust in Champagners Schäumen, wie in frischer Jünglingsbrust Träume kühn mit Träumen. Leichtes Blut, verwegnes Herz, stolzes Selbstvertrauen, froher Sinn bei Leid und Schmerz, muthig vorwärts schauen. (Chor:) Das Auge sprüht, die Wange glüht, es wogt die Brust in trunkner Lust. Der schönen frohen Jugendzeit, der sei dies volle Glas geweiht!

Heißen Südens ganze Pracht, und ein schönes Feuer, und der Liebe süße Macht lodert im Tokayer; golden schäumt er im Pokal, hell wie Himmelskerzen, wie der Liebe Götterstrahl glüht im Menschenherzen. (Chor:) Der Liebe Glück, wie Sonnenblick im Paradies, so hold und süß! Der höchsten Erdenseligkeit, der Liebe, sei dies Glück geweiht!

Und nun nennt den letzten Trank: Rheinwein glüht im Becher! Deutscher Barden Hochgesang tönt im Kreis der Zecher. Freiheit, Kraft und Männerstolz, Männerlust und Wonne, reift am deutschen Rebenholz, reift in deutscher Sonne. (Chor:) Am Rhein, am Rhein reift deutscher Wein, und deutsche Kraft im Rebensaft. Dem Vaterland mit voller Macht ein dreifach donnernd Hoch gebracht!   Th. Körner.

774.

Freund, ich achte nicht des Mahles, reich an Speis' und Trank, nicht des rheinischen Pokales, ohne Sang und Klang! Ladet man nur stumme Gäste, daß man ihre Leiber mäste? Großen Dank! großen Dank! (Chor:) Unser Wirth liebt frohe Gäste! Klingt, klingt, klingt, singt, o Freunde, singt!

Bravo! gerne bin ich zünftig in der edlen Zunft, wo man vor dem Trunk vernünftig anklingt und triumpht! Ihr mit eurer dummen Zeitung, Priesterfehd' und Wetterdeutung, lernt Vernunft, lernt Vernunft! (Chor:) Fort mit Wetter, Fehd' und Zeitung! Klingt, klingt ꝛc.

Unter Schloß und Siegel altert hier die Fülle Weins, mild und feuerreich, gekeltert auf den Höh'n des Rheins; und wie gern giebt seinen Gästen unser lieber Wirth den besten! Trinkt noch eins! trinkt noch eins! (Chor:) Unser Wirth giebt gern den besten. Klingt, klingt ꝛc.

Auf das Wohlsein aller Thoren! Gold und Band und Stern, fette Bäuch' und Kopf und Ohren gönn' ich ihnen gern! Nur von frohem Rundgesange und gefüllter Gläser Klange fort, ihr Herrn! fort, ihr Herrn! (Chor:) Fort vom frohen Sang und Klang! Klingt, klingt ꝛc.

Unsern Weisen vom Katheder gönn' ich ihren Baß, ihre wohlgeschnittne Feder und ihr Dintenfaß; unsern Kraft- und Bänkeldichtern dürre Kehlen und ein nüchtern Wasserglas! Wasserglas! (Chor:) Dürr sei ihre Kehl' und nüchtern! ꝛc.

Ausgezischt und ausgeduldet jeden Witzkumpan, der nur geckt und neckt und sprudelt mit gefletschtem Zahn! Nicht zum Menschen, nein, zum Affen hat dich Gott der Herr erschaffen; Pavian! Pavian! (Chor:) Auf das Wohlsein aller Affen! Klingt, klingt ꝛc.

Ha! wir glühn, laßt euren Fächer, Mägdlein, Kühlung wehn! Selbst die Mägdlein blühn bei'm Becher noch einmal so schön! Trinkend läßt sich auch die Spröde leicht erflehn! leicht erflehn! (Chor:) Trinkt euch Muth und laßt die Spröde! Klingt, klingt ꝛc.

Heil dir, Rheinwein! deutsche Tugend, Sohn des Vaterlands, flammt in dir Gesundheit, Jugend, Kuß, Gesang und Tanz! Trinkt von Seligkeit erschüttert, trinkt und jauchzet, ringsum zittert Himmelsglanz! Himmelsglanz! (Chor:) Ringsum glänzt der Saal und zittert! Klingt, und klingt! Singt, o Freunde, singt! *J. H. Voß.*

775.

Freund! ich leb' zufrieden, geht es, wie es will; unter meinem Dache leb' ich froh und still. Mancher Thor hat Alles, was sein Herz begehrt, doch ich bin zufrieden, das ist Goldes werth.

Schimmern keine Kerzen mir bei'm Abendmahl, blinken Freuden-Weine nicht im Goldpokal: findet sich nur immer, was man braucht zur Noth, besser noch im Schweiße schmeckt mein Stückchen Brod.

Keine Pyramide steht auf meinem Grab, und auf meinem Sarge liegt kein Marschallsstab; aber Friede wehet unter meinem Leichentuch, ein Paar Freunde weinen, und das ist genug.

Wenn ich ruhen werde einst im kühlen Sand, führt der Herr der Erde mich an seiner Hand. Und auf meinem Grabe glänzt kein Marmorstein, eine Rosenhecke soll mein Denkmal sein.

776.

Melodie: Freut euch des Lebens.

(Chor:) Freundschaft und Liebe sind unsre schönste Pflicht! Wer Freude suchet, fliehe sie nicht. (Solo:) So gehen wir denn Hand in Hand, und Herz um Herz zum Unterpfand, und streun uns Rosen auf den Pfad, die sonder Dornen blühn.

(Chor:) Freundschaft und Liebe rc. (Solo:) Der Freude sei, wenn's stürmt und schneit, so wie im Lenz, das Herz geweiht! Wir sind uns gleich bei'm Morgenroth, wie bei dem Abendstern.

(Chor:) Freundschaft und Liebe rc. (Solo:) Wir brauchen nicht der Täuschung Trug, wir leben uns, sind uns genug; der Biedersinn flieht Heuchelschein, man zeigt sich, wie man ist.

(Chor:) Freundschaft und Liebe rc. (Solo:) Uns kümmert nicht des Auslands Krieg; wir lieben nur der Gläser Sieg. — Es lebe Fürst und Vaterland und reines Bürgerglück!

(Chor:) Freundschaft und Liebe rc. (Solo:) So schlendern wir mit frohem Sinn von Wochen zu den Jahren hin, bis einst am kühlen Grabe wir vollendet stille stehn.

(Chor:) Freundschaft und Liebe rc.

777.

Freund! versäume nicht zu leben: denn die Jahre fliehn, und es wird der Saft der Reben uns nicht lange glühn!

Lach' der Aerzt' und ihrer Ränke! Tod und Krankheit lau'rt, wenn man bei dem Froschgetränke seine Zeit vertrau'rt.

Moslerwein, der Sorgenbrecher, schafft gesundes Blut. Trink' aus dem bekränzten Becher Glück und frohen Muth!

So! — Noch Eins! — Siehst du Lyäen und die Freude nun? Bald wirst du auch Amorn sehen, und auf Rosen ruhn. *v. Kleist.*

778.

Melodie von H. G. Nägeli.

(Chor:) Freut euch des Lebens, weil noch das Lämpchen glüht, pflücket die Rose, eh' sie verblüht! (Einer:) Man schafft so gern sich Sorg' und Müh', sucht Dornen auf und findet sie, und läßt das Veilchen unbemerkt, das uns am Wege blüht.

(Chor:) Freut euch des Lebens ꝛc. (Einer:) Wennschon die Schöpfung sich verhüllt, und lauter Donner ob uns brüllt, so scheint am Abend nach dem Sturm die Sonne doch so schön!

Freut euch ꝛc. Wer Neid und Mißgunst sorgsam flieht, Genügsamkeit im Gärtchen zieht, dem schießt sie bald zum Bäumchen auf, das goldne Früchte bringt.

Freut euch ꝛc. Wer Redlichkeit und Treue übt, und gern dem ärmern Bruder giebt, da siedelt sich Zufriedenheit so gerne bei ihm an.

Freut euch ꝛc. Und wenn der Pfad sich furchtbar engt, und Mißgeschick uns plagt und drängt, so reicht die Freundschaft schwesterlich dem Redlichen die Hand.

Freut euch ꝛc. Sie trocknet ihm die Thränen ab, und streut ihm Blumen bis in's Grab; sie wandelt Nacht in Dämmerung und Dämmerung in Tag.

Freut euch ꝛc. Sie ist des Lebens schönstes Band, schlagt, Brüder, traulich Hand in Hand! So wallt man froh, so wallt man leicht in's beßre Vaterland!

Martin Usteri.

779.
Melodie: Prinz Eugenius ꝛc.

Friedericus Rex, unser König und Herr, der rief seine Soldaten allesammt in's Gewehr, zweihundert Bataillons und an die tausend Schwadronen, und jeder Grenadier kriegt sechzig Patronen.

Ihr tollen Jung's, sprach seine Majestät, daß Jeder in der Bataille seinen Mann mir steht. Sie gönnen mir nicht Schlesien und die Grafschaft Glaz, und die hundert Millionen in meinem Schatz.

Die Kais'rin hat sich mit den Franzosen alliirt und das römische Reich gegen mich revoltirt; die Russen seind gefallen in Preußen ein: auf, laßt uns sie zeigen, daß wir brave Landeskinder sein.

Meine Generale, Schwerin und Feldmarschall Keith, und der General-Major von Ziethen seind allemal bereit. Kotz Mohren, Blitz und Kreuz-Element, wer den Fritz und seine Soldaten noch nicht kennt.

Nun adjö, Lowise, wisch' ab dein Gesicht, eine jede Kugel, die trifft ja nicht; denn träf' jede Kugel apart ihren Mann, wo kriegten die Könige ihre Soldaten dann?

Die Musketenkugel macht ein kleines Loch, die Kanonen-
kugel ein weit größeres noch; die Kugeln sind alle von Eisen
und Blei, und manche Kugel geht Manchem vorbei.

W. Alexis.

780.

Melodie: Auf! ihr meine deutschen Brüder.

Friert der Pol mit kaltem Schimmer, oder kreischt der
Wetterhahn; uns, im wohlgeheizten Zimmer, schreckt kein Frost,
kein Herbstorkan! Hohen Muths in unsrer Mitte steht der
Punsch, der stolze Britte. (Chor:) Eingeschenkt nach Herzens-
wunsch, klingt und schlürft den warmen Punsch.

Wie in engen Winterklausen Bienen um den Honigseim,
drängen wir uns dicht und schmausen so behaglich und ge-
heim, und gleich ihrem Chorgesumme, tönt Gesang um unsre
Kumme. (Chor:) Eingeschenkt nach 2c.

Weiblein brauten, zur Erfrischung unserm halb erstarr-
ten Blut, Zucker und Citronenmischung, edlen Rum und
heiße Fluth, und ein Mägdlein, los' und munter, goß zur
Stärkung Wein darunter. (Chor:) Eingeschenkt nach 2c.

Vom hinausgewinkten Kenner wird die Brauerei geprobt,
und der Herzenstrost der Männer sammt der Meisterin gelobt; im Triumph zog dann zum Mahle zugestülpt die große
Schale. (Chor:) Eingeschenkt nach 2c.

Eingedenk der Heimath, gleitet er im Wogensturz daher;
so wie Steu'r und Nadel leitet durch das ungeheure Meer,
trinkt und lacht des lauten Nordes und des hoch umrauschten
Bordes. (Chor:) Eingeschenkt nach 2c.

Heil ihm, wer, zum Trost dem Leben, dich, o Trank, zuerst gemischt; dich, der mehr als Geist der Reben fern im
Ocean erfrischt; Seel' und Leib dem Schiffer labend, dampfst
du, Freund, am Sonntag Abend. (Chor:) Eingeschenkt nach 2c.

Ihr auch trotzt den Ungewittern, trinkt gesellig Punsch
und lauscht, wie des Hauses Fenster zittern, und der Baum
entblättert rauscht; und wie rasch, vom Sturm umheulet,
Mann und Roß vorübereilet. (Chor:) Eingeschenkt nach 2c.

Aber, Freunde, denkt des Armen, dem nicht Herd noch
Ofen glimmt, der jetzt hungrig, zu erwarmen, sich auf hartem
Lager krümmt. Theilt ihm mit! Im frohen Traume ruhn
wir dann auf weichem Flaume. (Chor:) Eingeschenkt nach 2c.

Voß.

781.

Melodie: Es ist nichts Lust'gers auf der Welt.

Frisch auf, frisch auf, mit raschem Flug, frei vor dir
liegt die Welt! wie auch des Feindes List und Trug uns

rings umgarnet hält. Steig', edles Roß, und bäume dich, dort winkt der Eichenkranz, streich' aus, streich' aus und trage mich :,: zum lust'gen Schwertertanz! :,:

Hoch in den Lüften, unbesiegt, geht frischer Reitersmuth. Was unter ihm im Staube liegt, engt nicht das freie Blut. Weit hinter ihm liegt Sorg' und Noth, und Weib und Kind und Herd: vor ihm nur Freiheit oder Tod, und neben ihm sein Schwert.

So geht's zum lust'gen Hochzeitsfest, der Brautkranz ist der Preis; und wer das Liebchen warten läßt, den bannt der Freier Kreis. Die Ehre ist der Hochzeitgast, das Vaterland die Braut; wer sie recht brünstiglich umfaßt, den hat der Tod getraut.

Gar süß mag solch ein Schlummer sein in solcher Liebesnacht! in Liebchens Armen schläfst du ein, getreu von ihr bewacht. Und wenn der Eiche grünes Holz die neuen Blätter schwellt, so ruft sie dich mit freud'gem Stolz zur ew'gen Freiheitswelt.

Drum, wie sie fällt und wie sie steigt, des Schicksals rasche Bahn, wohin das Glück der Schlachten neigt: wir schauen's ruhig an. Für deutsche Freiheit woll'n wir stehn! sei's nun in Grabes Schooß, sei's oben auf den Siegeshöh'n, wir preisen unser Loos.

Und wenn uns Gott den Sieg gewährt, was hilft euch euer Spott? Ja, Gottes Arm führt unser Schwert, und unser Schild ist Gott! Schon stürmt es mächtig rings umher, drum, edler Hengst, frisch auf! und wenn die Welt voll Teufel wär', dein Weg geht mitten drauf!

Theodor Körner. 1813.

782.
Melodie von A. Methfessel.

Frisch auf, frisch auf mit Sang und Klang, du wackrer Männerchor! Singt, Burschen, singt aus voller Brust! Gesang giebt Muth und Lebenslust, :,: und hebt das Herz empor! :,:

Wie muthig, frei und froh durchzieht der Bursch sein Pilgerland! Sein Wort ist Sang und Jubelton, nicht um des Sultans Herrscherthron vertauscht er seinen Stand.

Ein freier, froher Felsensinn, ein ächtes deutsches Blut; ein ehrenfestes, deutsches Schwert, ein Herz, das keinen Tand begehrt, ist deutscher Burschen Gut!

Wohlauf, mein deutsches Vaterland! sei stolz und ungebeugt! dir weiht der Bursch sein Blut und Schwert, wir sind des heil'gen Landes werth, das Erz und Eisen zeugt.

E. Krummacher.

783.
Vor der Schlacht.
I.

Frisch auf! ihr deutschen Brüder! frisch auf zum heil'gen Streit! Der Satan drückt uns nieder und wüthet weit und breit, er will die Erdenflur zur Schlangenwüste machen, mit Tigern und mit Drachen verheeren die Natur.

Er will die Freiheit morden und brechen jedes Recht, der Trug ist Herr geworden, es dient der Muth als Knecht; die Wahrheit fliehet fern vom blutigen Getümmel hoch in den lichten Himmel, sie klagt es Gott dem Herrn.

Drum auf! ihr deutschen Brüder! es hat's der Herr gehört; auf! schlagt die Schande nieder, die Recht und Licht zerstört; auf! waffnet Herz und Hand mit alter deutscher Treue, daß Redlichkeit sich freue, daß zittre Lug und Tand!

Auf! mit dem Herrn der Scharen! wohlauf in Noth und Tod! Es wird euch wohl bewahren der alte treue Gott; von ihm kommt Alles her, zu ihm geht Alles wieder: drum zagt nicht, deutsche Brüder, Gott steht mit euch im Heer.

Gott steht mit euch im Leben, Gott steht mit euch im Tod; will Gott den Arm erheben, wo bleibet, was euch droht? Mit Gott das Schwert zur Hand! mit Gott hineingefallen! und laßt die Loosung schallen: Gott! Freiheit! Vaterland!

784.
II.

Frisch auf, ihr deutschen Scharen! frisch auf zum heil'gen Krieg! Gott wird sich offenbaren im Tode und im Sieg. Mit Gott dem Frommen, Starken, seid fröhlich und geschwind, kämpft für des Landes Marken, für Aeltern, Weib und Kind.

Frisch auf! Ihr tragt das Zeichen des Heils an eurem Hut; dem muß die Hölle weichen und Satans Frevelwuth, wenn ihr mit treuem Herzen und rechtem Glauben denkt, für wie viel bittre Schmerzen sich Gottes Sohn geschenkt.

Drum auf für deutsche Ehre, du tapfres Teutschgeschlecht, der beste Schild der Heere heißt Vaterland und Recht; als schönste Loosung klinget die Freiheit in das Feld, wo sie die Fahne schwinget, wird jedes Kind ein Held.

Drum auf, ihr deutschen Scharen! frisch auf zum heil'gen Krieg! Gott wird sich offenbaren im Tode und im Sieg; und wenn die ganze Hölle sich gösse über euch, ihr spült sie, wie die Welle das Sandkorn, weg von euch.   M. Arndt.

785.

Melodie: Auf! auf! ihr Brüder, und seid stark.

Frisch auf, ihr Jäger, frei und flink, die Büchse von der Wand! Der Muthige beherrscht die Welt. Frisch auf den Feind, frisch in das Feld für's deutsche Vaterland!

Aus Westen, Norden, Süd und Ost treibt uns der Rache Strahl, vom Oderflusse, Weser, Main, vom Elbstrom und vom Vater Rhein und aus dem Donauthal.

Doch Brüder sind wir allzusammt, und das schwellt unsern Muth. Uns knüpft der Sprache heilig Band, uns knüpft ein Gott, ein Vaterland, ein treues, deutsches Blut.

Nicht zum Erobern zogen wir vom väterlichen Herd: die schändlichste Tyrannenmacht bekämpfen wir in freud'ger Schlacht, das ist des Blutes werth.

Ihr aber, die uns treu geliebt, der Herr sei euer Schild, bezahlen wir's mit unserm Blut; denn Freiheit ist das höchste Gut, ob's tausend Leben gilt.

Drum, muntre Jäger, frei und flink, wie auch das Liebchen weint! Gott hilft uns im gerechten Krieg! Frisch in den Kampf! Tod oder Sieg! frisch, Brüder, auf den Feind!

Theodor Körner. 1813.

786.

Frisch auf! ihr tapfern Soldaten! Ihr, die ihr noch mit deutschem Blut, ihr, die ihr noch mit frischem Muth belebet, suchet große Thaten.

Ihr Landsleut', ihr Landsknecht', frisch auf! Das Land, die Freiheit sich verlieret, wo ihr nicht muthig schlaget drauf und überwindend triumphiret.

Der ist ein Deutscher wohlgeboren, der von Betrug und Falschheit frei, hat voll der Redlichkeit und Treu', nicht Glauben, nicht Freiheit verloren.

Ha, fallet in sie, ihre Fahnen zittern aus Furcht, sie trennen sich, ihre böse Sach' hält nicht den Stich, drum zu der Flucht sie sich schon mahnen.

Groß ist ihr Heer, bös ihr Gewissen, groß ist ihr Zeug, klein ist ihr Glaub', frisch auf! Sie zittern wie das Laub, und wären gern schon ausgerissen.

Philander v. Sittewald. (Moscherosch.)

787.

Frisch auf in's weite Feld! Zu Wasser und zu Lande bin ich Soldat für's Geld; wenn alle Menschen schlafen, Soldaten müssen wachen, dazu sind sie bestellt.

Der König trägt die Kron', in seiner Hand den Scepter, wenn er sitzt auf dem Thron', ein langes Schwert zur Seite, zu gehen mit zum Streite, auf Frieden und Pardon.

Ein' adelige Dam', die schläft bei ein'm Soldaten, aus lauter Liebesflamm'; es klingt ihr in den Ohren, Soldaten sind geboren aus ritterlichem Stamm.

Soldat, du edles Blut, weil du bist hochgeboren aus lebensfrischem Muth, wenn schon die Kugeln sausen, laß dir davor nicht grausen, wem's glückt, der kommt davon.

788.
Bekannte Melodie.

Frisch auf, Kameraden, auf's Pferd, auf's Pferd! in's Feld, in die Freiheit gezogen; im Felde, da ist der Mann noch was werth, da wird das Herz noch gewogen; da tritt kein Andrer für ihn ein, auf sich selber steht er da ganz allein.

Aus der Welt die Freiheit verschwunden ist, man sieht nur Herren und Knechte; die Falschheit herrscht und die Hinterlist bei dem feigen Menschengeschlechte; der dem Tod in's Angesicht schauen kann, der Soldat allein ist der freie Mann.

Des Lebens Aengsten, er wirft sie weg, hat nicht mehr zu fürchten, zu sorgen; er reitet dem Schicksal entgegen keck, trifft's heute nicht, trifft es doch morgen; und trifft es morgen, so laßt uns heut' noch schlürfen die Neige der köstlichen Zeit.

Von dem Himmel fällt ihm sein lustig Loos, braucht's nicht mit Müh' zu erstreben; der Fröhner, der sucht in der Erde Schooß, da meint er den Schatz zu erheben; er gräbt und schaufelt, so lang' er lebt, und gräbt, bis er endlich sein Grab sich gräbt.

Der Reiter und sein geschwindes Roß, sie sind gefürchtete Gäste; es flimmern die Lampen im Hochzeitsschloß, ungeladen kommt er zum Feste; er wirbt nicht lange, er zeiget nicht Gold, im Sturm erringt er den Minnesold.

Warum weinet die Dirn' und zergrämet sich schier? Laß fahren dahin, laß fahren! Er hat auf Erden kein bleibend Quartier, kann treue Lieb' nicht bewahren. Das rasche Schicksal, es treibt ihn fort, seine Ruhe läßt er an keinem Ort.

Auf des Degens Spitze die Welt jetzt liegt, drum wohl, wer den Degen jetzt führet; und bleibt ihr nur wacker zusammengefügt, ihr haltet die Welt und regieret! Es steht keine Krone so fest und so hoch, der muthige Springer erreicht sie doch.

Drum frisch, Kameraden, den Rappen gezäumt, die Brust zum Gefechte gelüftet! Die Jugend brauset, das Leben schäumt, frisch auf, eh' der Geist noch verdüftet, und setzet ihr nicht das Leben ein, nie wird euch das Leben gewonnen sein!

Schiller.

789.

Frisch auf, mein Volk! die Flammenzeichen rauchen! Hell aus dem Norden bricht der Freiheit Licht. Du sollst den Stahl in Feindesherzen tauchen, frisch auf, mein Volk! die Flammenzeichen rauchen! Die Saat ist reif, ihr Schnitter, zaudert nicht! Das höchste Heil, das letzte liegt im Schwerte. Drück' dir den Speer in's treue Herz hinein, der Freiheit eine Gasse! Wasch' die Erde, dein deutsches Land mit deinem Blute rein!

Es ist kein Krieg, von dem die Kronen wissen; es ist ein Kreuzzug, 's ist ein heil'ger Krieg! Recht, Sitte, Tugend, Glauben und Gewissen hat der Tyrann aus deiner Brust gerissen: errette sie mit deiner Freiheit Sieg! Das Winseln deiner Greise ruft: „Erwache!" der Hütte Schutt verflucht die Räuberbrut, die Schande deiner Töchter schreit um Rache, der Meuchelmord der Söhne schreit nach Blut.

Zerbrich die Pflugschaar, laß den Meißel fallen, die Leier still, den Webstuhl ruhig stehn! verlasse deine Höfe, deine Hallen! Vor dessen Antlitz deine Fahnen wallen, er will sein Volk in Waffenrüstung sehn. Denn einen großen Altar sollst du bauen in seiner Freiheit heil'gem Morgenroth, mit deinem Schwert sollst du die Steine hauen, der Tempel gründet sich auf Heldentod.

Was weint ihr, Mädchen, warum klagt ihr, Weiber, für die der Herr die Schwerter nicht gestählt, wenn wir entzückt die jugendlichen Leiber hinwerfen in die Scharen eurer Räuber, daß euch des Kampfes kühne Wollust fehlt? — Ihr könnt ja froh zu Gottes Altar treten, für Wunden gab er zarte Sorgsamkeit, gab euch in euern herzlichen Gebeten den schönen, reinen Sieg der Frömmigkeit.

So betet, daß die alte Kraft erwache, auf daß wir stehn, das alte Volk des Siegs! Die Märtyrer der heil'gen, deutschen Sache, o ruft sie an, als Genien der Rache, als gute Engel des gerechten Kriegs! Luise, schwebe segnend um den Gatten! Geist unsers Ferdinand, voran dem Zug! und all ihr deutschen freien Heldenschatten, mit uns, mit uns, und unsrer Banner Flug!

Der Himmel hilft, die Hölle muß uns weichen! Drauf, wackres Volk! drauf! ruft die Freiheit, drauf! Hoch schlägt

dein Herz, hoch wachsen deine Eichen. Was kümmern dich die Hügel deiner Leichen! hoch pflanze du die Freiheitsfahne auf! — Doch stehst du dann, mein Volk, bekränzt vom Glücke, in deiner Vorzeit heil'gem Siegerglanz: vergiß die treuen Todten nicht, und schmücke auch unsre Urne mit dem Eichenkranz!
Theodor Körner. 1813.

790.
Lied der freiwilligen Jäger.
Melodie: Auf, auf zum fröhlichen Jagen.

Frisch auf zum fröhlichen Jagen, es ist nun an der Zeit; es fängt schon an zu tagen, der Kampf ist nicht mehr weit! Auf! laßt die Faulen liegen, laßt sie in guter Ruh'! wir rücken mit Vergnügen dem lieben König zu.

Der König hat gesprochen: Wo sind meine Jäger nun? Da sind wir aufgebrochen, ein wackres Werk zu thun. Wir woll'n ein Heil erbauen für all' das deutsche Land, im frohen Gottvertrauen mit rüstig starker Hand.

Schlaft ruhig nun, ihr Lieben, am väterlichen Herd! derweil mit Feindeshieben wir ringen, keck bewehrt. O Wonne, die zu schützen, die uns das Liebste sind, hei! laßt Kanonen blitzen, ein frommer Muth gewinnt.

Die Mehrsten ziehn einst wieder zurück in Siegerreih'n; dann tönen Jubellieder, das wird 'ne Freude sein! Wie glühn davor die Herzen so froh und stark und weich! Wer fällt, der kann's verschmerzen, der hat das Himmelreich.

In's Feld, in's Feld gezogen zu Roß und auch zu Fuß! Gott ist uns wohlgewogen, schickt manchen hohen Gruß. Ihr Jäger allzusammen, dringt lustig in den Feind, die Freudenfeuer flammen, die Lebenssonne scheint.
Friedrich de la Motte Fouqué. 1813.

791.
Zum Gedächtnisse des Aufrufs der Freiwilligen, 3. Februar 1813.
Melodie: Auf, auf zum fröhlichen Jagen.

Frisch auf zum fröhlichen Jagen! so rief der Hörner Klang, so rief in frohen Tagen der muntre Jagdgesang. Verklungen sind die Lieder, die blanken Waffen ruhn; wir aber fragen wieder: wo sind die Jäger nun?

Ein Kirchhof liegt gebreitet, kein' Mauer faßt ihn ein, kein Hügel ist bereitet mit hohem Leichenstein. Der Pflüger pflügt darüber und fragt nicht nach dem Grab', der Wandrer zieht vorüber, schaut nicht auf euch hinab!

Sie freuen sich der Aehren, die euer Blut getränkt, sie schmücken sich mit Ehren, die euch der Tod geschenkt. Sie brechen von den Kränzen, die euch der Sieg vertraut, sie fliegen zu den Tänzen mit eurer jungen Braut.

Die Welt will untreu werden, so bleiben wir getreu, damit die Lieb' auf Erden nicht ganz verschwunden sei. Das Fest, das wir begehen, hat euch dem Tod geweiht, mag es fortan bestehen, ein Zeichen eurer Zeit!

Frisch auf, zum fröhlichen Jagen! so sangt ihr in der Schlacht, euch sei in diesen Tagen dies Lied zum Gruß gebracht! Und dürfen wir nicht jagen und schlagen auf den Feind; was kommt, wir wollen's tragen, so treu wie' ihr vereint!
Friedrich Förster.

792.
Bekannte Melodie.

Frischer Muth, leichtes Blut ist des rüst'gen Wandrers Gut: Sonnenpracht, Waldesnacht rings entgegen lacht. Welt ist reich und groß und weit, schnell entflieht die frohe Zeit. Immer zu, immer zu, ohne Rast und Ruh'!

Himmelsplan, Wolkenbahn, Felsen steigen stolz hinan; Windessaus, Wettergraus fegt das alte Haus. Felsen bleiben fest am Ort, Wolken ziehen weiter fort. Immer zu &c.

Wald so dicht, Blüthenlicht, Blätterrauschen zu mir spricht; Vogelsang, Hörnerklang tönt den Wald entlang. Wind durch grüne Blätter geht, Singen, Klingen, weiter weht. Immer zu &c.

Felsenquell, silberhell, rieselt durch die Bäche schnell; Gießbach wild unten quillt, stürzt sich auf's Gefild. Strömt der Fluß hinab in's Meer, Bächlein eilet hinterher. Immer zu &c.

Freundlich Thal, eng und schmal, Schattenort im Mittagsstrahl; Wiesengrund, Blumen bunt, Blüthen frisch zur Stund'. Auf den Bergen schmilzt der Schnee, liebes Thal, du wirst ein See. Immer zu &c.

Glockenklang! Städtlein blank ziehn sich hin am Bergeshang; auf den Höh'n Trümmer stehn, weit in's Thal hinsehn. Städte werden Trümmerhauf, neue Städte bau'n sich auf. Immer zu &c.

Fensterlein, klar und rein, blickt hervor aus grünem Wein; Mädel, schön, hinten stehn, nach dem Wandrer sehn. Lockend blinkt und winkt der Wein, lockend schöner Augen Schein. Immer zu &c.

Heimathort, Jugendort, in der Fremde wandr' ich fort; Liebchen mein! fromm und fein, täglich denk' ich dein. Geht die Wanderschaft zu End', Wandrer sich zurückewend't, dann zur Ruh', müder Wandrer du! *Fr. Kugler.*

793.

Frischer Muth, leichter Sinn, führet uns durch's Leben hin; heute dort und morgen hier, Wald und Flur das Nachtquartier. Frischer Muth, leichter Sinn, führet uns durch's Leben hin.

Ohne Sorg', ohne Plag' schwindet jeder neue Tag. Sang und Rebensaft erquickt, und fein Liebchen uns beglückt. Ohne Sorg', ohne Plag' schwindet jeder neue Tag.

794.

Fröhlich tönt der Becherklang im vertrauten Kreise; lieblich schallt ein Rundgesang nach der Väter Weise. Freunde, freut euch alle! Freunde, trinket alle! singt mit lautem Schalle. (Chor:) Traute Brüder, schenket ein, stoßet an und trinkt den Wein.

Winde diese Blumen mir um das Haar; ich winde Epheu um den Becher dir, freundliche Selinde. Laßt den Becher rauschen, wenn die Mütter lauschen, ob wir Küsse tauschen. (Chor:) Traute Brüder ꝛc.

Du dort schenke mäßig ein, denn Erfahrung lehret: Scherz und Freude scheucht der Wein, wenn er uns bethöret. Ach, sie fliehn erschrocken aus zerstörten Locken von geworfnen Brocken. (Chor:) Traute Brüder ꝛc.

Wer mit Gegenliebe liebt, freue sich von Herzen! Wen sein Mädchen noch betrübt, hoffe Trost nach Schmerzen! Freund, beim Rosenbecher leert vielleicht dein Rächer Amor seinen Köcher. (Chor:) Traute Brüder ꝛc.

Neue Freuden gehn mir auf, glätter wird die Stirne, leicht wird meines Blutes Lauf, heller mein Gehirne. Seht! die Gläser blinken, selbst die Mädchen winken, noch einmal zu trinken. (Chor:) Traute Brüder ꝛc.

795.

Jünglings Gefühl.

Fröhlich und frei bin ich, juchhei! steh' unter Gottes Zelt, hab' mich ihm heimgestellt, schalte sonst keck und kühn, noch ist das Herz ja grün! Hurrah, juchhei!

Wächst doch dem Muth immer die Gluth! Denk' ich an's Vaterland, fährt mir an's Schwert die Hand. Zwei Dinge halt' ich werth: blank an der Seit' ein Schwert, Trotz unter'm Hut.

Bergab gewandt! aufwärts gerannt! rasch, wie der Wetterschein, fest, wie der Fels am Rhein: so tret' ich keck hinaus, biete die Brust dem Strauß für's Vaterland.

Herrgott, dein Schild decke mich mild! Sink' ich im wilden Strom, geh' ich zum Vaterdom; dann, Brüder, folget mir, schwinget das Kreuzpanier für's Vaterland.

Auf denn, es sei! Vaterland, treu leb' ich dir immerdar, steh' ich zur frommen Schar, die so in Noth wie Tod höret dein laut Gebot! Hurrah, juchhei!

Christian v. Buri. 1817.

796.
Zitterbubens Morgenlied.

Fröhlich und wohlgemuth wandert das junge Blut über den Rhein und Belt, auf und ab durch die Welt.

Husch! husch! mit leichtem Sinn über die Fläche hin! schaffe sich Unverstand Sorgen um goldnen Tand.

Griesgram sieht Alles grau, Freude malt grün und blau; rings, wo der Himmel thaut, Frohsinn sein Nestchen baut.

Ueberall Sonnenschein! Geht's in die Welt hinein, wölbt dir der Baum ein Dach, rinnet zum Trunk der Bach.

Hin und her durch das Land, frische Luft, Freundes Hand, ehrlich und leichtes Blut; Mädel, ich bin dir gut.

(Leben, du bist so schön! wenn wir uns recht verstehn.) Liebchen, für deine Hand tausch' ich nicht Kron' und Land.)

(Leben, bist doch so schön, morgens auf goldnen Höh'n! Schattenspiel an der Wand, — schaut doch den bunten Tand!)

Schmidt v. Lübeck.

797.

Melodie: Mit Männern sich geschlagen.

Froh leben die Soldaten, der Bauer giebt den Braten, der Gärtner giebt' den Most, das ist Soldatenkost. Tralara!

Der Bürger muß uns backen, den Adel muß man zwakken, sein Knecht ist unser Knecht, das ist Soldatenrecht. Tralara!

In Wäldern gehn wir pürschen nach allen alten Hirschen, und bringen frank und frei den Männern das Geweih. Tralara!

Heut' schwören wir der Hanne und morgen der Susanne. Die Lieb' ist immer neu, das ist Soldatentreu'. Tralara!

Wir schmausen wie Dynasten, und morgen heißt es fasten.
Früh reich, am Abend bloß, das ist Soldatenloos. Tralara!

Wer hat, der muß uns geben, wer nichts hat, der soll leben! Der Eh'mann hat das Weib und wir den Zeitvertreib. Tralara!

Es heißt bei unsern Festen, Gestohlnes schmeckt am besten! Unrechtes Gut macht fett, das ist Soldatengebet. Tralara!
Schiller.

798.
Weberlied.

Frühmorgens, wenn der Tag bricht an, hört man uns schon mit Freuden ein schönes Liedlein stimmen an und wacker drauf arbeiten. Die Spule die ist unser Pflug, das Schifflein ist das Pferde, und damit machen wir gar klug das schönste Werk auf Erden.

Gar manche Jungfrau freundlich spricht: Mach' mir gut Tuch zu Betten, das Garn ist auch schon zugericht't zu Tischtuch und Servietten. Webt mir die schönsten Bilder drein, macht mir darin kein Neste; das Trinkgeld sollt ihr haben fein, webt mir's aufs allerbeste.

Und wenn ein Kriegsheld zieht in's Feld mit seiner Wehr und Waffen, so schlägt er auf ein Leinwandzelt, darunter thut er schlafen. Die schönste Arbeit weben wir von Seiden, Flachs und Wolle, dem Fähndrich weben wir's Panier, daß er's erhalten solle.

Und ist die Leinwand nichts mehr werth, und ist die Fahn' verloren, so kommt sie erst in rechten Werth, Papier rauscht vor den Ohren; man druckt darauf das Gotteswort, und schreibt darauf mit Dinten, des Webers Werk währt immerfort, kein Mensch kann es ergründen.
Des Knaben Wunderhorn.

799.
Kinderlied.

Fuchs, du hast die Gans gestohlen, :,: gieb sie wieder her! :,: Sonst wird sie der Jäger holen mit dem Schießgewehr.

Seine große lange Flinte schießt auf dich den Schrot, daß dich färbt die rothe Tinte, und dann bist du todt!

Liebes Füchslein, laß dir rathen, sei doch nur kein Dieb! Nimm, du brauchst nicht Gänsebraten, mit der Maus vorlieb!
Aus Schulzens Volksliedern.

800.

Fülle meine Seele, süße Kraft der Kehle, gütiger Gesang, gütiger Gesang ꝛc. Scheuche weg die Leiden, zaubre her die Freuden, wie dir's oft gelang ꝛc. oft gelang.

Dieser Wunsch der Horen wird in uns geboren, stammt, Natur, aus dir. Die, die vor uns waren, die in spätern Jahren, alle sind wie wir.

Quelle neuer Freuden, du verscheuchst die Leiden, gütiger Gesang! Tönet denn, ihr Lieder, schallt und hallet wieder zu des Schöpfers Dank!

801.

An den Mond.

Füllest wieder Busch und Thal still mit Nebelglanz, lösest endlich auch einmal meine Seele ganz;

Breitest über mein Gefild' lindernd deinen Blick, wie des Freundes Auge mild über mein Geschick.

Jeden Nachklang fühlt mein Herz froh= und trüber Zeit, wandle zwischen Freud' und Schmerz in der Einsamkeit.

Fließe, fließe, lieber Fluß! nimmer werd' ich froh, so verrauschte Scherz und Kuß, und die Treue so.

Ich besaß es doch einmal, was so köstlich ist! Daß man doch zu seiner Qual nimmer es vergißt!

Rausche, Fluß, das Thal entlang, ohne Rast und Ruh'; rausche, flüstre meinem Sang Melodien zu,

Wenn du in der Winternacht wüthend überschwillst, oder um die Frühlingspracht junger Knospen quillst.

Selig, wer sich vor der Welt ohne Haß verschließt, einen Freund am Busen hält und mit dem genießt,

Was von Menschen nicht gewußt, oder nicht bedacht, durch das Labyrinth der Brust wandelt in der Nacht!
Göthe.

802.

Melodie: Ich weiß nicht, ob ich soll trauen.

Füllt die Becher bis zum Rande mit dem allerbesten Wein, bald ist's aus, es wäre Schande, völlig nüchtern noch zu sein. Denn wo der Thyrsusstab regieret, wird sich nicht jüngferlich gezieret. (Gesprochen:) „Zwar sagen Manche, es sei eine böse Gewohnheit, sich etwas zu bezechen, — indessen" ist der wahrlich nicht mein Mann, der nicht ein volles Becherglas mit seinen Freunden leeren kann!

Wahrheit perlet in dem Weine! Alles Falsch' verschwindet schnell, sei's aus Frankreich, sei's vom Rheine — er ist spiegelglatt und hell. Verstellung fort, der Wein gebeut, jetzt herrscht deutsche Offenheit! (Gespr.:) „Nun soll zwar bei'm Weine ein Wörtchen zuviel gesprochen werden — indessen" ist der wahrlich nicht mein Mann, der sich bei'm vollen Becherglas das Herz nicht öffnen kann!

Jedes Weib und Mädchen lebe, das um den Geliebten sich wie um Ulmen eine Rebe schlinget fest und inniglich. Die Liebe winkt, nach frohem Mahl keimt Zärtlichkeit aus dem Pokal! (Gespr.:) „Freilich sollen die frohen Zecher zuweilen gar zu zärtlich werden, aber dennoch" ist der wahrlich nicht mein Mann, den Schönheit, Jugend, Wangengluth bei'm Becher nicht entzünden kann!

Alle Sorge sei vergessen, uns besele nur die Lust! Phantasie schafft unermessen, vollen Rechtes sich bewußt; ein Jeder, sonder Maß und Ziel, baut Schlösser hoch und breit und viel. (Gespr.:) „Zwar mögen die meisten wohl am andern Morgen wieder einstürzen: demungeachtet" ist der wahrlich nicht mein Mann, der nicht bei'm vollen Becher sich ein Eden rings erschaffen kann.

Nacht durchschwärmt! Bald tagt der Morgen, nun, es war ein froher Schmaus! Diese Stunden sind geborgen, Freude schallte durch das Haus! Doch, weil's ein Ende haben muß, nehmt Freundeshand und Freundesgruß. (Gespr.:) „Zwar wissen wir nicht, wann wir wieder so froh zusammen kommen, darum" ist allein nur der mein Mann, der bei des frohen Schmauses Schluß das Wiedersehn versprechen kann!

Th. Hell.

803.

Füllt noch einmal die Gläser voll, und stoßet herzlich an, daß hoch das Fräulein leben soll, denn sie gehört zum Mann!

Gott hat dem Mann sie zugesellt, zu sein mit ihm ein Leib. Und in der großen Gotteswelt ist Alles Mann und Weib.

Auch sind die Frauen hold und gut, und freundlich ist ihr Blick. Sie machen fröhlich Herz und Muth, und sind des Lebens Glück.

Drum halt't sie ehrlich lieb und werth, und füllt die Gläser voll; und trinkt, auch wenn uns keine hört, auf aller Frauen Wohl!

Matthias Claudius.

804.

Fünf Dinge sind, die hab' ich lieb so sehr, so sehr; und wenn die Zahl beisammen blieb', wohl glücklich wär'. Gießt,

Brüder, rings die Becher voll, wenn euch der Bruder singen soll, was er so herzlich liebt. (Chor:) Wir gießen rings die Becher voll, weil uns der Bruder singen soll, was er so herzlich liebt.

Ich habe lieb das goldne Kind, so freudig hell, wie's dort der Sonn' und Traub' entrinnt, an Rheines Well'. Wann ich das holde Kind geküßt, springt hoch das Herz, dann, Brüder, ist die ganze Welt mir lieber. (Chor:) Wann wir das goldne Kind geküßt, springt hoch das Herz, dann, Brüder, ist die ganze Welt uns lieber.

Ich habe lieb den biedern Freund, so stark, so gut, dem Herzenstreu' im Auge scheint und hoher Muth. Wann fest sich Hand in Hand gedrückt, halt' ich mich froh und hochbeglückt, mag Alles kühn vollenden. (Chor:) Wann fest sich Hand in Hand gedrückt, so halt' sich Jeder hochbeglückt, mag Alles kühn vollenden.

Ich habe lieb ein scharfes Schwert, so blank von Stahl, bist mehr wie schnödes Gold mir werth, du Wetterstrahl! Dich führ' ich froh zum wilden Streit, da wird die Brust mir frei und weit, da bin ich Herr der Erde. (Chor:) Dich führen wir zum wilden Streit, da wird die Brust uns frei und weit, da sind wir Herrn der Erde.

Ich habe lieb die schönste Dirn', so fromm, so treu, das deutsche Mädchen trägt die Stirn' so sittig frei. Und hab', was gut ist, ich gethan, blickt mich das Mädchen freundlich an, zum stillen, süßen Lohne. (Chor:) Ja, wenn das Gute wir gethan, blickt uns ein deutsches Mädchen an, zum stillen, süßen Lohne.

Ich habe lieb mein Vaterland, so schön, so groß; die Liebe löscht nur Todeshand in Grabes Schooß. Auf, Brüder! Schwert und Vaterland, der Mädchen= und der Freundeshand, schwört Treu' beim deutschen Weine. (Chor:) Wir schwören Schwert und Vaterland, der Frauen= und der Freundeshand hier Treu' beim deutschen Weine!

805.

Fünf Sinne braucht der wahre Held, fünf Sinne hat mir Gott gegeben; drum sei nun auch, und wie es fällt, sie zu erhalten mein Bestreben. Der eine freilich, der Geschmack, ist heut' zu Tag' so sehr verschieden: (Gesprochen:) „Ich habe indeß den allerfeinsten, nämlich": Ein Mädchen, Wein und Rauchtaback, :,: und in dem Himmel erst den Frieden. :,:

Mit dem Geruch sind wir verwandt, er hat viel Platz, sich zu verkriechen. Bei uns giebt's ja, wie wohl bekannt, der Nasen oft und viel zum Riechen. Der Mein'ge kennt nur ein Gebot, und überläßt euch gern, ihr Schönen: (Gesprochen:) „Den Geruch von Eau de Cologne und wie das Zeug all' heißen mag, aber" ist's Vaterland einmal in Noth, an Pulverdampf sich zu gewöhnen.

Mit dem Gehör wird der Soldat vertraut gemacht, so ganz im Spielen; bei uns, weiß jeder Kamerad, heißt's: hören mußt du oder fühlen! Davon ist mein Gehör so fein, kein Laut geht mir so leicht verloren, (Gespr.:) „Notabene, wenn der Herr Commandeur eine Stimme so recht aus dem FF hat," drum, hör' ich kaum zum Angriff schrei'n, hab' ich den Feind schon bei den Ohren.

Mit dem Gefühl ist's gut bestellt, bei mir bewährt sich jene Lehre: Wenn Alles auch in Staub zerfällt, bleibt das Gefühl noch doch für Ehre. — Doch dieser Sinn ist räthselhaft; wie oft hab' dieses ich empfunden, (Gespr.:) „und begreife gar nicht," im Kampfe fühl' ich Löwenkraft, und hab' doch kein Gefühl für Wunden.

Nun mein Gesicht, — o das trägt weit! kann selbst bis in die Wolken steigen; wenn sich mein Herz bei'm Gläschen freut, seh' ich den Himmel voller Geigen. Das nenn' ich doch wohl scharf sehn! — Doch eins nur ist es, was mich wundert, (Gespr.:) meine Kurzsichtigkeit im Felde, denn" wo zwanzigtausend Feinde stehn, seh' ich nur ein'ge Hundert.

Georg Harrys.

806.

Melodie: Frisch auf, frisch auf.

Gar fröhlich tret' ich in die Welt und grüß' den lich=
ten Tag, mit Sang und Liedern reich bestellt, sagt,
was mir fehlen mag? Viel Menschen schleichen matt und
träg' in's kalte Grab hinein; doch fröhlich geht des Sängers
Weg durch lauter Frühlingsschein.

Natur, wie ist es doch so schön an deiner treuen Brust!
lieg' ich auf deinen Zauberhöh'n in stiller Liebeslust; da wogt
es tief und wunderbar, weiß nicht wo ein, wo aus; doch
endlich wird das Treiben klar und strömt in Liedern aus.

Und wo ich wandre, hier und dort, da duldet man mich
gern, wohl Mancher sagt ein freundlich Wort, doch immer
muß ich fern; denn weiter treibt's mich in die Welt, mich
drückt das enge Haus, und wenn der Gott im Busen schwellt,
muß ich in's Freie 'raus.

Und frisch hinauf, und frisch hinein, durch Lebens=Nacht
und Tag, auf daß mich Freiheit, Lieb' und Wein gar treu
begleiten mag; ein freier Sinn in Lust und Weh schwelgt
gern in Sang und Reim, und sag' ich einst der Welt Ade,
zieh' ich in Liedern heim.   Th. Körner.

807.

Gar hoch auf jenem Berg allein da steht ein Rauten=
sträuchelein, gewunden aus der Erden mit sonderbar Geberden.

Mir träumt' ein wunderlicher Traum da unter diesem
Rautenbaum, ich kann ihn nicht vergessen, so hoch ich mich
vermessen.

Es wollt' ein Mädchen Wasser hol'n, ein weißes Hemb=
lein hatt' sie an, dadurch schien ihr die Sonnen, da über'm
kühlen Bronnen.

Wär' ich die Sonn', wär' ich der Mond, ich bliebe auch, wo Liebe wohnt; ich wär' mit leisen Tritten wohl um Feinslieb geschritten. *Des Knaben Wunderhorn.*

808.

Gar lieblich tönt in stiller Nacht ein leichtes muntres Lied, indeß ein Geisterseher wacht und Spukgestalten sieht. Im hellen Saal bei'm Weinpokal neckt uns kein Rübezahl. Ein Liedchen hat die Wunderkraft, daß es Gespenster scheucht und fort aus Kopf und Herzen schafft, was solchen Wesen gleicht.

Wenn euch der Hoffnung Irrlicht täuscht, der Alp des Kummers drückt, der Grillen Rabenheer umkreischt, und sonst ein Kobold zwickt: flugs hebet dann den Zauberbann der holden Tonkunst an! Der Unhold heiße, wie er heißt, sie treibt ihn mächtig aus, und rufet manchen lieben Geist herein in's stille Haus.

Den kleinen losen Ueberall, den ewig jungen Zwerg, lockt Saitenspiel und Liederschall rasch über Thal und Berg. Kaum sangen wir, so war er hier, und schoß nach mir und dir; sein Pfeil macht zwar uns dann und wann auf beiden Augen blind; doch nie ist uns so wohl als dann, wenn wir geblendet sind.

Die Fee der Freundschaft kehrt auch gern bei frohen Sängern ein; laßt mehr als jenen Herrn sie euch willkommen sein! Sie hält uns fest an's Herz gepreßt, wenn er uns kalt verläßt; er flieht, sobald das Blüthenweiß der Jugend welkt und fällt; sie aber führt den schwachen Greis an's Thor der bessern Welt. *Langbein.*

809.

Eigne Melodie.

Gaudeamus igitur, juvenes dum sumus! Post jucundam juventutem, post molestam senectutem :,: nos habebit humus. :,:

Ubi sunt, qui ante nos in mundo fuere? Vadite ad superos, transite ad inferos, ubi jam fuere.

Vita nostra brevis est, brevi finietur, venit mors velociter, rapit nos atrociter, nemini parcetur.

Vivat academia, vivant professores! vivat membrum quodlibet, vivant membra quaelibet, semper sint in flore!

Vivat et respublica et qui illam regit, vivat nostra civitas, Maecenatum caritas, quae nos hic protegit.

Vivant omnes virgines, faciles, formosae, vivant et mulieres, tenerae, amabiles, bonae, laboriosae.

Pereat tristitia, pereant osores, pereat diabolus, quivis antiburschius, atque irrisores!

810.

Gaudeamus igitur, juvenes germani! Ecce Galli collaudati petunt Rhenum profligati, fugiunt vesani!

Ubi sunt, qui antea magnos se dixere? Abeas Pyrenidem, transeas Borysthenem, si cupis videre!

Deus justos protegit, morans quamvis annos; impiis irascitur: ac funesta sequitur Nemesis tyrannos.

Vigeat Germania! Austri regna vivant! Vigeat Ruthenia! Vigeat Borussia! Saxonesque vivant!

Pereant, qui contra fas regnant ut leones; libertatis oppressores, terrarumque vastatores, pereant latrones.

Vita nostra brevis est, brevi finietur; venit mors atrociter, rapit nos velociter, nemini parcetur.

Moriamur igitur, fortes bellatores! Moriens pro patria summa carpet gaudia, summos et honores.

811.

Geboren ward zum König der Getränke der Sohn der Rebenflur. Die andern All', so stolz auch mancher denke sind Unterthanen nur.

Das Wasser ist in dieses Fürsten Staaten ein armer Bauersmann; man blickt's, wie den, erzieht es gleich die Saaten, blos mit Verachtung an.

Das plumpe Bier hegt, vornehm sich zu dünken, zwar einen großen Hang: allein es hat mit denen, die es trinken, mit Bürgern nur den Rang.

Der Thee gehört zur Classe des Gelehrten: der Schwächling, matt und bleich, sieht manchem knapp mit Zeisigkost genährten Poetchen völlig gleich.

Der Herr Kaffee prangt in des Priesters Kleide, die Damen sind ihm treu; drum bleib' er jetzt, aus Achtung gegen Beide, von allem Tadel frei.

Er strebet nicht, den Wein vom Throne zu verdrängen, so wie der Britten Punsch; hebt dieser gleich das Herz auch zu Gesängen, glückt ihm doch nicht sein Wunsch

Wer Mitleid fühlt für Adam's schwarze Söhne, sei nicht dem Fremdling hold; denn ihn versüßt das Rohr, worauf die Thräne der Negersklaven rollt.

Mit ihm verwandt sind auch die armen Schächer, Bischof und Kardinal, und all' der Schwarm, der manchen guten Zecher dem edlen Weine stahl.

Bastarde sind's, erzeugt von Sudelköchen auf dunkler Küchenflur. Den Wein erzog die Sonn', und er kann sprechen: Ich bin dein Sohn, Natur!

Sie hat gekrönt ihr Lieblingskind zum Fürsten mit eigner hoher Hand, und es zum Trost, wenn brave Leute dürften, in unsre Welt gesandt.

So freut euch denn des wackern, lieben Knaben, der uns so Gutes thut! Dankt herzlich ihm die königlichen Gaben: Gesundheit, Kraft und Muth.

812.

Gedanken zahlen keine Mauth, drum sei's euch offenbart: probat ist Tausendguldenkraut in Uebeln jeder Art. Manch' Mädchen wär' schon längstens Braut, hätt' sie nur Tausendguldenkraut.

Hat Einem man was anvertraut, und er nicht schweigen will, so gebt ihm Tausendguldenkraut, dann ist er mäuschenstill. Drum sagt wohl Mancher keck und laut: taubstumm macht Tausendguldenkraut.

Verschließt dir Jemand Herz und Ohr, so streck' nicht gleich 's Gewehr, schieß' lieber tausend Gulden vor, dann heißt es: nun begehr'! Ja, Herz und Ohr sind aufgethaut, sieht man nur Tausendguldenkraut.

Wenn Gläub'ger mahnen hart und laut um Geld, das sie geliehn, da ist das Tausendguldenkraut die beste Medicin. Wenn Einer noch so grimmig schaut, sanft macht ihn Tausendguldenkraut.

Wenn Jemand noch so viel Verstand und nicht das Kräutlein hat, dann geb' ich euch mein Wort zum Pfand, der Mann wird schnell schachmatt; ein Jeder hat auf Sand gebaut, blüht ihm nicht Tausendguldenkraut.

813.
Lied des Gefangenen.

Gefangner Mann, ein armer Mann! — Durch's schwarze Eisengitter starr' ich den fernen Himmel an, und wein' und seufze bitter.

Die Sonne, sonst so hell und rund, schaut trüb' auf mich herunter, und kommt die braune Abendstund', so geht sie blutig unter.

Mir ist der Mond so gelb, so bleich, er wallt im Wittwen=
schleier; die Sterne mir sind Fackeln gleich bei einer Todten=
feier.

Mag sehen nicht die Blümlein blühn, nicht fühlen Lenzes=
wehen; ach! lieber säh' ich Rosmarin im Duft der Gräber
stehen.

Was hilft mir Thau und Sonnenschein im Busen einer
Rose? Denn nichts ist mein, ach! nichts ist mein im Mutter=
Erdenschooße.

Kann nimmer an der Gattin Brust, nicht an der Kinder
Wangen, mit Gattenwonne, Vaterlust, in Himmelsthränen
hangen.

Gefangner Mann, ein armer Mann! Fern von den Lie=
ben allen muß ich des Lebens Dornenbahn in Schauernächten
wallen.

Es gähnt mich an die Einsamkeit, ich wälze mich auf
Nesseln, und selbst mein Beten wird entweiht vom Klirren
meiner Fesseln.

Mich drängt der hohen Freiheit Ruf; ich fühl's, daß
Gott nur Sklaven und Teufel für die Kette schuf, um sie
damit zu strafen.

Was hab' ich, Brüder, euch gethan? Kommt doch und
seht mich Armen! — Gefangner Mann, ein armer Mann!
Ach! habt mit mir Erbarmen!

Schubart, auf der Bergfestung Hohenasperg.

814.

Melodie: Das waren mir selige Tage.

Gegrüßet in traulicher Runde sei du uns, o festliche
Stunde, die liebend die Freundschaft uns schuf! Sie winkt
uns, die tönenden Saiten mit frohem Gesang zu begleiten;
folgt ihrem geselligen Ruf!

Die Freundschaft, sie würzet die Tage des Lebens, ver=
scheuchet die Klage, erhebet den sinkenden Muth. — So wür=
zet, bei'm prunkenden Mahle, die Freude bei'm goldnen Po=
kale der Traube gekeltertes Blut.

Ihr, die uns so glücklich verbunden, durch rosige Bande
umwunden, — ihr töne ein dankbares Hoch! Die Herzen
der Glücklichen allen, die fröhlich an ihrer Hand wallen, ver=
ehren die festlichen noch.

Oft möge zu Stunden der Weihe sich sammeln die fröh=
liche Reihe zur Freude geselligem Kranz; noch oft hier in
vollen Pokalen die blendende Kerze sich malen, und leuchten
im strahlenden Glanz.

Dann müsse am lautesten tönen der Freude Lied allen den Schönen, die hier uns durch Liebe verwandt! Sie wissen in's irdische Leben die edelsten Freuden zu weben mit Segen ausspendender Hand.

Laßt endlich dem Bunde zu Ehren die schäumenden Becher uns leeren, wie's fröhlichen Menschen gebührt! So soll uns durch lachende Zeiten Germaniens Reichthum begleiten, bis spät er zur Ruhe uns führt.

815.
Sommerlied.

Geh aus, mein Herz, und suche Freud' in dieser lieben Sommerzeit an deines Gottes Gaben! Schau' an der schönen Gärten Zier, und siehe, wie sie mir und dir sich ausgeschmücket haben.

Die Bäume stehen voller Laub, das Erdreich decket seinen Staub mit einem grünen Kleide. Narzissus und die Tulipan, die ziehen sich viel schöner an, als Salomonis Seide.

Die Lerche schwingt sich in die Luft, das Täublein fleucht aus seiner Kluft und macht sich in die Wälder. Die hochbegabte Nachtigall ergötzt und füllt mit ihrem Schall Berg, Hügel, Thal und Felder.

Die Glucke führt ihr Völklein aus, der Storch baut und bewohnt sein Haus, das Schwälblein speist die Jungen. Der schnelle Hirsch, das leichte Reh ist froh und kommt aus seiner Höh' in's tiefe Gras gesprungen.

Die unverdroßne Bienenschar fleucht hin und her, sucht hier und dar ihr' edle Honigspeise. Des süßen Weinstocks starker Saft gewinnet täglich neue Kraft in seinem schwachen Reise.

Der Weizen wächset mit Gewalt, darüber jauchzet Jung und Alt und rühmt die große Güte deß, der so überflüssig labt und mit so manchem Gut begabt das menschliche Gemüthe.

Ich selber kann und mag nicht ruhn, des großen Gottes großes Thun erweckt mir alle Sinnen. Ich singe mit, wenn Alles singt, und lasse, was dem Höchsten klingt, aus meinem Herzen rinnen.

Ach! denk' ich, bist du hier so schön und läßt du's uns so lieblich gehn auf dieser armen Erden, was will doch wohl nach dieser Welt dort in dem reichen Himmelszelt und güldnem Schlosse werden?

Welch hohe Lust, welch heller Schein wird wohl in Christi Garten sein, wie muß es da wohl klingen? Da so viel tausend Seraphim mit unverdroßnem Mund und Stimm' ihr Hallelujah singen.

O wär' ich da, o ständ' ich schon, ach süßer Gott, vor deinem Thron und trüge meine Palmen! so wollt' ich nach der Engel Weis' erhöhen deines Namens Preis mit tausend schönen Psalmen.
Paul Gerhard. † 1676.

816.

Geh' ich einsam durch den Wald, durch den grünen, düstern, keines Menschen Stimme schallt, nur die Bäume flüstern:

O, wie wird mein Herz so weit, wie so hell mein Sinn! Mährchen aus der Kinderzeit treten vor mich hin.

Ja, ein Zauberwald ist hier! Was hier lebt und wächst, Stein und Blume, Baum und Thier, Alles ist verhert.

Die auf dürren Laubes Gold sich hier sonnt und sinnt, diese Natter, krausgerollt, ist ein Königskind.

Dort, in jenem dunklen Teich, der die Hindin tränkt, ist ihr Palast, hoch und reich, tief hinabgesenkt.

Den Herrn König, sein Gemahl, und das Burggesinde, und die Ritter allzumal halten jene Gründe;

Und der Habicht, der am Rand des Gehölzes schwebt, ist der Zauber, dessen Hand diesen Zauber webt.

O, wüßt' ich die Formel nun, so den Zauber löst: gleich in meinen Armen ruhn sollte sie erlöst,

Von der Schlangenhülle frei, mit der Krone blank, in den Augen süße Scheu, auf den Lippen Dank.

Aus dem Teiche wunderlich stiege das alte Schloß; an's Gestade drängte sich ritterlicher Troß.

Und die alte Königin und der König, beide, unter sammtnem Baldachin säßen sie; die Bäume Grün zitterte vor Freude.

Und der Habicht, jetzt gewiegt von Gewölk und Winden, sollte machtlos und besiegt sich im Staube winden.

Waldesruhe, Waldeslust, bunte Mährchenträume, o wie labt ihr meine Brust, lockt ihr meine Reime!
Freiligrath.

817.

Geh' ich einsam durch die dunkeln Gassen, schweigt die Stadt, als wär' sie unbewohnt; :/: aus der Ferne rauschen nur die Wasser, und am Himmel zieht der bleiche Mond. :/:

Bleib' ich lang vor jenem Hause stehen, drin das liebe, liebe Liebchen wohnt. Weiß nicht, daß ihr Trauter ferne ziehet still und harmvoll, wie der bleiche Mond.

Sehnend breit' ich einmal noch die Arme nach dem lieben, lieben Liebchen aus, und nun sag' ich: Lebet wohl, ihr Gassen! Lebe wohl, du stilles, stilles Haus!

Und du Kämmerlein im Haus dort oben, nach dem oft das warme Herz mir schwoll, und du Fensterlein, draus Liebchen schaute, und du Thüre, draus sie ging, leb' wohl!

Geh' ich bang' nun nach den alten Mauern, schauend rückwärts oft mit nassem Blick, schließt der Wächter hinter mir die Thore, weiß nicht, daß mein Herze noch zurück.
Justinus Kerner.

818.

Geht die Gret' zum Spinnen, geht der Hans zum Minnen, nimmt sie auf den Schooß; oft er küßt sein Mädchen, oft zerreißt ihr Fädchen, ihre Lust ist groß.

Wie sich's Rädchen schwinget, so das Mädchen singet, froh auf Hansens Schooß, ob die Spule schnurret, ob die Mutter murret, ihre Lust ist groß.

Als der Winter scheidet, Hans die Spinnstub' meidet und es weint die Gret'; ihren schlanken Knaben will der König haben, Hans zum Heere geht.

Als die Aepfel reifen, wild die Kugeln pfeifen, Hans im Schlachtfeld steht, kämpft und fällt, und haben sie ihn dort begraben, und es weint die Gret'! W. Cornelius.

819.
Melodie: Jesus, meine Zuversicht.

Geht nun hin und grabt mein Grab, denn ich bin des Wanderns müde, von der Erde scheid' ich ab, denn mir ruft des Himmels Friede, denn mir ruft die süße Ruh' von den Engeln droben zu.

Geht nun hin und grabt mein Grab, meinen Lauf hab' ich vollendet, lege nun den Wanderstab hin, wo alles Ird'sche endet; lege selbst mich nun hinein in das Bette sonder Pein.

Was soll ich hienieden noch in dem dunkeln Thale machen? Denn wie mächtig, stolz und hoch wir auch stellen unsre Sachen, muß es doch wie Sand zergehn, wann die Winde drüber wehn.

Darum, Erde, fahre wohl, laß mich nun in Frieden scheiden! deine Hoffnung ach! ist hohl, deine Freuden selber Leiden, deine Schönheit Unbestand, eitel Wahn und Trug und Tand.

Darum letzte gute Nacht, Sonn' und Mond und liebe Sterne, fahret wohl mit eurer Pracht! denn ich reis' in weite Ferne, reise hin zu jenem Glanz, worin ihr verschwindet ganz.

Ihr, die nun in Trauern geht, fahret wohl, ihr lieben Freunde: was von oben niederweht, tröstet ja des Herrn Gemeinde; weint nicht ob dem eitlen Schein, droben nur kann ewig sein.

Weinet nicht, daß nun ich will von der Welt den Abschied nehmen, daß ich aus dem Irrthum will, aus dem Schatten, aus den Schemen, aus dem Eitlen, aus dem Nichts hin in's Land des ew'gen Lichts.

Weinet nicht, mein süßes Heil, meinen Heiland hab' ich funden, und ich habe auch mein Theil in den warmen Herzenswunden, woraus einst sein heil'ges Blut floß der ganzen Welt zu gut.

Weint nicht! mein Erlöser lebt! Hoch vom finstern Erdenstaube hell empor die Hoffnung schwebt, und der Himmelsheld, der Glaube, und die ew'ge Liebe spricht: Kind des Vaters, zittre nicht!
Arndt.

820.

Geleuchtet hat Sternlein in himmlischer Pracht :,: die ganze, die lange, die liebliche Nacht. :,:

Je höher es stieg an dem Himmel empor, :,: je heller trat dort auch sein Glanz hervor. :,:

Des Mädchens Gehöfte erhellet sein Schein, erhellet ihr leuchtendes Fensterlein, erhellet ihr Deckbettchen bunt und fein.

Geführt hat der Bursche die Rößlein hinaus, :,: vorbei an des Mägdleins neuem Haus. :,:

So weckt' er sie dort aus ihrer Ruh', :,: und ruft ihr den richtigen Namen zu. :,:

„Steh' auf nur und komm doch, Mägdelein, hilf schneiden die Erbsen bei Sternenschein!"

„„So lange schon bin auf der Welt ich hie, doch hab' ich Erbsen geschnitten noch nie.""

„„„Das Sichelchen, Sichelchen ist nicht bekannt mit meiner so zarten schneeweißen Hand."""

„Was hat dich gelehret dein Mütterlein, daß du nicht weißt Erbsen zu schneiden fein?"

„„Des Morgens da lehrte mich Mütterlein, zu weiden die Kälberchen bunt und klein.""

„„Des Vormittags lehrte mich Mütterlein, zu spinnen den Rocken so seiden und fein.""

„„Des Mittags da lehrte mich Mütterlein, zu decken den Tisch mit dem Tuche so rein.""

„„Des Nachmittags lehrte mich Mütterlein, zu betten die Bettchen groß und klein.""

„„Des Abends da lehrte mich Mütterlein, zu schlafen im Bettchen mein ganz allein.""

„Und wolltest du etwa nicht schlafen allein, da könntest ja nehmen den Liebsten hinein."

„„Viel lieber will ich schlafen ganz allein, als nehmen mir einen Geliebten hinein.""

„„Ich könnt' einen Schelmen mir nehmen hinein, und müßte mein Lebtag dann traurig sein.""

Nach einem wendischen Volksliede.

821.

Geliebter, wo zaudert dein irrender Fuß? die Nachtigall plaudert von Sehnsucht und Kuß.

Es flüstern die Bäume im goldenen Schein, es schlüpfen mir Träume zum Fenster herein.

Ach! kennst du das Schmachten der klopfenden Brust? dies Sinnen und Trachten voll Qual und voll Lust?

Beflügle die Eile und rette mich dir, bei nächtlicher Weile entfliehn wir von hier.

Die Segel sie schwellen, die Furcht ist nur Tand: dort, jenseit der Wellen, ist väterlich Land.

Die Heimath entfliehet, so fahre sie hin! die Liebe sie ziehet gewaltig den Sinn.

Horch! wollüstig klingen die Wellen im Meer, sie hüpfen und springen muthwillig einher.

Und sollten sie klagen? sie rufen nach dir! sie wissen, sie tragen die Liebe von hier.
Ludwig Tieck.

822.

Lobgesang von der Geburt des Herrn.

Gelobet seist du, Jesu Christ, daß du Mensch geworden bist, von einer Jungfrau, das ist wahr, deß freuet sich der Engel Schar, Kyrieleis.

Des ewigen Vaters einig Kind itzt man in der Krippen findt, in unser armes Fleisch und Blut verkleidet sich das ewig' Gut, Kyrieleis.

Den aller Weltkreis nicht beschloß, der liegt in Marien Schooß, er ist ein Kindlein worden klein, der alle Ding' erhält allein, Kyrieleis.

Das ewig Licht gehet da herein, giebt der Welt einen neuen Schein, es leucht wohl mitten in der Nacht, und uns des Lichtes Kinder macht, Kyrieleis.

Der Sohn des Vaters, Gott von Art, ein Gast in der Welt hie ward, und führt uns aus dem Jammerthal, er macht uns Erben in sei'm Saal, Kyrieleis.

Er ist auf Erden kommen arm, daß er unser sich erbarm', und in dem Himmel machet reich, und seinen lieben Engeln gleich, Kyrieleis.

Das hat er alles uns gethan, sein' groß' Lieb' zu zeigen an, deß freu' sich alle Christenheit, und dank' ihm das in Ewigkeit! Kyrieleis.

Martin Luther. 1519.

823.

Genießt das Leben bei frohen Reizen, eh' noch das Alter es euch verwehrt. Wer wird denn wohl nach Ehre geizen, wenn euch der Kummer ganz abgezehrt? Die Rosen blühen allein im Lenze, bald stehn sie welk, von Blättern leer; drum pflücket Blumen und windet Kränze, und denkt, die Jugend kommt nimmermehr.

Drum, lieben Brüder, seid froh und fröhlich, es leb' die ganze Compagnie! Was ist so schöne, was ist so selig, als diese schöne Harmonie! Wir leben hier in Götterschöne, verzehren unser Geld in Ruh'; es leb' der Vater, wie auch die Söhne, auf, Freunde, trinket nur tapfer zu!

Greift dann zum Becher, singt frohe Lieder, und denkt, die Jugend kommt nimmermehr. Vergangne Zeiten kehren nicht wieder, drum trinkt die Gläser fein alle leer! Noch spinnt die Parze am Lebensfädchen, drum laßt uns munter und fröhlich sein. Es leb' die Liebe und alle Mädchen! es leb' die Freundschaft und auch der Wein!

Nun geht zu Bette und legt euch nieder, und schlafet sanft in guter Ruh'; kommt morgen Abend fein Alle wieder, und sprecht den Fläschchen recht tapfer zu. Füllt eure Börsen mit Gold und Silber, dann werd't ihr Alle willkommen sein; so hat das Mädchen euch Alle lieber, und küßt dann Jeden gewiß allein.

824.

Bekannte Melodie.

Genießt den Reiz des Lebens, man lebt ja nur einmal! es blink' uns nicht vergebens der schäumende Pokal!

Die Burschenfreiheit lebe, der brave Bursch' mit ihr! sie zu erhalten strebe ein jeder für und für.

Dem holden Freundschaftsbande, das mich so sanft um=
zog, dem lieben Vaterlande erschall' ein donnernd Hoch!

Vom Freundesarm umschlungen, den Schläger in der
Hand, sei dir ein Lied gesungen, du theures Vaterland!

Dem schönsten Mädchen weihe ich gern mein volles Glas,
ihr schwör' ich ew'ge Treue, der Falschheit ew'gen Haß.

Führt das Geschick euch wieder in's Vaterland zurück, so
denkt, fidele Brüder, noch oft an uns zurück!

Ein Wiedersehen blühet uns einst im Vaterland, wo
sanft uns noch umziehet das holde Freundschaftsband.

Und führ' ich einst fideliter mein Weibchen an der Hand,
so denkt, fidele Brüder, mein im Philisterland!

825.

Melodie: Herr Bruder, nimm das Gläschen.

Genießt den Reiz des Lebens, — man lebt ja nur einmal!
es wink' uns nicht vergebens der schäumende Pokal! Auf,
trinkt, ihr muntern Zecher! laßt jeden vollen Becher der dü=
stern Sorgen Brecher, der Freude Herold sein!

Laßt Helden sich vergöttern und stolz mit Lorbeern blähn:
der Kranz von Epheublättern steht uns nicht minder schön!
In Bacchus schönen Kriegen Verdruß und Gram besiegen,
dies ist von allen Siegen der allerrühmlichste.

Was nützen fremde Sprachen? Wir trinken deutschen
Wein, und unsre Schönen fragen gar wenig nach Latein.
Bei liebevollen Küssen kann man die Sprachen missen; die
Wonne zu versüßen, muß man verschwiegen sein.

Adeptenkünste blenden uns nicht durch eitlen Wahn, und
unsre Nächte wenden wir zu was Besserm an; wir Klügeren
durchwachen bei Flaschen sie, und lachen; wenn wir gleich
Gold nicht machen, wir können's doch verthun.

In Tiegeln und Phiolen träumt Mancher reich zu sein;
die Thoren die! wir holen uns unser Gold am Rhein. Und
klug ist der zu preisen, der seinen Stein der Weisen in ei=
nem liebeheißen, gewölbten Busen sucht.

Drum schmeckt den Reiz des Lebens, man lebt ja nur
einmal! Es wink' uns nicht vergebens der blinkende Pokal!
Ergreift ihn, frohe Brüder! singt süße Freudenlieder! bald
fällt der Vorhang nieder, bald fliehen Lust und Scherz.

Wenn dann die letzte Stunde uns düster überschleicht,
sei dem gebrochnen Munde der Scheidetrunk gereicht! Ver=
lischt die Gluth der Triebe, wird Blick und Auge trübe:
drückt uns das rechte Liebe, das linke Freundschaft zu.

Jünger, vor 1795.

826.

Genießt den Tag der Freude, den uns der Himmel gab! im Winkel ruhe heute des Pilgers Hut und Stab! Rückt traulich an einander, denn seht, der Becher winkt, :,: wir werden schon bekannter, bevor die Sonne sinkt. :,:

Fragt nicht nach Rang und Golde, nicht nach Geburt und Glück, und wer je fragen wollte, der bleibe doch zurück! Hier gilt's, daß gleich und friedlich wir uns des Rasttags freun, und nirgends unterschiedlich einander Blumen streun.

Es überström' uns Allen des Mitleids guter Geist, den man in Freundes Hallen so gern willkommen heißt. O gebt mit frohen Herzen euch seiner Leitung hin, und schlaget Gram und Schmerzen euch heute aus dem Sinn.

Denkt, wenn ihr froh euch fühlet, der Armen Trübsal nach, und wenn euch Schatten kühlet, an ihren heißen Tag! Wir freuen uns, sie leiden, sie mühen sich, wir ruhn; o Freunde, auf! mit Freuden eilt ihnen wohlzuthun!

Spiritus asper.

827.

Melodie: Ueb' immer Treu' und Redlichkeit.

Genug der Sorgen! Länger nicht voll ernsten Grübelns mehr! Die Kummerfalte vom Gesicht! Seht — Freude um uns her.

Laßt hochroth eure Wangen glühn von reiner Fröhlichkeit! Auf! laßt nicht ungenutzt entfliehn des Lebens goldne Zeit.

Die Freud' ist unser — uns allein beglückt und adelt sie; sie kehrte nie bei Prassern ein, und liebte Schwärmer nie.

Sie liebt Paläste nicht, — belohnt in stillen Hütten nur, wo fromme, gute Sitte wohnt, und Freud' an der Natur.

Laßt uns, bei freudigem Gesang, durch's Leben lächelnd gehn, und auch bei manchem Erdendrang mit Lächeln um uns sehn.

Und was uns diese Freude raubt, muß ferne von uns fliehn; mit Rosen schmücken wir das Haupt, weil uns noch Rosen blühn!

828.

Georg von Freundsberg.

Georg von Freundsberg, von großer Stärk', ein theurer Held, behält das Feld, in Streit und Fehd', den Feind besteht, in aller Schlacht er Gott zug'legt die Ehr' und Macht.

Er überwand mit eigner Hand venedisch Pracht, der Schweizer Macht, französisch Schar legt nieder gar, mit großer Schlacht den päpst'schen Bund zu Schanden macht.

Der Kaiser Ehr' macht er stets mehr, ihr Land und Leut' beschützt allzeit, mit großer Gefahr er sieghaft war, ganz ehrenreich, man find't nicht bald, der ihm sei gleich.

Lied der Lanzknechte im 16. Jahrh.

829.

Gesang verschönt das Leben; drum, Freunde, liebt Gesang! Er weiht den Saft der Reben zum reinen Göttertrank; er wiegt in bangen Herzen den Geist des Grams zur Ruh', er singt in muntern Scherzen uns heitre Wonne zu.

Uns lehrt den Reiz der Lieder die Sprache der Natur; kaum kehrt der Frühling wieder, so füllt Gesang die Flur. Dann schluchzet Philomele ihr Lied am Wiesenbach, und jedes Hörers Seele hallt ihre Klagen nach.

Der Zauber süßer Töne veredelt das Gefühl; den zarten Sinn für's Schöne weckt Lied und Saitenspiel. Ihr Ton weckt mildre Triebe für fremdes Mißgeschick; Gesang nährt Menschenliebe und fördert Menschenglück.

Hier in der Freundschaft Kreise, der Tugend zugesellt, hier ist Gesang für Weise ein Ruf aus beßrer Welt; hier, wo er manche Bürde der Menschheit leichter macht, drum sei hier seiner Würde dies Festlied dargebracht!

830.

Gesang verschönt das Leben, Gesang erfreut das Herz! Ihn hat uns Gott gegeben, zu lindern Sorg' und Schmerz.

Die Vöglein alle singen ein lieblich Mancherlei; sie flattern mit den Schwingen und leben froh und frei.

Es tönet aus den Lüften in hohem Jubilo! in Wäldern und auf Triften: singt, Menschen, und seid froh!

Wohlauf denn, laßt uns singen, den muntern Vögeln gleich! laßt all' ein Lied erklingen, von Lieb' und Freude reich.

Ein Lied dem Freundschaftsbande, das uns zusammenhält, dem theuern Vaterlande, der ganzen Menschenwelt!

Dem Manne deutsch und bieder, der nützet, wo er kann; dem Edeln, der sich Brüder durch Gutesthun gewann!

Der Ruhe, die uns fächelt und Müh' und Schweiß versüßt; dem Mädchen, das uns lächelt, dem Weibchen, das uns küßt!

Der alten Mutter Erde; sie ist ja wunderschön! und hat sie gleich Beschwerde, es ist doch auszustehn.

Und wiegt fürwahr die Freuden, die sie uns beut, nicht auf; vom Kommen bis zum Scheiden beblümt sie unsern Lauf.

Glück auf zur fernern Reise! die Hoffnung eilt voran, und macht die rauhen Gleise zu einer glatten Bahn.

Das Herz ihr hingegeben, der Hoffnung, ihr allein! so wird das ganze Leben Gesang und Jubel sein.

831.

Gesellen, stimmet mit mir ein, und lasset doch die Arbeit sein, laßt doch die Arbeit sein! Wir wollen trinken Rum und Wein, und dabei tapfer lustig sein, ja lustig sein, ja lustig sein.

Zu Heidelberg und Königsstein da liegen große Fässer drein, ja, Fässer liegen drein; da sitzt der Bacchus auf dem Faß, er macht sein'n Hals mit Rheinwein naß, mit Rheinwein naß.

Vater Noah hat die Kunst erdacht; wir Gesellen haben es nachgemacht, wir haben es nachgemacht. Hat er's gethan, so thun wir's auch; das ist und bleibt Gesellenbrauch, Gesellenbrauch. Sammlung von Erk u. Irmer.

832.

Geselligkeit, zu deinem Tempel weihen wir diesen Saal jetzt ein; er soll, so oft wir hier vereint uns freuen, ein Heiligthum uns sein.

Ihm nah' sich Keiner, der die Freude störet, nicht Freude fördern kann; und der, deß Herz ein Laster nur beschweret, schließ' sich an uns nicht an.

Es muß das kleinste unsrer frohen Lieder der Tugend heilig sein; und Wonne sei's uns, frohe, arme Brüder durch Wohlthun zu erfreun!

Den Trieb zur Fröhlichkeit in unsre Herzen gab uns der gute Gott; doch werde nie bei unsern frohen Scherzen die zarte Unschuld roth.

Auf Jedes faltenfreier Stirn verbreite sich sanfte Heiterkeit, und jeden Schritt und jede That begleite die holde Mäßigkeit.

Und Eintracht du, o Himmelskind, umwehe die Frohen immerdar; umschlinge sanft die Herzen und erhöhe der Freuden süße Schar! —

Was Herzen einst entfernte und entzweite, soll nun vergessen sein! Auf's Neue knüpf' Geselligkeit und Freude ein brüderlich' Verein.

Ja schlaget ein, wir wollen brave Leute, wir wollen Freunde sein! Dann können wir noch öfters uns, wie heute, gesellig hier erfreun.

833.

Gestern Abend ging ich aus, ging wohl in den Wald hinaus, saß ein Häslein hinter'm Strauch, guckt mit seinen Aeuglein 'raus. Liebes Häslein, was du sagst und so treulich zu mir klagst!

„Bist du nicht der Waidemann, hetz'st auf mich die Hunde an. Wenn das Windspiel mich erschnappt und der Jäger mich ertappt, hält er mir die Büchse her, als wenn sonst kein Häslein wär'."

„Wenn ich dann geschossen bin, trägt man mich zur Küchen hin, legt man mich auf's Küchenbrett, spickt den Buckel wohl mit Fett, steckt den Spieß von hinten ein, ei wie mag so grob man sein!"

„Wenn ich dann gebraten bin, trägt man mich zur Tafel hin; der Eine bricht mir's Bein entzwei, der Andre schneid't sich ab sein Theil, der Dritte nimmt sich's Allerbest'; laßt's euch schmecken, ihr werthen Gäst'!"

„Ich armer Has', wie bin ich blaß, geh' dem Bauer nicht mehr in's Gras, geh' dem Bau'r nicht mehr in's Kraut, hab's bezahlt mit meiner Haut. Wenn es aber so soll sein, mag der Teufel ein Häslein sein!"

„Ich armer Has', das Maul ist breit und der Kopf sehr ungescheidt, lange Ohren und langen Bart, als wär' ich von Katzenart; wenn ich an mein Schicksal denk', thut es mich von Herzen kränk'."

„Ein Schwänzlein hab' ich, das ist klein, wünscht' wohl, es möcht' größer sein; weil es nun nicht größer ist, muß es bleiben, wie es ist; wenn ich an mein Schicksal denk', thut es mich von Herzen kränk'."

Volkslied, in verschiedener Gestalt.

834.

:,: Gestern Abend war Vetter Michel hier, :,: Vetter Michel war gestern Abend hier, gestern Abend war Vetter Michel da. Der Ein' sprach nein, der Andere ja, Vetter Michel sprach wohl nein und ja, Vetter Michel war gestern Abend hier, Vetter Michel war gestern Abend da.

Gestern Abend war Vetter Michel hier, der Vater saß am Herd und brummt', gestern Abend Vetter Michel kummt,

Vetter Michel mit dem Beutel klingt, der Vater lacht, Vetter Michel singt. Vetter Michel ꝛc.

Gestern Abend war Vetter Michel hier, die Mutter saß an ihrem Rad, Vetter Michel in die Stube trat, er schwatzte her, er schwatzte hin, das war der Frau nach ihrem Sinn. ꝛc.

Gestern Abend war Vetter Michel hier, die Brüder kamen alle herbei, Vetter Michel sprach da Mancherlei, dem war's das Pferd, dem war's der Hund, Vetter Michel es mit Allem kunnt. ꝛc.

Gestern Abend war Vetter Michel hier, Vetter Michel war gestern Abend hie, er griff dem Mädel an das Knie, das Mädel lacht', das Mädel schrie, Vetter Michel ist es, der da freit. ꝛc.
Fliegendes Blatt.

835.

Melodie von A. Harder.

Gestern, Brüder, könnt ihr's glauben? gestern bei dem Saft der Trauben, stellt euch mein Entsetzen für, gestern kam der Tod zu mir! Hop, hop, hop! Vivallerallera!

Drohend schwang er seine Hippe, drohend sprach das Furchtgerippe: Fort von hier, du Bacchusknecht! fort, du hast genug gezecht!

Lieber Tod, sprach ich mit Thränen, solltest du nach mir dich sehnen? siehe, da steht Wein für dich! Lieber Tod, verschone mich!

Lächelnd griff er nach dem Glase, lächelnd trank er's auf der Base, auf der Pest Gesundheit leer; lächelnd stellt' er's wieder her.

Fröhlich glaubt' ich mich befreiet, als er schnell sein Drohn erneuet: Narr, für einen Tropfen Wein denkst du meiner los zu sein?

Tod, bat ich, ich möcht' auf Erden gern ein Mediciner werden: laß mich, ich verspreche dir meine Kranken halb dafür.

Gut, wenn das ist, magst du leben, sprach er, nur sei mir ergeben. Lebe, bis du satt geküßt und des Trinkens müde bist!

O, wie schön klingt das den Ohren! Tod, du hast mich neu geboren! Dieses Glas voll Rebensaft, Tod, auf gute Brüderschaft!

Ewig soll ich also leben! ewig, denn, bei'm Gott der Reben! ewig soll mich Lieb' und Wein, ewig Wein und Lieb' erfreun.
Lessing. 1747.

836.
Seliger Tod.

Gestorben war ich vor Liebeswonne; begraben lag ich in ihren Armen; erwecket ward ich von ihren Küssen; den Himmel sah ich in ihren Augen.
Uhland.

837.

Gesundheit, Herr Nachbar, mein Gläschen ist leer! Herr Bruder, Herr Vetter, nun rücket doch her! Wir wollen eins trinken und munter uns zeigen, wir wollen das Gläschen zum Nachbar hinneigen; wir wollen nun trinken, bis Alles ist leer! Wenn's immer, wenn's immer, wenn's immer so wär'! :,:

In Ungarn, in Ungarn, da wächset mein Wein! doch will ich des Franzweines Tadler nicht sein. Champagner! Champagner! was fehlt ihm denn wieder? Er stärket den Magen, und hebet die Glieder. Wir wollen nun trinken 2c.

Nun, Freunde, es lebe, was nützlich und gut, es leben die Menschen mit redlichem Blut! es leben die Braven, die zu uns sich halten; es leben die Jungen, es leben die Alten! Wir wollen nun trinken 2c.

So lasset uns freuen, denn Salomo spricht, nachdem er's genossen: nun kümmert's mich nicht! Wir kommen doch morgen so jung nicht zusammen; nur schade, wir müssen doch endlich von dannen! Wir wollen nun trinken 2c.

Die Türken sind Narren, sie trinken nicht Wein; wir wollen gescheidter als Mahomed sein! Herr Bacchus, der lebe, der über uns schwebet, und der unsre Herzen zur Freude belebet. Wir wollen nun trinken 2c.

838.

Gesund und frohen Muthes genießen wir des Gutes, das uns der große Vater schenkt. O preist ihn, Brüder, preiset den Vater, der uns speiset, und mit des Weines Freude tränkt!

Er ruft herab: Es werde! und Segen schwellt die Erde, der Fruchtbaum und der Acker sprießt; es lebt und webt in Triften, in Wassern und in Lüften, und Milch und Wein und Honig fließt.

Gott schaut herab vom Himmel das freudige Gewimmel vom Aufgang bis zum Niedergang; denn seine Kinder sammeln, und ihr vereintes Stammeln tönt ihm in tausend Sprachen Dank.

Verehret seinen Namen, und strebt, ihm nachzuahmen, ihm, dessen Huld ihr nie ermeßt: der alle Welten segnet, auf Gut' und Böse regnet, und seine Sonne scheinen läßt.

Mit herzlichem Erbarmen reicht eure Hand den Armen, weß Volks und Glaubens sie auch sei'n! Wir sind nicht mehr, nicht minder, sind alle Gottes Kinder, und sollen uns, wie Brüder, freun!   **Joh. Heinrich Voß.**

839.

Geturnt, geturnt mit voller Kraft im grünen Gotteshaus! wie's unsre treue Ritterschaft geübt im harten Strauß: wie sie's geübt, mit Schwert und Ger, im lustigen Turnier: wir stell'n der Ritter Thatkraft her, und darum turnen wir.

Durch schwache, zarte Weichlichkeit und durch das Süßethun entflohn die alten Sitten weit, daß Ger und Kolbe ruhn. Wir thun der Ahnherrn Kammern auf, erneu'n ihr Heldenspiel, wir putzen Ger und Schwerterknauf: es gilt ein großes Ziel!

Dies große Ziel ist in der Welt nach Freiheit ausgesteckt: wir haben's auch uns vorgestellt, das hat uns aufgeweckt! Drum turnen wir voll inn'ger Lust, in heil'ger Loh' entbrannt: die kühne deutsche Turnerbrust glüht frei dem Vaterland.

F. Hessemer. 1819.

840.

Gieb, blanke Schwester, gieb uns Wein, und laß die Hand uns sehn, so wollen wir dir prophezeihn, was sicher wird geschehn.

Merk' auf, es ist ein hohes Wort, und liegt viel Wahrheit drin: Sind vier und zwanzig Stunden fort, so ist ein Tag dahin.

Sobald es Nacht geworden ist, sind alle Katzen grau; und wenn der Mann die Gattin küßt, so küßt er seine Frau.

Ein jedes Paar, das taufen ließ, kannt' sich neun Monat' schon; und wen man nach dem Vater hieß, der war des Vaters Sohn.

Hat man zu Markte wenig Ei'r, so sind nicht viel zu Kauf; und ist das Pferdefutter theu'r, so schlägt der Hafer auf.

So oft man viele Trauben liest, geräth die Lese gut; und wer der Frau Pantoffeln küßt, dem fehlt es unter'm Hut.

Der dich um eine Wohlthat bat, der war ein armer Tropf; und wer den ganzen Ochsen hat, hat auch den Ochsenkopf.

Wenn in der Nuß das Kernchen fehlt, ist sie vermuthlich hohl; der, den das kalte Fieber quält, befindet sich nicht wohl.

Wo aus dem Hähnchen nichts mehr braust, ist oft ein leeres Faß; und wo ein Dieb was weggemaust, vermißt man meistens was.

Von Schüsseln, wo die Speise fehlt, wird leichtlich keiner satt; und wer das Land zum Wohnsitz wählt, der wohnt nicht in der Stadt.

Wer vor der Nadelspitze flieht, bleibt nicht vor Degen stehn; und wer den Affen ähnlich sieht, ist nicht besonders schön.

Wer Heu genug im Stalle hat, dem wird die Kuh nicht mag'r; und wer 'ne schöne Schwester hat, der kriegt bald einen Schwag'r.

Wenn du zum Spiegel dich bemühst, zeigt sich der erste Thor; der zweite, der nicht sichtbar ist, steht mehrentheils davor.

Wer Geld im Ueberfluß besitzt, der ist gewiß nicht arm; und wer bei seiner Arbeit schwitzt, dem ist gewöhnlich warm.

Baust du von Brettern dir ein Haus, so hast du keins von Stein; und ist des Sängers Liedchen aus, wird's wohl zu Ende sein.

841.
Das Mädchen von Athen.

Gieb mein Herz, o Mädchen von Athen! gieb's zurück, eh' wir von dannen gehn; oder wenn es sich der Brust entstahl, sei dein das andere All. Horch dem Schwur, der scheidend mir entfloh, Zoë mu sas agapo.*)

Bei der Locken fessellosem Flug, die der sanfte Westwind girrend trug, bei der seidnen Wimper goldnem Rand, die zur Rosenwang' sich küssend wand, bei dem Aug' des Rehes rasch und froh, zoë mu sas agapo.

Mädchen von Athen! schon zieh' ich hin, trag' auch einsam mich im Sinn; wenn mein Segel gleich nach Stambul eilt, Herz und Sinn doch in Athen verweilt. Dein vergessen, wann könnt' ich's und wo? Zoë mu sas agapo.

842.

Gieb mir das Blümchen, gieb mir den Kranz; ich führ' dich, Liebchen! morgen zum Tanz.

---

*) Meine Seele, ich liebe dich.

(Sie:) Laß mir das Blümchen, laß mir den Kranz, führ' eine Andre morgen zum Tanz.

(Er:) Du, liebes Mädchen! du nur allein sollst die erwählte Tänzerin sein.

(Er:) Ewige Liebe schwör' ich nur dir. Gieb mir das Blümchen, tanze mit mir.

(Sie:) Schwörst du mir Liebe, folg' ich zum Tanz. Hier ist das Blümchen, nimm auch den Kranz.

(Er:) Und mit dem Blümchen schenk' mir dein Herz. Ich mein' es redlich, treibe nicht Scherz.

(Sie:) Meinst du es redlich, treibst du nicht Scherz? Mit Kranz und Blümchen nimm auch mein Herz.

843.

Eigne Melodie.

Gilt's, die Wälder zu durchstreifen, hebet freier sich die Brust; kühn den Eber anzugreifen, ist des Jägers höchste Lust. Hollah ho! Waidgesellen froh!

Ist die Fährte aufgefunden, wälzt er sich im schwarzen Blut, spiegelt sich in seinen Wunden noch des Abends letzte Gluth. Hollah ho! Jägerbursch ist froh!

Zieht man heim nach Jägersitte, winkt die Nacht uns traut zur Ruh', sucht man seines Liebchens Hütte, schließt das Pförtlein leise zu. Hollah ho! Jägerbraut ist froh!

Raimund's „Verschwender."

844.

Melodie: Freunde, welchen Rebensaft.

Gläser klingen, Nektar glüht in dem vollen Becher, und ein trunknes Götterlied tönt im Kreis der Zecher. Muth und Blut braust in die Höh', alle Sinne schwellen unter'm Sturm der Evoe fröhlicher Gesellen. :,: (Chor:) Die Jugendkraft wird neu erschafft, in Nektars Gluth entbrennt der Muth. Drum, der uns Kraft und Muth verleiht, dem Weingott sei dies Glas geweiht!

Becher, deinen Purpursaft schlürf' ich froh hinunter, denn des Herzens stolze Kraft lodert im Burgunder. Glüht er nicht mit deutschem Muth und mit deutschen Flammen, eint er doch des Südens Gluth mit dem Ernst zusammen. (Chor:) Wer in sich Muth und Thatengluth und stolze Kraft zusammenrafft, und wer im Wollen fühlt die Macht, dem sei der Becher dargebracht!

Aber jetzt ringt Jugendlust in Champagners Schäumen, wie in frischer Jünglingsbrust Träume kühn mit Träumen. Leichtes Blut, verwegnes Herz, stolzes Selbstvertrauen, froher Sinn bei Leid und Schmerz, muthig vorwärts schauen. (Chor:) Das Auge sprüht, die Wange glüht, es wogt die Brust in trunkner Lust. Der schönen, frohen Jugendzeit, der sei dies volle Glas geweiht!

Doch des Südens ganze Pracht und ein schöner' Feuer, und der Liebe süße Macht lodert im Tokaier. Golden schäumt er im Pokal, hell, wie Himmelskerzen, wie der Liebe Götterstrahl glüht im Menschenherzen. (Chor:) Der Liebe Glück, wie Sonnenblick im Paradies so hold, so süß, der höchsten Erdenseligkeit, der Liebe sei dies Glas geweiht!

Aber jetzt der letzte Trank, Rheinwein glüht im Becher! Deutscher Barden Hochgesang tönt im Kreis der Zecher. Freiheit, Kraft und Männerstolz, Männerlust und Wonne, reift am deutschen Rebenholz, reift in deutscher Sonne. (Chor:) Am Rhein, am Rhein reift deutscher Wein und deutsche Kraft im Rebensaft. Dem Vaterland mit voller Macht ein dreifach donnernd Hoch gebracht.

(Die Runde:) Unsern frohen Zecherkreis, daß er ewig bliebe, führe auf des Lebens Gleis Freiheit, Kraft und Liebe! Drum, eh' wir zum letzten Mal unsre Gläser leeren, soll der Brüder volle Zahl diesen Bund beschwören! — Ein festes Herz in Lust und Schmerz, in Kampf und Noth, frei — oder todt! Und daß der Bund auch ewig währt, drauf sei dies letzte Glas geleert!

Th. Körner.

845.

Der Strom.

Gleich' ich dem Strome, welcher, tief in einem Waldgebirg' entsprungen, durch Länder und durch Reiche lief, und bis zum Meere vorgedrungen?

O thät' ich's! — Mann geworden jetzt, begrüßt den Braus des Meers der seine, und doch in ew'ger Jugend netzt sein Quell die Wurzeln heil'ger Haine.

Ferd. Freiligrath.

846.

Eigne Melodie.

Globen Sie ärndt, weil Sie, daß Sie jetzund, daß Sie reich sein, dürfen Sie ooch unser Enen kunjeniren und für Narren halten? Ne, mein Herzel, Sie derbarmen mich. Ich bin ooch nich irscht vun heute, hingerm Berge wohnen Leute!

Globen Sie ärndt, ꝛc. Su, wie Sie sein, find' ich hundert, übersch Jahr und schund itzundert.

Globen Sie ärndt, ꝛc. Mit dam Stulz verja'n Se Alle, aber Hochmuth kümmt zu Falle.

Globen Sie ärndt, ꝛc. Mir ist gar nischt dran gelegen, bleib'n Se ledig vur meintswegen.

Holtei. „Ein Achtel vom großen Loose."

847.
Bergmannslied.

Glück auf! Glück auf in der ewigen Nacht! Glück auf in dem furchtbaren Schlunde! wir klettern hinab in den felsigen Schacht zum erzgeschwängerten Grunde. Tief unter der Erde, von Grausen bedeckt, da hat uns das Schicksal das Ziel gesteckt. Glück auf! Glück auf!

Wir wandern tief, wo das Leben beginnt, auf nimmer ergründeten Wegen; der Gänge verschlungenes Labyrinth durchschreiten wir kühn und verwegen; der Knappe, er waget sich muthig hinab, und steiget entschlossen in's finstere Grab. Glück auf! Glück auf!

Zwar toben tief, wo nichts Menschliches wallt, die Wasser mit feindlichem Ringen: der Geist doch beherrschet die rohe Gewalt, die Fluth muß sich selber bezwingen; gewaltig gehorcht uns die wogende Macht, und wir nur gebieten der ewigen Nacht. Glück auf! Glück auf!

Und still, gewebt durch die Felsenwand, erglänzet das Licht der Metalle. Das Fäustel in hochgehobener Hand, es sauset in mächtigem Schalle; und was wir gewonnen im nächtlichen Graus, das ziehen wir fröhlich zu Tage heraus. Glück auf! Glück auf!

Theodor Körner.

848.

Glück ist das Ziel, nach dem wir streben, Glück ist das große Losungswort. Doch wer versteht den Schatz zu heben? Wer zeigt den tief verborgnen Ort? Das ist der wahre Stein der Weisen: des Daseins stets sich zu erfreun! Geduld, ich will die Kunst euch weisen, doch füllt mir erst das Glas mit Wein! (Chor:) Ja füllt ihm erst dies Glas mit Wein!

Der sucht sein Glück in Kampf und Morden als Weltbeherrscher und als Held; und Jener sucht's in Stern und Orden; Dem giebt nichts Glück, als Gut und Geld; — Der trachtet nur, vor allen Köpfen der Vor- und Mitwelt klug zu sein; Der will der Weisheit Born erschöpfen, und Der — doch schenkt zuvor mir ein! (Chor:) Ja schenkt zuvor ihm wieder ein!

Doch wird's nur Wenigen entdecket; Macht schafft es nicht, noch Geld und Witz; es hat viel tiefer sich verstecket, und weit geheimer ist sein Sitz. Das Glück, nach dem wir Alle streben, die Kunst, stets sorgenfrei zu sein, keimt wunderbar im Saft der Reben, denn — aber hurtig gebt mir Wein! (Chor:) Ja, Freunde, hurtig gebt ihm Wein!

Denn wißt, dem stolzen Erdensohne, und wär' er auch der kleinste Mann, steigt endlich doch der Wein zur Krone, und eine Krone hat er dann. Er tauscht, bezecht, mit keinem Fürsten, er dünkt sich Herr der Welt zu sein. Er ist allein ihr laßt mich dürsten, — geschwinde reicht mir wieder Wein! (Chor:) Geschwinde reicht ihm wieder Wein!

Dem selbst, dem niemals Schätze blinken, dem nie der Gott des Reichthums hold, kann er nur einmal wacker trinken, verwandelt sich der Wein in Gold. Er kennet nicht des Geizes Wehen, und was er hat, ist nicht mehr klein, er muß ja Alles doppelt sehen, und — aber schenkt mir wieder ein! (Chor:) Ja schenkt ihm eilig wieder ein!

Und wer die Wahrheit will ergründen, der öffne nur des Fasses Spund; er wird sie ohne Mühe finden, denn — trunkner Mund ist wahrer Mund. Drum ist der Wein zu Allem nütze, er ist des Glückes Talisman; nun hebt euch auf von eurem Sitze, und stoßet Alle mit mir an! (Chor:) Wir stoßen Alle mit dir an! *Müchler.*

849.

Glücklich, wem an Freundes Hand seine Tage fliehen, ihm wird selbst auf dürrem Sand Ros' und Veilchen blühen. Durch's Gebiet der Mitternacht wird in ihrer goldnen Pracht ihm die Sonne glühen.

Glänzt ein milder Sonnenblick ihm aus Finsternissen; wiegt ein friedliches Geschick ihn auf Rosenkissen: warnend wird dann Freundes-Mund ihn an Leib und Seel' gesund zu erhalten wissen.

Wenn, wo Blumen sonst gelacht, Fluthen ihn umwallen, wo sonst Zephyrs nur gelacht, Donner um ihn schallen, hüllt er sich, geschützt zu sein, in der Freundschaft Mantel ein, bis sie sanft verhallen.

Schicksal, gieb mir einen Freund in des Lebens Schwüle, der in Freud' und Schmerz vereint, zärtlich mit mir fühle! Lächelnd dieser Erde Tand, wall' ich dann an seiner Hand zum erwünschten Ziele.

850.

(Zwei Stimmen:) Glücklich, wer im Bruderarm Sorg' und Gram vergißt, und, von ächter Freundschaft warm, seinen Bruder küßt. (Chor:) Unter Jubel, Sang und Klang, unter Scherz und Rundgesang fließe so, sanft und froh, euch das Leben hin!

(Zwei Stimmen:) Wenn, von Zärtlichkeit entbrannt, uns das Herze hüpft, o, dann hat der Allmacht Hand unsern Bund geknüpft. (Chor:) Küßt euch, Brüder, liebt euch treu, ewig sei der Bund euch neu; schenket ein, trinkt den Wein, laßt uns Freunde sein!

851.

Gold und Silber preis' ich sehr, könnt' es auch gut brauchen, :/: hätt' ich nur ein ganzes Meer, mich darein zu tauchen! :/:

Muß nicht just gepräget sein, hab' es dennoch gerne, auch des Mondes Silberschein und die goldnen Sterne.

Leise murmelnd fällt mir ein noch die Silberquelle, aber um den goldnen Wein tausch' ich's auf der Stelle.

Doch viel schöner ist das Gold, das vom Lockenköpfchen meines holden Mädchens rollt in zwei langen Zöpfchen.

Darum fröhlich, liebes Kind, laß uns jetzt noch küssen, bis die Locken Silber sind, und wir scheiden müssen.

852.
Trostlied.

Gott, du bist meine Zuversicht, mein Schirm und meine Waffen, du hast den heil'gen Trieb nach Licht und Recht in mir geschaffen; du großer Gott, in Noth und Tod ich will an dir mich halten: du wirst es wohl verwalten.

Und wenn die schwarze Hölle sich mit ihrem Gift ergösse, und trotziglich und mörderlich durch alle Länder flösse, Gott bleibt mein Muth, Gott macht es gut, im Tode und im Leben: mein Recht wird oben schweben.

Und wenn die Welt in Finsterniß und Unheil sich versenkte, mir steht das feste Wort gewiß, das Ewigkeiten lenkte, das alte Wort bleibt auch mein Hort: Laßt nur die Teufel trügen, die Guten sollen siegen.

O großes Wort! o fester Stahl! o Harnisch sonder gleichen! Was Gott versprach, was Gott befahl, das läßt mich nicht erbleichen; die stolze Pflicht erzittert nicht, mag Land und Meer vergehen, sie wird mit Gott bestehen.

Drum walt' es Gott, der Alles kann, der Vater in den Höhen! Er ist der rechte Held und Mann und wird es wohl verstehen. Wer ihm vertraut, hat wohl gebaut, im Tode und im Leben: sein Recht wird oben schweben.

Arndt. Katechismus f. d. deutschen Wehrmann.

853.

Melodie von Joseph Haydn.

Gott erhalte Franz, den Kaiser, unsern guten Kaiser Franz! Hoch als Herrscher, hoch als Weiser steht er in des Ruhmes Glanz! Liebe windet Lorbeerreiser ihm zum ewig grünen Kranz! Gott erhalte Franz, den Kaiser, unsern guten Kaiser Franz!

Ueber blühende Gefilde reicht sein Scepter weit und breit. Säulen seines Throns sind Milde, Biedersinn und Redlichkeit, und von seinem Wappenschilde strahlet die Gerechtigkeit. Gott erhalte Franz, den Kaiser, unsern guten Kaiser Franz!

Sich mit Tugenden zu schmücken, achtet er der Sorgen werth. Nicht, um Völker zu erdrücken, flammt in seiner Hand das Schwert; sie zu segnen, zu beglücken, ist der Preis, den er begehrt. Gott erhalte Franz, den Kaiser, unsern guten Kaiser Franz!

Er zerbrach der Knechtschaft Bande, hob zur Freiheit uns empor! Früh' erleb' er deutscher Lande, deutscher Völker höchsten Flor, und vernehme, noch am Rande später Gruft, der Enkel Chor: Gott erhalte Franz, den Kaiser, unsern guten Kaiser Franz!

Oesterreichisches Volkslied.

854.

Melodie: Gott erhalte Franz, den Kaiser.

Gott erhöre unsre Bitte: segne Kaiser Ferdinand; schirme jeden seiner Schritte, schütze sie für's Vaterland! schenk' den Völkern Glückesblüthe, spende sie durch seine Hand! Gott erhöre unsre Bitte: segne Kaiser Ferdinand!

Laß von seinem Schwerte strahlen nie besiegte Tapferkeit, und aus Fama's Munde schallen Ruhm und Ehre jederzeit! Laß sein Scepter, uns zum Glücke, Friedenspalme sei. dem Land! Gott erhöre unsre Bitte: segne unsern Ferdinand!

Laß des Vaters reichen Segen in dem Sohne reich gedeihn, laß auf allen seinen Wegen Völkerglück sein Streben weihn! Laß ihn lange glücklich leben, lange für sein treues Land! Gott erhöre unsre Bitte: segne unsern Ferdinand!

Laß in seiner Krone glänzen seiner Völker Dankesblick,
und sein theures Haupt bekränzen mit der Unterthanen Glück!
Schirme seines Reiches Grenzen, schling' um Fürst und Volk
Ein Band! Gott erhöre unsre Bitte: segne unsern Ferdinand!
Oesterreichisches Volkslied.

855.
Eigne Melodie.

Gott grüß' dich, Bruder Straubinger, wie kommst denn du nach Halle? Gott grüß' dich, Bruder Breslauer, 's hat mir sehr gut gefalle. Der Meister und die Meisterin, da hatt' ich nicht zu klagen, doch mit die Akademikus könnt' ich mich nicht vertragen.

Da gingen wir des Sonntags auch einmal spaziciren; mit meiner Liebsten ging ich aus, ich that am Arm sie führen. Da kommen drei Studenten her, — ich war mit ihr alleene, — „Du Knote, laß die Jumpfer los, und mach' dich auf die Beene!"

Was will ich thun? — ich laufe weg, sie blieb bei den Studenten. Nu war's mit meiner Liebe aus, wie wenn wir sich nicht kennten. Ich ließ sie stehn und grüßte nich', kam ich ihr in die Quere; vielleichte mag es so besser sein, als wie wenn's anders wäre.

„Drei und dreißig Minuten in Grüneberg."

856.
Morgengruß an das Schlachtfeld.

Gott grüß' dich, du mein Maienfeld, wo Lenzessonnen glühn! wo Roß und Nelke pflanzt ein Held, so bleich die Lilien blühn! und die eiserne Nachtigall schmettert darein, und es pfeifen die Kugeln, wie Vögel, so fein. O Feld! dir singen ich muß viel fröhlichen Morgengruß.

Schon steiget das Panier hoch an, schon klirrt der Kampflust Sporn, im Winde rollt die hohe Fahn', die Freiheit stößt in's Horn, und die Geister der Ahnen, sie fliegen voraus, mit leuchtenden Augen im stürmenden Saus! Da ruft's: Ihr Deutschen, erwacht! hinaus, in die Schlacht! in die Schlacht!
A. L. F.

857.
Bekannte Melodie.

„Gott grüß' euch, Alter! schmeckt das Pfeifchen? Zeigt her! ein Blumentopf von rothem Thon, mit goldnen Reifchen! Was wollt ihr für den Kopf?"

O Herr, den Kopf kann ich nicht lassen, er kommt vom bravsten Mann, der ihn, was meint ihr? einem Bassen bei Belgrad abgewann.

Ja, Herr, da gab es rechte Beute. Es lebe Prinz Eugen! Wie Grummet sah man unsre Leute der Türken Glieder mähn.

„Ein andermal von euren Thaten; hier, Alter, seid kein Tropf, nehmt diesen doppelten Dukaten für euern Pfeifenkopf!"

Ich bin ein armer Kerl, und lebe von meinem Gnadensold: doch, Herr, den Pfeifenkopf, den gebe ich nicht um alles Gold.

Hört nur! Einst jagten wir Husaren den Feind nach Herzenslust, da schoß ein Hund von Janitscharen den Hauptmann durch die Brust.

Gleich hob ich ihn auf meinen Schimmel, er hätt' es auch gethan, und trug ihn fort aus dem Getümmel, zu einem Edelmann.

Ich pflegt' ihn, und vor seinem Ende reicht' er mir all sein Geld und diesen Kopf, drückt' mir die Hände und starb; der brave Held!

Das Geld mußt du dem Wirthe schenken, der drei Mal Plünd'rung litt! so dacht' ich, und zum Angedenken nahm ich die Pfeife mit.

Ich trug auf allen meinen Zügen sie als ein Heiligthum, wir mochten weichen oder siegen, im Stiefel mit herum.

Vor Prag verlor ich auf der Streife dies Bein durch einen Schuß: da griff ich erst nach meiner Pfeife, und dann nach meinem Fuß.

„Ihr rührt mich, Alter, bis zu Zähren; o sagt, wie hieß der Mann? damit mein Herz ihn auch verehren, und ihn bewundern kann."

Man hieß ihn nur den tapfern Walter, sein Gut lag dort am Rhein. „Das war mein Vater, lieber Alter, und jenes Gut ist mein!

Kommt, Freund, ihr sollt nun bei mir leben, vergesset eure Noth. Kommt, trinkt mit mir von Walter's Reben und eßt von Walter's Brod!"

Nun Topp, ihr seid sein wahrer Erbe, ich ziehe morgen ein; und euer Dank soll, wann ich sterbe, die Türkenpfeife sein.

858.

Göttin, die einst höhern Sphären Liebe lächelnd sich entwand, sanfte Freundin stiller Zähren aus der Engel Vaterland!

Mädchen mit der Silberlaute, mit der Harfe Zauberklang, sei der Leidenden Vertraute, gieb mir Thränen und Gesang!

Gieb mir Lieder, wenn im Haine in der düstern Mitternacht Alles schlummert, wenn ich weine und kein Stern durch Wolken lacht;

Wenn in dunkeln Tannenschatten schwärmerisch der Sprosser klagt, und um den geliebten Gatten hoffnungslos die Taube zagt;

Wenn es an bemooster Quelle wie ein Geist vorüber wallt, und wenn das Geräusch der Welle Harfenton der Engel hallt;

Wenn der Sterne blasser Flimmer durch die Eichenwipfel dringt, und des Vollmonds Silberschimmer auf Amanda's Urne blinkt!

Lisple dann am Rosenhügel hohe Harmonien mir; wehe mir mit sanftem Flügel Hoffnung zu — sie starb mit mir.

Lenardo.

859.

Melodie: Auf, ihr Brüder, singet Lieder.

Göttin Freundschaft, blick' hernieder auf dies feste heil'ge Band, das um uns, — — ia's Brüder, lange schon dein Scepter wand. Segen, Göttin, dieser Stunde, dreifach Segen unserm Bunde, Segen unserm Vaterland! :,:

Heil dem vaterländ'schen Sohne, der den Freundschaftsbund einst schloß, alles Glück werd' ihm zum Lohne, was ein Sterblicher genoß. Glücklich leb' er in der Ferne, für ihn gebe Jeder gerne Blut und Leben willig hin.

Unsre Herzen, frei vom Harme, stärke heute dieser Wein; Freude, reich' du uns die Arme, froh bei diesem Fest zu sein. Keiner störe unsre Freude, wer es könnte, oder meide dieses Freundschafts=Heiligthum.

Sanft umzieht uns, theure Brüder! noch des — — Band, drum seid immer brav und bieder bis zu eures Grabes Rand. Leben theilet mit dem Freunde, muthig trotzet eurem Feinde, der euch eure Ehre kränkt.

Dieser Schläger in der Rechten werde nie von mir entweiht; nur für unsre Ehr' zu fechten, schwör' ich, Brüder, hört den Eid! Gegen den, der Falschheit fröhnet, und der deutschen Ehre höhnet, gegen den sei er gewandt.

860.

Melodie: Heil dir im Siegerkranz.

Gott segne Sachsenland, wo fest die Treue stand in Sturm und Nacht! Ew'ge Gerechtigkeit, hoch über'm Meer der Zeit, die jedem Sturm gebeut, schütz' uns mit Macht!

Blühe, du Rautenkranz, in schöner Tage Glanz freudig empor! Heil, frommer Vater, dir! Heil, gute Mutter, dir! Euch, Theure, segnen wir, liebend im Chor!

Was treue Herzen flehn, steigt zu des Himmels Höh'n aus Nacht zum Licht. Der unsre Liebe sah, der unsre Thränen sah, er ist uns hülfreich nah', verläßt uns nicht!

Gott segne Sachsenland, wo fest die Treue stand in Sturm und Nacht! Ew'ge Gerechtigkeit, hoch über'm Meer der Zeit, die jedem Sturm gebeut, schütz' uns mit Macht!

A. Mahlmann.

861.

Todtengräberlied.

Grabe, Spaten, grabe! alles, was ich habe, dank' ich, Spaten, dir. Reich' und arme Leute werden meine Beute, kommen einst zu mir.

Weiland groß und edel, nickte dieser Schädel keinem Gruße Dank; dieses Beingerippe ohne Wang' und Lippe hatte Gold und Rang.

Jener Kopf mit Haaren war vor wenig Jahren schön, wie Engel sind; tausend junge Fäntchen leckten ihm das Händchen, gafften sich halb blind.

Grabe, Spaten, grabe! alles, was ich habe, dank' ich, Spaten, dir. Reich' und arme Leute werden meine Beute, kommen einst zu mir.

862.

Grab' aus dem Wirthshaus nun komm' ich heraus; Straße, wie wunderlich siehst du mir aus! rechter Hand, linker Hand, beides vertauscht; Straße, ich merk' es wohl, du bist berauscht.

Was für ein schief Gesicht, Mond, machst denn du? Ein Auge hat er auf, eins hat er zu! Du wirst betrunken sein, das seh' ich hell; schäme dich, schäme dich, alter Gesell!

Und die Laternen erst — was muß ich sehn! die können alle nicht grade mehr stehn; wackeln und fackeln die Kreuz und die Quer, scheinen betrunken mir allesammt schwer.

Alles im Sturme rings, Großes und Klein; wag' ich darunter mich, nüchtern allein? Das scheint bedenklich mir, ein Wagestück! da geh' ich lieber in's Wirthshaus zurück.

v. Mühler.

863.

Melodie: Alles schweige.

Greift zum Becher, wackre Zecher, füllet ihn mit deutschem Wein! Nicht gesäumt zur guten Stunde, nicht gesäumt, in trauter Runde treuer Brüder froh zu sein!

Dir vor allen soll erschallen, Vaterland, der Hochgesang; unser Herzblut, unser Leben freudig für dich hinzugeben, schwören wir bei'm Becherklang!

Euch, ihr Süßen, zu begrüßen, töne nun das zweite Glas! Deutsche Mädchen, deutsche Frauen, schönster Schmuck der deutschen Auen, schwört der fremden Sitte Haß.

Deutscher Sitte bringt das dritte, deutscher Zucht und deutscher Treu'! Fort mit fremder Thoren Sitte, fort mit ihr aus unsrer Mitte, alte Zeit sei wieder neu!

Treu vereinten, wackern Freunden bringen wir das vierte dar! Tragt sie treu in eurem Herzen, wie in Freude, so in Schmerzen, und wie heut', so immerdar.

Endlich klinget All' und singet, hoch, wer Freiheit ehrt und Recht! Hoch die wackern Deutschen alle! doch zur tiefsten Hölle walle feiger Miethlinge Geschlecht!

Was wir lieben, ist's schon drüben, wandelt's auf der Erde noch? Drüben einen süßen Schlummer, hier ein Leben ohne Kummer; Freunde, stimmt zum letzten Hoch!

864.

Eigne Melodie.

Gretchen in dem Flügelkleide fühlet schon die größte Freude, wenn sie Hänschen küssen kann; und schon denkt sie: wie weit besser, wär' ich groß und Hänschen größer! Ja, so würd' er gar mein Mann!

Kaum fängt sich ihr Reiz zu heben, ihre Brust sich zu beleben und ihr Haar zu schwärzen an: schnell sucht sie sich auszuschmücken, übet sich in Mien und Blicken, und was will sie? Einen Mann.

Sie wird krank! Nicht Schmuck und Kleider, nicht Freister, Goldschmied, Schneider sind mehr, was sie heilen kann: sie verseufzet Tag' und Nächte: ist denn nichts, was helfen möchte? O ja wohl! ein Mann, ein Mann!

Weiße. „Der Dorfbarbier" von Hiller.

865.
Morgen.

Grünender Hügel, was lachst du so hell? Buntes Geflügel, was fliegst du so schnell? Blümlein, was blüht ihr auf grünender Au? Bächlein, was zieht ihr so tief, so blau?

Hügel, umschling' dich mit Wintergewand! Vogel, o schwing' dich in fremdes Land. Blumen, verflieget dem Winde zum Hohn! Bächlein, versieget! sie ging davon!

Blumen und Hügel wohl blieben am Ort, haben nicht Flügel und können nicht fort. Vögel und Bäche, auf, eilet zu ihr; Jegliches spreche: er schickt mich dir!   v. Holtei.

866.
Hans und Grete.

Guckst du mir denn immer nach, wo du mich nur findest? Nimm die Aeuglein doch in Acht, daß du nicht erblindest!

„Gucktest du nicht stets herum, würdest mich nicht sehen; nimm dein Hälschen doch in Acht, wirst es noch verdrehen."
                                           Uhland.

867.

Guckt nicht in Wasserquellen, ihr lustigen Gesellen! :/: guckt lieber in den Wein! :/: Das Wasser ist betrüglich! Vinosa sind vergnüglich! :/: guckt lieber in den Wein!

Narciß, der hat's erfahren in seinen jungen Jahren! Er sah nicht in dem Wein, nein! in dem Quell der Wildniß sein allerliebstes Bildniß — guckt lieber in den Wein!

Schon Mancher ist versunken, noch Keiner ist ertrunken in einem Becher Wein! Die sich darin betrachten, die können nicht verschmachten, drum guck' ich in den Wein!

Ihr lustigen Gesellen, guckt nicht in Wasserquellen, guckt lieber in den Wein! Doch über euer Gucken vergeßt auch nicht, zu schlucken — trinkt aus, trinkt aus den Wein!
                                      Wilhelm Müller.

868.

:/: Gute Nacht! :/: allen Müden sei's gebracht! Neigt der Tag sich still zu Ende, ruhen alle fleiß'gen Hände, bis der Morgen neu erwacht; gute Nacht!

Geht zur Ruh'! schließt die müden Augen zu! Stiller wird es auf den Straßen, und den Wächter hört man blasen, und die Nacht ruft Allen zu: Geht zur Ruh'!

Schlummert süß! träumt euch euer Paradies! wem die Liebe raubt den Frieden, sei ein schöner Traum beschieden; als ob Liebchen ihn begrüß'; schlummert süß!

Gute Nacht! schlummert, bis der Tag erwacht, schlummert, bis der neue Morgen kommt mit seinen neuen Sorgen! Ohne Furcht, der Vater wacht; gute Nacht!

Theodor Körner.

869.
Bekannte Melodie.

Gute Nacht! Freunde, jubelt — trinkt und lacht — freut euch heut', versingt die Sorgen, denn vielleicht, vielleicht, ach! — morgen wird euch euer Sarg gemacht. Gute Nacht! —

Seid vergnügt! — Weil die Zeit so schnell verfliegt, hascht die Tage — nützt die Stunden! — Denn sie sind so bald verschwunden, und der Zukunft Nebel trügt; seid vergnügt!

Freundschaft, dir weihen dieses Gläschen wir. — Nimm der Herzen Huldigungen, Göttin du, die uns umschlungen, sieh'! wir schwören Alle hier, Freundschaft dir!

Lebet hoch! Lebet viele Jahre noch, Mädchen, die in's Erdenleben uns des Himmels Rosen weben; Fluch dem Mann, der euch belog! — Lebet hoch!

Vaterland! Du der Freunde schönstes Band, nimm das Opfer, das dir heute unsre treue Freundschaft weihte, du, von Vielen oft verkannt, Vaterland!

Gute Nacht! Haben wir einst ausgelacht, sehn wir, sinkt der Vorhang nieder, im Elysium uns wieder, wo uns nichts mehr traurig macht! Gute Nacht! — —

870.
Bekannte Melodie.

Gute Nacht! Glücklich ward ein Tag vollbracht; Freude ließ sich auf uns nieder; Gutes kam in Fülle wieder, Freude hat uns zugelacht, gute Nacht!

Sanft umwand uns der Freundschaft Rosenband; reizender ist dann die Erde, minder drückend die Beschwerde, wandern wir durch's Pilgerland Hand in Hand.

Sympathie! scheid' aus unserm Kreise nie! Gatte zu vertrauten Scherzen Schwesterseelen, Bruderherzen oft noch, und beglücke sie, Sympathie!

Flüchtig schied dieser Tag in's Nachtgebiet; so verschwinden unsre Tage, ihre Freud' und ihre Plage, flüchtig, wie bei Scherz und Lied dieser schied.

Drum genießt; pflücket Blumen, scherzt und küßt! Bald verwandelt sich die Sonne: seht die Flur in ihrer Schöne, weil noch Laub und Blüthe sprießt, und genießt.

Sanfte Ruh' lächelt jetzt den Müden zu; wer das Gute will und übet, Keinen hasset und betrübet, der nur schmeckt, wie ich und du, Himmelsruh'!

Gute Nacht! Unser Band trennt keine Macht. Mögen von genoßnen Freuden uns noch süße Träume weiden, bis der junge Tag erwacht, gute Nacht!

871.

Gute Nacht, gute Nacht, liebe Anna Dorothe! gute Nacht, gute Nacht, schlaf' wohl! ꝛc.

872.

Gute Nacht! Schön ist dieser Tag vollbracht; in der Freundschaft holdem Schooße pflückten wir der Freuden Rose; jetzt genug gescherzt, gelacht! gute Nacht!

Unverweilt jetzt der Heimath zugeeilt! Horcht nur, von des Wächters Munde tönt der Ruf der Geisterstunde, und kein Lämpchen ist zu sehn, wo wir gehn.

Alles liegt schon in sanften Schlaf gewiegt; doch gequält von Herzenskummer flieht so Manchen jetzt der Schlummer, mancher Kranke, ach! durchwacht bang' die Nacht.

Trost und Ruh' ström' euch müden Duldern zu; jetzt, im Vollgenuß der Freuden, rührt uns zwiefach euer Leiden. Rettung sei noch diese Nacht euch gebracht!

Lächelt Ruh' uns im Dämm'rungsschimmer zu, lächelt sanft, ihr goldnen Sterne, aus der nebelgrauen Ferne, Silbermond, o leuchte du uns zur Ruh'!

Gute Nacht! Wirthin, dir sei Dank gebracht. Für die Fülle deiner Gaben, die wir froh genossen haben, sei dir Freundesdank gebracht! Gute Nacht! *Neuhofer.*

873.

„Guten Morgen, liebes Lieserl', ach leih' mir dein' Latern'; es ist ja so finster und scheint ja kein Stern; es ist ja so finster und scheint nicht der Mond: ich bitt' dich gar schön, lieb' Lieserl', hör' an!"

„„Ich darf dir's nicht leihen, mein' Mutter ist bös', sie thut bald nachschleichen, wenn sie hört ein Getös'. Wer hat dich gerufen, so spät in der Nacht? Laternel möcht' brechen, 's ist nicht so g'schwind gemacht!""

„Schön's Schätzel, lieb' Liesel, abschlag's mir doch nicht; subtil will ich umgehn, daß es nicht zerbricht. Ach, eil' doch geschwinde, du liebliches Kind, und leih' mir dein Laternel, mein Kerzel schon brennt."

„„Ei, du Bürschel, was wähnst? ich verleihn mein' Latern'? Mein' Mutter wird schelten, ich hör's schon von fern; ja, Mutter wird schelten, ich hör's schon von fern; wird heißen: Du Schnapperl, wo hast dein' Latern'?""

„Darfst drum nicht so stolz sein mit deiner Latern', unsers Nachbars sein Katherl, die leiht mir sie gern; ist's gleich bissel zerrissen, ist's doch wohl noch gut; und wenn auch der Wind weht, halt' ich vor den Hut!"

874.

Guten Morgen, schöne Müllerin! wo steckst du gleich das Köpfchen hin, als wär' dir was geschehen? Verdrießt dich denn mein Gruß so schwer? verstört dich denn mein Blick so sehr? :/: so muß ich wieder gehen. :/:

O, laß mich nur von ferne stehn, nach deinem lieben Fenster sehn, von ferne, ganz von ferne! Du blondes Köpfchen, komm hervor, hervor aus euerm runden Thor, ihr blauen Morgensterne!

Ihr schlummertrunknen Aeugelein, ihr thaubenetzten Blümelein, was scheuet ihr die Sonne? Hat es die Nacht so gut gemeint, daß ihr euch schließt und bückt und weint nach ihrer stillen Wonne?

Nun schüttelt ab der Träume Flor und hebt euch frisch und frei hervor in Gottes hellen Morgen! Die Lerche wirbelt in der Luft, und aus dem tiefen Herzen ruft der Liebe Leid und Sorgen. *Wilhelm Müller.*

875.

„Guten Morgen, Spielmann, wo bleibst du so lang'?" Da drunten, da droben, da tanzten die Schwaben mit der kleinen Killekeia, mit der großen Kum Kum.

Da kamen die Weiber mit Sichel und Scheiben, und wollten den Schwaben das Tanzen vertreiben, mit der kleinen Killekeia 2c.

Da laufen die Schwaben und fallen in Graben; da, sprachen die Schwaben, liegt ein Spielmann begraben, mit der kleinen Killekeia 2c.

Da laufen die Schwaben, die Weiber nachtraben bis über die Grenzen, mit Sichel und Sensen, mit der kleinen Killekeia 2c. *Altes Volkslied.*

876.
Eigne Melodie.

Guter Mond! du gehst so stille in den Abendwolken hin, bist so ruhig, und ich fühle, daß ich ohne Ruhe bin. Traurig folgen meine Blicke deiner stillen heitern Bahn. O wie hart ist das Geschicke, daß ich dir nicht folgen kann!

Guter Mond! dir darf ich's klagen, was mein banges Herze kränkt, und an wen bei meinen Klagen die betrübte Seele denkt! Guter Mond! du sollst es wissen, weil du so verschwiegen bist, warum meine Thränen fließen und mein Herz so traurig ist.

Dort in jenem kleinen Thale, wo die dunkeln Bäume stehn, nah' bei jenem Wasserfalle, wirst du eine Hütte sehn; geh durch Wälder, Bäch' und Wiesen, blicke sanft durch's Fenster hin: so erblickest du Elisen, aller Mädchen Königin.

Nicht in Gold und nicht in Seide wirst du dieses Mädchen sehn; im gemeinen netten Kleide pflegt mein Mädchen stets zu gehn. Nicht vom Adel, nicht vom Stande, was man sonst so hoch verehrt, nicht von einem Ordensbande hat mein Mädchen ihren Werth.

Nur ihr reizend gutes Herze macht sie liebenswerth bei mir; gut im Ernste, gut im Scherze, jeder Zug ist gut an ihr; ausdrucksvoll sind die Geberden, froh und heiter ist ihr Blick; kurz, von ihr geliebt zu werden, scheinet mir das größte Glück.

Mond, du Freund der reinsten Triebe, schleich' dich in ihr Kämmerlein! sage ihr: daß ich sie liebe, daß sie einzig und allein mein Vergnügen, meine Freude, meine Lust, mein Alles ist; daß ich gerne mit ihr leide, wenn ihr Aug' in Thränen fließt.

Daß ich aber schon gebunden, und nur leider! zu geschwind meine süßen Freiheitsstunden schon für mich verschwunden sind; und daß ich nicht ohne Sünde lieben könne in der Welt; lauf, und sag's dem guten Kinde, ob ihr diese Lieb' gefällt!

877.
Die Magd als Mutter.

Hab' ich mir's nicht längst gedacht! sitz' ich an der Wiegen, hab' den Wedel in der Hand, wehr' dem Kind die Fliegen.

Wenn die Leut' spazieren gehn, muß ich an der Wiege stehn, muß da machen knick und knack, schlaf, du kleiner Habersack!
Des Knaben Wunderhorn.

878.
Des 18. Junius 1825 Silberhochzeit.

Ha! bist du da, du alte Schar, die einst so fromm beisammen war für's Vatersland zu streiten? Heut' soll's ein Tag der Wonne sein! Heut' bringt den allerbesten Wein!

O wie es da so anders war! Heut' sind es fünfundzwanzig Jahr, da riefen Trommeln und Pfeifen: Wohlauf! ihr Deutsche insgemein! Die Welschen wollen wieder zum Rhein, ihr müßt zum Eisen greifen.

Wir griffen zu und thaten's kund bei Waterloo, beim schönen Bund — die wird man ewig nennen, da haben wir dem welschen Hahn wohl Kamm und Sporen angethan; noch heute fühlt er's brennen.

Drum auf! du alte Freudenschar! heut' leuchte deine Wonne klar in Lust der deutschen Reben! Heut', deutsche Brüder, insgemein, ruft über Donau, Elb' und Rhein: Das Vaterland soll leben!

Der König und das Vaterland und jedes Herz und jede Hand, die ihm sich redlich weihte! Heut' gilt es Allen, groß wie klein, heut' gilt das Wörtlein insgemein, das unsre Schwerter feite.

Noch eins, ein letztes, höchstes Hoch, wie viele Tapfre fehlen doch, die heut' nicht mit uns singen! Wie viele hat in's beßre Land der Kugelregen früh gesandt! Ein Hoch soll ihnen klingen!

So feiern wir den Jubeltag, den Gott der Herr gesegnen mag an uns und unsern Kindern! So müssen einst sie halten Stand, daß Ruhm und Sieg und Vaterland sie nimmer lassen mindern.
Arndt.

879.
Hipplied.

Hab' lieb N. N. lang' nit sehn, lang' nit sehn, lang' nit sehn, woll'n wir nun eins trinken, trink', lieb' N. N., trink', lieb' N. N., trink', trink', trink'! Hipp, lieb' N. N., hipp, lieb' N. N., hipp, hipp, hipp!

880.

Hab'n Schatz gehabt, hab'n lieb gehabt, hab' gedacht, er liebt mich; hab' i nach gefragt, hat er sieb'n gehabt, und nun kränk' ich mich. Volkslied.

881.

Hab' oft einen dumpfen, düstern Sinn, ein gar so schweres Blut! wenn ich bei meiner Christel bin, ist alles wieder gut. Ich seh' sie dort, ich seh' sie hier und weiß nicht auf der Welt und wie und wo und wann sie mir, warum sie mir gefällt.

Das schwarze Schelmenaug' dadrein, die schwarze Braue drauf, seh' ich ein einzigmal hinein, die Seele geht mir auf. Ist Eine, die so lieben Mund, liebrunde Wänglein hat? Ach, und es ist noch etwas rund, da sieht kein Aug' sich satt!

Und wenn ich sie denn fassen darf im luft'gen deutschen Tanz, das geht herum, das geht so scharf, da fühl' ich mich so ganz! Und wenn's ihr taumlig wird und warm, da wieg' ich sie sogleich an meiner Brust, in meinem Arm; 's ist mir ein Königreich!

Und wenn sie liebend nach mir blickt und alles rund vergißt, und dann an meine Brust gedrückt und weidlich eins geküßt, das läuft mir durch das Rückenmark bis in die große Zeh'! Ich bin so schwach, ich bin so stark, mir ist so wohl, so weh!

Da möcht' ich mehr und immer mehr, der Tag wird mir nicht lang; wenn ich die Nacht auch bei ihr wär', davor wär' mir nicht bang. Ich denk', ich halte sie einmal und büße meine Lust; und endigt sich nicht meine Qual, sterb' ich an ihrer Brust!
Göthe.

882.
Oesterreichs Landwehr.

„Habsburgs Thron soll dauernd stehen, Oestreich soll nicht untergehen; auf, ihr Völker, bildet Heere! an die Grenze! fort, zur Wehre!" Solchen Ruf ließ Franz erschallen aus der Ahnen Kaiserhallen.

„Stolze Fahnen, die euch führen, sorgte meine Hand zu zieren; wo nur Feindeswaffen blinken, laßt zum Siege sie euch winken!" rief Ludwige, hieß dann fliegen stolz die Fahnen vor den Zügen.

Franzens und Ludwigens Brüder sanken vor dem Throne nieder, schworen: „In des Kampfes Hitze stehn wir an der Völker Spitze." Schnell zur That sieht man sie eilen, in die Völker sich vertheilen.

Helden, reichbedeckt mit Wunden, haben willig sich gefunden, ordnen rastlos, kriegserfahren, froher Völker tapfre Scharen; wissen ihre Kraft zu stärken, bilden sie zu Kriegeswerken.

Ihres Muthes Adlerflügen will nicht kaltes Wort genügen; froh entflammen sich die Brüder an dem Klange stolzer Lieder; was aus tapfrer Brust sie singen, tapfer werden sie's vollbringen.

West und Ost und Süd und Norden send' auf uns nun Feindeshorden; ha, des Reiches weite Grenzen werden Bürger rings bekränzen, mit den aufgepflanzten Speeren Tyrannei den Eingang wehren!

Welches Volk sich selbst empfunden, ward vom Feind nie überwunden; welches Volk dem Tod sich weihet, wird vom Siege stets erfreuet. — Alles opfert hohem Streben: in dem Tode liegt das Leben!

Habsburgs Thron wird dauernd stehen, Oestreich wird nicht untergehen; auf, ihr Völker! bildet Heere! an die Grenze! fort, zur Wehre! daß dem Kaiser in den Hallen Siegesjubel einst erschallen.
Collin.

883.
Eigne Melodie.

Habt wohl Acht! habt wohl Acht! Mit Vorsicht, still und leise, nach längst gewohnter Weise, folgt mir mit Bedacht! habt wohl Acht! Für Sicherheit zu wachen, laßt jetzt die Rund' uns machen; und wenn ein Gauner wacht, greift ihn auf, habt wohl Acht!

Habt wohl Acht! habt wohl Acht! Läßt Einer sich bethören, die Ruh' der Stadt zu stören unter'm Schutz stiller

Nacht: habt wohl Acht! Man muß ihn arretiren, ein Beispiel statuiren, bringt schnell ihn auf die Wacht! habt wohl Acht! „Aus der Braut."

884.
Melodie: Brüder, lagert euch im Kreise.

Ha, wie die Pokale blinken, Brüder, kommt und laßt uns trinken; zur Erholung, zur Erquickung ladet uns der Purpurtrank.

Von dem Dunst gelehrter Tröpfe schwirren uns die armen Köpfe; weckt die Geister, labt die Herzen bei'm Gesang an Freundes Brust.

Der einst Flanderns Thron beglückte, Nektar aus der Gerste drückte, seinem edlen Angedenken weihn wir unsern Zecherstaat.

Wie so schön ist's hier bei Hofe, hier scherwenzelt keine Zofe; keine Schmerzen, keine Neider, Freude führt das Regiment.

Wenn der Rausch das Hirn durchsauset, Jubel durch die Lüfte brauset, dann umarmen sich begeistert Bürger, Fürst und Edelmann.

Friede lacht im Reich der Zecher, wir turnieren mit dem Becher. Füllt die Schranken, brecht die Lanzen, singt, daß das Gebälk erdröhnt.

Einst, wenn unser Lenz entschwindet, wenn ein ernstrer Staat uns bindet, o, dann denket unter Thränen an den schönen Bund zurück.

Nun, so laßt die Gläser klingen, trinkt, bis euch die Schädel springen: Vivat princeps potatorum! Vivat tota civitas! *Wollheim.*

885.

Haltet an der Hoffnung fest! flieht an ihre Schutzaltäre, daß sie Tröstung euch gewähre! Denn sie trocknet jede Zähre, die das müde Auge näßt, wie des Abends Thau der West; an der Hoffnung haltet fest!

Haltet an der Freundschaft fest, Ariadne's Faden leihend, Andern stets, sich nie verzeihend, opfernd sich dem Freunde weihend, Drang, der Herz an Herzen! unausglühender Asbest; an der Freundschaft haltet fest!

Haltet an der Liebe fest! Sie umschwebt des Morgens Pfühle, wallt mit uns in Mittagsschwüle, lockt bei Mondesabendkühle Progne's Brut in's Halmennest. Heil ihm, den sie nie verläßt! An der Liebe haltet fest!

Haltet an dem Glauben fest: daß, in Kraft vereint zum Streben, wachsend wir empor uns heben, Cedern gleich, nicht schwachen Stäben! Glaube ist's, der ahnen läßt, was ihr nicht begreift, nicht meßt! An dem Glauben haltet fest!

Haltet an Erinn'rung fest! für die, ach! so fern Entwichnen, für die, ach! so früh Verblichnen, unter Hügeln Ausgeglichnen! Weiht getrennter Tage Rest ihnen, die ihr nie vergeßt! An Erinn'rung haltet fest!

Arthur vom Nordstern.

886.

Hans Hacketo, der Flügelmann von Stralsunds Garnisönern, pflegt sich durch Schnapsen dann und wann das Leben zu verschönern.

Hans Hacketo mit Bülow schlug den Franzmann bei Groß-Beeren, und in der Schlacht bei Leipzig trug er schon das Kreuz der Ehren.

Hans, stets voran, war hier und da, wo's galt, die Kolb' zu brauchen, und, statt den Lauf von Pulver, sah die Kolb' von Blut man rauchen.

Als vor Paris es stopfte sich, schrie Hans: „Man keen Speranzen!" Und stürzt', gewaltig ärgerlich, sich in Montmartre's Schanzen.

Ihm stürzten nach mit Kolbenschlag der Pommern brave Scharen, entseelt die Hälft' der Pommern lag, erstürmt die Schanzen waren.

Hans Hacketo dafür erhielt das Kreuz der ersten Klasse, bei'm Friedensschluß hatt' er erzielt der Orden große Masse.

Und dann ward Hans — der Flügelmann von Stralsunds Garnisönern, und pflegt durch Schnaps sich dann und wann das Leben zu verschönern.

Schwankt Hans vorbei, dann muß die Wach' heraus und präsentiren, und zwei schickt dann der Lieutnant nach, um Hans zu arretiren.

Dann fragt sich Hans im dunkeln Loch: Hans, Ritter vieler Orden! Hans, erster Fluscher, sage doch: was ist aus dir geworden?

W. Cornelius.

887.
Sommerverkündigung.

Hans Voß heißt er, Schelmstück weiß er, die er nicht weiß, will er lehren, Haus und Hof verzehren. Brod auf die Trage, Speck auf die Wage, Eier in's Nest: wer mir was giebt, der ist der Best'!

Als ich hier vor diesem war, war hier nichts als Laub und Gras, da war auch hier kein reicher Mann, der uns den Beutel füllen kann mit einem Schilling, drei, vier, oder mehr, wenn's auch ein halber Thaler wär'!

Droben in dem Hausfirst hangen die langen Mettwürst', gebt uns von den langen, laßt die kurzen hangen! sind sie etwas Kleine, gebt uns zwei für eine! sind sie ein wenig zerbrochen, so sind sie leichter zu kochen; sind sie etwas fett, je besser es uns schmeckt.

(Hiermit zogen die Kinder in Holstein, einen todten Fuchs oder dessen Puppe in einem Korbe, von Haus zu Haus.)

888.

Hänschen saß im Schornstein und flickte seine Schuh', da kam ein wackres Mädchen, und sah ihm fleißig zu.

„Hänschen, willst du freien, so freie doch nach mir; ich hab' ein'n blanken Thaler, den will ich geben dir."

„„Hans, nemm se nich, Hans, nemm se nich, se hat en schlimmen Faut!"" — „„„Leg' Pflaster up, leg' Pflaster up, dann wird et wedder gaut!"""
Volkslied.

889.
Das Schloß am Meere.

Hast du das Schloß gesehen, das hohe Schloß am Meer? Golden und rosig wehen die Wolken drüber her.

Es möchte sich niederneigen in die spiegelklare Fluth; es möchte streben und steigen in der Abendwolken Gluth.

„Wohl hab' ich es gesehen, das hohe Schloß am Meer, und den Mond darüber stehen und Nebel weit umher."

Der Wind und des Meeres Wallen gaben sie frischen Klang? Vernahmst du aus hohen Hallen Saiten und Festgesang?

„Die Winde, die Wogen alle lagen in tiefer Ruh', einem Klagelied' aus der Halle hört' ich in Thränen zu."

Sahest du oben gehen den König und sein Gemahl? der rothen Mäntel Wehen? der gold'nen Kronen Strahl?

Führten sie nicht mit Wonne eine schöne Jungfrau dar, herrlich wie eine Sonne, strahlend im gold'nen Haar?

„Wohl sah ich die Aeltern beide, ohne der Kronen Licht, im schwarzen Trauerkleide; die Jungfrau sah ich nicht.
Uhland.

890.

Hebe! sieh', in sanfter Feier ruht die schlummernde Natur; aus azurnem Wolkenschleier träufelt Stärkung auf die

Flur. Sie schlummern schon alle, die holden Bewohner im Rosengesträuch; dort sinkt sie, die Sonne, so golden, und malt sich im wallenden Teich.

Ach! so sinkt auch bald vergebens meiner Tage Licht hinab; so verhallt der Ton des Lebens tief im schauerlichen Grab! Ich wandle, seit du mich verlassen, in Wildnissen dunkel und dicht; die rosigen Wangen erblassen, wie Lunens erbleichendes Licht.

Eine Rose wollt' ich pflücken, einsam aufgeblüht am Bach, dir die holde Brust zu schmücken, als ihr Dorn mich blutig stach. O gliche dies Bild meinen Tagen, gern wollt' ich den blutigen Stich der neidischen Dornen ertragen, blüht' nur jede Rose für dich! *Matthisson.*

891.
Der Fahnenschwur.

Hebt das Herz! hebt die Hand! schwöret für die große Sache, schwört den heil'gen Schwur der Rache! schwöret für das Vaterland! Schwöret bei dem Ruhm der Ahnen, bei der deutschen Redlichkeit, bei der Freiheit der Germanen, bei dem Höchsten schwöret heut'!

Hebt das Herz! hebt die Hand! Erd' und Himmel soll ihn hören, unsern hohen Schwur der Ehren, unsern Schwur für's Vaterland. Glorreich schwebe, stolzes Zeichen, das voran im Streite weht! Keiner soll von hinnen weichen, wo sich dies Panier erhöht!

Hebt das Herz! hebt die Hand! Wehe muthig, edle Fahne, daß sich jede Brust ermahne für das heil'ge Vaterland. Mache, stolzes Ehrenzeichen, alle Männer ehrenfest, daß sie tausendmal erbleichen, eh' nur einer dich verläßt!

Hebt das Herz! hebt die Hand! Heil uns dieser Ehrenweihe! Ewig lebe deutsche Treue! ewig blühe deutsches Land! Freiheit, deutsche Freiheit, schwebe um die Hütten, um den Thron! Trug und Lug und Schande bebe! und zur Hölle fahre Hohn!

Hebt das Herz! hebt die Hand! hebt sie zu der Himmel Meister! hebt sie zu dem Geist der Geister! hebt sie hoch vom Erdentand! daß wir's treu und heilig halten in Gedanken, Wort und That: Gott muß doch zuletzt verwalten, was der Mensch beschlossen hat.

892.

(Chor:) Heil dem Manne, der den grünen Hain des Vaterlandes sich zur Heimath auserwählet; den die Freiheit und der gold'ne Wein mit Liebe, Muth und Fröhlichkeit beseelet! (Solo:) Lobt man doch das Glück der alten Zeit, da die Väter stille in den Wäldern lebten, und durch Biedersinn und Tapferkeit nach dem himmlischen Walhalla strebten. Drum soll uns der Ahnen Beispiel stets ermahnen, in den deutschen Forsten wie der Aar zu horsten.

Niemand kann so ritterlich und frei wie der Waidmann noch sein Leben hier genießen, denn ein jeder Freund der Jägerei wird gern lieben, trinken, fechten, schießen; und da diese Freuden auch zu allen Zeiten wackre Männer freuten, kann man uns beneiden. (Chor:) Heil dem Manne ꝛc.

Zwar oft sieht man auch in unsrer Hand nur zum leichten Spiel die blanken Waffen blitzen; doch wenn's gilt für Freiheit, Vaterland, zeigt sich stets der Ernst des freien Schützen. Wenn die Hörner schallen, und die Büchsen knallen, blüht auf Feindesleichen Freiheit deutscher Eichen. (Chor:) Heil dem ꝛc.

Wenn das Morgenroth den Wald durchglüht, und der Vögel freie, frohe Chöre schallen, streifen lustig wir mit raschem Schritt durch die schattig grünen Wälderhallen; sinket dann die Sonne, stärkt uns neue Wonne, denn daheim im Stübchen wartet unser Liebchen. (Chor:) Heil dem ꝛc.

Darum laßt bei'm frohen Becherklang uns des jungen, frischen Jägerlebens freuen; Keinem wird es vor dem Alter bang, darf er seine Jugend nicht bereuen. Laßt die Gläser klingen und ein Vivat bringen wie dem Vaterlande, so dem Jugendstande. (Chor:) Heil dem ꝛc. *Heinr. Kiefer.*

893.

Heil dir, heldenmüthig Herz! Heil dem tapfern Schill, der des Vaterlandes Schmerz nicht mehr tragen will;

Der des Vaterlandes Schmach nicht mehr tragen kann; dem die Ehr' im Busen sprach: Auf, und sei ein Mann!

Dessen nie beschimpftes Schwert, seinem Herrn getreu, weiser, als die Feder, lehrt, was vonnöthen sei.

Weg, demüthiges Gebet! feiger Wunsch, zurück! Wo der Habsburg Banner weht, donn're, Preußens Stück!

Mit dem Stahl in kühner Faust stürzen wir hinein, und des Aufruhrs Stimme braust durch Gebirg' und Hain.

Grimmig brach Tyrol die Bahn, und der Hesse rächt, edel, gleich dem alten Ahn, sein entehrt Geschlecht.

Und der Fulde kleiner Born wird ein schäumend Meer, und der still erstickte Zorn ras't, ein siegend Heer.

Du mußt aufstehn, Mutter Teut's! aufstehn, die du kniest! Was verschuldet, ward bereits schwer von dir gebüßt.

Auf, und allgemeiner Sturm sei das Feldgeschrei! tritt dem ungeheuren Wurm kühn den Kopf entzwei!

Von der Etsch zum Weserstrand ein entflammter Strom, wüthe grausam, Winfelds Brand, und vertilge Rom!

894.
Friedrich Wilhelm.
Melodie: God save the king.

Heil dir im Siegerkranz, Herrscher des Vaterlands, Heil König dir! Fühl' in des Thrones Glanz die hohe Wonne ganz, Liebling des Volks zu sein, Heil König dir!

Nicht Roß, nicht Reisige sichern die steile Höh', wo Fürsten stehn; Liebe des Vaterlands, Liebe des freien Manns, gründen des Herrschers Thron, wie Fels im Meer.

Heilige Flamme, glüh', glüh' und erlösche nie für's Vaterland! Wir alle stehen dann muthig für einen Mann, kämpfen und bluten gern für Thron und Reich.

Handel und Wissenschaft heben mit Muth und Kraft ihr Haupt empor. Krieger und Heldenthat finden ihr Lorbeerblatt treu aufgehoben dort an deinem Thron.

Sei, Friedrich Wilhelm, hier lang' deines Volkes Zier, der Menschheit Stolz! Fühl' in des Thrones Glanz die hohe Wonne ganz, Liebling des Volks zu sein! Heil König dir!

Heinrich Harries.

895.
Melodie: Den König segne Gott.

Heil dir im Thronesglanz, Heil dir im Rautenkranz, Heil König dir! Durch Sachsens Flur entlang töne der Jubelg'sang auf zu der Sterne Klang: Heil König dir!

Tief in die Seele bricht heller ein Strahl uns nicht, als der von dir. Froher von Ort zu Ort tönet kein Ruf hinfort, als unser Losungswort: Heil König dir!

Für dich und deinen Thron reißt sich der treue Sohn von Mutterbrust. Vom Busen liebewarm stürzt mit gestähltem Arm tief in den Feinde Schwarm Jeder mit Lust.

In Sturm und Todeswehn siehst du uns freudig gehn auf dein Gebot. Dir, Friedrich August, dir, dir, guter Vater, dir, leben wir, sterben wir, wink' uns zum Tod.

Ob auch der Sturm erbraust, stark ist zum Kampf die Faust, Sieg das Panier. Sinken wir schlachtenwärts, ruft noch das treue Herz, brechend im Todesschmerz: Heil König dir!

Hoch von dem Himmelszelt schaut, der die Wage hält, ihn preisen wir. Herzen empor gewandt, uns schirmet Gottes Hand, Heil unserm Vaterland, Heil König dir!

896.
Melodie: God save the king.

Heil dir, mein Vaterland! Von Gott mir zugesandt, hang' ich an dir! Was seine reiche Welt Gutes für mich enthält, hast du mir zugesellt, giebst gern es mir.

Nicht nährt dein Brod allein, es labt mich auch dein Wein, dein Antlitz lacht! Wie meine Hütte dort, so wird mein Trost und Hort, mein Glück und freies Wort von dir bewacht.

So, was ich hab' und bin, durch dich nahm ich es hin, mein Vaterland! Dafür bracht' ich zum Dank, was Gutes ich errang, was Schönes mir gelang, dir, Vaterland!

Empfangen und verleihn, so schloß sich der Verein in Liebe ab! Ihn hebt die Zeit nicht auf! Endet sich einst mein Lauf, dann nimmt mich freundlich auf in dir mein Grab!

Rochlitz.

897.

Heil dir, o König! Segen auf dich herab! Dank sei dem Himmel, der dich uns gab! Wir alle fühlen, heiter wird jeder Blick, dir zu gehören, das seltne Glück.

Lieb' ist dein Scepter, Güte dein Herrscheramt, ja dieses wissen wir insgesammt, und es weiht gerne Dank dir ein jedes Herz, theilt mit dir willig Freude und Schmerz.

Du sprachst: Es werde! Licht ward, wo Finsterniß siegreich Trophäen dem Volke wies; wecktest den Funken, der in so mancher Brust tief lag verschlossen, sich kaum bewußt.

Du wolltest Menschen wie Mensch nur um dich sehn, und unter Kindern wie Vater gehn, wolltest, daß Liebe würde das schöne Band, an dich zu knüpfen ein theures Land.

Recht und Wahrheit, diese nur ganz allein sollten am Throne Günstling' dir sein; und es erblühte alles im Vaterland, kräftig erwachte da Geist und Hand.

Doch mehr zum Troste sandte die Gottheit dich; Zeiten erschienen so fürchterlich! — Ach, du verdientest Zeiten, die dir nur gleich, du warst dann glücklich, glücklich dein Reich.

Eintracht, erscheine! Bote der bessern Welt, senke dich nieder, eh' alles fällt, kränze mit Palmen des besten Königs Haar, bleib' ihm zur Seite noch viele Jahr'.

898.

Heil, Friedrich Wilhelm, dir! Gott segne für und für dich und dein Haus! daß sich noch lange Zeit deiner dein Volk erfreut, dir fromme Liebe weiht, Heil, König, dir

Gott sei dein Hort und Schild, wenn's einem Feinde gilt, der dich bedroht! Wie er auch mächtig ist, du über Macht und List dann doch der Sieger bist, Heil, König, dir!

Was Völkern Heil gewährt, werd' ferner uns beschert durch deine Huld! Aus voller Herzen Drang strömt dir der wärmste Dank in lautem Lobgesang, Heil König dir!

Und so sei Preußens Ruhm dein Werk und Eigenthum, dein Glück und Preis! So weit dein Scepter reicht, dem jeder Frevel weicht, des Volkes Treu' sich gleicht, Heil König dir!

Hoch! wer sich Preuße nennt, ob ihn auch Ferne trennt, nah' bleibt er doch; der Liebe heilig Pfand knüpft weit und breit ein Band: Heil! König! Vaterland! hoch! dreimal hoch!

899.

Heiliger Schutzpatron, den wir verehren, der über unser Kinder Schicksal wacht, durch dessen Schutz sich unsre Kräfte mehren, der leicht des Armen schwere Bürde macht, hier liegen wir, flehend vor dir, o sei mit uns und steh uns bei, und zeige heute deine Wunderkraft auf's Neu'.

900.

Heiliges Licht, das Alles erschaffen, das Alles ernährt, das Alles nach dir, o Eines, verklärt, — du endest nicht!

Preis dir und Dank von Welt zu Welt, von Aeonen zu Aeonen, von Millionen und aber Millionen, die dein Urborn erhält!

Unermeßliches! Jedes Atom von dir, das niedersank, rauschet als mächtiger Lebensstrom Preis dir und Dank!

Unversiegbares, ewig Wahres, laß deine Wellen schlagen in allen Menschenherzen mit Macht, daß sie jauchzend bekennen und sagen: Tod ist nur Nacht!   Eduard Duller.

901.

Heilig, heilig, heilig ist der Bund, den die wahre Freundschaft krönt. Schwur und Ketten sind nur Tand; Freund=

schaft ist ein edles Band; dieses hält, ja dieses bricht selber einst im Tode nicht.

Heilig, heilig, heilig ꝛc. Wer der Liebe Wonne kennt, wer für edle Seelen brennt, dieser sei mit uns vereint, sei uns Bruder, sei uns Freund.

Heilig, heilig, heilig ꝛc. Klopft der Tod an unsre Thür, Brüder, o dann scheiden wir! Aber noch mein letzter Blick nenne dir der Freundschaft Glück.

Heilig, heilig, heilig ꝛc. Werden einstens wir verblühn, müssen wir zum Orkus ziehn: o! dann bleibe unversehrt unsrer Freundschaft hoher Werth.

Heilig, heilig, heilig ꝛc. Lange lebe du, mein Freund, lange leb' auch unser Feind! Jude, Heide, Muselmann, ist er brav, sei unser Mann.

Heilig, heilig, heilig ꝛc. Und vor allen lebe noch, du, mein liebes Mädchen, hoch! Lebe, liebe mich und sei ewig deinem Jüngling treu!

902.

Heil Preciosa! Preis der Schönen! Windet Blumen ihr zum Kranz, lasset lautes Lob ertönen ihrer Schönheit Sonnenglanz.

Hoch, Preciosa, sei beglücket! Freude, Segen auf dich nieder, die Natur so reich geschmücket; schmückt sie, singt ihr Jubellieder! Aus „Preciosa."

903.

Eigne Melodie.

Heil sei dem Tag, an welchem du bei uns erschienen, didel bum, bidel bum, bidel bum. Es ist schon lange her, :,: wir alle können uns nicht mehr darauf besinnen. Didel bum ꝛc. Das freut uns um so mehr. :,:

Aus vollem Herzen rufen wir: Heil uns, der Czar ist da! Er ist ein großer Held, Vivat! Halleluja! —
Chor aus „Czar und Zimmermann."

904.

Melodie: Heil dir im Siegerkranz.

Heil unserm Bunde, Heil! dem deutschen Bunde Heil! Heil! Deutschland, Heil! Wem Hermann's Lobgesang zum deutschen Herzen drang, stimm' an beim Becherklang: Heil! Deutschland, Heil!

O deck' mit Vaterhand, Gott, unser deutsches Land, sei unser Schild! Für deines Volkes Zier, für Deutschland bitten wir, erhalt' uns für und für so brav und mild.

Wer nicht fühlt hohen Muth, war mit Thuiskons Blut niemals verwandt! Fürst sei er oder Sklav', er denkt nicht deutsch, nicht brav, verdienet Schmach und Straf um's Vaterland!

Wir fühlen hohen Muth, und lassen Gut und Blut für's Vaterland! Für seine Freiheit ficht der deutsche Mann vergnügt in jedem Kampf und siegt für's Vaterland!

Bleibt ächt, bleibt deutsch und gut, ihr stammt von Hermann's Blut, edles Geschlecht! Wer wie ein Sklav' um Sold, wer nur für feiles Gold sein deutsches Blut verzollt: Fluch sei dem Knecht!

Bleibt ächte Deutsche, singt — Hermann ein Loblied, trinkt auf Deutschlands Wohl! Oft geh' der Becher rund, froh thue jeder Mund das Lob der Helden kund! Trinkt Deutschlands Wohl!

905.
Bedientenlied.
Eigne Melodie.

Heisa lustig, ohne Sorgen, froh und fröhlich kann ich sein, Niemand braucht mir was zu borgen, schön ist's, ein Bedienter sein. Erstens bin ich schön gewachsen, wie der schönste Mann der Welt, alle Säck' hab' ich voll Maxen, was den Mädchen so gefällt. :,:

Zweitens kann ich viel ertragen, hab' an lambelfrommen Sinn, von Verstand will ich nichts sagen, weil ich zu bescheiden bin; drittens kann ich prächtig singen, und mein' Stimm' die giebt recht aus, denn kaum laß ich sie erklingen, laufen's alle schon hinaus. :,:

Viertens kann ich schreiben, lesen, hab' vom Rechnen eine Spur, bin ein Tischlerg'sell gewesen und ein Mann von Politur. Fünftens, sechstens, siebtens, achtens, fällt mir wirklich nichts mehr ein, darum muß meines Erachtens auch das Lied zu Ende sein. :,: Aus dem „Verschwender" v. Raimund.

906.
Melodie: Hier im ird'schen Jammerthal.

Heisa, lustig will ich sein bei Gesang und kühlem Wein, darf mich niemals ängsten. Und den Teufel scheu' ich nicht, und ich lach' ihm in's Gesicht; ehrlich währt am längsten.

Ja, ich bin ein guter Christ, ohne Schelmerei und List will ich Alles wagen, und ich will nach Christenpflicht selbst dem Teufel in's Gesicht auch die Wahrheit sagen.

Froher Sinn und freies Wort ist mein Schutz, mein Heil und Hort halt in allen Sachen. Und ich bleibe froh und frei, und mich soll die Polizei niemals anders machen.

907.
Eigne Melodie.

Heisa, stoßt fröhlich an, wohl dem, der trinken kann! Steht mir das Heut' zu G'sicht, sorg' ich um's Morgen nicht! Juchhei, stoßt fröhlich an!

Wärst auch ein Königssohn, einmal müßt'st doch davon. Stirbst d'jung, ist's um dich schad', wirst d'alt, kriegt's selber satt. Juchhei, stoßt fröhlich an!

Heut' sitz' ich auf'm großen Pferd, morgen lieg' ich z'ebner Erd'. Heut' ist mir d'ganze Welt zu klein, morgen scharren's mich in d'Gruben ein. Juchhei, stoßt fröhlich an!

Aus der „Felsenmühle."

908.

Held Blücher noch Oberstlieutenant war, da focht er schon an der Mosel und Saar, und schlug sich recht grimmig mit den Franzosen. (Die trugen damals noch keine Hosen.)

Fast immer war ihm Bellona grün, doch in einem Scharmützel verließ sie ihn, und da mußt' eine Kugel den Fuß ihm blessen und er den Rücken kehren dem Treffen.

Man bringet ihn zur Bagage hinab, da empfängt ihn ein Jünger des Aeskulap, und gar bald ist er umringt von Chirurgen, und das sind doch des Krieges Thaumaturgen.

Man nimmt den durchschossenen Fuß à sair; man ziehet hervor wohl Messer und Scher', Lanzetten, Pincetten und noch andere =etten; der Blücher denkt: ich wollte wetten,

Die Kerle wissen weder aus noch ein, ob ihrer auch sieben bis achte sei'n. Und wie er so denkt, da beginnt das Schneiden und Stechen, das kaum der Teufel möcht' leiden.

Und sie schneiden im Fuße gar hin und her und bohren und suchen die Kreuz und Quer, und die Wunde wird immer tiefer und breiter, daß es baß verdrießt den muthigen Reiter.

„Was macht ihr denn aber zur Schwerenoth?" so fragte er von Zorn und Blute ganz roth. „Wenn die Knochen ihr solltet mir ruiniren, da sollt' euch der Teufel zur Hölle kutschiren!"

„„Mein Herr, wir suchen die Kugel hervor,"" versetzt der Chirurgen bestürztes Corps. „Die Kugel, die werdet ihr hier nicht finden, drum höret nur auf mit dem Schneiden und Schinden!"

Nun langt er aus seiner Tasche herbei das warme französische Büchsenblei! „Das erste hab' ich selbst 'rausgenommen, das letzte mag in mein Grab mitkommen!"

909.
Heldengesang in Walhalla.

Helden! laßt die Waffen ruhen, nehmet den Pokal zur Hand! Eine hehre Kunde dringet aus dem deutschen Vaterland. Tausend frohe Stimmen sangen jubelnd einen Festgesang, daß der Schall der hohen Worte mächtig uns zu Ohren drang.

Aus dem tiefen dunklen Haine trauriger Vergessenheit hat uns eines deutschen Fürsten hoher Heldensinn befreit. Wo sein Volk von Rebenhügeln glücklich in die Donau schaut, wird uns eine weite Feste auf sein Königswort erbaut;

Daß wir jung und lebenskräftig unserm Volke neu erstehn, daß Germaniens spät'ste Enkel ihre tapfern Väter sehn; daß das Blut in ihren Adern wieder höher, heißer wallt, wenn der Klang der Jubellieder mächtig aus Walhalla schallt.

Laßt die Schilder froh erdröhnen, nehmet den Pokal zur Hand! Singet, daß es wiederhalle in dem deutschen Vaterland! Heil dem Fürsten, dem des Ruhmes ew'ge Sternenkrone lohnt, wenn er einst in späten Jahren selber in Walhalla thront.

910.
Die Feldflasche.

Helft, Leutchen, mir vom Wagen doch! Seht her, mein Arm ist schwach! ich trag' ihn in der Binde noch, drum, Leutchen, fein gemach! Zerbrecht mir nur die Flasche nicht, nehmt sie zuerst heraus! Wenn diese Flasche mir zerbricht, :,: sind alle Freuden aus. :,:

„Bekümmert euch die Flasche so? Was wird denn viel dran sein? Das schlechte Glas, das Bischen Stroh, und drin kein Tröpfchen Wein!" Ei, Leutchen, die ihr's nicht versteht, nehmt nur die Flasch' heraus; wie ihr sie um und um beseht — mein König trank daraus.

Bei Leipzig draußen, wie ihr wißt, war's just kein Kinderspiel, die Kugel hat mich stark begrüßt, da lag ich im Gewühl. Man trug mich fort, dem Tode nah', zog mir die Kleider aus; doch hielt ich fest die Flasche da, — mein König trank daraus!

Der König hielt in unsern Reih'n, wir sahn sein Angesicht; Kartätschen flogen auf uns ein, er hielt und wankte nicht. Er dürstete, ich sah's ihm an, nahm mir den Muth heraus, und bot ihm meine Flasche an, und er — er trank daraus!

Und klopft' mich auf die Schulter hier, und sprach: „Schön Dank, mein Freund! dein Labetrunk behagte mir, er war recht wohl gemeint!" Das freute mich denn gar zu sehr; Kam'raden, rief ich aus, wer zeigt noch so ein Fläschchen, wer? Mein König trank daraus!

Die Flasche zwingt mir Niemand ab, sie bleibt mein bester Schatz; und sterb' ich, stellt sie mir auf's Grab, und unterher den Satz: Er focht bei Leipzig, der hier ruht in diesem stillen Haus; die Flasche war sein bestes Gut — sein König trank daraus.
Fliegendes Blatt.

911.

Melodie: Bekränzt mit Laub.

Heran, ihr Freunde! Vollgenuß des Lebens ist unsre Pflicht, ist unser Glück; nur einmal blüht uns Jugend, und vergebens ruft unsre Sehnsucht sie zurück!

Laßt deutschen Wein, gewalt'ger, wie Burgunder, aus hart verschloßnem Kerker los, und schlürft ihn mit Bedacht, er wirket Wunder, macht kühn und reich und stark und groß.

Bei Gläserklang entweichen alle Sorgen; stoßt an und stimmt mit Liedern ein; die Stunde flieht; füllt eure Gläser! morgen wird nicht wie heut' ein Festtag sein!

Der Nachbarin geprüftes Händchen schlinge dem Zecher Rosen in das Haar, geschmückt, wie Bacchus, küß' er sie, und bringe sein volles Glas der Holden dar.

Das erste Glas — mit dankbarem Gemüthe sei's jener Stunde dargebracht, wo uns zuerst des Lebens Morgen glühte, des Vaters Auge mild gelacht.

Eins auch der Zeit, wo wir der Mutter Schooße, beherzte Knaben, früh enteilt, und gern am Bach, gern bei der Frühlingsrose, und gern in Wälder Nacht verweilt.

Und dann noch eins der sel'gen Blüthentagen, wo Freundschaft ihren Kranz uns wand, und wo der Liebe Glück, der Liebe Klagen das junge Herz zuerst empfand!

Auf lange Dauer! denn was ist hienieden je Gutes, ohne Lieb' und Wein? Drum, wer dies fühlt und wem es ist beschieden, der stimme dankbar mit uns ein!

912.
Turnerfrühling.

Heraus aus der Kluft! hinein in die Luft, muntre Turner groß und klein! fort Bücher und Schrift, fort Schiefer und Stift, draußen muß geturnet sein. Der Sommer ist ja gekommen, die Bäume sind so grün! Ho, ho, ho! laßt uns frisch und froh zum Turnen hinaus in die Schranken ziehn!

Was gafft ihr herfür aus Fenster und Thür? Wollt ihr unsre Künste sehn? Verlasset das Haus, kommt mit uns hinaus, muntrer wird das Blut euch gehn. Der Sommer ist ja gekommen ɼc.

Wer männlichen Muth verspüret im Blut, will versuchen, was er kann: auf ebener Erd' er's wenig erfährt, drum klimmt er himmelan. Der Sommer ist ja gekommen ɼc.

Schon winkt uns der Raum mit Schwingel und Baum, Stangen, Barren, Reck' und Tau! Bald geht es an's Ziehn, bald werden wir kühn hangen in der Lüfte Blau. Der Sommer ist ja gekommen ɼc.

913.
Morgenlied der schwarzen Freischar.

Heraus, heraus die Klingen, laßt Roß und Klepper springen, der Morgen graut heran, das Tagewerk hebt an. Trallala, lalala ɼc.

Wir fahren durch die Felder, durch Haide, Moor und Wälder, durch Wiese, Trift und Au', so weit der Himmel blau.

Wir schütteln ab die Sorgen, was kümmert uns das Morgen? im Rücken laßt den Tod, das Andre walte Gott.

Wir riegeln keine Pforte, wir ruhn an keinem Orte, wir sammeln keinen Lohn, wie's kommt, so fliegt's davon.

Wir feilschen nicht um's Leben, wer's nimmt, dem ist's gegeben, wir scharren keinen ein, das Grab ist allgemein.

Wir sparen nicht für Erben, was bleibt, es mag verderben, und kommt's an seinen Herrn, wer's find't, behalt' es gern.

Für Vaterland und Ehre erheben wir die Wehre, für Hermann's Erb' und Gut verspritzen wir das Blut.

Und keine Wehre rastet, bevor das Land entlastet vom Staub der Tyrannei, bis Erd' und Erbe frei.

Der Teufel soll versinken, die Männlichkeit soll blinken, das deutsche Reich bestehn, bis Erd' und All vergehn.

Gustav Adolph Salchow.

914.

Herbei! herbei! das Fest beginnt, laßt uns den Zirkel schließen, und eh' das Tröpflein Zeit verrinnt, das edle Naß vergießen! Weiß oder Roth? Trinkt, was ihr wollt! Hier flammt Rubin, dort funkelt Gold. (Chor:) Der Geist verfliegt — die Zeit verrinnt! Die Gläser voll! geschwind! geschwind!

Uns sei des Weines Wissenschaft um keinen Rausch zu theuer: im gold'nen Naß wohnt stille Kraft, im rothen flüssig Feuer; zu Weisen macht uns Vater Rhein, zu Dichtern der Burgunderwein. (Chor:) Der Geist verfliegt rc.

Ihr Weisen, füllt die Römer voll! Laßt hoch die Weisheit leben! Was heut' aus uns noch werden soll, das wird sie uns vergeben. Die Weisheit sucht der Dinge Grund, wir finden ihn mit nassem Mund! (Chor:) Der Geist verfliegt rc.

Ihr Dichter, trinkt im Rebenblut auf Freundschaft und auf Liebe! Vom Morgenroth zur Mittagsgluth gedeihn die süßen Triebe, und sternenhell, nach mildem Schein des Abends, bricht die Nacht herein. (Chor:) Der Geist verfliegt rc.

Ihr Weisen! Ruh' und Friede sei im Herzen und im Lande, und Glück und Segen walte frei und voll ob jedem Stande! Der Geist der Zeit sei froh und mild, sei unsres Festes treues Bild. (Chor:) Der Geist verfliegt rc.

Ihr Dichter, trinkt auf Mord und Brand — doch nur durch Amors Bolzen: und Armuth sei in Stadt und Land, doch — nur an Hagestolzen! Es treffe Sturm und heißer Schmerz, doch — nur ein hartgefrornes Herz. (Chor:) Der Geist verfliegt rc.

Trinkt, Weise! daß zum Silberhaar der Wangen Roth gedeihe! Trinkt, Dichter! dann wird offenbar die weise Kraft der Weihe! Denkt — heute trinkt ihr Weiß und Roth und morgen kommt — der schwarze Tod! (Chor:) Der Geist verfliegt rc.

So möge denn ein jeder treu, die Jungen, wie die Alten, damit der Weingeist lauter sei, an seiner Sorte halten. Wer frei und recht trinkt, denkt und spricht, der wechselt seine Farbe nicht! (Chor:) Der Geist verfliegt rc.

Nun, Freunde! eins noch zum Beschluß, ihr Rothen, wie ihr Weißen, trinkt mit: des Festes Genius laßt uns willkommen heißen! Ihm danken wir das Gastgebot der Union zu Weiß und Roth. (Chor:) Der Wein verrann — die Zeit verflog, die Eintracht bleibt — Sie lebe hoch!

Spiritus Asper.

915.
Siegesfeier des 18. Juni.

Herbei, herbei, du trauter Sängerkreis! Herbei im Festesschmuck zum Jubeltage! Es rauscht das Lied zu deutscher Thaten Preis, es lauscht das Ohr der neuen Heldensage. Ihr herrlichen Gestalten! ob ihr schon vergessen fast in Grabesnacht gesunken, das Schwert so blank, der Arm so stark, das Herz so trunken: o schwebt als Geister auf der Saiten Ton!

Zurück, zurück! wo weilt der trübe Blick? Schwer lag's und dunkel auf der deutschen Erde, des Volkes Kraft dahin, und Ehr' und Glück! Wer rief der Freiheit, daß sie wieder kehrte? Auf, Brüder! preist die heil'ge Männerschlacht! Preist unsern Gott, den Sklavenbandebrecher! Und Deutschlands Streiter, Deutschlands Schirmer, Deutschlands Rächer preist, die zerstört des Feindes trotz'ge Macht!

Frisch auf! frisch auf! es schäumet der Pokal! Rings schaut die Sonn' auf diese grünen Matten; hoch wölbt der blaue Aether sich zum Saal, auf, lagert hier in duft'ger Linden Schatten! So sollst du, wie am Himmel stolz und kühn die Wolken dort, die raschen Wand'rer, streben, du deutsches Volk, und deutscher Ruhm, und deutsches Leben, aus schöner Zeit dem Geist vorüberziehn!

Es sei! es sei! du theures Vaterland! Dir schwuren wir den hohen Schwur der Treue. Gilt's deiner Ehre, greift zur Wehr die Hand, gilt's deiner Freiheit, kämpfen wir auf's Neue! Schwingt, Brüder! schwingt Germaniens Panier! Laßt schallen durch das Thal, und tönen wieder, das Siegeslied, der Freiheit Lied, das Lied der Lieder, hoch lebe Deutschland, lebe für und für!

Mebold.

916.

Herbei, herbei, ihr schönen Mädchen, aus Stadt und Flecken, Dorf und Städtchen, wenn ihr von süßem Schmerz gequält, nicht wißt, was eurem Innern fehlt; ich will den Krankheitsstoff ergründen und bald ein gutes Mittel finden. Ich bin der beste Medicus, ich heile alles durch — den Kuß! :,:

Fühlt ihr ein stechendes Verlangen, steigt Gluth euch in die Rosenwangen, fühlt ihr bald Schmerz, fühlt ihr bald Lust, hebt höher sich die bange Brust; und müßt ihr über schnelles Schlagen und Herzensbangigkeiten klagen, dann seid ihr krank von Amors Schuß, und nichts curirt euch als — ein Kuß. :,:

Die jenes hohe Glück nicht kennen, von heißer Liebe zu entbrennen, die nur vor Andacht fromm erglühn und Männer wie das Feuer fliehn; die Kronen glauben zu erwerben, wenn sie als alte Jungfern sterben: euch heil' ich bald von dem Entschluß, was gilt die Wette? durch — den Kuß. :,:

Und wollt ihr meiner Kunst nicht trauen, mögt ihr mein eignes Beispiel schauen, ich, der floh der Liebe Spur, ich selber brauchte diese Cur. Denn als ein Mädchen ich geheilet, hat mich der Liebe Pfeil ereilet; und wißt, mich alten Praktikus macht nichts gesund, als nur — ein Kuß. :,:

Drum kommt zu mir, ihr Weiber, Mädchen, aus Stadt und Flecken, Dorf und Städtchen, kaum hat der Mund den Mund berührt, so seid ihr plötzlich wohl curirt; und drücken Sorgen euch und Schmerzen, und reget Liebe sich im Herzen, und wär' der Geist euch voll Verdruß: für alles, alles hilft — der Kuß. :,:

917.

Melodie: Bekränzt mit Laub.

Herbei, herbei zum vaterländ'schen Becher! ihr Freunde, kommt herbei! preist diesen Trank als ächte deutsche Zecher in froher Melodei.

Man rühmt die Treu' und Redlichkeit der Väter; sie waren rein wie Gold, dem Freunde treu, nie Vaterlandsverräther, den Frauen treu und hold.

Und dies war nicht — ein jeder muß es sagen — die Frucht der Nüchternheit: sie tranken Bier in jenen goldnen Tagen und übten Redlichkeit.

Wollt, Brüder, ihr nun auch durch biedre Thaten der Deutschen Ruhm erhöhn: so trinkt den Trank, und laßt euch freundlich rathen, laßt jeden andern stehn.

Drum lebe hoch ein jeder deutsche Bauer, der uns die Gerste baut! und dreimal hoch der erste brave Brauer, der diesen Trank gebraut!

918.
Buchdruckers Jubellied.

Melodie: Die Thale dampfen, die Höhen glühn.

Herbei, ihr Brüder, aus Nah und Fern; begrüßet froh den ersehnten Stern! Wie herrlich schon geht er uns auf, wie wächst sein Glanz im Zeitenlauf! Er zeiget uns

Pilgern die Bahn: sie führet zum Himmel hinan; drum, Brüder, seid wohl auf dem Plan!

Seid stolz auf Das, was die Kunst vermag; sie bringt dem innern Menschen Tag, ereilt der Sphären ew'gen Flug, zermalmt der Bosheit Lug und Trug. Wohlan denn, zur Feier herbei, daß hehr dem Gedächtniß sie sei; laßt brausen den Jubelsang frei!

Der Winkelhaken ist unser Schwert; wir stehn durch's Typenschild unversehrt; die Pressen, unser schwer Geschütz, entsenden zündend Blitz auf Blitz, durchzucken elektrisch den Geist, nur „Vorwärts" ihr Losungswort heißt; das Kunstwerk den Meister wohl preist.

Der Meister denkend die Welt vergaß, nur ihm gebühret das volle Glas! Bringt ihm des Dankes Opfer dar; er sieht ja seine Jünger-Schar! — Stoßt an, und gelobt bei der Saat, womit er geschmückt seinen Pfad: „Ihm werth in Gesinnung und That!"

Und wenn der Engel des Herrn uns ruft, umschließt den irdischen Leib die Gruft: dann erst wird recht der Seele klar, was Gutenberg der Menschheit war. Drum donn're am festlichen Tag, daß hören uns freundlich er mag, ein Vivat in's Jenseit ihm nach! — G. Fr.

919.

Herbei zur festlichen Stunde, ihr Brüder im rheinischen Land, der Nachbar bietet zum Bunde mit Gönner-Gesinnung die Hand.

Wir wollen die Hand ihm drücken, das soll so kräftig geschehn, daß ihm vor lauter Entzücken Gesinnung und Sinne vergehn!

Er kommt aus reinem Erbarmen, weil unser Verlangen er sieht, wir wollen so heiß ihn umarmen, daß nimmer von dannen er zieht!

Er kommt, sich Herzen zu werben, mit schimmernden Farben am Hut, — wir wollen den Hut ihm färben, kein Färber verstand' es so gut!

Er träumt, wie fröhlich als Zecher er rheinischen Nektar trinkt, — wir woll'n ihm kredenzen die Becher, bis taumelnd zu Boden er sinkt!

Bei'm rheinischen Mahle zu kürzen die Zeit, wie lockend es sei, — wir wollen das Mahl ihm würzen mit sprühendem Pulver und Blei!

Drum, Brüder, heran zum Feste, herbei im funkelnden Glanz, daß gleich bei'm Nahen der Gäste beginne der lustige Tanz!
G. P.

920.
Melodie: Bekränzt mit Laub.

Herein, herein, ihr lieben Herren Zecher! Herein in unsern Kreis! Uns winkt der Freundschaft schön bekränzter Becher, der Freude Blüthenreis.

Herein, herein, wer heut' beim Rundgesange mit Epheu sich bekränzt! Herein, herein, wem heute Stirn und Wange vor hoher Freude glänzt!

Hier, wo so süß uns Philomele flötet, und Bäume Blüthen schnei'n, das Abendlicht uns die Pokale röthet, da darf kein Gram hinein!

Hier hält mit Demantschild und ehrner Lanze die holde Freude Wacht. O seht, sie fliehn vor ihrer Stirne Glanze, die Geister schwarzer Nacht!

Hinweg, hinweg von hier, wo sich die Freude ein Heiligthum erbaut, hinweg von hier! wem Spleen und Trübsinn heute auf finstrer Stirne graut!

Auf, Brüder, dann! dies Glas dem guten Fürsten, den Menschenelend rührt, der nicht sein Volk aus heißem Länderdürsten zur grausen Schlachtbank führt!

Dies Glas dem Bunde, den auf Ewigkeiten sich treue Freundschaft wand! Und dieses Glas der Hoffnung beßrer Zeiten hier und im Sonnenland!

921.
Der weinende Liebhaber.

Hermann auf der Treppe saß, Hermann weinte sehr. Sprach zu ihm das Mägdlein roth: „Hermann, was ist deine Noth? o, du goldner Hermann!"

„„Daß ich möchte sitzen in dem Stübchen dein!"" Sprach zu ihm das Mägdlein sein: „Hermann, das kann auch wohl sein, o du goldner Hermann!"

Hermann in dem Stübchen saß, Hermann weinte sehr. Sprach zu ihm das Mägdlein roth: „Hermann, was ist deine Noth? o, du goldner Hermann!"

„„Daß ich möchte küssen deinen rothen Mund!"" „Küß du unsern Pudelhund! von dem Schwanz bis auf den Mund, o, du dummer Hermann!"   Fliegendes Blatt.

922.

Hermann, schla Lärm an! la piepen, la trummen! de Kaiser well kummen met Hammer un Stangen, well Hermann uphangen.

Un Hermann schlug Lärm an, leit piepen, leit trummen, de Fürsten sint kummen mit all' ehren Mannen, hewt Varus uphangen. *Volkslied aus Westphalen.*

923.

Herr Bacchus ist ein braver Mann, das kann ich euch versichern; mehr als Apoll, der Leiermann, mit seinen Notenbüchern.

Des Armen ganzer Reichthum ist der Klingklang seiner Leier, von der er prahlet, wie ihr wißt, sie sei entsetzlich theuer.

Doch borgt ihm auf sein Instrument kein Kluger einen Heller, denn frohere Musik ertönt aus Vater Evans Keller.

Obgleich Apollo sich voran mit seiner Dichtkunst blähet: so ist doch Bacchus auch ein Mann, der seinen Vers verstehet.

Wie mag am waldigen Parnaß wohl sein Diskant gefallen? hier sollte Bacchus' Cantorbaß fürwahr weit besser schallen.

Auf, laßt uns ihn für den Apoll zum Dichtergott erbitten! denn er ist gar vortrefflich wohl bei großen Herrn gelitten.

Apoll muß tiefgebückt und krumm in Fürstensäle schleichen; allein mit Bacchus gehn sie um, als wie mit ihres Gleichen.

Dann wollen wir auf den Parnaß, vor allen andern Dingen, das große Heidelberger Faß voll Niersteiner bringen.

Statt Lorbeerbäume wollen wir dort Rebenstöcke pflanzen, und rings um volle Tonnen schier wie die Bacchanten tanzen.

Man lebte so nach altem Brauch bisher dort allzu nüchtern; drum blieben die neun Jungfern auch von je und je so schüchtern.

Ha! zapften sie sich ihren Trank aus Bacchus' Nektartonnen, sie jagten Blödigkeit und Zwang in's Kloster zu den Nonnen.

Fürwahr, sie ließen nicht mit Müh' zur kleinsten Gunst sich zwingen, und ungerufen würden sie uns in die Arme springen. *Bürger.*

924.

Herr Bruder! nimm dein Gläschen und trink' es fröhlich aus, und wirbelt dir's im Näschen, so führ' ich dich nach Haus; bedenk', es ist ja morgen schon alles wieder gut, der Wein vertreibt die Sorgen, und schafft uns frohen Muth.

Halloh, Halloh, Halloh, Halloh! bei uns geht's immer so.
(Chor:) Halloh ꝛc.

925.

Herr Bruder, sei heut' kreuzfidel, sauf' dich karthaunen-
voll. „Ihr Brüder, ich bin kreuzfidel, sauf' mich karthaunen-
voll." Den Kopf zurück, den Kopf zurück, noch tausend Jahr'
wie heut'.

926.

Herr Bruder zur Rechten, Herr Schwager zur Linken,
laßt uns Alle, laßt uns Alle heut' fröhlich Eins trinken!

927.

Herr, der du vom schweigenden Himmel schaust, o schau'
auf mich; der du nieder auf grünende Wiesen thaust, o thau'
auf mich!

Herr, der du durch Wipfel der Bäume wehst, o weh'
in mir; der du strahlend und leuchtend am Berge stehst, ersteh'
in mir!
Abel Burkhardt.

928.

Herr Klink war sonst ein braver Mann, von Amt ein
Stadtsoldat; nur schade, daß er dann und wann ein wenig
schnappsen that, und daß er dann in seinem Rausch die arme
Anne schlug, wenn sie nicht gleich, wie er befahl, ihm Schnapps
entgegen trug. Schnapps! Schnapps! Schnapps! du edeles Getränke, du bist und bleibst von der Natur das herrlichste
Geschenke!

Dann half der Mutter Bitten nicht, der Tochter Wein'n
und Flehn half Alles nichts, Herr Klink wollt' blos den
Schnapps im Glase sehn; sie mochten wollen oder nicht, sie
mußten Schnaps ihm holen, denn ihr Gemahl, ein grober
Wicht, pflegt' sonst sie zu versohlen. Schnapps! Schnapps!
Schnapps! ꝛc.

An einem Abend, als Herr Klink, berauscht von Aqua-
vit, vom Wirthshaus kam, wo man anfing zu reden von Politik, sprach er: Madam! vernehme sie, ich werde sie verlassen, drum reiche sie mir einen Schnapps, sonst werd' ich sie
kalaschen. Schnapps! Schnapps! Schnapps! ꝛc.

J, du verfluchter Racker! schrie Klink's Gattin da geschwind, willt fleiten gahn, verlaten mie, dein Rock, der blift
för't Kind? Is dat de Lief und Tro, de du mir schwörst vor

foftein Jahre, an meines Vaters Sterbebett, da bei wullt
straks affahre? Schnapps! Schnapps! Schnapps! 2c.

O Anne, Anne, weene nich, sind dat all foftein Jahr?
O Gott, wie doch de Tiet vergeit, dat is wahrhaftig wahr!
Komm her, mein Schatz, mein liefe Schatz, ich bleibe dir ge-
tro, und wenn ich ock an Rappel krieg', so blifft doch meine
Fro. Schnapps! Schnapps! Schnapps! 2c.

Dat war noch mal Räsong von sie, Herr Klink, se sind
vernünftig, nich mehr gezankt, nu willn ok wie vergnügt leben inskünftig. Komm her, mein Schatz, mein liefe Schatz,
eck kann dich nichts verhelen, im grünen Buddel steiht noch
Schnapps, den willn wie redlich theelen. Schnapps! Schnapps!
Schnapps! 2c. *Volkslied.*

929.

Herrin, sag', was heißt das Flüstern? Was bewegt dir
leis die Lippen! Lispelst immer vor dich hin lieblicher als
Weines Nippen! Denkst du deinen Mundgeschwistern noch
ein Pärchen herzuziehn? Ich will küssen! Küssen! sagt' ich.

Schau'! Im zweifelhaften Dunkel glühen blühend alle
Zweige, nieder spielet Stern auf Stern; und smaragden.
durch's Gesträuche tausendfältiger Karfunkel: doch dein Geist
ist allem fern. Ich will küssen! Küssen! sagt' ich.

Dein Geliebter, fern, erprobet gleicherweis' im Sauersü-
ßen, fühlt ein unglücksel'ges Glück. Euch im Vollmond zu
begrüßen, habt ihr heilig angelobt, dieses ist der Augenblick.
Ich will küssen! Küssen! sagt' ich. *Göthe.*

930.

Melodie: Rosen auf den Weg gestreut.

Herrlich ist's, an Freundes Hand durch dies Leben wandeln, und durch Tugend und Verstand fest vereinigt handeln.
Ohne Freundschaft gleicht die Welt einem öden Grabe: wohl
mir, daß ich mehr als Geld, daß ich Freunde habe.

Aber da ist Freundschaft nicht, wo nicht Tugend wohnet;
wo nicht auf dem Angesicht Herzensgüte thronet. Zwar schließt
sich der Bösewicht gern an Bösewichte! Aber Freundschaft
ist das nicht, in dem wahren Lichte.

Sittsam ist sie, nicht bei'm Spiel, nicht bei Trinkgela-
gen, nicht im lärmenden Gewühl dürft ihr nach ihr fragen;
aber, o! ihr findet sie gern bei frohen Schmerzen, nur bei
der Verleumdung nie, nie bei bösen Herzen.

Freundschaft lehrt bescheiden sein, Andrer Vorzug ehren;
Freundschaft lehrt auch manche Pein im Vergnügen ehren;

Freundschaft zeigt euch klar und frei alle eure Fehler, schmeichelt nicht, es giebt dabei Frohsinn eurer Seele.

931.

Herrlich vor mir ausgebreitet, wie ein Bild aus Meisters Hand, liegt ein Thal dort an des Meeres majestät'schem Felsenstrand; halbmondförmig ist's umgürtet mit belaubten Hügelreih'n, und der Tropensonne Füllhorn schüttet seinen Schmuck hinein.

Unerschöpft mit Jugendkräften spendet Mutter Erde dort ihre Schätze, Lenzes Blüthen prangen duftend fort und fort. In des Thales Brüstung glänzet stolz der Villa junger Bau; wie ein König hoch vom Throne, hält der Eigenthümer Schau.

Läßt den Blick zufrieden weilen auf der segenreichen Flur, auf des Hauses schöner Zierde, seines Glückes theurer Spur. Drinnen lächelt ihm ein holdes Weib entgegen engelmild, Kindlein frisch, mit Rosenwangen, ihn umringen neckisch-wild.

Aber wie die Wetterwolke in den reinen Aether stürmt, hat sich in des Mannes Antlitz finstre Schwermuth aufgethürmt. Kaum nach fieberhaftem Schlummer grüßet ihn der junge Tag, ruht schon thränenfeucht das Auge auf des Meeres Wellenschlag.

Sinkt herab auf's Thal der Schleier stiller Abenddämmerung, suchet noch der Blick die Wogen, seiner Sehnsucht Linderung. Sonst wohl schlug dem Leidensvollen warm das Herz, voll Lebensmuth. Aber hier erlosch für immer seines Geistes Feuergluth.

Einmal noch strahlt sel'ges Lächeln auf dem bleichen Angesicht: als, die lieben Wogen suchend, sein entseeltes Auge bricht! — „Welchem Kleinod," fragst du staunend, „war's im Scheiden zugewandt?" Ach, dort über Meeresweiten, dem verlaßnen Vaterland!

932.
Herr Oluf.

Herr Oluf reitet so spät und weit, zu bieten auf seine Hochzeitleut'; da tanzen die Elfen auf grünem Land', Erlkönigs Tochter reicht ihm die Hand: „Willkommen, Herr Oluf, was eilst von hier? tritt her in die Reihen und tanze mit mir!"

„'Ich darf nicht tanzen, nicht tanzen ich mag, denn morgen ist mein Hochzeittag.'" „Hör' an, Herr Oluf, tritt tanzen mit mir, zwei güldene Sporen schenk' ich dir, ein Hemde von Seide, so weiß und fein, meine Mutter bleicht's mit Mondenschein."

"‚Ich darf nicht tanzen, nicht tanzen ich mag, denn morgen ist mein Hochzeittag.'" "Hör' an, Herr Oluf, tritt tanzen mit mir, einen Haufen Goldes schenke ich dir." "‚Einen Haufen Goldes, den nähm' ich wohl, doch tanzen mit dir ich nicht darf, noch soll.'"

"Und willt, Herr Oluf, nicht tanzen mit mir, soll Seuch' und Krankheit folgen dir." Sie thät einen Schlag ihm auf sein Herz, sein Lebtag fühlt' er nicht solchen Schmerz. Sie hob ihn bleichend wohl auf sein Pferd: "Reit' hin und grüße dein Bräutlein werth!"

Und als er kam vor des Hauses Thür, seine Mutter harrend stand dafür: "Hör' an, mein Sohn, und sage mir gleich, wie ist deine Farbe so blaß und bleich?" "‚Und sollt' sie nicht sein blaß und bleich, ich kam in Erlenkönigs Reich!'"

"Hör' an, mein Sohn, so lieb und traut, was soll ich sagen deiner Braut?" "‚Sagt ihr, ich ritt im Wald zur Stund', zu proben da mein Pferd und Hund.'" Früh morgens als es Tag kaum war, da kam die Braut mit der Hochzeitschar.

Sie schenkten Meth, sie schenkten Wein. "„Wo ist Herr Oluf, der Bräutigam mein?"" "Herr Oluf, er ritt in den Wald zur Stund', zu probiren allda sein Pferd und Hund." Die Braut hob auf den Scharlach roth, da lag Herr Oluf, und er war todt.
Dänisches Volkslied.

933.

"Herr Unteroffizier, ich melde mir!" O weh! Ei Hans, da bist du ja wieder hier! Juchhe! Du kommst gerade zu rechter Zeit, es giebt ein Donnerwetter heut'! Juchhe, juchheisa, juchhe!

"Ich bring' einen schönen Gruß von Haus!" O weh! Was bringst du noch weiter, so lang' es heraus! Juchhe! Herzmütterchen hat wohl gut eingepackt, so zeige, was hast du denn eingesackt? Juchhe, juchheisa, juchhe!

"Herr Unteroffizier, es donnert schon!" O weh! Das sind die Kanonen, mein lieber Sohn! Juchhe! Jetzt frisch die Kugel in den Lauf, wir setzen noch einen Bittern drauf! Juchhe! juchheisa, juchhe!

"Ich weiß nicht, mir wird bald kalt, bald heiß!" O weh! Das ist der Kanonenfieberschweiß, juchhe! die Kugel pfeift, nur nicht geduckt, und mit den Wimpern nicht gezuckt! Juchhe, juchheisa, juchhe!

„Herr Unteroffizier, mir kommt was an." O weh! Das wird dir heut' nicht gut gethan! Juchhe! Vorwärts! Die Kolbe nimm zur Hand, dat fluscht für König und Vaterland! Juchhe, juchheisa, juchhe!

„Hurrah! nun ist mir schon wieder wohl!" Juchhe! Ich schlug mit zu wie blind und toll, juchhe! Und wer von euch die Krankheit spürt, so wird das Kanonenfieber curirt. Juchhe, juchheisa, juchhe!

934.

Melodie von Kücken.

Herr Vetter, o Herr Vetter, was ist das für ein Wetter! es regnet gesegnet, es gießet und schießet, und rollet und tollet, das thut den dürren Reben baß! das füllt, das füllt manch' leeres Faß! Herr Vetter, o Herr Vetter, was ist das für ein Wetter!

Das ist ein Wetter, recht gemacht, daß man so hinhockt Tag und Nacht und hegt sich und pflegt sich, und läßt den Regen draußen sein, und singt und trinkt und schenkt sich fein ein Gläslein nach dem andern ein, vom allerbesten Wein! vom besten Wein, vom besten Wein! *A. Kopisch.*

935.

(Solo:) Herr Wirth, schenkt uns die Gläser voll! Die arge Welt, voll Zweifel, lebt Tag für Tag wie blind und toll und glaubt nicht an den Teufel. Es sei hier der Beweis geführt, daß doch der Teufel existirt. (Chor:) Ein leerer Schnickschnack! Schenkt nur ein! Es sitzt kein Teufel in dem Wein.

(Solo:) Merkt auf! Hier stehe ich am Faß, euch den Beweis zu führen. Zwar ist im ersten vollen Glas der Teufel nicht zu spüren: es giebt uns Kraft und heitern Sinn; noch wohnt ein guter Geist darin. (Chor:) Ja wohl, ja wohl! Schenkt fleißig ein! Es wohnt ein guter Geist im Wein.

(Solo:) Bei'm zweiten Glase wird's euch warm; wie ist's euch so behäglich! Verscheucht sind Grillen, Noth und Harm, ihr liebet euch unsäglich! Auch fällt euch wohl ein Liedchen ein: das macht der gute Geist im Wein. (Chor:) La, la! Uns fällt ein Liedchen ein! Das macht der gute Geist im Wein.

(Solo:) Bei'm dritten Glase, — gebet Acht! wird laut schon räsonniret, und mancher schlaue Plan erdacht, wie man die Welt regieret. Nehmt ihr auf's Neu' das Glas zur Hand, hockt schon der Teufel auf dem Rand! (Chor:) Stoßt an! Das volle Glas zur Hand, trotz allen Teufeln auf dem Rand!

(Solo:) Bei'm vierten Glase fließt das Blut euch rascher in den Adern; ihr fanget an in wildem Muth mit Gott und Welt zu hadern. Da lacht der alte Satanas, und stürzt sich, plumps! in euer Glas! (Chor:) Der Teufel hol' den Satanas! Mehr Wein, Herr Wirth, aus eurem Faß!

(Solo:) Nun kommen wir zum fünften Glas, mitunter auch zum sechsten: wir brüllen laut und trinken baß vom Weine, dem verherten. Ich wette, eine Legion von Teufeln sitzt im Glase schon! (Chor:) Ganz recht, ganz recht! Wir wittern schon von Teufeln eine Legion!

(Solo:) Bald rinnen ganze Flaschen leer; wir werden ungebührlich; es geht mit uns die Kreuz und Quer, und das ist ganz natürlich. Das Teufelsheer rumort im Wein, und nimmt uns Hirn und Magen ein! (Chor:) Stoßt an! Trinkt aus und schenket ein! Das Teufelsheer rumort im Wein!

(Solo:) Nun kommt ein wahrer Mordskandal; es wird von lahmen Zungen das: „Hier im ird'schen Jammerthal!" von Weber, schlecht gesungen; der Witz wird flau, der Sturm wird groß, kurzum: es ist der Teufel los! (Chor:) Hurrah, hurrah! Der Sturm wird groß! Es ist die ganze Hölle los!

(Solo:) Die Nacht ist hin, der Morgen tagt, man schleicht nach seiner Kammer, und hinterdrein — Gott sei's geklagt! — folgt uns der Katzenjammer: dann treibt, zu unserm Schreck und Graus, das Hauskreuz erst den Teufel aus! (Chor:) Stoßt an, — und trinkt — und geht nach Haus! Das Hauskreuz treibt den Teufel aus.

936.
Bekannte Melodie.

Herzig Schatzerl, laß dich herzen, ich vergeh' sonst vor Liebesschmerzen, denn du weißt es ja zu wohl, daß ich dich ewig lieben soll. Di holdi riade di holdi rai di holdi riade di holdi rai, denn du weißt es ja zu wohl, daß ich dich ewig lieben soll.

Einen Strauß hab' ich gewunden, und mein Herz hineingebunden, denn du weißt es ja zu wohl, daß ich den Strauß dir geben soll. Di holdi ꝛc.

Mein Herzel thu' ich dir schenken, daß du oft an mich sollst denken, denn du weißt es ja zu wohl, daß ich mein Herz dir schenken soll. Di holdi ꝛc.

Den ich so gern hätt', der ist so sehr weit weg, und den ich gar nit mag, den seh' ich alle Tag'. Kein'n Schönen krieg' ich nit, kein'n Wüsten mag ich nit und ledig bleib' ich nit, was fang' ich an? Di holdi ꝛc. Kein'n Schönen ꝛc.

937.

Herz, laß dich nicht zerspalten durch Feindes List und Spott! Gott wird es wohl verwalten, er ist der Freiheit Gott.

Laß nur den Wüthrich drohen, dort reicht er nicht hinauf, einst bricht in heil'gen Lohen doch deine Freiheit auf.

Glimmend durch lange Schmerzen, hat sie der Tod verklärt, aus abertausend Herzen mit edlem Blut genährt.

Wird seinen Thron zermalmen, schmelzt deine Fesseln los, und pflanzt die glüh'nden Palmen auf deutscher Helden Moos.

Drum laß dich nicht zerspalten durch Feindes List und Spott. Gott wird es wohl verwalten, er ist der Freiheit Gott.
Theodor Körner. 1813.

938.

Herzlich thut mich erfreuen die schöne Sommerszeit, all' mein Geblüt verneuen, der Mai viel Wolluſt geit. Die Lerch' thut sich erschwingen mit ihrem hellen Schall, lieblich die Vögel singen, dazu die Nachtigall.

Der Kukuk mit seinem Schreien macht fröhlich Jedermann, des Abends fröhlich reihen die Maidlein wohl gethan, spazieren zu den Bronnen pflegt man zu dieser Zeit, alle Welt sich freut in Wonnen mit Reisen fern und weit.

Es grünet in dem Walde, die Bäume blühen frei, die Röslein auf dem Felde von Farben mancherlei. Ein Blümlein steht im Garten, das heißt: Vergiß nit mein! das edle Kraut Wegwarten macht guten Augenschein.

Das Kraut Je länger je lieber an manchem Ende blüht, bringt oft ein heimlich Fieber, wer sich dafür nicht hüty'; ich hab' es wohl vernommen, was dieses Kraut vermag, doch kann man dem vorkommen, wer mäßige Lieb' braucht alltag.

Des Morgens in dem Thaue die Maidlein grasen gehn, gar lieblich sich anschauen, bei schönen Blumen stehn, daraus sie Kränzlein machen und schenken's ihrem Schatz, thun freundlich ihn anlachen und geben ihm ein Schmatz.

Darum lob' ich den Sommer, darzu den Maien gut, der wendet allen Kummer und bringt viel Freud' und Muth. Der Zeit will ich genießen, dieweil ich Pfennig' hab', und den es thut verdrießen, der fall' die Stiegen hinab.

Fliegendes Blatt aus d. 16. Jahrh.

939.
Eigne Melodie.

Herz, mein Herz! warum so traurig? und was soll das Ach und Weh? 's ist so schön im fremden Lande, :,: Herz, mein Herz! was fehlt dir meh? :,:

Was mir fehlt? Es fehlt mir Alles, bin so gar verloren hie! Sei's auch schön im fremden Lande, doch zur Heimath wird es nie!

In die Heimath möcht' ich wieder, aber bald, du Lieber, bald! möcht' zum Vater, möcht' zur Mutter, möcht' zu Berg und Fels und Wald!

Möcht' die Firsten wieder schauen und die klaren Gletscher d'ran, wo die flinken Gemslein laufen und kein Jäger vorwärts kann!

Möcht' die Glocken wieder hören, wenn der Senn' zu Berge treibt, wenn die Kühe freudig springen und kein Lamm im Thale bleibt!

Möcht' auf Flüh' und Hörner steigen, möcht' am heiterblauen See, wo der Bach vom Felsen schäumet, unser Dörflein wieder sehn!

Wieder sehn die braunen Häuser, und vor allen Thüren frei Nachbarsleut', die freundlich grüßen, und in's lust'ge Dörflein heim!

Keiner hat mich lieb hier außen, Keiner drückt so warm die Hand, und kein Kindlein will mir lächeln, wie daheim im Schweizerland!

Auf und fort! und führ' mich wieder, wo ich jung so glücklich war! hab' nicht Lust und hab' nicht Frieden, bis in meinem Dorf' ich bin!

Herz, mein Herz! in Gottes Namen, 's ist ein Leiden, gieb dich drein! will es Gott, so kann er helfen, daß wir bald zu Hause sein!   *Joh. Rudolph Wyß.*

940.

Herz, mein Herz, was soll das geben? was bedränget dich so sehr? welch ein fremdes, neues Leben! ich erkenne dich nicht mehr. Weg ist alles, was du liebtest, weg, warum du dich betrübtest, weg dein Fleiß und deine Ruh' — ach, wie kamst du nur dazu!

Fesselt dich die Jugendblüthe, diese liebliche Gestalt, dieser Blick voll Treu' und Güte, mit unendlicher Gewalt? Will ich rasch mich ihr entziehen, mich ermannen, ihr entfliehen, führet mich im Augenblick, ach, mein Weg zu ihr zurück.

Und an diesem Zauberfädchen, das sich nicht zerreißen läßt, hält das liebe, lose Mädchen mich so wider Willen fest; muß in ihrem Zauberkreise leben nun auf ihre Weise. Die Veränderung, ach wie groß! Liebe! Liebe! laß mich los!

Göthe.

941.

Herz voll Muth, Blick voll Gluth, Arm im Streite brav und gut; kühn entflammt allesammt, wer von Hermann stammt. (Chor:) So im lauten Saus und Braus, Brüder, schwärmen wir hinaus. Stark und frei, gut und treu, unsre Losung sei!

Horch! es schallt durch den Wald, durch die Eichen grau und alt! Stark noch glüht unser Lied, weil uns Jugend blüht! (Chor:) So im lauten Saus ꝛc.

Sternenschein bricht herein, laßt uns alle Brüder sein! Vaterland, süßes Band, führ' uns Hand in Hand! (Chor:) So im lauten Saus ꝛc.

Wolken fliehn, es verblühn Blumen, die im Lenze grün; Becherklang, Rundgesang tönt am Grabeshang. (Chor:) Drum im lauten Saus ꝛc.

Still, Gebraus! Dort am Haus schaut mein Liebchen hold heraus. Gute Nacht! Sie ja lacht süß, wie Sternenpracht! (Chor:) Drum vorüber, Saus und Braus, Brüder, ziehet still nach Haus! Stark und frei, gut und treu unsre Losung sei!

942.

Heute Die und Jene morgen, also bleibt man ohne Sorgen und ist ewig kettenfrei. Jetzt zur Einen, dann zur Andern, ist das Leben mehr als Wandern, soll die Liebe anders sein?

Zaudert Röschen mit den Küssen, o, bei Dorchen kann ich's missen, Dorchen küßt wohl süß wie sie. Will sie spröde mir sich sträuben, ungeküßt werd' ich nicht bleiben, Jettchen küßt mich hundert Mal.

Leicht und treulos sind sie Alle: thöricht, wer vom Zauberballe ihres Munds sich locken läßt; lieben Alle, lieben Keinen, segnen, fluchen, lachen, weinen, wie's die Wetterfahne will.

Ha! so spielt mit Hut und Bändern, tändelt mit der Liebe Pfändern, wechselt, ändert tausendfach. Alle lieb' ich, liebe Keine, flattre freier, wie im Haine je ein Vogel flog umher.

943.

Melodie: Schön ist's unter'm freien Himmel.

Heut' erschallt die Siegesfeier, heut' zur Ehre der Befreier, heut' zu der Befreiten Lust. Der Erinnrung heil'ge Kunde wohnt in jedes Deutschen Munde und in jedes Deutschen Brust.

Flammen auf der Berge Spitzen lodern rings empor und blitzen Dolche in des Franken Herz. Rächenden Triumph verkünden jetzt die Flammen, ha! sie zünden unsern Muth und ihren Schmerz.

Denn es mahnt der Tag der Rettung, da aus schmählicher Umkettung Hermann's siegend Volk sich wand; da die Duldenden erglühten, und des Welttyrannen Wüthen nicht vor ihrem Zorn bestand.

Da der Frevler ward gerichtet, seine Rotte sank, vernichtet durch verbundner Helden Hand. In der Freiheit Morgenstrahle weht ob ihrem Hügelmahle dein Panier, o Vaterland!

Frankreichs Adler sind gesunken; ihres Blutes hat getrunken Pleiß' und Saal' und Elb' und Main, wen'ge Wunden sind entflogen; freudig mit gehobnen Wogen sah's der alte Vater Rhein.

Dir, die Stolzen sind gefallen, dir gebührt der Preis vor Allen, Winnfeld's Schwester, Riesenschlacht! Der Unsterblichkeit vertrauen Leipzigs blutgetränkte Auen deinen Ruhm, Entscheidungsschlacht!

Tritt mit feierndem Gebete an die hohe Opferstätte, deutscher Jüngling, deutscher Mann! Fühl' es, was sie dir errungen, die den Frevler dort bezwungen, fühl's, was Deutschland soll und kann.

Neide sie, die dort geblutet! Jedem Heil, der hochgemuthet siegend unter Siegern fiel! Doch im heiligsten der Kriege sterben an der Freiheit Wiege, das ist höchsten Wunsches Ziel.

Gleiches Heil euch zu erwerben, freudig einst wie sie zu sterben, wenn das Vaterland gebeut: schwört es laut bei deutscher Treue, und den hohen Schwur erneue jedes künft'ge frohe Heut'.

Lodert hoch auf Bergesspitzen, Flammen deutscher Kraft! zu blitzen Dolche in des Franken Herz. Rächender Triumph verkündet den einst Höhnenden — entzündet unsern Muth und ihren Schmerz!

Nun erschalle, Siegesfeier, rings zur Ehre der Befreier, rings zu der Befreiten Lust. Der Erinnrung heil'ge Kunde leb' in jedes Deutschen Munde und in jeder deutschen Brust!

944.
Soldaten-Abschied.

Heute scheid' ich, heute wandr' ich, keine Seele weint um mich. Sind's nicht diese, sind's doch andre, die da trauern, wenn ich wandre, holder Schatz, ich denk' an dich!

Auf den Bachstrom hängen Weiden, in den Thälern liegt der Schnee; trautes Kind, daß ich muß scheiden, muß nun unsre Heimath meiden, tief im Herzen thut mir's weh.

Hunderttausend Kugeln pfeifen über meinem Haupte hin! Wo ich fall', scharrt man mich nieder ohne Klang und ohne Lieder, Niemand fraget, wer ich bin.

Du allein wirst um mich weinen, siehst du meinen Todesschein. Trautes Kind, sollt' er erscheinen, thu' im Stillen um mich weinen und gedenk' auch immer mein.

Heb' zum Himmel unsern Kleinen, schluchz': nun todt der Vater dein! Lehr' ihn beten! gieb ihm Segen! reich' ihm seines Vaters Degen! mag die Welt sein Vater sein!

Hörst? die Trommel ruft zu scheiden! drück' ich dir die weiße Hand. Still' die Thränen! laß mich scheiden! muß nun für die Ehre streiten, streiten für das Vaterland.

Sollt' ich unter freiem Himmel schlafen in der Feldschlacht ein: soll aus meinem Grabe blühen, soll auf meinem Grabe blühen Blümchen süß: Vergiß nicht mein!

Maler Müller. 1776.

945.
Am ersten Maimorgen.

Heute will ich fröhlich, fröhlich sein, keine Weis' und keine Sitte hören; will mich wälzen und vor Freude schrein, und der König soll mir das nicht wehren.

Denn er kommt mit seiner Freuden Schar heute aus der Morgenröthe Hallen, einen Blumenkranz um Brust und Haar, und auf seiner Schulter Nachtigallen.

Und sein Antlitz ist ihm roth und weiß, und er träuft von Thau und Duft und Segen. Ha, mein Thyrsus sei ein Knospenreis, und so tauml' ich meinem Freund entgegen!

Matthias Claudius.

946.

Melodie: Auf! auf, ihr Brüder, und seid stark.

Hierher, wer edel denkt und frei, kein Sklav' des Lasters ist; dem Eintracht, Freundschaft, Lieb' und Treu' des Lebens Loos versüßt. :,:

Hinweg, wem nicht der Busen schlägt bei'm Namen Vaterland; und wenn er eine Krone trägt, sei er von uns verbannt!

Hierher, wer bieder ist und gut, wer heitre Weisheit liebt, und willig Habe, Gut und Blut für seine Freunde giebt.

Hinweg, wer Unschuld unterdrückt, Verdienste hungern läßt! der in der Welt voll Dunst und Wind nie seinen Werth vergißt.

Hinweg, wen nie des Armen Noth, des Kranken Pein gerührt, und wer bei seines Freundes Tod nicht tiefen Schmerz verspürt.

Für Edle nur ist dieser Trank! Auf, stoßt die Gläser an! Trinkt unter freudigem Gesang: Heil jedem braven Mann!

947.

Eigne Melodie.

Hier im irb'schen Jammerthal wär' doch nichts als Plack und Qual, trüg' der Stock nicht Trauben! Darum bis zum letzten Hauch setz' ich auf Gott Bacchus Bauch meinen festen Glauben.

Eins ist eins und drei sind drei, drum addirt noch zweierlei zu dem Saft der Reben: Kartenspiel und Würfellust und ein Kind mit runder Brust hilft zum ew'gen Leben.

Ohne dies Trifolium giebt's kein wahres Gaudium seit dem ersten Uebel! Fläschchen sei mein A B C, mein Gebetbuch Katherle, Karte meine Fibel.

F. Kind. „Freischütz" von Weber.

948.

Melodie: Bekränzt mit Laub.

Hier ist gut sein! hier laßt uns Hütten bauen, im Schooße der Natur! In reiner Luft, auf ländlich schönen Auen, winkt reine Freude nur.

Man lebt doch, traun! vergnügter auf dem Lande, als im Gewühl der Stadt, wo selbst der Mann mit Stern und Ordensbande noch seine Plage hat.

Dort giebt es, Scherz und Freude zu vergiften, Despoten, groß und klein: hier haucht man mit den freien Himmelslüften Gefühl der Freiheit ein.

Hier weiß man nichts von Gunst und feiner Sitte, lebt schlicht und prunklos hin: doch wohnet oft in strohgedeckter Hütte noch deutscher Biedersinn.

Zufriedenheit! du schaffest magre Speise hier um zu Götterkost, und Gerstentrank, in trauter Lieben Kreise, zum ächten Cypermost.

Hier, Freunde, laßt die große Kunst uns lernen, stets wahrhaft froh zu sein, und, eh' wir uns von diesem Ort entfernen, aus voller Seel' uns freun.

Klingt an! was auf dem Lande wohnt, soll leben! Es lebe die Natur! sie giebt uns Korn und Obst und edle Reben; sie schmückt uns diese Flur.

Hoch lebe, wer den vollen Kelch der Wonne an ihrem Busen trinkt, wenn lieblicher der Glanz der Abendsonne als Gold und Purpur winkt!

Heil uns! Heil uns! die Grenze dieser Reise ist Schein der Trennung nur. Vereinen wird uns All' in ihrem Kreise die freundliche Natur.

949.

Hier sind wir versammelt zu löblichem Thun, drum, Brüderchen, ergo bibamus! Die Gläser sie klingen, Gespräche sie ruhn, beherziget: ergo bibamus! Das heißt noch ein altes, ein tüchtiges Wort: es passet zum ersten und passet so fort, und schallet ein Echo vom festlichen Ort, ein herrliches ergo bibamus!

Ich hatte mein freundliches Liebchen gesehn, da dacht' ich mir: ergo bibamus! und nahte mich freundlich; da ließ sie mich stehn. Ich half mir und dachte: bibamus! Und wenn sie versöhnet euch herzet und küßt, und wenn ihr das Herzen und Küssen vermißt; so bleibet nur, bis ihr was Besseres wißt, bei'm tröstlichen ergo bibamus!

Mich ruft mein Geschick von den Freunden hinweg: ihr Redlichen, ergo bibamus! Ich scheide von hinnen mit leichtem Gepäck, drum doppeltes ergo bibamus! Und was auch der Filz von dem Leibe sich schmorgt, so bleibt für den Heitern doch immer gesorgt, weil immer dem Frohen der Fröhliche borgt; drum, Brüderchen: ergo bibamus!

Was sollen wir sagen zum heutigen Tag? ich dächte nur: ergo bibamus! er ist nun einmal von besonderem Schlag, drum immer auf's Neue: bibamus! Er führet die Freunde durch's offene Thor, es glänzen die Wolken, es theilt sich der Flor, da scheint uns ein Bildchen, ein göttliches, vor, wir klingen und singen: bibamus! Göthe.

950.
Eigne Melodie.

Hier sitz' ich auf Rasen, mit Veilchen bekränzt, :,: hier will ich auch trinken, :,: bis lächelnd am Himmel mir Hesperus glänzt.

Zum Schenktisch erwähl' ich das duftende Grün, und Amor zum Schenken; ein Posten, wie dieser, der schickt sich für ihn.

Das menschliche Leben eilt schneller dahin, als Räder am Wagen; wer weiß, ob ich morgen am Leben noch bin?

Wir alle, vom Weibe geboren, sind Staub, der früher, der später, wir alle wir werden des Sensenmanns Raub.

Und deckt mich des Grabes unendliche Nacht, was hilft's, daß ein Arzt mich mit köstlichen Salben zur Mumie macht?

Drum will ich mich laben am Wein und am Kuß, bis daß ich hinunter in's traurige Dunkel der Schattenwelt muß.

Drum will ich auch trinken, so lang' es noch geht. Bekränzt mich mit Rosen, und gebt mir ein Mädchen, die's Küssen versteht! Klamer Schmidt.

951.
Eigne Melodie.

Hier soll ich sie sehen, ja, ich fühle neues Leben; die Sehnsucht, die mein Herz bewegt und sich im Busen mächtig regt, sie verkündet mir mit freud'gem Beben: hier soll ich sie sehen!

Hier soll ich sie sehen, doch wenn uns Verrath hier drohte! Warum steh' ich hier so verzagt? Hier gewinnt nur, wer muthig wagt; trotz Gefahr und Tod folg' ich dem Gebot: hier soll ich sie sehen!

„Maurer und Schlosser."

952.

Hier stehen wir auf unsern Krücken, an unsers Vater Friedrich's Grab, und Thränen stürzen aus den Blicken auf unsern grauen Bart herab.

O Vater! könnten wir erkaufen mit unserm Blute dich von Gott, dann würden wir auf Krücken laufen und würden bitten um den Tod.

Wir, die wir einst bei deinem Leben erhielten Brod und Löhnung voll, uns wird nun kaum das Brod gegeben, wir leben jetzt so kummervoll.

Hier stehen wir verlaßne Waisen und blicken uns mit Thränen an, und wünschen dir bald nachzureisen, hin, wo uns nichts mehr trennen kann.

Ein Stücklein Erd' aus deinem Grabe, ein Stücklein, Vater, nehm' ich dir, und wenn ich ausgetrauert habe, so legt man es in's Grab zu mir.

Altes Soldatenland.

953.

Schützenlied.

Melodie: Schon haben viel Dichter.

Hier waren wir immer so herrlich verbunden, und zählten nur frohe und selige Stunden, und sahen dann blühen, Jahr aus und Jahr ein, ja blühen gar freundlich den Schützenverein.

Da haben wir immer, von Freude durchdrungen, das innige Glück, das wir fühlten, gesungen; doch sagt nun, was läßt denn Jahr aus und Jahr ein in unserem Bunde so fröhlich uns sein?

Nicht Jünglinge sind wir, die wetten und wagen und suchen im Sturme das Glück zu erjagen; gern sitzen wir Männer im engen Verein, und können deßwegen so fröhlich da sein.

Wir grüßen uns immer, bezwungen bei'm Feste, als fremde und fernher gekommene Gäste; wir treffen als alte Bekannte hier ein, und können deßwegen so fröhlich auch sein.

Wir brauchen nicht sorgsam die Worte zu setzen; — wenn könnte ein Wörtchen vom Freunde verletzen? — wir reden, verstehn uns im Bruderverein, und können deßwegen so fröhlich auch sein.

Selbst Männer, gepriesen von jeglichem Munde, verweilen so freundlich in unserem Bunde, und liebevoll krönen sie unsern Verein, und lassen so heiter und fröhlich uns sein.

Hier sitzen wir Alle vertraulich und bieder, und singen der Freundschaft geheiligte Lieder, und trinken darunter vom köstlichen Wein, und können deßwegen so fröhlich hier sein.

Wo Freude soll wohnen, darf Ordnung nicht schwinden: und hier ist ja Ordnung vorzüglich zu finden; wie viel thut bei Tafel die Klingel allein! sie tönet und bittet — gleich ruhig zu sein.

Es blühet kein Bund, der nichts Festes bezwecket, wo Jeder ein Ziel nach Belieben sich stecket. Zu treffen bezielet der Schützenverein: ein Ziel und ein Sinn läßt so fröhlich uns sein.

Was wollen wir länger den Bund noch beschreiben? schön war er, und ist es, und wird es auch bleiben; auf, greift nach den Gläsern: Der Schützenverein soll blühend, wie immer, in Zukunft auch sein.

954.

Hinaus, hinaus! es ruft das Vaterland! Eilt, Männer, eilt zu kämpfen und zu siegen; im Glauben stark bewaffnet eure Hand! Ihr dürft nicht wanken, nicht erliegen, ihr streitet nicht um Ehre, Ruhm und Gold, das deutsche Recht erkämpfet ihr euch wieder, und deutsche Freiheit, deutsche Treue, deutsche Lieder erwarten euch als euer schönster Sold.

Zu lange schon ertragen wir die Schmach, die durch Verblendung wir erduldet; werft ab das Joch und werdet endlich wach, auf daß nicht eure Schande ihr verschuldet. Es gilt für Glaube, Vaterland und Weib; erkämpft den Sieg, bringt deutschen Sinn uns wieder, und deutsche Freiheit, deutsche Treue, deutsche Lieder erwarten euch als euer schönster Sold.

Gott war mit euch, er maß die Prüfungszeit, er gab euch Muth, den großen Kampf zu enden; er hat durch euch vom Feinde uns befreit, und Sieg empfangen wir aus seinen Händen. Ihr kämpftet treu für Gott und Vaterland, das deutsche Recht erkämpfet ihr euch wieder, die edle Freiheit, feste Treue, deutsche Lieder sind nun des Vaterlandes Unterpfand.

955.
Der ungarische Roßhirt.

Hinaus, hinaus, mir kocht das Blut! Hinaus, hinaus, mir wallt der Muth! Das Dörflein harrt in Neubegier, wild auf der Haide rennt das Thier. Es flattern die Mähnen, es donnert der Huf, die Peitsche gellt zum Hussaruf; — ich nahe dem Roß, — es schleudert die Rechte um seinen Hals die zähmende Flechte; — die Männer jauchzen, die Dirnen beten! Zwölf Schritte bin ich zurückgetreten, und recke mich, strecke mich mächtig zur Erde, und ziehe mit schwellenden Sehnen den Strick um's stolze Genick, und strammer und strammer dem schnaubenden Pferde.

Kaum spürt der bäumende schäumende Renner die Schlinge, so fegt er wie des Sturmes Schwinge, und sauset und brauset im engen Ringe, indeß der Strick die Kehle schnürt: die Peitschen gellen, die Hunde bellen, die Gräser sterben, verderben, es wirbelt der Staub zum Himmel auf, es singet, es springet der bunte Hauf. Ich aber ruhe mit kühnem Blick auf der zitternden Erde, und nah' und näher dem rasenden Pferde, und stemme mich mächtig und halte den Strick, — und die Hand ist wund, und es schäumt der Mund, und alle Pulse klopfen, und es fällt der Schweiß in schweren Tropfen. O Herre Gott, o Herre Gott, verlaß mich nicht, verlaß mich nicht, laß nimmer mich werden zum Kinderspott! — Da schwindet der Athem, — da strauchelt, — da bricht das rauchende Thier mit Macht, mit Macht, sein Auge weint, mein Herze lacht!

Nun ist es Zeit, ich wachse schnell vom Boden auf, — stehend, zwischen die gespreizten Schenkel nehm' ich das hingestreckte Roß, lasse locker die schnürende Schlinge, fasse die wehenden Mähnen, ein ungrischer Reiter! Gieb Acht! gieb Acht! Nun athmet freier das keuchende Thier, und reckt die schlanken Vier, und hebt sich geflügelt mit dumpfem Geschnauf, — und hebt mich zugleich mit auf, — und rennt sich und rennt und rennt, sein Herz und seine Sohle brennt. Und es rennt in die weite Welt hinein, und die klaffenden Hunde hinterdrein, und es rollen die Schollen im Haidegrund, und meine Sporen stacheln es wund, und die Peitsche in meiner linken Faust laut knallend um seine Hüften saust —: so zähmet der Janko das wilde Roß, und jubelnd umringt mich der bunte Troß. —

Karl Beck.

956.
Gesang ausziehender Krieger.

Hinaus in die Ferne mit lautem Hörnerklang, die Stimmen erhebet zum männlichen Gesang! Der Freiheit Hauch weht mächtig durch die Welt, ein freies, frohes Leben uns wohl gefällt.

Wir halten zusammen, wie treue Brüder thun, wenn Tod uns umgrauet und wenn die Waffen ruh'n. Uns alle treibt ein reiner, froher Sinn, nach einem Ziele streben wir alle hin.

Der Hauptmann, er lebe! er geht uns kühn voran, wir folgen ihm muthig auf blut'ger Siegesbahn. Er führt uns jetzt zu Kampf und Sieg hinaus, er führt uns einst, ihr Brüder, in's Vaterhaus.

Hoch auf dem Berg'.

Wer wollte wohl zittern vor Tod und vor Gefahr? Vor Feigheit und Schande erbleichet unsre Schar, und wer den Tod im heil'gen Kampfe fand, ruht auch in fremder Erde im Vaterland! Methfessel.

957.

Hinaus in's Freie! hinauf nach den Höh'n! unter Gottes Augen mich zu ergehn!

Da wird mir wieder so wohl zu Muth; da wallt so freudig das junge Blut.

Da blick' ich selig die Thal' entlang, und all' die Freude wird zum Gesang! Karl Grüneisen.

958.

Hippocrat, den Cos verehret, zieht dem Wein das Wasser vor; denn sein Aphorismus lehret: $\xi u\eta\eta\varepsilon\varrho\varepsilon\iota\ \pi o\lambda\grave{u}\ \H{u}\delta\omega$. Und Galen de humido schreibt sehr schön und weislich so: prodest aquae potio.

Celsus zeigt schon unter'm Titel: de potationibus durch ein ziemlich lang Capitel, daß man Wasser trinken muß: Hermann Boerhav schreibet ja: aqua paullo frigida potio est optima. Prörtermann.

959.

Hoch auf dem alten Thurme steht des Helden edler Geist, der, wie das Schiff vorübergeht, es wohl zu fahren heißt.

„Sieh', diese Senne war so stark, dies Herz so fest und wild, die Knochen voll von Rittermark, der Becher angefüllt."

„Mein halbes Leben stürmt' ich fort, verdehnt' die Hälft' in Ruh', und du, du Menschen=Schifflein dort, fahr' immer, immer zu!" Göthe.

960.

Hoch auf dem Berg' und tief im Thal, soll ich denn um dich trauern wohl überall? Die Sonne und der Mond, das ganze Firmament, soll ich denn um dich trauern bis an mein End'?

Schlafest du allda in guter sanfter Ruh', und schließest deine schwarzbraunen Aeuglein zu? Schlafest du allda und lässest mich nicht ein, und ladest mich gar eben zur Hochzeit ein?

Froh will ich sein, wenn's dir wohl geit, wenn auch mein junges Herze in Trauern steit. Geit es dir wohl, so freut es mich; geit's dir aber übel, o so kränkt es mich.

Harfenklang und Saitenspiel hab' ich lassen spielen so oft und viel; hab' ich lassen spielen so oft und viel, bis daß mir keine Saite mehr klingen will. Volkslied.

961.

Melodie: Vom hoh'n Olymp.

Hoch soll das anmuthsvolle Mädchen leben, die noch in frischer Jugend glänzt, die würd'ge Greisin aber auch daneben, der Silberhaar die Stirn' umkränzt. Jeglicher bringe vor allen jedoch feurig der Liebsten ein dreifaches Hoch! (Chor:) Jeglicher bringe vor allen jedoch feurig der Liebsten ein dreifaches Hoch!

Es leb' die Fürstin auf dem goldnen Throne, wenn's Diadem sie würdig schmückt, das Mädchen auch mit einer Blumenkrone, wenn aus dem Aug' ihr Unschuld blickt. Jeglicher bringe vor allen jedoch ꝛc.

Dem Mädchen, das im Arm des Schlummers lieget, von Muttersorge treu bewacht, der Mutter, die das süße Kindlein wieget, sei jetzt ein volles Glas gebracht. Jeglicher bringe vor allen jedoch ꝛc.

Es leb' das Mädchen, deren zarte Farbe wie Schnee vom Morgenroth verklärt; der braunen Schnitterin mit ihrer Garbe sei fröhlich auch ein Glas geleert. Jeglicher bringe vor allen jedoch ꝛc.

Sie, die beglückt durch einen treuen Lieben, sich selig schon im Himmel wähnt; sie lebe hoch, doch auch die Schwermuthstrübe, die sich umsonst nach Liebe sehnt. Jeglicher bringe vor allen jedoch ꝛc.

Das Mädchen, das die Grazien umschweben, das Sang und Tanz und Freude liebt, soll mit der sinnig ernsten Jungfrau leben, die freudig ihre Pflichten übt. Jeglicher bringe vor allen jedoch ꝛc.

Sie alle hat der Himmel uns beschieden, das Herz zu bessern, zu erfreun, sie alle, alle sollen uns hienieden ein Bild des Guten, Schönen sein. Füllet die Gläser, die Blicke empor, danket dem Himmel im jubelnden Chor!

962.

Hör' ich munter um die Tonne singen, Kannen klappern, Gläser hell erklingen, dünkt es mich, ich höre Sphärenton. Bin nun einmal so geboren worden, muß hinein in diesen Jubelorden, glaub' als Türk' Prädestination.

Uebt dort oben sich in Donnerklängen Zeus, und läßt die Wolken runzlich hängen, glaubt ihr wohl, ich schlag' die Hände schon? Trink' ihm wacker zu in solchen Nöthen, einen Trunknen darf kein Donner tödten; Zeus hat auch Prädestination.

Laßt den alten Graubart immer tosen, mir bringt frische Gläser, frische Rosen, Tonnen, die mir Niederlagen drohn. Muß ich dann gleich mit den Tapfern fallen, fangt mich auf, ihr Brüder, mich vor Allen; dies sei mir Prädestination.

Laßt die Thoren fliegen in die Fernen, laßt das Heil sie fragen von den Sternen, holen aus dem tiefen Acheron. In den Tonnen sehet die Planeten; seht am Hügel, wo sich Trauben röthen, meines Sterns Prädestination.

Droht der Isegrimm mit seiner Sense, reit' ich's Leben doch auf Stang' und Trense, im Galopp, im Trotte ihm zum Hohn! Vor der Stunde darf das Roß nicht stürzen, um Minuten darf er mir nichts kürzen, Tod hat auch Prädestination.

E. M. Arndt.

963.

Melodie: Im Kreise froher, kluger Zecher.

Hört auf mit Plaudern und mit Lachen, denn jedes Ding hat seine Zeit; wir können noch was Bessers machen: auch Lieder heischt die Fröhlichkeit! Ein Fest, bei welchem man nicht singt, gleicht einer Glocke, die nicht klingt.

Wohlauf denn, Freunde, laßt uns singen ein Lied, das Herz und Ohr erfreut. Wenn noch dabei die Gläser klingen, so wird's ein herrliches Geläut. Nur werde das auch nicht verletzt, daß man die Kehle fleißig netzt.

Genießt den edlen Saft der Reben! schenkt ein mit unverdroßner Hand, und trinkt auf aller Menschen Leben, uns All' umschlingt ein Bruderband. Schließt euch auf dieser Pilgerbahn gesellig an einander an!

Es leben alle guten Fürsten, die keinem Schmeichler sich vertrau'n, die, statt nach Heldenruhm zu dürsten, dem dürft'gen Fleiße Hütten bau'n! Dem Landesvater diesen Wein, er will, wir sollen fröhlich sein!

Es leben alle wackern Bürger, und wer den Bürgernamen ehrt! Weg, dummer Stolz, du Freudenwürger bist nicht der edlen Freiheit werth! Auf Bürgerglück! Stimmt feurig ein: Wir wollen deutsche Bürger sein!

Es leben all' die edlen Glieder des Bundes, der uns hier vereint! Klingt an mit Herzlichkeit, ihr Brüder, aufrichtig sei der Wunsch gemeint! Das ganze Leben schwind' uns so, wie dieses Fest, vergnügt und froh!

964.

Melodie: Das waren mir selige Tage.

Hört, Brüder, die Zeit ist ein Becher, drein gießet das Schicksal dem Zecher bald Galle, bald Wasser, bald Wein.

Was gestern als Wein uns erfreute, verwandelt in Wasser sich heute, und morgen kann Galle drin sein.

Doch weisere Zecher verstehen mit Klugheit zu trinken, und sehen zuvor in den Becher hinein; und blinket es golden, so trinken sie hastigen Zuges, und dünken sich heute nur durstig zu sein.

Drum füllt euch das Schicksal, ihr Zecher, mit fließendem Golde den Becher, und ladet zum Trinken euch ein: so laßt euch das Wasser von morgen, die Galle von gestern nicht sorgen und trinket den heutigen Wein. Blumauer.

965.

Hört ihr den schwäbischen Wirbeltanz? Lirum tralarum! herbei! Mag ein pedantischer Firlefanz rufen sein Ach! und sein Ei!

Lirum, der Boden ist spiegelglatt, hell und bevölkert der Saal; larum, es walze, wer Athem hat und ein gesundes Pedal.

Jünglinge, schwebet im Takte hin! fliegt den melodischen Flug, bis euch die glühende Tänzerin lispelt ein mattes: Genug!

O! der unnennbaren Seligkeit, unter dem Hörnergetön, traulich in süßer Umschlungenheit sich, wie die Sphären, zu drehn.

Krittler, verdammt den Erfinder nicht! denn ihr verdammt die — Natur! Singet dem Walzer ein Lobgedicht, aber dem langsamen nur.

966.
Nachtwächterlied.

Hört, ihr Herrn, und laßt euch sagen, unsre Glock' hat Zehn geschlagen: Zehn sind der heiligen Gebot', die uns gab der liebe Gott. Menschen Wachen kann nichts nützen, Gott muß wachen, Gott muß schützen; er durch seine große Macht geb' uns eine gute Nacht!

Hört, ihr Herrn, und laßt euch sagen, unsre Glock' hat Elf geschlagen: Elf ist der Apostel Zahl, die da lehrten überall. Menschen Wachen ꝛc.

Hört, ihr Herrn, und laßt euch sagen, unsre Glock' hat Zwölf geschlagen: Zwölf Jünger folgten Jesu nach, litten mit ihm alle Schmach. ꝛc.

Hört, ihr Herrn, und laßt euch sagen, unsre Glock' hat Eins geschlagen: Eins ist allein der einige Gott, der uns trägt aus aller Noth. ꝛc.

Hört, ihr Herrn, und laßt euch sagen, unsre Glock' hat
Zwei geschlagen: Zwei Wege hat der Mensch vor sich, Mensch,
den besten wähl' für dich. ꝛc.

Hört, ihr Herrn, und laßt euch sagen, unsre Glock' hat
Drei geschlagen: Dreifach ist, was heilig heißt, Vater, Sohn
und heil'ger Geist. ꝛc.

Hört, ihr Herrn, und laßt euch sagen, unsre Glock' hat
Vier geschlagen: Vierfach ist das Ackerfeld, Mensch, wie ist
dein Herz bestellt? ꝛc.

967.

Hört, ihr Herrn, und laßt euch sagen, weil die Uhr hat
Zehn geschlagen, laßt uns unsrer Rausche Zahl überschlagen
noch einmal. Will das Jahr, in dem wir leben, nicht die
volle Zahl dir geben, trink' den zehnten heute dir, und du
bist so gut, wie wir.

Hört, ihr Herrn, und laßt euch sagen: weil die Uhr hat
Elf geschlagen, denkt doch an den Elferwein, und schenkt
keinen schlechtern ein; denn der edle deutsche Elfer ist der
wahre Seelenhelfer. Elf! ihr Herrn, der Wächter spricht:
höret und verzählt euch nicht!

Hört, ihr Herrn, und laßt euch sagen: weil die Uhr hat
Zwölf geschlagen und zur Neige geht der Tag, seht auf euren
Tischen nach, ob sich hier und da nicht zeigen volle Flaschen
oder Neigen. Alle müssen sein geleert, eh' der Wächter
wiederkehrt.

Hört, ihr Herrn, und laßt euch sagen: weil die Uhr hat
Eins geschlagen, und der neue Tag beginnt, holet neuen
Wein geschwind, und erwählt euch einen Andern, mit dem
Horn umher zu wandern. Guten Morgen! Guten Tag!
Meine Uhr geht immer nach.

968.

Hört ihr wohl den grausen Sturm mit der Wetterfahne
klirren? Aber laßt uns das nicht irren! Laßt die Dohlen
um den Thurm schneeweissagend immer schwirren. (Chor:)
Laßt die Dohlen ꝛc.

Sind doch wir in Sicherheit: laßt den Strom in finstern
Wogen; ihren lichten Frühlingsbogen hat bescheidne Fröhlich=
keit lieblich um uns her gezogen. (Chor:) Um uns zog die
Fröhlichkeit ihren lichten Frühlingsbogen.

Pflanzt die Gläser auf den Tisch! trinkt die schwarzen
Sorgen nieder! windet Kränze, singet Lieder! seht, die Aster

ist noch frisch, drum bekränzt, bekränzt euch, Brüder! (Chor:) Ja, die Aster ist noch frisch, kränzet den Pokal, ihr Brüder!

Unsre Pflanzen, groß und klein, mögen gern im Regen sprießen und des frischen Thau's genießen! Nur die Freude läßt allein sich mit Rebensaft begießen! (Chor:) Nur die Freude ꝛc.

Mag der hochgelehrte Mann Form und Geist der Freud' ergründen — beide trennen und verbinden, und beregeln, wenn er kann, wir, wir wollen sie empfinden! (Chor:) Er beregle, wenn er kann, Freude, welche wir empfinden!

Hier soll Freud' und Friede sein, und der Kriegsposaunenbläser findet heut' hier keinen Leser; jedes Herz sei rein und klar, rein und klar, wie unsre Gläser. (Chor:) Jedes Herz ꝛc.

Nur die Gläser nicht zu voll! mäßig sein ist unser Wesen, das macht Seel' und Leib genesen! Wer's nicht ist, zur Strafe soll der Suwarow's Thaten lesen. (Chor:) Wer nicht mäßig ist, der soll in Suwarow's Thaten lesen.

Leben soll die beßre Zeit! und kein Russe soll die Blüthen ihres Lebens niederwüthen! Leben soll die Menschlichkeit! trotz dem furchtbar rohen Scythen! (Chor:) Leben soll ꝛc.

Leben soll der Freunde Kreis! bei den Seelen, die ihn weihen, nichts soll seinen Kranz entzweien! Klingt die Gläser an, wer weiß, ob wir uns bald wieder freuen! (Chor:) Klingt die Gläser ꝛc.

Tiedge.

969.

Hört, lieben reichen, dicken Leute! Hört an mein Trostlied! Schaut mit Ruh' bei'm Glase Bier dem Zeitgeist zu! Schlaft ruhig morgen so wie heute und glaubt: kein Krieg erschreckt die Welt; denn Bruder Rothschild giebt kein Geld.

Sagt an, wer sollte Krieg beginnen? Meint ihr, die Diplomaten? Traun! die wollen vorwärts nimmer schaun, und rückwärts immer sich besinnen, und werden endlich doch geprellt; denn Bruder Rothschild giebt kein Geld.

Und glaubt vielleicht ihr, die Soldaten? — Sie haben freilich heißes Blut; doch fürchtet nichts von ihrem Muth, und nichts von ihren Heldenthaten! Verhungern müssen sie im Feld; denn Bruder Rothschild giebt kein Geld.

Und meint ihr gar die Liberalen? Ach Gott! das Bischen Volkspartei macht zwar ein wenig viel Geschrei; doch kann's die Tinte kaum bezahlen, womit es sich im Kampf erhält, denn Bruder Rothschild hat kein Geld.

Und denkt ihr gar, die guten Pfaffen? Sie könnten wohl, wie's oft geschah, das Feuer schüren hier und da. —

Glaubt mir, auch ihnen fehlt's an Waffen; denn er, der Papst der Christenwelt: der Bruder Rothschild giebt kein Geld.

Und giebt er keins, so kann auf Erden, in allen Staaten weit und breit, trotz allem Zank und allem Streit, kein Krieg, ihr guten Leute! werden; denn dazu braucht die liebe Welt vor allem Bruder Rothschild's Geld.

Drum ist der Friede rings geborgen. Es wäre denn, der reiche Mann fing Krieg mit seinen Schuldnern an, doch ist auch dies nicht zu besorgen, da er gar sehr auf Ruhe hält; denn Bruder Rothschild liebt sein Geld.

Drum, lieben reichen, dicken Leute, blickt in die böse Zeit mit Ruh'! Laßt's schmecken euch und lacht dazu! Schlaft ruhig morgen, so wie heute, und glaubt: kein Krieg erschreckt die Welt; denn Bruder Rothschild liebt sein Geld.

970.

Hört, wie die Wachtel im Grünen schön schlagt: Lobet Gott, lobet Gott! Mir kommt kein Schauder, sie sagt, fliehet von einem in's andre grün' Feld, und uns den Wachsthum der Früchte vermeld't, rufet zu Allen mit Lust und mit Freud': Danke Gott, danke Gott! der du mir geben die Zeit.

Morgens sie ruft, eh' der Tag noch anbricht: Guten Tag, guten Tag! Wartet der Sonnen ihr Licht; ist die aufgangen, so jauchzt sie vor Freud', schüttert die Federn und strecket den Leib, wendet die Augen dem Himmel hin zu: Dank sei Gott, Dank sei Gott! der du mir geben die Ruh'.

Blinket der kühlende Thau auf der Haid', werd' ich naß, werd' ich naß! Zitternd sie balde ausschreit, fliehet der Sonne entgegen und bitt't, daß sie ihr theile die Wärme auch mit, laufet zum Sande und scharret sich ein. Hartes Bett, hartes Bett! sagt sie und legt sich darein.

Kommt nun der Waidmann mit Hund und mit Blei: fürcht' mich nicht, fürcht' mich nicht! Liegend ich beide nicht scheu', steht nur der Weizen und grünet das Laub, ich meinen Feinden nicht werde zum Raub; aber die Schnitter die machen mich arm, wehe mir, wehe mir! daß sich der Himmel erbarm'!

Kommen die Schnitter, so ruft sie ganz keck: Tritt mich nicht, tritt mich nicht! liegend zur Erde gestreckt. Flieht von geschnittenen Feldern hindann, weil sie sich nirgend verbergen mehr kann, klaget: Ich finde kein Körnlein darin; ist mir leid, ist mir leid! Flieht zu den Saaten dahin.

Ist nun das Schneiden der Früchte vorbei: Harte Zeit! harte Zeit! Schon kommt der Winter herbei. Hebt sich zum Lande zu wandern nun fort hin zu dem andern weit fröhlichern Ort, wünschet indessen dem Lande noch an: Hüt' dich Gott, hüt' dich Gott! fliehet in Frieden bergan.

Altes fliegendes Blatt.

971.

Hört zu, ich will euch Weisheit singen! die Kunst, sich selber zu bezwingen, kenn' ich, ich kenn' sie ganz allein. Es lehrt kein Doctor, kein Professer, sie gründlicher als ich und besser: Trinkt Wein! trinkt Wein! trinkt Wein! ihr werdet weise sein.

Reizt euch des Feindes Glück zum Neide, deckt euch nur Woll', ihn Sammt und Seide, ihr geht, er muß gefahren sein: er fahr' und überrechne Schulden, und ihr für euren letzten Gulden trinkt Wein! trinkt Wein! trinkt Wein! ihr schlafet ruhig ein.

Müßt ihr vor großen Herrn euch beugen, seht ihr sie täglich höher steigen, weist man euch ab, läßt Narren vor: laßt ihnen Reverenze machen, und um die Thoren zu belachen, trinkt Wein! trinkt Wein! trinkt Wein! und ihr seid groß, sie klein.

Wenn Nachbarn eure Rechte kränken mit böser List und argen Ränken, wer wird euch seinen Beistand leihn? Geht ja nicht hin zu Rabulisten, die sich in euren Beutel nisten; trinkt Wein! trinkt Wein! trinkt Wein! ihr werdet bald verzeihn.

Hat sich das Glück zurückgezogen, seid ihr von Hoffnungen betrogen, fällt hier und da ein Luftschloß ein: laßt ab, Ruinen zu beschauen, sucht euch ein neues zu erbauen: trinkt Wein! trinkt Wein! trinkt Wein! ihr legt den ersten Stein.

Wenn Mädchen unempfindlich bleiben, nur Scherz mit eurer Liebe treiben, und spotten eurer Herzenspein: ras't ja nicht gegen eignes Leben, und, statt mit Gift euch zu vergeben, trinkt Wein! trinkt Wein! trinkt Wein! ihr werdet klüger sein.

Wenn trinken große Sünde wäre, so müßte ja, bei meiner Ehre, die halbe Welt des Teufels sein. Glaubt ja nicht solche Schwärmereien! ob's auch Zeloten nie verzeihen. Trinkt Wein! trinkt Wein! trinkt Wein! und laßt die Narren schrein.

Stellt sich ein furchtbares Gerippe, der blasse Tod mit seiner Hippe, bei euch unangemeldet ein; greift rasch nach

einem vollen Becher und sprecht: willkommen, lieber Zecher! Trink' Wein! trink' Wein! trink' Wein! und laß dein Tödten sein.
Christ. Felix Weiße.

972.

Melodie: O sanctissima.

Hör' uns, Allmächtiger! hör' uns, Allgütiger! himmlischer Führer der Schlachten! Vater, dich preisen wir, Vater, wir danken dir, daß wir zur Freiheit erwachten.

Wie auch die Hölle braust, Gott, deine starke Faust stürzt das Gebäude der Lüge. Führ' uns, Herr Zebaoth, führ' uns, dreiein'ger Gott, führ' uns zur Schlacht und zum Siege!

Führ' uns! fall' unser Loos auch tief in Grabes Schooß: Lob doch und Preis deinem Namen! Reich, Kraft und Herrlichkeit sind dein in Ewigkeit! Führ' uns, Allmächtiger! Amen.
Theodor Körner. 1813.

973.

Hoffnung erhält das Leben, sie flicht das Demantband, das Erd' und Himmel einet, sie reicht uns stets die Hand. Sie ist der Fels des Glaubens, wenn Tod die Hippe schwingt, wenn Grüfte uns umgeben, wenn Schauer uns umringt.

Sie ist der Stern der Liebe, wenn Sehnsucht harrend klagt, wenn Herzen sich ergießen, wenn Freude rosig tagt; sie ist des Pilgers Stütze, sie zieht vor ihm herauf, wenn er zum fernen Ziele verfolgt den Pilgerlauf.

Sie ist der Schutz im Drange, sie giebt im Unglück Muth; wenn Leiden uns umgeben, ruft sie: es wird noch gut! Die schönste Lebensblume erleichtert Müh' und Noth. O hoffnungslos sei nimmer im Leben und im Tod!

974.

Hoffnung, Hoffnung, komm nur bald, meines Herzens Aufenthalt! Mein Verlangen steht allein zu der Herz=, zu der Herz=, zu der Herzallerliebsten mein.

Heut' will ich nicht schlafen gehn, will zu der Herzallerliebsten sehn; will gehn vor ihr Schlafkämmerlein, :,: will schaun, ob sie :,: zu Haus wird sein.

„Wer steht denn draus, wer klopft denn an, der mich so leise wecken kann?" „„Es ist der Herzallerliebste dein; steig' auf, mein Schatz, und laß mich ein!""

„‚rein darf ich dich nicht lassen, meine Mutter ist noch nicht schlafen; mein Vater ist bei'm rothen kühlen Wein: ich hoff', daß er bald da wird sein."

„„Ich darf nicht lang' mehr außen stehn, ich seh' die Morgenröth' aufgehn, die Morgenröth', ein'n hellen, hellen Stern; bei meinem Schatz wär' ich so gern!"″

Das Mägdlein stand auf und ließ ihn ein, in ihrem schneeweißen Hemdelein; und als sie ihm hatt' aufgethan, da fing sie bald zu weinen an.

„„Ach, weine nicht, mein Schätzelein! über's Jahr sollst du mein eigen sein; mein eigen sollst du werden allhier auf dieser Erden!"″

Vom Thüringer Walde.

975.

Hoho! vivat, hoho! vivat fraterna sanitas! (Chor:) Hoho! vivat etc.

En poculum amoris, antidotum doloris, hoho! vivat, hoho! vivat fraterna sanitas! (Chor:) En poculum etc.

976.
Empfindsames Soldatenlied.

Holde Nacht, dein dunkler Schleier decket mein Gesicht vielleicht zum letzten Mal! morgen lieg' ich schon dahin gestrecket, ausgelöscht aus der Lebend'gen Zahl.

Morgen gehen wir für unsre Brüder und für unser Vaterland zum Streit; aber ach! so Mancher kommt nicht wieder, wo sich Freund an Freundes Busen freut.

Mancher Säugling lieget in den Armen seiner Mutter, fühlt nicht ihren Schmerz; sie schreit himmelhoch, ach! um Erbarmen, und drückt hoffnungsvoll ihn an ihr Herz!

Freudig hüpft und fragt ein muntrer Knabe: Mutter! kommt nicht unser Vater bald? Du armes Kind, dein Vater liegt im Grabe, sein Auge sieht nicht mehr der Sonne Strahl!

Dort liegt schon ein Held mit Sand bedecket, Waise ist das Mädchen und der Knab'; hier liegt auch ein Sohn dahin gestrecket, der den Aeltern Brod im Alter gab!

Mädchen, denke nicht an süße Bande, denk' auch nicht an Freud' und Hochzeitstanz; denn die Liebe schlummert schon im Sande, schwinget hoch empor den Todtenkranz!

Traurig, traurig, daß wir unsre Brüder hier und dort als Krüppel wandern sehn; aber süße Pflicht ist's dennoch wieder, muthig seinem Feind entgegen gehn.

Reißt mich gleich des Feindes Kugel nieder, schwingt mein Geist sich freudig hoch empor; ach, wer weiß, sehn wir uns jemals wieder! darum, Freunde, lebt auf ewig wohl!

Ueblich 1813 u. 1814. Von Blücher verboten.

977.

Holdes Grün, wie lieb' ich dich! Augenlust bist du für mich; bist, so wahr ich Waidmann bin, aller Farben Königin.

Ha! wie schön ist Wald und Flur, wenn der Frühling die Natur gallamäßig ausgeschmückt, Auge, Ohr und Herz entzückt.

Welche Farbe hat die Tracht, die so reizend Alles macht? Grün, o grün ist Wald und Flur, grün das Festkleid der Natur.

Mahomed ist mein Patron; ächte Schönheit kannt' er schon! er, dem aus der Farbenschar nur die grüne heilig war.

Hätte ich ein Königreich, wahrlich, seinen Houris gleich, sollten Mädchen jung und schön alle grün gekleidet gehn.

Trefflich hebst du, sanftes Grün! Wangen, die wie Rosen glühn; nur zum grünlichen Gesicht paßt ein grün Gewand sich nicht.

Wenn ein brennend Scharlachroth meinen Augen Blindheit droht, blick' ich ängstlich hin nach dir, Trost und Stärkung giebst du mir.

Hu! wie haß' ich Schwarz und Grau, minder Weiß und Gelb und Blau; doch du schönes Grün allein sollst meine Lieblingsfarbe sein.

Lob und Preis der Jägerei, sie nur bleibt dir ewig treu. Glücklich, glücklich ist der Mann, der in Grün sich kleiden kann.

Ach! wenn nur im Winter nicht, Brüder, einst mein Auge bricht! möchte gern zum grünen Hain sterbend noch getragen sein.

Unter Buchen, Lieblingsgrün, soll mein letzter Hauch entfliehn; wo mich, leblos hingestreckt, auch ein grüner Rasen deckt.

978.

Holde Tonkunst, deine Freuden singt mein jugendliches Lied; sanfte Trösterin im Leiden, wenn uns Lust und Freude flieht! Wie erheitert sich die Seele, wenn dein Saitenspiel erklingt, und aus zauberischer Kehle süßer Lieder Wohlklang dringt!

O wie fühl' ich tief im Herzen deiner Töne Wunderkraft! Du magst trauern oder scherzen, dir folgt jede Leidenschaft!

Doch es ist nicht blos Vergnügen, was du uns, o Tonkunst, schenkst, wenn mit zauberischen Zügen du die guten Seelen lenkst.

Hebt nicht gern im Lobgesange sich das Herz zu Gott empor? Leiht nicht frommer Lieder Klange frecher Leichtsinn selbst sein Ohr? Glücklich, wen in früher Jugend, Tonkunst, schon dein Reiz gerührt, ja, zur Unschuld und zur Tugend mächtiger ihn hingeführt;

Wem bei deinem Saitenspiele Gellert's frommes Lied erklang, und die edelsten Gefühle in die zarte Seele sang. Darum sollen edle Lieder immerdar mein Herz erfreun, und ich will die jungen Glieder, Tonkunst, deinem Dienste weihn!

Lieberkühn.

979.

Melodie: Der Bursch von ächtem Schrot.

Holt Eichenlaub, zu schmücken hier den alten Festpokal! vallera! den alten Festpokal, vallera! denn deutsche Männer laden wir zum frohen deutschen Mahl, vallera! zum ꝛc.

Der Wackre nur soll Zeuge sein, wie uns die Wange glüht, soll kosten unsern deutschen Wein, mitsingen unser Lied.

Hinweg, wer schüchtern um sich schaut, nicht frei sein Angesicht erheben darf, sobald man laut vom Vaterlande spricht!

Und wem der Höfe Schmeichelkunst mehr ist, als deutscher Sinn, wer den verkauft um Herrengunst, um schändlichen Gewinn;

Weil er, was Menschen kann erhöhn, nach Ehrenstellen mißt, und selber, oben an zu stehn, des Volkes Schmach vergißt.

Nicht so der deutsche Mann! er tritt hervor mit Wort und That, ihm dünket jeder bange Schritt des Kleinmuths ein Verrath.

Sein Herz bleibt hohen Muthes voll, droht ihm der Mächt'ge gleich, er schweigt nicht, wenn er reden soll, nicht um ein Königreich.

Hinblickend auf sein Vaterland, an dem er nie verzagt, harrt er, bis himmelabgesandt ein beßrer Morgen tagt.

Und tagen wird's! drum schmücken wir den alten Festpokal und laden deutsche Männer hier zum frohen deutschen Mahl!

J. G. Jakobi.

980.
Kinderlied.

Hopp, hopp, hopp, mein Kindchen, die Schwalbe fliegt geschwindchen, am Dach, da baut sie sich ein Haus, da schaun die Kleinen zum Fenster heraus, hopp, hopp, hopp!

Hopp, hopp, hopp zu Pferde, wir reiten um die Erde, die Sonne reitet hinterdrein, wie wird sie Abends müde sein! Hopp, hopp hopp! *Wackernagel.*

981.
Steckenpferdliedchen.

Hopp, hopp, hopp! Pferdchen, lauf Galopp, über Dornen, über Steine, thun dir ja nicht weh die Beine, immer im Galopp! Hopp, hopp, hopp!

Tipti, tapti, tap! wirf mich ja nicht ab! sonst bekommst du Peitschenhiebe, Pferdchen, thu' mir's ja zu Liebe, wirf mich ja nicht ab! Tipti, tapti, tap!

Pitschi, patschi, patsch! klatsche, Peitsche, klatsch! mußt recht um die Ohren knallen, ha das kann mir sehr gefallen! Peitsche, klatsche, klatsch! Pitschi, patschi, patsch!

Haha, haha, ha! juch nun sind wir da! Diener, Diener, liebe Mutter! findet auch das Pferdchen Futter? Juch nun sind wir da! Haha, haha, ha!

Prr, prr, he! steh' doch, Pferdchen, steh'! sollst schon heut' noch weiter springen, muß dir doch erst Futter bringen! steh' doch, Pferdchen, steh'! Prr, prr, he! *Hahn.*

982.
Tanzliedchen.

Hopsa, Schwabenliesel, dreh' dich 'rum und tanz'! Hopsa, Liesegretel, dreh' dich 'rum, tanz' nach der Flöte! Hopsa, Liesegretel, lupf' die Füß' und tanz'!

983.
Landsturm.

Horcht! wie von allen Thürmen die Glocken heulend stürmen! Brecht auf! brecht auf! zum Landsturm auf! Entgegen geht's dem Feinde, Gemeinde an Gemeinde, nun Jung' und Alte frisch darauf!

Hervor die alten Klingen, die auf die Knochen bringen, die rost'gen Flinten von der Wand! Bewaffnet euch mit Keulen, mit Spießen, Gabeln, Beilen, und was euch immer kommt zur Hand.

Glück auf! ihr deutschen Brüder! Dringt in des Feindes Glieder, verbreitet Tod und Furcht und Graus! Vertilgt die lange Schande und jagt aus deutschem Lande undeutsches Volk mit Schmach hinaus.

Es kämpft für Deutschlands Sache jetzt selbst des Himmels Rache. Noch lebt der alte treue Gott. Dem Herrn gebt Preis und Ehre, des Feindes stolze Heere sind seiner großen Macht ein Spott.

Wie hat das Volk gehauset, von eurem Gut geschmauset, an eurem Tisch wie frech gepocht: der ist ein Schuft zu nennen, dem nicht die Sohlen brennen, dem nicht das Herz im Leibe kocht.

Drum laßt mit Faust und Eisen den Grenzstein ihnen weisen, sie müssen alle über'n Rhein! Macht ohne Gnade nieder! wer todt ist, kommt nicht wieder. Nur wacker drauf und hinterdrein!

Friedrich Rühs.

984.

Melodie: Sohn, da hast du meinen Speer.

Horch! was klingt am Schloß empor? Was vernimmt mein schwaches Ohr? Das ist nicht die Art im Wald und nicht das Mühlrad, das so schallt.

Nah' und näher kommt's zum Schloß, es ist ein Reiter hoch zu Roß, an der Pforte hält er schon! Großer Gott! es ist mein Sohn!

Eh' ich dich umarme, sprich: Bliebst du brav und ritterlich? Daß ich dich als deutschen Mann, als den Sohn umarmen kann.

Vater! bin ich nicht dein Kind? Und du frägst, wie ich gesinnt? Frankreich hat mich nicht bethört, bin der deutschen Väter werth.

Nun, so komm an meine Brust, jetzt umarm' ich dich mit Lust, und am vaterländ'schen Heil hast auch du, mein Sohn, jetzt Theil.

Eine Jungfrau harret dein, engelhold und seelenrein, für die Freiheit focht dein Schwert, bist der deutschen Väter werth.

Im Elsaß aufgezeichnet von **W. Cornelius.**

985.

Horch! was ruft dort in dem Hain? Festgebannt mit seidnem Fädchen seufzt ein junges schönes Mädchen, gern erlöset sein. :,: Knabe geht den Hain entlang, wo der helle Schrei erklang.

Fleht zu ihm das Mägdelein: „Bind' mich los, du schö=
ner Knabe, lohn' es dir mit schöner Gabe, will dir gute
Freundin sein." Knabe spricht mit kaltem Ton: „„Eine
Freundin hab' ich schon.""

Weiter fleht das Mägdelein: „Bind' mich los, du schö=
ner Knabe, lohn' es dir mit holder Gabe, will dir liebe
Schwester sein." Knabe spricht mit barschem Ton: „„Eine
Schwester hab' ich schon.""

Leiser fleht das Mägdelein: „Bind' mich los, du schöner
Knabe, lohn' es dir mit süßer Gabe, will dein treues Lieb=
chen sein." Knabe küßt der Wangen Ros' und band schnell
sein Liebchen los.

986.
Kinderlied.

Horei, horei! meine Küh' sind alle nei; 's fehlt mir nur
eine rothe Schecke, wo muß denn die im Holze stecke? 's
fehlt mir noch e Ziegenbock, wo muß denn der sein hingehoppt?
Nunter in das Niederland, wo die reichen Bauern sitzen, mit
den großen Zippelmützen, die das Geld mit Scheffeln messen
und den Quark mit Löffeln fressen.

Aus Thüringen.

987.
Spinnerlied.

Hurre, hurre, hurre! schnurre, Rädchen, schnurre! trille,
Rädchen, lang und fein, trille fein ein Fädelein mir zum
Busenschleier.

Hurre, hurre, hurre! schnurre, Rädchen, schnurre! We=
ber, webe zart und fein, webe fein das Schleierlein mir zur
Kirmeßfeier.

Hurre, hurre, hurre! schnurre, Rädchen, schnurre! außen
blank und innen rein muß des Mädchens Busen sein, wohl
deckt ihn der Schleier.

Hurre, hurre, hurre! schnurre, Rädchen, schnurre! außen
blank und innen rein, fleißig, fromm und sittsam sein, locket
wackre Freier.

Bürger. 1775.

988.
Bekannte Melodie.

Husaren sind gar wackre Truppen, und Jedermann ist
ihnen hold; von außen zierlich wie die Puppen, doch kern=
gediegen wie das Gold. Ja! steht die Welt nach tausend
Jahren, so leben sicher noch Husaren.

So weit die Kriegsdrommete schallet, so weit der Himmel blau noch ist, — wo nur ein Feuerröhrchen knallet, braucht man Husarenmuth und List. Des Feindes bittre Klagen waren, so lang' es Kriege gab: Husaren.

Gilt es den Kampf mit Türkenbanden, mit Mameluken, Teufelsbrut; Husaren machen sie zu Schanden, weil ihre Klinge nimmer ruht. Man könnte sich Kanonen sparen, vermehrte man hübsch die Husaren.

Doch nicht allein im Rossestampfen, im Waffentanze wohl bekannt, auch wo die vollen Bowlen dampfen, sind die Husaren bei der Hand. Die allerärgsten Trinker waren die immer durstigen Husaren.

Husaren sind auch Liebeshelden, sie treiben gern mit Weibern Scherz, und wenn sie sich als Bräut'gam melden, so schlägt Chamade jedes Herz. Die besten Ehemänner waren seit Olims Zeiten die Husaren.

Auf die Husaren könnt ihr bauen! Sie halten treu an Ritterpflicht; Husaren fürchten nichts, und grauen selbst vor dem dreimal W sich nicht: Bei Würfeln, Wein und Weibern waren allzeit zu Hause die Husaren.

Genug, im Frieden und im Kriege, bei Regen und bei Sonnenschein, vor, während und noch nach dem Siege, bei Feinden, Freunden, Mädchen, Wein, sind die beliebtesten der Scharen: Sie sollen leben, die Husaren!

989.

Der Passagier.

Ja, das bunte Ziehn und Reisen muß ich über alles preisen! Andre Städte, andres Leben, neue Menschen, neues Streben; andre Trauer, andre Lust, hebt sich hoch die Jugendbrust!

Neue Länder, neue Lieder, kehrt die alte Liebe wieder, senkt auf glänzendem Gefieder sich die junge Freude nieder; fremde Berge, fremder Wein: — tiefer in das Land hinein!

Hübsche Mädchen, duft'ge Kränze, engverschlung'ne Wirbeltänze! wandelnd muß das Leben blühen, wandelnd muß die Liebe glühen; heute hier und morgen dort: Mädel, willst du mit uns fort?

Und die Laute rein und heiter sei der ständige Begleiter! Des Gesanges frohe Gabe ist des Menschen schönste Habe; neue Lieder, alter Wein! Wechsel muß im Leben sein!

v. Liechtenstein.

990.

Ja das Leben ist des Himmels schönste Gabe, ist des tiefsten Wunsches werth. Sagt dies nicht der schwache Greis am Stabe, der den Tod mit Zittern kommen hört? Sagt dies nicht der Säugling in der Wiege, wenn der kalte Schauer ihn befällt, wenn des Todes Kampf die kleinen Züge, jedes Lächeln, jeden Reiz entstellt? Sagt dies nicht mit sanftem Girr'n die Taube, wenn des Geiers Mordlust sie bedroht? Sagt dies nicht der kleinste Wurm im Staube? Ja wie bitter ist ihm nicht der Tod!

991.

Jäger leben immer froh, ihre Lust ist Busch und Wald, Grün ihr Lieblingsaufenthalt, ihre Lieblingsfarb' ist

Grün. Hurrah! Hurrah! Lallallalla, lallallalla, lallallallallal=
lallallalla!

Jägertreiben, Jägermuth sind in jeder Lag' bewährt;
Jäger werden hoch geehrt, Jäger haben frohen Muth. Hur=
rah! Hurrah! ꝛc.

Mädchen lieben treu und heiß vorzugsweis den Jägers=
mann; Jäger stehen oben an, rüstig steht der Jäger da.
Hurrah! Hurrah! ꝛc.

992.

Jahrhunderte wie Ströme fließen schnell in das Meer
der Ewigkeit; den Tropfen Zeit, den wir genießen, verschlingt
schon die Vergangenheit. Ein Augenblick, der nie im Sein
verharrt, ist unsre ganze Gegenwart.

Hier ist kein fester Punkt des Lebens im ganzen Reiche
der Natur. Für jetzt zu leben ist vergebens, wir leben für die
Zukunft nur. Uns zeigt sich stets im Denken und Gefühl ein
noch nicht ganz erreichtes Ziel.

Doch nicht in uferlosen Meeren treibt die Vernunft sich
hin und her; sie landet in den höhern Sphären, und trotzt
dem blinden Ungefähr. Dort soll sie zur Vollendung über=
gehn, nicht ewig sich in Wirbeln drehn.

Ein reines Licht glänzt uns entgegen im Lande der Un=
sterblichkeit, dort, wo sich alle Stürme legen und jeder Nebel
sich zerstreut. Für jenes Licht der Zukunft leben wir, nicht
für die Morgendämm rung hier.

Weg von den Augen mit der Binde, das ferne Ziel der
bessern Welt kennt nicht der Thor, kennt nicht der Blinde,
den stolzer Wahn gefangen hält, der Schwächling nicht, von
Leidenschaft beschränkt, der stets den Blick zur Erde senkt.

Was ist der Mensch, giebt er zum Raube der hoffnungs=
leeren Nacht sich hin? Ein Wurm; er wühlt ja nur im
Staube, und hat für Staub nur Kraft und Sinn. Was ist
sein Werth, sein Glück, das er genießt? Ein Traum, der
schnell in Nichts zerfließt.

Sieh' auf, mein Geist, mit freiem Blicke hoch über dir
dein Vaterland! Dort krönt mit einem würd'gern Glücke dich
deines Gottes heil'ge Hand; verkennst du hier nicht treulos
Recht und Pflicht, verkennst du deinen Adel nicht.

Das Eilen deiner Erdentage ruft dich zu edler Thätig=
keit, damit nicht deine späte Klage die Zeit der trägen Ruh'
bereut. Die Zukunft winkt, du kannst ihr nicht entgehn; dein
Loos ist nicht, hier still zu stehn.

Hesse.

993.

Melodie: Frisch auf, frisch auf mit Sang und Klang.

Ja lustig bin ich, das ist wahr! wie's Lämmlein auf der Au. Die ganze Welt ist Sonnenschein, ich fange hier den Regen ein und trinke Himmelsthau.

Den Stein der Weisen find' ich noch: Margret, ein Schöpplein Wein! Ich mach' aus Wein noch Gold und Geld, potz Velten! noch die ganze Welt, 's darf nur kein Krätzer sein!

He! reiß' den Zeiger von der Uhr! was kümmert uns die Zeit? Laß laufen, was nicht bleiben kann! was geht denn mich ein andrer an? Trink', Bruder, gieb Bescheid!

Ihr Bänk' und Tische, nehmt's nicht krumm! ein Lied gar bald entflieht. Als ihr noch grün belaubet wart, da sangen Vöglein mancher Art euch auch gar manches Lied!

Hoffmann v. F.

994.
Erste Liebe.

Ja, man rafft sich wohl einmal wieder auf zum Leben, kann sich von der dunkeln Qual männlich stark erheben.

Aber Farbe, Glanz und Licht, Frühlings=Blüthentriebe, suche nur auf Erden nicht, nach der ersten Liebe.

L. Giesebrecht.

995.
Der Kußheld.

I bi a Buscht, der, wie's halt goht, au so in d'Wealt nei tappt, der geara bei de Mädla stoht, und no be Küßla schnappt, und doch verdwischi loider kois; denn wenn i moi, jez kriegi ois, so stoht as Unglück vor der Thür, kurz: ällamol goht's hindrafür!

Gest lauft a Mädle uf der Bruk, trait Wasser uf em Kopf, i faß des Mädle glei uf d'Muk, und streichel se am Zopf, und wieni schnapp und will en Kuß, so fällt uf mi a Wasserguß; däs hot mir so as Treaffa gea, daß mir's ist nimme kußrig gwea.

Amol, do tapp i au so nei, 's ist g'rad' a Feitig gwea, do hauni 's Nochbers Katharei in d'Stadt nei renna seah; i spring ihr hurtig no und plumpf bis über d'Wada nauf in Sumpf, spring ohne Schua in's Dörfle nei, und denk: heut' loßt as Kussa sei!

Lezt, wiemer Blindamausat hand, f' muaß i 's Mäusle sei, i merk, daß eper vor mir stand und halt's für Katharei, und hau — o hätt i's bälder gwißt, g'rad' ihra alta Nana küßt; i denk: Kommt d'Maus in d'Falla nei, so laß i lieber 's Kussa sei.

As Müllers Bethle ist a Kind, hau nie a netters gseah; lezt hauni gsait, sie soll mir gschwind uf's Maul a Küßle gea; do stoht as Müllers Hetzhund auf, springt voller Eifer ammer nauf, ung bringt mer so a Küßle hear, daß i as zwoitmol kois begeahr.

Amol, as hot grad' fürtig blitzt, sitz i zu ihr uf d'Stiag, hau's Maul scho uf a Küßle gspitzt und paß, bis i ois kriag: der Vater aber, gar it faul, springt ra und schlägt mer ais uf's Maul: ich halt das für en Weatterstroi, mach's Kreuz und spring vom Kussa hoi.

Grad' vorig leg i d'Loiter spät no an der Mühle an, und steig ganz hehlinga und spät für ihra Fenster na, und wiene tapp am Feanster rum, so koit a Goist mir d'Loiter um, und i plumpf unverrichter Sach as wie a Mehlsack in da Bach.

Und allomol tapp i so nei, es ist doch au a Graus! Jetz siehne so verbärmle drei, as wie a nassa Maus. Drum bleibi jetzt au fest beim Bschluß: I will von koiner mai en Kuß! Will's aber oina selber hau, so muaß i mi halt küssa lau.

996.

Ich armer Has' im weiten Feld, wie wird mir so grausamlich nachgestellt; sowohl bei Tag', als bei der Nacht, da thut man mir nachjagen; man jaget mir nach dem Leben mein; ach, bin ich nicht ein armes Häsulein!

Was fang' ich armer Teufel an? Ich habe ja Niemand was Leid's gethan? Das Gras, so in dem Walde, das ist die Nahrung mein. Ich halte mich auf in dem Revier, und saufe das Wasser für mein Plaisir.

Erwischt mich der Jäger bei meinem Schopf, so hängt er mich an seinen Sabulsknopf. Da thut er mit mir prangen, ich armer Has' muß hangen; da bample ich so hin, da bample ich so her, als ob ich ein Dieb am Galgen wär'.

Und hat er mich gebracht nach Haus, so reißt er mir die Eingeweide aus; dann thut er mich auch spicken, und an den Bratspieß stecken; und hat er mich gebraten wie einen Fisch, so bringt er mich auf großer Herren Tisch.

Die großen Herr'n und ihre Gäst', die heben mich auf bis zu allerletzt. Bei allen Tractamenten, da thun sie mich anwenden; auf mich, da trinken sie den rhein'schen Wein; ach, bin ich nicht ein armes Häsulein!

997.
Fuchslied.

Ich bin als crasser Fuchs daher in diese Stadt gekommen, noch ist das Herz mir centnerschwer vom Abschied und beklommen. Ich weiß noch weder Gicks noch Gacks von euren Lebenssitten, drum, ihr Orakel des Geschmacks, will ich um Lehre bitten. (Chor:) Suchst du der Freude Rosenbahn, so schließe fest an uns dich an; folg' unsrer Becher Klirren, so wird dein Fuß nicht irren.

Potz Stern! da komm' ich blindlings ja gleich vor die rechte Schmiede. Ich war bei meiner Frau Mama des Klosterlebens müde. Sie hielt den raschen Jugendsinn in gar zu strengen Banden; denkt nur: Ich durfte nie dahin, wo Mädchen sich befanden. (Chor:) O böses, böses Mütterlein, wir sollten deine Söhne sein! Da frommte kein Gebieten, kein Schmähen und kein Hüten.

Auch machte mehr noch, als Mama, ein alter Hausmagister mit Griechisch und mit Algebra den Kopf mir schwer und düster. Doch mein Herr Vormund, Ludwig Spitz, schwur hoch bei allen Sternen: Ich müsse fort zum Musensitz, um mores da zu lernen. (Chor:) Der wackre Vormund sprach gescheidt ein goldnes Wort zu rechter Zeit. Laßt uns die Becher heben: Herr Ludwig Spitz soll leben!

Ach! rief Mama, du Herzensblatt, du Krone meiner Kinder! Verdirb nicht in der Musenstadt; denn sie hat große Sünder. Es giebt durch's ganze A B C dort Glücks- und Tugendräuber. Flieh' sonderlich ein dreifach W, flieh' Würfel, Wein und Weiber. (Chor:) Ei, ei, die werthe Frau Mama trat unsrer guten Stadt zu nah'! Die Würfel mag sie schelten, das lassen wir noch gelten.

Wie steht es aber mit dem Wein? Gehört der zu den Giften? Er glänzt, wie milder Sonnenschein, und sollte Böses stiften? Ich bin vor Lust schon halb berauscht, da Flaschen mich umblinken; und, weil Mama doch hier nicht lauscht, will ich ein Gläschen trinken! (Chor:) Trink, Füchslein, nur mit frohem Muth! Der Schiffer auf des Weines Fluth umsegelt wohlgeborgen das Felsenriff der Sorgen.

Doch muß ich denn allein, ihr Herrn, die Fahrt durch's Leben machen? Ich führt' ein feines Liebchen gern in meinen Reisenachen; — schon sah ich hier manch schönes Kind, das ich mir möchte wählen; doch ach! Mama ist hart gesinnt, und würde grausam schmälen. (Chor:) Ein Leben ohne Lieb' ist todt! Was denkt Mamachen beim Verbot? Sie hat doch selbst vor Jahren den Weltstrom so befahren.

Ihr redet mir gar tröstlich ein, des Lebens zu genießen. Wohlan! es soll bei Lieb' und Wein mir, wie ein Fest, verfließen. Und, stößt der Tod die Tafel um, glaubt ihr, daß ich dann klagte? Dann bleibt mir noch Elysium, wie der Magister sagte. (Chor:) Ja, reizend mag er sein, der Ort; allein man trinkt nur Wasser dort, und auf den stillen Matten umarmet man nur Schatten!

Hört noch, was die Frau Mama spricht: ich soll das Fechten lassen, dieweil mir könnte im Gesicht 'ne wüste Schmarre fassen. Ich hört' dann kein Collegium, und würd' zum Renommisten, und triebe mich in Händeln 'rum, — das thäten keine Christen! (Chor:) Mein lieber Fuchs, besuch' er ja mit Eifer die Collegia! Doch auch mit den Rappiren muß er sich exerciren!

998.

Ich bin der Doctor Eisenbart, fallalleri fallera! Kurir' die Leut' nach meiner Art. Fallalleri fallera! Kann machen, daß die Blinden gehn und daß die Lahmen wieder sehn, fallalleri fallera.

Zu Wimpfen accouchirte ich ein Kind zur Welt gar meisterlich. Dem Kind zerbrach ich sanft das Gnick', die Mutter starb zu gutem Glück.

In Potsdam trepanirte ich den Koch des großen Friederich, ich schlug ihn mit dem Beil vor'n Kopf, gestorben ist der arme Tropf.

Zu Ulm kurirt' ich einen Mann, daß ihm das Blut vom Beine rann, er wollte gern gekuhpockt sein, ich impft' ihm mit dem Bratspieß ein.

Den Nachtwächter zu Dudeldum, dem gab ich zehn Pfund Opium, drauf schlief er Jahre, Tag und Nacht, und ist bis jetzt noch nicht erwacht.

Dem guten Hauptmann von der Lust nahm ich drei Bomben aus der Brust, die Schmerzen waren ihm zu groß; wohl ihm, er ist die Juden los!

Es hatt' ein Mann in Langensalz ein'n centnerschweren Kropf am Hals, den schnürt' ich mit dem Hemmseil zu, probatum est, er hat jetzt Ruh'!

Zu Leipzig nahm ich einem Weib zehn Fuder Steine aus dem Leib. Der letzte war ihr Leichenstein. Jetzt wird sie wohl kuriret sein.

Das ist die Art, wie ich kurir', sie ist probat, ich bürg' dafür. Daß jedes Mittel Wirkung thut, schwör' ich bei meinem Doctorhut.

Volkslied.

999.

„Ich bin der Fürst von Thoren, zum Saufen auserkoren, ihr andern seid erschienen, mich fürstlich zu bedienen."

Eu'r Gnaden aufzuwarten mit Wein von allen Arten, euch fürstlich zu bedienen, sind wir allhier erschienen.

„Ihr Jäger, spannt's Gefieder, schießt mir die Füchslein nieder, ihr andern aber alle stoßt in das Horn, daß 's schalle."

In's Horn, in's Horn, in's Jägerhorn, in's Horn, in's Horn, in's Jägerhorn! Sauf zu, sauf zu, du Fürst von Thorn, sauf zu, sauf zu, du Fürst von Thorn!

„Was hilft mir nun mein hoher Thron, mein Scepter, meine Burschenkron', was hilft mir nun mein Regiment? Ich leg' es nieder in N. N's. Hand'."

1000.

Ich bin der Schneider Kakadu, gereist durch alle Welt, auf Leipzig, dacht' ich, gehst du zu, willst sehn, wie dich's gefällt. Dort wird der Schneider honorirt, auf englisch Tailor titulirt; die Schneider, die ich dorten kenn', die spielen all' den Gentlemen.

Drei Thaler hatt' ich mich gespart, drum schritt ich rasch in's Thor; da trat, nach Visitator Art, ein kleiner Mann hervor: Hast du auch Geld, lieb' Schneiderlein, sonst darf ich dich nicht lassen ein? Ich zeigt' ihm ehnen goldnen Fuchs, da macht' er Augen wie ein Luchs!

Nun werde ich mit meinem Schatz oft in's Theater gehn, und stolz auf den Viergroschenplatz viel schöne Stücke sehn. Da kann ich etwas profitir'n und an der Kunst was abstudir'n; dann fort mit Nadel, Zwirn und Scher', ich bleib' alsdann kein Schneider mehr.

Stünd' ich auf dem Theatrium, der schönste Mann wär' ich, gewiß, das ganze Publicum verliebte sich in mich. So schön spielt' ich, wie Stein, so nett, den Räuber Moor und Hammelet, im Don Juan spielt' ich ganz fein und würd' ein zweiter Genast sein.

Auch in der Oper würd' ich mich als Sänger producir'n, wie Höfeler — so würde ich als Murney excellir'n, im Tagsbefehl, da gebe ich die Roll' des großen Friederich, wie Töpfer spielte ich, bei'm Blitz, als wär' ich selbst der alte Fritz.

Als Komiker wählt' ich die Roll' des Rochus Pumpernickel, da würd' es sicher gräßlich voll, 's ist gar ein lustig Stückel, und alles rief: ei sehet doch, der spielt ja grad' wie unser Koch! Am Ende klatscht das ganze Haus und ruft den Pumpernickel 'raus.

Nur eins geht mir im Kopf herum, und ärgert mich martialisch, zum Notenlern'n bin ich zu dumm, ich bin nicht musikalisch; doch gehe ich mit frohem Sinn zu unserm Meister Präger hin, zeigt der mich's ein, gewiß es klingt, als wenn die Catalani singt.

Und hab' ich endlich so viel Geld, als Catalani hat, dann sing' ich nur, wenn's mich gefällt, und kauf' mich in der Stadt — das schönste Haus mit goldnem Schild, da liest man unter meinem Bild: Erstaune, Mensch, und denk' daran, wie weit's ein **Talior** bringen kann!

1001.

Ich bin der wohlbekannte Sänger, der vielgereiste Rattenfänger, den diese altberühmte Stadt gewiß besonders nöthig hat. Und wären's Ratten noch so viele, und wären Wiesel mit im Spiele, von allen säubr' ich diesen Ort, sie müssen mit einander fort.

Dann ist der gutgelaunte Sänger gelegentlich ein Kinderfänger, der selbst die wildesten bezwingt, wenn er die holden Mährchen singt. Und wären Knaben noch so trutzig, und wären Mädchen noch so stutzig, in meine Saiten greif ich ein, sie müssen alle hinterdrein.

Dann ist der vielgewandte Sänger gelegentlich ein Mädchenfänger; in keinem Städtchen langt er an, wo er's nicht mancher angethan. Und wären Mädchen noch so blöde, und wären Weiber noch so spröde, doch allen wird so liebebang bei Zaubersaiten und Gesang. *Göthe.*

1002.
Trinkspruch.

Ich bin, die Betrübniß zu meiden, aus fröhlichem Samen gezeugt; es hat mich die Mutter in Freuden empfangen, geboren, gesäugt. Es war der mich taufende Priester sammt allen drei Zeugen voll Wein, da schrieb mich — — — der Küster :,: besoffen in's Kirchenbuch ein. :,:

1003.

Ich bin ein deutsches Mädchen! Mein Aug' ist blau und sanft mein Blick, ich hab' ein Herz, das edel ist und stolz und gut!

Ich bin ein deutsches Mädchen! Zorn blitzt mein blaues Aug' auf den, es haßt mein Herz den, der sein Vaterland verkennt.

Ich bin ein deutsches Mädchen! erköhre mir kein ander Land zum Vaterland, wär' mir auch frei die große Wahl!

Ich bin ein deutsches Mädchen! Mein hohes Auge blickt auch Spott, blickt Spott auf den, der Säumens macht bei dieser Wahl.

Du bist kein deutscher Jüngling! bist dieses lauen Säumens werth, des Vaterlands nicht werth, wenn du's nicht liebst, wie ich!

Du bist kein deutscher Jüngling! mein ganzes Herz verachtet dich, der's Vaterland verkennt, dich Fremdling! und dich Thor!

Ich bin ein deutsches Mädchen! Mein gutes, edles, stolzes Herz schlägt laut empor bei'm süßen Namen: Vaterland.

So schlägt mir's einst bei'm Namen des Jünglings nur, der stolz, wie ich, auf's Vaterland, gut, edel ist, ein Deutscher ist.
Klopstock.

1004.
Die Natürliche.

Ich bin ein Mädchen fein und jung, und bin, Gott Lob! noch frei: ich weiß nichts von Romanenschwung und haff' Empfindelei.

Leicht fließt mein Blut: ich liebe Scherz, ich liebe Sang und Tanz. Mein Reichthum ist ein frohes Herz, mein Schmuck ein Blumenkranz.

Ich schlage nicht aus Evens Art, leichtgläubig, eitel, schwach, und Neugier, liebe Neugier ward mein Erbtheil siebenfach.

Auch flieh' ich nicht der Männer Spur; mir sagte die Mama: wir armen Mädchen wären nur um ihrentwillen da.

Drum schleicht in meinen schlichten Sinn kein blöder Stolz sich ein. Wohl mir, daß ich ein Mädchen bin! Laßt Andre Engel sein.
Gotter.

1005.

Melodie: Auf, ihr meine.

Ich bin ein geborner Zecher, Trauben sog ich statt der Brust, und ein weingefüllter Becher war schon meiner Kindheit Lust. Wenn ich spielte, wählt' ich Flaschen, nimmer fiel es je mir ein, schlau die Mutter zu benaschen, aber wohl des Vaters Wein.

Nach der Schule mußt' ich wandern, die kein Rebensaft versüßt; doch erlernt' ich hier vor Andern, wo der Weinstock üppig sprießt. In der Urwelt Götterlehre war Lyäus nur mein Mann, und des Thyrsusschwingers Chöre führt' ich Nachts in Träumen an.

Noah, der die Trauben preßte, ward mein höchstes Ideal, und an deutschen Ritterfeste lieb' ich nur den Weinpokal. Euer Lied, ihr Traubenpreiser, war es, was ich immer las: nur Diogenes mein Weiser, denn sein Wohnsitz war ein Faß.

Drohte mir des Schicksals Köcher, ward ich seiner Pfeile Ziel, griff ich muthig nach dem Becher, sucht' im Keller ein Asyl. In dem Feuergeist der Trauben fand ich neu gestärkt dann Alles: Hoffnung, Liebe, Glauben, was das Sein verschönern kann.

Froh ist mir die Zeit vergangen, und wenn einst mir Charon winkt, will ich ihn mit Wein empfangen, weil man dort nur Wasser trinkt; mit dem Becher in den Händen, halb berauscht von Bacchus Naß, will ich meine Laufbahn enden, und es sei mein Sarg ein Faß.

Gebt mich dann zurück der Erde, die mich ritterlich gelezt, und auf meinen Hügel werde eine Rebe noch gesetzt. Thränen sollt ihr nicht vergießen, laßt auf meinen Leichenstein rein're Opferspende fließen: **unverfälschten deutschen Wein!**

1006.
Melodie von Fr. Kücken.

Ich bin einmal etwas hinausspaziert, da ist mir ein närrisches Ding passirt. Ich sah einen Jäger am Waldeshang, ritt auf und nieder den See entlang. Viel Hirsche sprangen am Wege dicht. Was that der Jäger? er schoß sie nicht. :|: Er blies ein Lied in den Wald hinein. :|: Nun sagt mir, ihr Leutchen, was soll das sein? :|:

Und als ich nun weiter fortspaziert, ist wieder ein närrisch Ding passirt. Im kleinen Kahn eine Fischerin fuhr stets am Waldeshange dahin. Rings sprangen die Fische im Abendlicht. Was that das Mädchen? es fing sie nicht. Sie sang ein Lied in den Wald hinein. Nun sagt 2c.

Und als ich eine Stunde fortspaziert, da ist mir das närrisch'ste Ding passirt. Ein leeres Pferd mir entgegenkam, im See ein leerer Nachen schwamm, und als ich ging an den Erlen vorbei, was hört' ich drinnen? da flüsterten zwei. Und 's war schon spät und Mondenschein. Nun sagt 2c.

1007.

Ich bin ein Musikant! Manch Liedchen hab' ich euch beschert, und wenn ihr fragt, wer mich es lehrt; das thun die Vöglein in dem Feld, die kleinen Stern' am Himmelszelt, die muntern Wellen in dem Bach, die singen's vor, ich sing es nach; ich bin ein Musikant.

Ich bin ein Preuße.

Ich bin ein Musikant! Und wem ich sing' die Liedlein schön, das mag ich offen auch gestehn: dem Käthchen gestern, dem Gretchen heut', viel Andern wohl zu andrer Zeit. Mein Herz, und ist es auch nur klein, geht doch die ganze Welt hinein: ich bin ein Musikant.

Ich bin ein Musikant! Und so, so geht's Tag ein Tag aus, sing' ich mein Lied von Haus zu Haus. Warum ich sing', das weiß ich nicht, doch spräch' der Herr im Himmelslicht: „Stell' er sein thöricht Singen ein," ich spräche: Herr, es kann nicht sein, ich bin ein Musikant.

1008.

Ich bin ein Preuße, kennt ihr meine Farben? Die Fahne schwebt mir weiß und schwarz voran; daß für die Freiheit meine Väter starben, das deuten, merkt es, meine Farben an; nie werd' ich bang verzagen; wie jene will ich's wagen. :,: Sei's trüber Tag, sei's heitrer Sonnenschein: ich bin ein Preuße, will ein Preuße sein! :,:

Mit Lieb' und Treue nah' ich mich dem Throne, von welchem mild zu mir im Vater spricht; und wie der Vater treu mit seinem Sohne, so steh' ich treu mit ihm und wanke nicht. Fest sind der Liebe Bande: Heil meinem Vaterlande! :,: Des Königs Ruf dringt in das Herz mir ein; ich bin ein Preuße, will ein Preuße sein! :,:

Nicht jeder Tag kann glühn im Sonnenlichte, ein Wölkchen und ein Schauer kommt zur Zeit; drum lese Keiner mir es im Gesichte, daß nicht der Wünsche jeder mir gedeiht. Wohl tauschten mit mir und ferne mit mir gar Viele gerne; :,: ihr Glück ist Trug und ihre Freiheit Schein, ich bin ein Preuße, will ein Preuße sein! :,:

Und wenn der böse Sturm mich einst umsauset, die Nacht entbrennet in des Blitzes Gluth: hat's doch schon ärger in der Welt gebrauset, und was nicht bebte, war der Preußen Muth. Mag Fels und Eiche splittern, ich werde nicht erzittern; :,: es stürm' und krach', es blitze wild darein! Ich bin ein Preuße, will ein Preuße sein! :,:

Wo Lieb' und Treu' sich so dem König weihen, wo Fürst und Volk sich reichen so die Hand: da muß des Volkes wahres Glück gedeihen, da blüht und wächst das schöne Vaterland. So schwören wir auf's Neue dem König Lieb' und Treue. :,: Fest sei der Bund! Ja, schlaget muthig ein! Wir sind ja Preußen, laßt uns Preußen sein! :,:

Thiersch.

1009.

Ich bin Student gewesen, nun heiß' ich Lieutenant; fahr' wohl, gelehrtes Wesen, Ade, du Büchertand! zum König will ich ziehen, in's grüne Waffenfeld, wo rothe Rosen blühen, da schlaf' ich ohne Zelt. Ihr guten Kameraden, bei Büchern und bei'm Mahl, seid alle mitgeladen in diesen großen Saal.

Frisch auf, wem solche Stimme zum Ohr und Herzen geht! es rege sich im Grimme nun jede Facultät! Die ihr euch weise Meister im stolzen Wahn genannt, auf Regeln für die Geister, für die Gedanken sann't: hier ist die hohe Schule, die freie Künste lehrt! und für die Federspule ergreift ein gutes Schwert.

Ihr Herren Rechtsgelehrten, die durch den Urvertrag das alte Recht verkehrten, es kommt für euch ein Tag. Die Güter sind verpfändet, die keiner missen darf, die Freiheit ist entwendet: macht eure Feder scharf! Die Sünde sollt ihr rächen, die durch die Wolken drang, ein Urtheil ist zu sprechen auf Beil und Rad und Strang.

Von eures Meisters Lehren, ihr Aerzte, weichet nicht, das Messer führt in Ehren, wenn andres Heil gebricht! so kurz ist ja das Leben, so lang und schwer die Kunst, dem Flücht'gen sei gegeben des Himmels reine Gunst. Wenn Leib und Seele leiden in Schmerz, in Brand und Haß: so hilft ein kühnes Schneiden, so hüft ein Aderlaß.

Wohlauf, ihr Theologen, der Herr ist nicht mehr weit, so kommt nur mitgezogen, entgegen ihm im Streit. Hier kann man deutlich lernen die Zukunft zum Gericht, wenn über seinen Sternen der Herr das Urtheil spricht. Uns wird das Herz erledigt, uns wird der Sinn erfreut, wenn die Kanonenpredigt in alle Ohren schreit.

Noch kämpft der Leonide, noch schallt die Hermannsschlacht, der Fall der Winkelriede übt wieder seine Macht. Was wir gehört, gelesen, tritt wirklich in die Zeit, gewinne jetzt ein Wesen auch du, Gelehrsamkeit; es gilt kein kleines Fechten und keinen Fürstenstreit, es gilt den Sieg des Rechten in alle Ewigkeit.

Das heiß' ich rechte Fehde, wenn Jeder übt die Kraft, zur Waffe wird die Rede, zur Waffe Wissenschaft. Die Harf in Sängers Händen, den Meißel, scharf und fein, das alles kann man wenden zu Feindes Trutz und Pein. Nun singt dem Landesvater, dem Feldherrn unsrer Wahl, des Landes Schutz und Rather, der diesen Krieg befahl!

Max v. Schenkendorf. 1813.

1010.
Bild eines Verdrießlichen.

Ich bin verdrießlich; weil ich verdrießlich bin, bin ich verdrießlich! — Sonne scheint gar zu hell, Vogel schreit gar zu grell, Wein ist zu sauer mir, zu bitter mir das Bier, Honig zu süßlich; weil nichts nach meinem Sinn, weil ich verdrießlich bin, bin ich verdrießlich. — Wo ich auch geh' und steh', in meinen Schatten seh', immer verfolgt er mich; ist das nicht ärgerlich? Und wenn der Himmel trüb, ist es mir auch nicht lieb. Winter ist mir zu kalt, Frühling kommt mir zu bald, Sommer ist mir zu warm, Herbst bringet Mückenschwarm, Mücken an jeder Hand, Mücken an jeder Wand; o, wie mich das verstimmt, o, wie mich das ergrimmt! Wie das im Herzen brennt, Himmelkreuzelement! — Bin ganz verdrießlich, weil nichts nach meinem Sinn, weil ich verdrießlich bin, bin ich verdrießlich.

1011.

Ich bin vergnügt, im Siegeston verkünd' es mein Gedicht! und mancher Mann mit seiner Kron' und Scepter ist es nicht. Und wär' er's auch, nun immerhin! dann ist er das nur, was ich bin.

Des Sultans Pracht, des Moguls Geld, deß Glück, wie heißt er doch, der, als er Herr war von der Welt, zum Mond hinauf sah noch? Ich wünsche nichts von alle dem: zu lachen drob fällt mir bequem.

Zufrieden sein, das ist mein Spruch! Was hilft mir Geld und Ehr'? Das, was ich hab', ist mir genug; wer klug ist, wünscht nicht mehr; denn was man wünschet, wenn man's hat, so ist man darum doch nicht satt.

Und Geld und Ehr' ist obendrauf ein gar zerbrechlich Glas, der Dinge wunderbarer Lauf (Erfahrung lehret das!) verändert wenig oft in viel, und setzt dem reichen Mann sein Ziel.

Recht thun und edel sein und gut, ist mehr als Gold und Ehr'! da hat man immer frohen Muth und Freude um sich her; da ist man immer mit sich eins, scheut kein Geschöpf und fürchtet keins.

Ich bin vergnügt, im Siegeston verkünd' es mein Gedicht! und mancher Mann mit seiner Kron' und Scepter ist es nicht. Und wär' er's auch, nun immerhin! dann ist er das nur, was ich bin. **Claudius.**

1012.

Ich bin vom Berg' der Hirtenknab', seh' auf die Schlösser all' herab. Die Sonne strahlt am ersten hier, am längsten weilet sie bei mir. Ich bin der Knab' vom Berge!

Hier ist des Stromes Mutterhaus, ich trink' ihn frisch vom Stein heraus, er braust vom Fels in wildem Lauf, ich fang' ihn mit den Armen auf. Ich bin der Knab' vom Berge!

Der Berg, der ist mein Eigenthum, da ziehn die Stürme rings herum, und heulen sie von Nord und Süd, so überschallt sie doch mein Lied. Ich bin der Knab' vom Berge!

Sind Blitz und Donner unter mir, so steh' ich hoch im Blauen hier; ich kenne sie und rufe zu: Laßt meines Vaters Haus in Ruh'! Ich bin der Knab' vom Berge!

Und wenn die Sturmglock' einst erschallt, manch Feuer auf den Bergen wallt, dann steig' ich nieder, tret' in's Glied, und schwing' mein Schwert, und sing' mein Lied. Ich bin der Knab' vom Berge!

Uhland.

1013.

Ich denk' an euch, ihr himmlisch=schönen Tage der seligen Vergangenheit! Komm, Götterkind, o Phantasie! und trage mein sehnend Herz zu seiner Blüthenzeit.

Umwehe mich, du schöner, goldner Morgen! der mich herauf in's Leben trug, wo, unbekannt mit allen Erdensorgen, mein frohes Herz der Welt entgegen schlug.

Umglänze mich, du Unschuld früher Jahre! du mein verlornes Paradies! Du süße Hoffnung, die mir bis zur Bahre nur Sonnenschein und Blumenwege wies!

Umsonst! umsonst! mein Sehnen ruft vergebens gestorbne Freuden wieder wach! Sie welken schnell, die Freuden unsers Lebens, und wir, wir welken ihnen langsam nach!

O schönes Land, wo Blumen wieder blühen, die Zeit und Grab hier abgepflückt! O schönes Land, in das die Herzen ziehen, die hier der Erde Leiden wund gedrückt!

Uns Allen ist ein schwerer Traum beschieden, wir Alle wachen fröhlich auf. Wie sehn' ich mich nach deinem Götterfrieden, du Ruheland, nach deinem Sabbath auf!

Mahlmann.

1014.

Ich denke dein, wenn mir der Sonne Schimmer vom Meere strahlt; ich denke dein, wenn sich des Mondes Flimmer in Quellen malt.

Ich sehe dich, wenn auf dem fernen Wege der Staub sich hebt; in tiefer Nacht, wenn auf dem schmalen Stege der Wandrer bebt.

Ich höre dich, wenn dort mit dumpfem Rauschen die Welle steigt. Im stillen Haine geh' ich oft zu lauschen, wenn Alles schweigt.

Ich bin bei dir, du seist auch noch so ferne, du bist mir nah'! Die Sonne sinkt, bald leuchten mir die Sterne. O wärst du da! Göthe.

1015.

Ich empfinde fast ein Grauen, daß ich, Plato, für und für bin gesessen über dir! Es ist Zeit, hinauszuschauen und sich bei den frischen Quellen in dem Grünen zu ergehn, wo die schönen Blumen stehn und die Fischer Netze stellen.

Wozu dienet das Studiren, als zu lauter Ungemach? unterdessen läuft der Bach unsers Lebens, uns zu führen, ehe wir es inne werden, auf sein letztes Ende hin; dann kommt ohne Geist und Sinn dieses alles in die Erden.

Holla, Junge, geh und frage, wo der beste Trunk mag sein? nimm den Krug und fülle Wein! Alles Trauern, Leid und Klage, wie wir Menschen täglich haben, eh' uns Klotho fortgerafft, will ich in den süßen Saft, den die Traube giebt, vergraben.

Kaufe gleichfalls auch Melonen und vergiß des Zuckers nicht; schaue nur, daß nichts gebricht! Jener mag der Heller schonen, der bei seinem Gold und Schätzen tolle sich zu kränken pflegt und nicht satt zu Bett sich legt: ich will, weil ich kann, mich letzen!

Bitte meine guten Brüder auf die Musik und ein Glas! kein Ding schickt sich, dünkt mich, baß, als ein Trunk und gute Lieder. Laß' ich schon nicht viel zu erben, ei, so hab' ich edlen Wein, will mit Andern lustig sein, wenn ich gleich allein muß sterben. Martin Opitz. † 1639.

1016.

Ich eß' nicht gern Gerste, steh' auch nicht gern früh auf, eine Nonne soll ich werden, hab' keine Lust dazu. Ei so wünsch' ich dem des Unglücks noch so viel, der mich armes Mädel in's Kloster bringen will!

Die Kutt' ist angemessen, sie ist mir viel zu lang! das Haar ist abgeschnitten, das macht mir angst und bang! Ei so wünsch' ich 2c.

Wenn Andre gehen schlafen, so muß ich stehen auf, muß in die Kirche gehen, das Glöcklein läuten thun. Ei so wünsch' ich ꝛc.

Des Knaben Wunderhorn.

1017.

Ich fürchte mich nicht vor dem Teufel! — Er ist ein erbärmlicher Tropf. — Und macht er mir Flausen und Zweifel, so wasch' ich ihm wacker den Kopf!

Ich fürchte auch nimmer Gespenster, kommt, Hexen und Alp', nur herein! Ich öffne heut' Nacht euch die Fenster, und rauf' mich mit Allen allein.

Doch niedliche weibliche Geister, im nächtlichen weißen Gewand, besiegen den trotzigsten Meister; gern küsse ich ihnen die Hand.

Die mögen mich zwicken und drücken mit Amors bezaubernder Macht: ich beuge mit Ehrfurcht den Rücken, wenn so eine Hexe mir lacht.

1018.
Der Fischer.

Ich fuhr mit Fischergeräthe, als kühl der Abend schon wehte, im kleinen tanzenden Kahn; ich sang mir fröhliche Weisen, und legte singend die Reusen, die schlauen Fischlein zu fahn.

Die Schwalben tauchten sich nieder, und schwangen scherzend sich wieder hinauf zur goldenen Höh'; die Käfer flogen und schwirrten, die Finken saßen und girrten, und silbern glänzte der See.

Da kam durch die Weidengesträuche mein schlankes Mädchen zum Teiche, und barg sich hinter dem Rohr; dann that sie traurig und stöhnte, und aus den Kolben ertönte verstellt ihr Stimmchen hervor:

„O, wollt euch, Fischer, des armen verirrten Mädchens erbarmen, das gern zum Dorfe noch will!" Da ward mein Ruder gezogen, da kam mein Schifflein geflogen, und hielt zu Füßen ihr still.

Sie sprang in's Schifflein behende, und hielt mir lachend die Hände, daß mir das Ruder entsank; und unter Scherzen und Lachen trieb jetzt mein wankender Nachen das grüne Ufer entlang.

Uns ward so wohl und so bange, von Küssen brannte die Wange, und schnell verflog uns die Zeit. Noch hatt' ich viel ihr zu sagen, allein der goldene Wagen war schon am Himmel so weit.

Nun wollen meine Gedanken von ihr nicht weichen, noch wanken, ich seh' im Traume nur sie; ich fühl' ihr Athmen und Wehen, ich fühl' ihr Mieder sich blähen, und sehn' erwachend mich früh.

O komm, du selige Stunde, da zu dem ewigen Bunde des Pfarrers Segen uns traut! Dann rauscht am Abend, ihr Geigen, dann raube fröhlicher Reigen den Kranz der sträubenden Braut. **Ernst Chr. Pindemann.** 1793.

1019.

Bekannte Melodie.

Ich gehe meinen Schlendrian, und trink' mein Gläschen Wein, und ob ich's auch bezahlen kann, die Sorge ist ja mein. Und schlüg' ich auch mein Glas in tausend, tausend Trümmern, so hat sich doch kein Mensch, kein Mensch darum zu kümmern!

Ich gehe meinen Schlendrian, zieh' an, was mir gefällt, und wenn ich's nicht mehr tragen kann, so mach' ich es zu Geld. Und wollte ich auch glänzen, glänzen oder schimmern, so hat sich doch kein Mensch, kein Mensch darum zu kümmern.

Ich gehe meinen Schlendrian bis an mein kühles Grab, spricht mir auch einst der Sensenmann den letzten Segen ab; und sollt' ich auch dereinst noch in der Hölle wimmern, so hat sich doch kein Mensch, kein Mensch darum zu kümmern!

1020.

Ich ging durch die blumigen Wiesen nach der Mühle mit meiner Last, stark machten die Düfte mich niesen, ich setzte mich strickend zur Rast.

Und während nun fort meine Nase und ich so beschäftiget sind, ruft Töffel mir zu aus dem Grase: „Gott helfe dir, liebliches Kind!"

Der Töffel, der, stets mir zuwider, so lange schon um mich geminnt! im Herzen hallt's immer nun wieder: „Gott helfe dir, liebliches Kind!"

Ich reicht' ihm die Hand, ihn zu heben, — wie war mir der Himmel so blau! — verwandelt war ganz mir das Leben, und bald nannte Töffel mich Frau.

Oft nies' ich so schön in der Ehe, — wie schnell doch die Liebe verfließt! — kein Gotthelf mehr hör' ich; o wehe! ach, hätt' ich doch nimmer geniest! **Sigismund.**

1021.

Ich ging einmal spazieren, hm, hm, hm! Ich ging einmal spazieren, vallerivallera! in einem schönen Garten. Ha, ha, ha, ha, ha, ha!

Was fand ich in dem Garten? ꝛc. Ein Mädchen auf mich warten. ꝛc.

Sie meint', ich sollt' sie küssen; es braucht's Niemand zu wissen.

Sie meint', ich sollt' sie nehmen; ich müßt' mich ihrer schämen.

Sie hätte hundert Gulden. Das Mensch hat nichts als Schulden!
Norddeutscher Gassenhauer.

1022.

Ich ging im Walde so für mich hin, und nichts zu suchen, das war mein Sinn.

Im Schatten sah ich ein Blümchen stehn, wie Sterne leuchtend, wie Aeuglein schön.

Ich wollt' es brechen, da sagt' es fein: Soll ich zum Welken gebrochen sein?

Ich grub's mit allen den Würzlein aus, zum Garten trug ich's am hübschen Haus.

Und pflanzt' es wieder am stillen Ort; nun zweigt es immer und blüht so fort.
Göthe.

1023.

Ich ging mal bei der Nacht, ich ging mal bei der mak, mak, mak, ich ging mal bei der Nacht; die Nacht, die war so duster, murlach, murlach vallerallera! daß man kein Licht mehr, ker, ker, ker, daß man kein Licht mehr sah.

Ich kam vor Liebchens Thür, ꝛc. Die Thür, die war verschlossen, ꝛc. ein Riegel lag da= ꝛc. für.

Der Schwestern waren drei, ꝛc. Die Jüngste von den Schwestern, ꝛc. die ließ mich endlich ꝛc. 'rein.

Sie stellt' mich hinter die Thür, bis Vater und Mutter schliefen, da holt' sie mich herfür.

Sie führt' mich Trepp' hinauf, ich dacht', sie führt' mich schlafen, zum Bod'nloch mußt' ich 'raus.

Ich fiel auf einen Stein, brach mir drei Rippen im Leib' entzwei, dazu das rechte Bein.

Ich schrie: o weh, mein Bein! Ich wollt', daß alle Jungfernschaft zu tausend Teufeln sei.

Mein Kind, verschwör' es nicht; denn wenn der Schaden geheilet ist, läßt du das Naschen nicht!

1024.

Ich ging mit Lust durch einen grünen Wald, ich hört' die Böglein singen, sie sangen so jung, sie sangen so alt, die kleinen Waldvöglein in dem Wald, wie gern hört' ich sie singen!

Nun sing', nun sing', Frau Nachtigall, sing' du's bei meinem Feinsliebchen: „Komm schier, komm schier, wenn's finster ist, wenn Niemand auf der Gassen ist, herein will ich dich lassen."

Der Tag verging, die Nacht brach an, er kam zu Feinslieb gegangen; er klopft' so leis' wohl mit dem Ring: „Ei schläfst du oder wachst du, Kind, ich hab' so lang' gestanden."

„„Daß du so lang' gestanden hast, ich hab' noch nicht geschlafen; ich dacht' als frei in meinem Sinn: wo ist mein Herzallerliebster hin, wo mag er so lang' bleiben?""

„Wo ich so lang' geblieben bin, das darf ich dir wohl sagen: bei'm Bier und auch bei'm rothen Wein, bei einem schwarzbraunen Mädelein, hätt' deiner bald vergessen."

Des Knaben Wunderhorn.

1025.

Ich ging wohl nächten späte in's Gastwirths Gärtelein; das Gärtlein war gezieret mit schönen Röselein, mit schönen Röselein.

Ich pflückte mir eins abe, zum Fenster gab ich's 'nein: „Schatz, schläfest oder wachest, Herzallerliebste mein?"

„„Ich schlafe nicht, ich wache, vor dir hab' ich keine Ruh'; wenn ich einmal mit dir reden könnt', von Herzen wollt' ich's thun!""

Die Thür, die war verschlossen, der Knabe drang sich 'rein. In ihrem schneeweißen Hemdelein hieß sie ihn willkommen sein.

Sie setzten sich beide darnieder, darnieder auf eine Bank; sie saßen beisammen die liebe lange Nacht; die Zeit ward ihnen nicht lang.

„Feinsliebste, nun muß ich scheiden, der helle Tag bricht an." Das Mädel fing an zu weinen, daß Liebster scheiden sollt'.

Was zog er aus seiner Taschen? ein Tuch von Seide so roth: „Trockne ab, trockne ab die Thränelein, die du um mich vergoß'st!"

„In meines Vaters Garten, da stehn zwei Bäumelein; der eine der trägt Muskaten, der andre braun Nägelein."

„Muskaten, die sind süße, braun' Nägelein, die sind gut: ei, so wünsch' ich meinem Schätzchen ein'n frisch und fröhlichen Muth."

„Ein frisch und fröhliches Leben und viel Gelücke dazu; denn heuer bin ich hier und zu Jahr anderswo."

Volkslied aus d. Samml. von Erk u. Irmer.

1026.

Ich ging zum Sonntagstanze, schon klang Musikgetön, und sie im grünen Kranze, sie war so wunderschön, und sie im grünen Kranze, sie war so wunderschön!

Heut', dacht' ich, mußt du's wagen, du kannst ja mit ihr gehn, :,: und ihr ein Wörtchen sagen, und ihr dein Herz gestehn. :,:

Ich lief ihr nach, sie eilte dahin am Blumenhain, und wo der Weg sich theilte, da holte ich sie ein.

Sie fragte, was ich wollte? und ach, ich wußte nicht, was ich ihr sagen sollte, mir brannte das Gesicht.

Und wißt ihr, was ich sagte? mir war nicht wohl dabei; ich sagte nichts, ich fragte: ob's heute Sonntag sei?

Die lose Hirtin machte ihr Stirnchen ernst und kraus, sie sah mich an und lachte mich blöden Buben aus.

Wenn das mit mir so bliebe, ich würd' am Ende stumm. Ach, glaubt es mir, die Liebe, sie macht den Menschen dumm.

1027.
Das Dürerfest.

Melodie: Frisch auf zum fröhlichen Jagen.

Ich grüße dich in Treuen, du schöne alte Zeit; dein Denkmal zu erneuen, sei dieses Lied geweiht. Die alten Sagen melden von deiner Herrlichkeit, von lobelichen Helden, von Liebeslust und Leid.

Und euch will ich begrüßen, ihr Zeugen sturmumweht, die ihr an unsern Flüssen, ihr deutschen Dome, steht! Ihr zeigt an euern Wänden des alten Lebens Kern, die heiligen Legenden und manch ein Bild des Herrn.

Ich habe geliebet.

Es wehte durch die Lande in heller Frühlingslust, und fromme Sehnsuchtsbande umfingen jede Brust, und wie sich ernst und milder das Herz hineingetaucht, so ist durch ihre Bilder der junge Lenz gehaucht.

Der Meister viele kamen voll Kraft und Innigkeit, wer nennet ihre Namen? wer kennet ihre Zeit? Doch Einer wohl ist Führer, an Ehren reich und fest; wir preisen Albrecht Dürer, und heut' ist Dürerfest.

O Meister! wollest schauen mit hochverklärtem Blick von Paradieses Auen auf unser Thun zurück. Dich meinet unser Singen, du bist der Deinen Zier: ein Lebehoch wir bringen der deutschen Kunst und dir! *Franz Kugler.*

1028.
Bekannte Melodie.

Ich hab' den ganzen Vormittag in einem fort studirt, nun aber sei der Nachmittag dem Bierstoff dedicirt! ich geh' nicht eh'r vom Platze heut', als bis der Wächter zwölfe schreit! :,: Vivalleral=lalleral=lalleral=la! :,:

Schon oft hab' ich, bei meiner Seel', darüber nachgedacht, wie gut's der Schöpfer dem Kameel und wie bequem gemacht: es trägt ein Faß im Leib daher, wenn nur kein Wasser drinnen wär'!

Herr Wirth, nehm' er das Glas zur Hand und schenk' er wieder ein! schreib' er's nur dort an jene Wand, gepumpet muß es sein! Sei er fidel! ich laß' ihm ja mein Cerevis zum Pfande da.

Zu guter Letze scheint mir's noch, als wär' ich fast b: kneipt; ihr lieben Brüder sagt mir doch, wo der Verstand mir bleibt? Mein Auge lallt, die Naf' ist schwer und meine Zunge sieht nicht mehr.

1029.

Ich habe geliebet; nun lieb' ich erst recht! erst war ich der Diener, nun bin ich der Knecht, erst war ich der Diener von allen; nun fesselt mich diese scharmante Person, sie thut mir auch alles zur Liebe, zum Lohn, sie kann nur allein mir gefallen.

Ich habe geglaubet; nun glaub' ich erst recht! und geht es auch wunderlich, geht es auch schlecht, ich bleibe bei'm gläubigen Orden: so düster es oft und so dunkel es war in drängenden Nöthen, in naher Gefahr, auf einmal ist's lichter geworden.

Ich habe gespeiset; nun speis' ich erst gut! bei heiterem Sinne, mit fröhlichem Blut ist alles an Tafel vergessen. Die

Jugend verschlingt nur, dann sauset sie fort; ich liebe zu tafeln am lustigen Ort, ich kost' und ich schmecke beim Essen.

Ich habe getrunken; nun trink' ich erst gern! der Wein er erhöht uns, er macht uns zum Herrn und löset die sklavischen Zungen. Ja schonet nur nicht das erquickende Naß: denn schwindet der älteste Wein aus dem Faß, so altern dagegen die jungen.

Ich habe getanzt und dem Tanze gelobt, und wird auch kein Schleifer, kein Walzer getobt, so drehn wir ein sittiges Tänzchen. Und wer sich der Blumen recht viele verflicht, und hält auch die ein' und die andere nicht, ihm bleibet ein munteres Kränzchen.

Drum frisch nur aufs Neue! bedenke dich nicht: denn wer sich die Rosen, die blühenden, bricht, den kitzeln fürwahr nur die Dornen. So heute wie gestern, es flimmert der Stern. Nur halte von hängenden Köpfen dich fern und lebe dir immer von vornen. *Göthe.*

1030.

Ich hab' ein heißes junges Blut, wie ihr wohl alle wißt, ich bin den Küssen gar zu gut, und hab' noch nicht geküßt. Denn ist mir auch mein Liebchen hold, 's war doch, als ob's nicht werden sollt'; trotz aller Müh' und aller List hab' ich doch niemals noch geküßt.

Des Nachbars Röschen ist mir gut; sie ging zur Wiese früh, ich lief ihr nach und faßte Muth, und schlang den Arm um sie; da stach ich an dem Miederband mir eine Nadel in die Hand! Das Blut lief stark, ich sprang nach Haus, und mit dem Küssen war es aus.

Jüngst ging ich so zum Zeitvertreib, und traf sie dort am Fluß, ich schlang den Arm um ihren Leib, und bat um einen Kuß; sie spitzte schon den Rosenmund, da kam der alte Kettenhund und biß mich wüthend in das Bein, da ließ ich wohl das Küssen sein.

Drauf saß ich einst vor ihrer Thür in stiller Freud' und Lust. Sie gab ihr liebes Händchen mir, ich zog sie an die Brust; da sprang der Vater hinter'm Thor, wo er uns längst belauscht, hervor, und wie gewöhnlich war der Schluß, ich kam auch um den dritten Kuß.

Erst gestern traf ich sie am Haus; sie rief mich leis' herein: „Mein Fenster geht in Hof hinaus, heut' Abend wart' ich dein!" Da kam ich denn in Liebeswahn, und legte meine Leiter an; doch unter mir brach sie entzwei, und mit dem Küssen war's vorbei.

Und allemal geht mir's nun so, o daß ich's leiden muß! Mein Lebtag werd' ich nimmer froh, krieg' ich nicht bald 'nen Kuß. Das Glück sieht mich so finster an, was hab' ich armer Wicht gethan? Drum, wer es hört, erbarme sich, und sei so gut und küsse mich. Th. Körner.

1031.

Ich hab' ein kleines Hüttchen nur, es steht auf einer Wiesenflur; an einem Bach, der Bach ist klein, könnt' doch nicht klarer sein.

Am Hüttchen klein steht groß ein Baum, du siehst vor ihm das Hüttchen kaum, schützt gegen Regen, Sonn' und Wind all', die darinnen sind.

Sitzt auf dem Baum 'ne Nachtigall, singt von der Lieb' mit süßem Schall, daß jeder, der vorüber geht, ihr horcht und stille steht.

Du Kleine mit dem blonden Haar, die längst schon meine Freude war, ich gehe, rauhe Winde wehn: willst mit in's Hüttchen gehn? Nach Gleim. Volkslied.

1032.

Ich habe mir eins erwählet, ein Schätzchen, das mir gefällt; so hübsch und so fein, von Tugend so rein, fein tapfer und ehrlich sich hält.

Die Leut' thun oftmals sagen, du hätt'st einen Andern lieb: drum glaub' ich es nicht, bis daß es geschicht; mein Herze bleibt immer vergnügt.

Glaube nicht den falschen Zungen, die mir und dir nichts gönnen; bleib' ehrlich und fromm, bis daß ich wiederkomm'; drei Jahre gehn bald herum.

Und wenn ich dann wiederum komme, vor Freuden mein Herze zerspringt. Dein' Aeuglein klar, dein schwarzbraunes Haar, vergnügen mich tausendmal.

Fliegendes Blatt.

1033.

I hab enk a Häuserl am Roan, bös Häuserl is nett und net z' kloan, doch all' meine Zimma, de freun mi halt nimma, denn i bin im Häuserl alloan. :/:

Viel Vögerl bald groß und bald kloan, de sitzen vorm Häuserl am Roan, ihr Gsangl thut schalln, aber 's will ma net g'falln, denn i hör halt's Vögerl alloan.

Am Bergerl vorm Haus steht a Stoan, da sitz i und schneid Spahn alloan, die Aussicht ist prächti, da sieht man weit mächti, doch freut mich das Schaugn net alloan.

Mein Betterl ist woach und net z' kloan, doch i lieg so hart wie auf Stoan, i walz' mi halt umma, als hätt' i an Kumma, denn i lieg im Betterl alloan.

A Dirn hat da Wirth von da Gmoand, dö wär für mi recht, hab i gmoant. Zum Weib hab' is g'numma vor etliche Summa, seitdem bin i nimma alloan.

Es will's aber jetzt nimma thoan, denn 's Häuserl dös wird ma jetzt z' kloan, die Ruh' ist ausg'flogn, o es hat mi betrogn, o war i do wieder alloan!

1034.

Ich habe tüchtig exercirt, als ich Soldat noch war, und habe manchen Schritt marschirt im lieben langen Jahr; das bringt gar vielen Nutzen mir noch jetzt, manch guten Rath. Wie das? zeig' ich im Liede hier, merk' auf, mein Kamerad!

Ich bin mein eigner Commandeur, und folge mir aufs Wort; kommt mir nur einer in die Quer, thut Alles mir zum Tort, so seh' ich's eine Weile an und achte nicht darauf; doch wenn ich's nicht mehr tragen kann, dann heißt es: „Gewehr auf!"

Wenn Einer mit mir lange Zeit in Zwietracht hat gelebt, und seinen Fehler nun bereut, mich zu versöhnen strebt, wär's schlecht, wenn ich den Haß ihm dann nachtrüge bis zum Grab, drum nehm' ich seine Freundschaft an, und rufe: „Gewehr ab!"

Seh' ich ein hübsches Mädchen gehn, bedarf es keines Winks, um sie verstohlen anzusehn; es heißt blos: „Augen links!" Und sieht sie mich dann wieder an, thut sie nicht streng' und barsch, seh' ich, daß ich mich nähern kann, dann heißt es: „Links um, Marsch!"

Doch ist sie häßlich, gar wohl alt, hat's Auge mich bethört, ruf' ich, sobald ich's merke: „Halt!" und: „Ganz Bataillon kehrt!" Seh' ich 'nen Freund gefahrbedroht, steh' ich nicht starr und stumm; der Freund soll helfen in der Noth, ich ruf': „Schnell hin! — Rechtsum!"

Begegn' ich einem großen Mann, der für das Volk, den Staat durch seinen Stand viel wirken kann, und stets es gerne that; der Unheil immer abgewehrt, wo er es nur gekonnt, der würdig ist, daß man ihn ehrt, da commandir' ich: „Front!"

Doch kommt nun gar der größte Mann, Kam'rad, du weißt doch, wer? da ich nur Einen meinen kann, — kommt gar mein König her; dann pocht die Brust mir ungestüm, das Athmen wird mir schwer; fest blick' ich in das Auge ihm, 's heißt: „Präsentirt's Gewehr!"

1035.
Bekannte Melodie.

Ich habe mein feins Liebchen so lange nicht gesehn, gesehn, so lange nicht gesehn.

Ich sah sie gestern Abend wohl an der Hausthür stehn, ja stehn, wohl an der Hausthür stehn.

Sie sagt: ich sollt' sie küssen, der Vater sollt's nicht wissen; die Mutter hat's gesehn, gesehn, die Mutter hat's gesehn.

Mein Kind, willst du schon freien? Es wird dich bald gereuen, es reuet dich gewiß, gewiß, es reuet dich gewiß.

Wenn andre junge Mädchen von ihrem Spinnerädchen wohl auf den Tanzplatz gehn, ja gehn, wohl auf den Tanzplatz gehn:

Wirst du, ein junges Weibchen, mit deinem ehrbaren Häubchen, wohl an der Wiege stehn, ja stehn, wohl an der Wiege stehn.

Wirst singen: Heia Poppeia; wirst singen: Heia Poppeia, schlaf' ein, mein Kind, schlaf' ein, schlaf' ein, schlaf' ein, mein Kind, schlaf' ein.

Das Feuer kann man löschen, die Liebe nicht vergessen, das Feuer brennt so sehr, so sehr, die Liebe doch noch mehr.

Studentenlied.

1036.

Ich hab' mein' Sach' auf nichts gestellt. Juchhe! Drum ist's so wohl mir in der Welt. Juchhe! Und wer will mein Kamerade sein, der stoße mit an, der stimme mit ein! :,: bei dieser Neige Wein. :,:

Ich stellt' mein' Sach' auf Geld und Gut. Juchhe! Darüber verlor ich Freud' und Muth. O weh! Die Münze rollte hier und dort, und hascht' ich sie an einem Ort, am andern war sie fort!

Auf Weiber stellt' ich nun mein' Sach'. Juchhe! Daher mir kam viel Ungemach. O weh! Die Falsche sucht' sich ein ander Theil, die Treue macht' mir Langeweil', die Beste war nicht feil.

Ich stellt' mein' Sach' auf Reis' und Fahrt. Juchhe! Und ließ meine Vaterlandsart. O weh! Und mir behagt' es nirgends recht, die Kost war fremd, das Bett war schlecht, Niemand verstand mich recht.

Ich stellt' mein' Sach' auf Ruhm und Ehr'. Juchhe! Und sich'! gleich hatt' ein Andrer mehr. O weh! Wie ich mich hatt' hervorgethan, da sahen die Leute scheelm ich an, hatte Keinem recht gethan.

Ich setzt' mein' Sach' auf Kampf und Krieg. Juchhe! Und uns gelang so mancher Sieg. Juchhe! Wir zogen in Feindes Land hinein, dem Freunde sollt's nicht viel besser sein, und ich verlor ein Bein.

Nun hab' ich mein' Sach' auf nichts gestellt. Juchhe! Und mein gehört die ganze Welt. Juchhe! Zu Ende geht nun Sang und Schmaus. Nur trinkt mir alle Neigen aus; die letzte muß heraus! *Göthe.*

1037.

Ich hab' mich ergeben mit Herz und mit Hand :,: dir, Land voll Lieb' und Leben, mein deutsches Vaterland. :,:

Mein Herz ist entglommen, dir treu zugewandt, du Land der Freien und Frommen, du herrlich Hermannsland.

Du Land, reich an Ruhme, wo Luther erstand, für deines Volkes Thume reich' ich mein Herz und Hand.

Ach Gott, thu' erheben mein jung Herzensblut zu frischem, freud'gem Leben, zu freiem, frommem Muth!

Laß Kraft mich erwerben in Herz und in Hand, zu leben und zu sterben für's heil'ge Vaterland! *Maßmann.*

1038.

Ich hatt' bei Tag' und bei der Nacht so manchen Beutel leer gemacht, juchhe! Doch nichts ist ewig in der Welt, und so verlor ich auch mein Geld — o weh! Ich hatt' gelebt in Saus und Braus, in dulci jubilo, doch nun war's mit den Späßchen aus — das geht nun einmal so!

Da kamen die Philister an, so an die sechs und sechzig Mann, juchhe! Die hielten auf die dürre Hand, und zeigten mir manch' Unterpfand — o weh! Ich sagte höflich: Hört, ihr Herrn, willkommen sind Sie mir. Wahrhaftig, ich bezahle gern, doch — hab' ich just nichts hier.

Um einen Monat bitt' ich Frist, weil dann mein Geld gekommen ist, juchhe! Da schrieen sie: „Was hin, was her, wir warten nun nicht länger mehr!" O weh! Wohlan, so bleiben Sie bei mir, Geduld wohl Jedem frommt, und warten Sie gefälligst hier, bis Geld von Hause kommt.

Nun seufzten sie: „O Bösewicht du!" und kehrten mir den Rücken zu, juchhe! Da nahm ich meinen Wanderstab und zog euch — ohne Heller — ab, o weh! und so durchstreif' ich nun die Welt mit fröhlichem Gesicht; Gott nährt die Vögel ja im Feld, auch mich verläßt er nicht.

1039.

Ich hatt' einen Kameraden, einen bessern find'st du nit. Die Trommel schlug zum Streite, er ging an meiner Seite, in gleichem Schritt und Tritt.

Eine Kugel kam geflogen, gilt's mir, oder gilt es dir? Ihn hat es weggerissen, er liegt mir vor den Füßen, als wär's ein Stück von mir.

Will mir die Hand noch reichen, derweil ich eben lad'. Kann dir die Hand nicht geben, bleib' du im ew'gen Leben mein guter Kamerad!   Uhland.

1040.

Ich hatt' in meiner Mutter Leib gewohnt ein halbes Jahr, da sprang zu hoch das junge Weib, dacht' nicht an die Gefahr. Auf einem Weinberg tanzte sie bei einem Winzerfest; das Röcklein flog bis an die Knie, das Mieder saß nicht fest.

Da roch ich was von Rebensaft, da hört' ich Gläserklang, und flugs heraus aus meiner Haft sprang ich in wildem Drang. Sie legten mich auf Rebenlaub, sie sprengten mich mit Wein, ich blieb nicht blind und stumm und taub, und sog die Tropfen ein.

Ein Schenkwirth war mein Herr Papa, goß immer ein und aus. Das Wasser stand dem Weine nah' allzeit in seinem Haus. Und als der Pfaff nach Wasser rief, daß er mich taufte drein, mein Vater sich in Eil' verlief, und brachte blanken Wein.

Damit begoß der heil'ge Mann mein Haupt und mein Gesicht, und sprach dazu den Segen dann, ich schrie und muckte nicht. In sel'gem Rausche lag ich da den ganzen lieben Tag; sie glaubten schon mein Ende nah', da ward ich jauchzend wach.

Und als ich lernte selber stehn, trieb ich's wie mein Papa: sollt' ich zum Wasserfasse gehn, gar oft ich mich versah, und schöpfte nebenbei heraus und nebenbei hinein; ich war der einz'ge Gast im Haus, der zechte reinen Wein.

Und nun, ihr Leute, sagt mir an, wie sollt' es anders sein, als daß mein Mund nichts trinken kann, als guten rei=

nen Wein? Er ist's, der vor der Zeit mich rief in diese Welt heraus, wär' er nicht mehr, fürwahr, ich lief auch vor der Zeit hinaus.

Er ist es auch, der mich hernach zum Christen hat gemacht, das hab' ich mir so manchen Tag fein christlich überdacht. Und weil's muhamedanisch ist, zu trinken keinen Wein, will ich bei'm Wein ein guter Christ trotz Türk' und Teufel sein.

1041.

Ich hatt' 'n mal 'n schweren Stand, Trala! Mir kam ein Mädel vor die Hand, Trala! Das Mägdelein war hübsch und fein, es hatt' schwarzbraune Aeugelein, Tralirum, larum, hopsasa, sa sa! Es hatt' schwarzbraune Aeugelein, Trala!

Sie hatt' 'ne Haut, und die war klar, Trala! Sie hatt' 'nen Mund, und der war rar, Trala! Und als ich weiter hingesehn, da war sie über und über schön. Tralirum 2c.

Vom Herzen zog mir's in die Bein', das Bein, das lief wegaus, wegein, und als ich sie getroffen an, da dacht' ich, ich hätt' 'nen Fund gethan.

Ich dacht', es kann nicht anders sein, das schöne Mädel mußt du frein, ich kauft' ihr ein spanneues Kleid, und wikkelt' drein mein Herzeleid.

Ich ging nicht mehr zu Bier und Wein, ich dacht': mußt ewig um sie sein. Doch fuhr mir's plötzlich durch den Sinn, Gottlob! daß ich noch ledig bin!

Zwei Wochen war ich doch bei ihr, jetzt geh' ich wieder zu Wein und Bier. Die Ursach' ist leicht 'raus gebracht; die Mutter sagt, hätt's gut gemacht!

Und wenn ich einmal werde frein, so soll's ein ehrbar Mädel sein, hübsch treu und fleißig in dem Haus, sonst spaß' ich nur, wird nichts daraus! G. W. Fink.

1042.
Bekannte Melodie.

Ich höre gern bei'm Weine singen, zumal, wenn man vom Weine singt; er macht, daß alle Stimmen klingen, daß selbst des Dichters Lied gelingt. Ihr werdet ihn doch nicht vertreiben? mich dünkt, es ist ein guter Brauch. (Chor:) Wir üben ihn auch, er ist vortrefflich, er soll bleiben.

Nach meinem wenigen Bedünken muß wohl der Trieb, uns zu erfreun, die Lust und das Talent zu trinken, dem Menschen angeboren sein. Der Trieb ist uns als Grundtrieb eigen, und nicht etwa ein bloßer Brauch. (Chor:) Das meinen wir auch, das wollen wir noch heute zeigen.

Von braver Väter guten Bräuchen, von ihrer Sitte gut und rein wird nie ein biedrer Enkel weichen, er preiset laut, wie sie, den Wein. Drum laßt es hierin nur bei'm Alten, wär' auch das Trinken nur ein Brauch. (Chor:) Das meinen wir auch, wir wollen's immer beibehalten.

Wenn's auch noch nicht erfunden wäre, o, wir erfänden's noch der Welt! Wir pflanzten Wein, bei meiner Ehre! und schenkten ihr ihn ohne Geld. Wir würden sie recht sehr verbinden: wir würden ewig, wie der Brauch. (Chor:) Das meinen wir auch, wir würden's ganz gewiß erfinden.

Fang' ich erst an, das Glas zu leeren, so schenk' ich gleich auch wieder ein. Man pflegt sobald nicht aufzuhören; und dazu fehlt's hier nicht an Wein. Das wird wohl euer Lob erlangen, man sagt, es sei ein alter Brauch. (Chor:) Wir haben ihn auch, allein man pflegt auch anzufangen.

Kosegarten.

1043.
Der Schmied.

Ich hör' meinen Schatz, den Hammer er schwinget, das rauschet, das klinget, das dringt in die Weite wie Glockengeläute, durch Gassen und Platz.

Am schwarzen Kamin da sitzet mein Lieber, doch geh' ich vorüber, die Bälge dann sausen, die Flammen aufbrausen und lodern um ihn.

Uhland.

1044.

Ich hört' ein Sichlein rauschen, wohl rauschen durch das Korn; ich hört' ein Mägdlein klagen, sie hätt' die Lieb' verlor'n.

Laß rauschen, Lieb, laß rauschen, ich acht' nicht, wie es geh', ich thät mein Lieb vertauschen in Veilchen und in Klee.

Hast du ein Mägdlein worben in Veilchen und in Klee, so steh' ich hier alleine, thut meinem Herzen weh.

Ich hör' ein Hirschlein rauschen, wohl rauschen durch den Wald, ich hör' mein Lieb sich klagen: die Lieb' verrausch' so bald.

Laß rauschen, Lieb, laß rauschen, ich weiß nicht, wie mir wird; die Bächlein immer rauschen und keines sich verirrt.

Volkslied aus des Knaben Wunderhorn.

1045.
Die Auswanderer.

Ich kann den Blick nicht von euch wenden; ich muß euch anschaun immerdar; wie reicht ihr mit geschäft'gen Händen dem Schiffer eure Habe dar!

Ihr Männer, die ihr von dem Nacken die Körbe langt, mit Brod beschwert, das ihr aus deutschem Korn gebacken, geröstet habt auf deutschem Herd;

Und ihr, im Schmuck der langen Zöpfe, ihr Schwarzwaldmädchen, braun und schlank; wie sorgsam stellt ihr Krüg' und Töpfe auf der Schaluppe grüne Bank.

Das sind dieselben Töpf' und Krüge, oft an der Heimath Born gefüllt; wenn am Missuri Alles schwiege, sie malten euch der Heimath Bild;

Des Dorfes steingefaßte Quelle, zu der ihr schöpfend euch gebückt; des Herdes traute Feuerstelle; das Wandgesims, das sie geschmückt.

Bald zieren sie im fernen Westen des leichten Bretterhauses Wand; bald reicht sie müden, braunen Gästen, voll frischen Trunkes, eure Hand.

Es trinkt daraus der Tscherokese, ermattet von der Jagd, bestaubt; nicht mehr von deutscher Rebenlese tragt ihr sie heim, mit Grün belaubt.

O sprecht! warum zogt ihr von dannen? Das Neckarthal hat Wein und Korn; der Schwarzwald steht voll finstrer Tannen, im Spessart klingt des Aeplers Horn.

Wie wird es in den fremden Wäldern euch nach der Heimath Berge Grün, nach Deutschlands gelben Weizenfeldern, nach seinen Rebenhügeln ziehn!

Wie wird das Bild der alten Tage durch eure Träume glänzend wehn! Gleich einer stillen frommen Sage wird es euch vor der Seele stehn.

Der Bootsmann winkt! — Zieht hin in Frieden! Gott schütz' euch, Mann und Weib und Greis! Sei Freude eurer Brust beschieden, und euren Feldern Reiß und Mais!

Freiligrath.

1046.

Ich komme vom Gebirge her, es dampft das Thal, es rauscht das Meer; ich wandle still, bin wenig froh, und immer fragt der Seufzer: wo?

Die Sonne scheint mir hier so kalt, die Blüthe welk, das Leben alt, und was sie reden, leerer Schall; ich bin ein Fremdling überall.

Wo bist du, mein gelobtes Land, gesucht, geahnt und nie gekannt! das Land, das Land so hoffnungsgrün, das Land, wo meine Rosen blühn?

Wo meine Träume wandeln gehn, wo meine Todten auferstehn; das Land, das meine Sprache spricht, und alles hat, was mir gebricht?

Ich wandle still, bin wenig froh und immer fragt der
Seufzer: wo? Es bringt die Luft den Hauch zurück: „Da
wo du nicht bist, blüht das Glück!"

Schmidt von Lübeck.

1047.

Ich lag unter duftenden Rosen am murmelnden Wasser=
fall, ich ließ die Zephyre mich kosen und murmeln der Quelle
Krystall; ich träumte, ich wachte und seufzte, ich dachte —
o still! still! still! :,: weil Liebchen so will! :,:

Da kam sie, die Holde, gegangen, ihr Wandel war
schwebender Tanz, und Locken und Stirne und Wangen um=
schatteten Hütchen und Kranz, am Busen die Rose, der Schleier
so lose, — o still! 2c.

Hui, schlief ich, die Wimpern geschlossen, und horchte
der Kommenden nach, sie warf mich mit Blüthen und Spros=
sen, ich ward nicht im Blumenstrom wach; da sank sie mit
Beben ein Küßchen zu geben, — o still! 2c.

Da war mein Schlummer zerronnen, da wollte die
Schüchterne fliehn; von meinen Armen umsponnen war eitel
ihr sprödes Bemühn: „Ach," seufzte die Kleine, „ich suchte
mir eine" — o still! 2c.

Nun saßen wir kosend im Schatten und trieben ein se=
liges Spiel, und seufzten und baten, und hatten des Liebli=
chen nimmer zu viel. Mit stummem Entzücken und trunkenen
Blicken — o still! 2c.

1048.

Ich lebe frei und sorgenlos, kein Fürstensohn lebt besser,
mein Keller ist für mich ein Schloß, mein Hausgeräth sind
Fässer. Ich lebe froh und trinke frisch mit Jedem um die
Wette, das volle Faß dient mir zum Tisch, das leere mir
zum Bette.

Ich trinke, bis ich müde bin, dann kriech' ich in das leere,
da ruh' ich dann mit leichtem Sinn, als wenn ich König wäre.
Ich schlafe süß mit Laub bedeckt, wenn Thoren wachend
schmollen, und wenn der Durst mich wieder weckt, so eil' ich
zu dem vollen.

1049.

Blumenleben.

Ich lebe und liebe und weiter nichts; was mehr als Lie=
ben und Leben? Ich trinke den Thau des Himmelslichts, die

blühenden Farben zu weben; :,: und hab' ich die blühenden Farben gewebt, dann hab' ich geliebet, dann hab' ich gelebt. :,:

Ich lebe und male mit Himmelsblau und Sternenglanz mir die Krone, dann kommt Aurora mit goldnem Thau und giebt mir Perlen zum Lohne;. ich liebe und hauche süßen Duft der zarten Seele in Sonnenluft.

Du liebliche Braut, o nahe dich, du sollst mich haben, mich pflücken! du willst nur lieben und leben wie ich, ich muß den Busen dir schmücken! und haben wir beide geliebt und gelebt, dann beider Seele zum Himmel schwebt.

1050.

Ich lieb' das Incognito. Hat man in dem Kopf kein Stroh, so kann man vieles sehen; bald sieht man dort unter'm Thor einen Herrn im Requelor bei seinem Liebchen stehen; bald fliegt jenem kleinen Haus auf gut Glück ein Täubchen aus; — aber nur incognito.

Geh' ich in's Theater hin, seh' ich manche Fischerin für Herren Netze stricken. Und da sieht man alte Herr'n, die, so wie die jungen, gern noch an dem Köder picken. Ist dann die Komödie aus, so führt man den Fang nach Haus — aber nur incognito.

Mädchen gehen auf den Ball, laufen da von Saal zu Saal, oft ohne Vaters Wissen; er glaubt, sie sei'n bei der Tant', und denkt nicht an den Amant, noch weniger an's Küssen. Endlich kommt der Spaß heraus, — eine Hochzeit wird daraus; — aber nur incognito.

Weiber reisen in das Bad, weil der Mann Geschäfte hat, und lassen sich curiren. Da heißt's: Alter, lebe wohl! Hannchen weiß schon, wie sie soll deine Wirthschaft führen. Vor dem Thor — da hält man still, weil der Doctor auch mit will; — aber nur incognito.

Von den Männern red' ich nicht, denn da würde die Geschicht' zahllose Bände füllen. Der eine gehet auf die Jagd, der andere hält es mit der Magd, um seine Lust zu stillen. Der eine rückt mit Thalern aus, der andere zahlt in's Findelhaus — aber nur incognito.

Männer, Weiber! jung und alt, häßlich, schön, warm oder kalt, — merkt doch auf meine Lehre! Spürt ihr Unrath in dem Haus, macht doch keinen Lärm daraus, sonst leidet drob die Ehre. Drückt vielmehr die Augen zu! Denkt: ich bin ja selbst wie du. So bleibt es incognito; Alles bleibt incognito.

1051.

Ich liebe dich, sprach oft mein thränend Auge, wenn mich dein Blick in süßer Schau beschlich; doch wagt' es nie mein Mund dir zu bekennen: ich liebe dich! ich liebe dich!

Es ist geschehn, nun weißt du Alles, Alles, warum die Ruh' aus meinem Herzen wich; dir bleibt die Wahl: Verzeihung oder Strafe. Ich liebe dich, ich liebe dich!

O zürne nicht! schon floh der Seele Frieden; mein Genius beweint mit Zittern mich. Verzeihung mir! Doch wenn du ewig zürnest: ich liebe dich, ich liebe dich!

Vielleicht erblickt dich nie dies Auge wieder, dem — ach! um dich so manche Thrän' entschlich; doch fern von dir werd' ich verlassen klagen: ich liebe dich, ich liebe dich!

Ich liebe dich, so werd' ich ewig trauern; und naht der Tod als Friedensbote sich, tönt sterbend noch von meinen blassen Lippen ein leises: Ach! ich liebe dich!

1052.

Ich lobe mir das Burschenleben, ein Jeder lobt sich seinen Stand; der Freiheit hab' ich mich ergeben, sie bleibt mein höchstes Unterpfand. Studenten sind fidele Brüder. (Chor:) „Fidele Brüder." Kein Unfall schlägt (Chor:) „Kein Unfall schlägt" sie ganz darnieder. (Chor:) „Sie ganz darnieder."

Die Hirsche, Hasen und Studenten, sie leiden gleiches Ungemach, denn jenen jagen Jäger, Hunde, und diesen die Philister nach. Studenten ꝛc.

Brav Gelder muß der Vater schicken, wenn der Herr Sohn studiren soll, den Beutel mit Dukaten spicken, nur dann geräth das Söhnchen wohl. Studenten ꝛc.

Und hat der Bursch' kein Geld im Beutel, so führt er die Philister an, und spricht: es ist ja alles eitel, vom Burschen bis zum Bettelmann! Studenten ꝛc.

Ach! wenn die lieben Aeltern wüßten der Herren Söhne große Noth, wie sie so flott verkeilen müßten, sie weinten sich die Aeuglein roth. Indessen thun die Herren Söhne sich dann und wann gar trefflich bene. ꝛc.

Und hat der Bursch' nun ausstudiret, so reiset er in patriam, mit seinen Heften ausstaffiret, heißt er ein grundgelehrter Mann. Studenten ꝛc.

1053.

Ich lobe mir mein Gläschen Wein und meinen frohen Muth, und denke, um vergnügt zu sein, braucht man kein großes Gut.

Dies lehrt schon König Salomo. Ein immer fröhlich Herz, singt er, macht uns im Unglück froh, in Freuden und in Schmerz.

Bewährt hab' ich im Leben viel auch diesen Satz gesehn, und mehr gehört auf seidnem Pfühl, als Stroh, um Hülfe flehn.

Gefunden, daß oft Erdengut ein Augenblick entwand; im Unglück aber fester Muth wie Felsen sicher stand.

Drum hab' ich nie ein Glück zu groß begehrt in dieser Welt, vergnügt bin ich, wenn stets mein Loos mir so wie heute fällt.

Schmeckt mir nur stets mein Gläschen Wein, bleibt mir mein froher Muth: so laß' ich Große Große sein mit ihrem Glück und Gut.

1054.

Küferlied.

Ich lobe mir das Fässerbinden, das ist mein Handwerk, lieb und werth, das Weib und Kinder redlich nährt, auch wenn sich drum nicht Schätze finden; im Uebrigen ist Gott mein Licht, denn er verließ bis jetzt mich nicht. Frisch auf, ihr Gesellen, und laßt euch nicht treiben, dem Fasse die Reife wohl anzutreiben. Rattabum, Rattabum, Rattabum. (Chor:) Frisch auf, ihr Gesellen, und laßt euch nicht treiben, dem Fasse die Reife wohl anzutreiben. Rattabum, Rattabum, Rattabum.

Wo's gilt, für Recht und Freiheit kämpfen, und kostet es mir Gut und Blut; wo's gilt, die ungestüme Wuth der wildempörten Menge dämpfen, da schwing' ich meinen Hammer frei, da, Brüder, bin ich auch dabei. Doch frisch, ihr Gesellen, und laßt euch nicht treiben, dem Fasse die Reife wohl anzutreiben. Rattabum, Rattabum, Rattabum. (Chor:) Doch frisch, ihr Gesellen zc.

Doch jetzt will ich ein Faß erbauen, so groß wie's Heidelberger Faß, statt süßes Bier und Rebennaß sollt ihr darin was anders schauen: „Jedweden, der die heil'ge Pflicht für's Vaterland verräth'risch bricht." Frisch auf, ihr Gesellen, und laßt euch nicht treiben, dem Fasse die Reife wohl anzutreiben. Rattabum, Rattabum, Rattabum. (Chor:) Frisch auf, ihr Gesellen zc.

Herbold.

1055.

Ich Mädchen bin aus Schwaben, und braun ist mein Gesicht; der Sachsenmädchen Gaben besitz' ich freilich nicht.

Die können Bücher lesen, den Wieland und den Gleim; und ihr Gezier und Wesen ist süß wie Honigseim.

Der Spott, mit dem sie stechen, ist scharf wie Nadelspitz'; der Witz, mit dem sie sprechen, ist nur Romanenwitz.

Mir fehlt zwar diese Gabe, fein bin ich nicht und schlau; doch kriegt ein braver Schwabe an mir 'ne brave Frau.

Das Tändeln, Schreiben, Lesen macht Mädchen widerlich; der Mann, für mich erlesen, der liest einmal für mich.

Bist, Jüngling, du aus Schwaben? liebst du dein Vaterland? so komm, du sollst mich haben; schau, hier ist meine Hand!

1056.

Ich mag nicht Silber, mag nicht Gold, nur schönen Mädchen bin ich hold, drum soll von euch, ihr Schönen! und nicht von Gold und Edelstein, auch nicht vom süßen Cyperwein mein Saitenspiel ertönen.

Daß ich nicht Fürst, nicht König bin, trübt niemals meinen frohen Sinn, das kann ich leicht vergeben;— doch wär' mein Herz von Liebe leer, und küßte mich kein Mädchen mehr, dann möcht' ich gar nicht leben.

An Schönheit, Reiz und Lieblichkeit gehn Mädchen über Alles weit, im Himmel und auf Erden. — Wenn einst, nach dieser Lebensfrist, im Paradies kein Mädchen ist, mag ich nicht selig werden.

1057.

Ich möchte dir so gerne sagen, wie lieb du mir im Herzen bist; nun aber weiß ich nichts zu sagen, als daß es ganz unmöglich ist. :,:

Ich möchte alle Tage singen, wie lieb du mir im Herzen bist, doch wird es niemals mir gelingen, weil es so ganz unmöglich ist.

Und weil es nicht ist auszusagen, weil's Lieben ganz unendlich ist, so magst du meine Augen fragen, wie lieb du mir im Herzen bist.

Darinnen wird geschrieben stehen: wie lieb du mir im Herzen bist! und drinnen wirst du deutlich sehen, was jedem Wort unmöglich ist.

1058.

Melodie von Mozart.

Ich möchte wohl der Kaiser sein! Den Orient wollt' ich erschüttern, die Muselmänner sollten zittern, Constantinopel wäre mein! Ich möchte wohl der Kaiser sein!

Ich möchte wohl der Kaiser sein! Athen und Sparta sollten werden, wie Rom die Königin der Erden, das Alte sollte sich erneun! Ich möchte wohl der Kaiser sein!

Ich möchte wohl der Kaiser sein! Die besten Dichter wollt' ich dingen, der Helden Thaten zu besingen, die goldnen Zeiten führt' ich ein! Ich möchte wohl der Kaiser sein!

Gleim.

1059.
Das Nothhemd.

„Ich muß zu Feld, mein Töchterlein, und Böses dräut der Sterne Schein, drum schaff' du mir ein Nothgewand, du Jungfrau, mit der zarten Hand!"

„„Mein Vater, willst du Schlachtgewand von eines Mägdleins schwacher Hand? Noch schlug ich nie den harten Stahl, ich spinn' und web' im Frauensaal.""

„Ja spinne, Kind, in heil'ger Nacht, den Faden weih der höllischen Macht, draus web' ein Hemde, lang und weit! das wahret mich im blut'gen Streit."

In heil'ger Nacht, im Vollmondschein, da spinnt die Maid im Saal allein. „„In der Hölle Namen!"" spricht sie leis, die Spindel rollt in feurigem Kreis.

Dann tritt sie an den Webestuhl und wirft mit zager Hand die Spul'; es rauscht und sauft in wilder Hast, als wöben Geisterhände zu Gast.

Als nun das Heer ausritt zur Schlacht, da trägt der Herzog sondre Tracht: mit Bildern, Zeichen, schaurig, fremd, ein weißes, weites, wallendes Hemd.

Ihm weicht der Feind, wie einem Geist, wer böt' es ihm, wer stellt' ihn dreist, an dem das härteste Schwert zerschellt, von dem der Pfeil auf den Schützen prellt!

Ein Jüngling sprengt ihm vor's Gesicht: „„„Halt, Würger, halt! mich schreckst du nicht. Nicht rettet dich die Höllenkunst, dein Werk ist todt, dein Zauber Dunst."""

Sie treffen sich und treffen gut, des Herzogs Nothhemd trieft von Blut; sie haun, und haun sich in den Sand, und jeder flucht des Andern Hand.

Die Tochter steigt hinab in's Feld: „Wo liegt der herzogliche Held?"" Sie find't die todeswunden Zwei, da hebt sie wildes Klaggeschrei.

„Bist du's, mein Kind? Unsel'ge Maid! wie spannest du das falsche Kleid? hast du die Hölle nicht genannt? war nicht jungfräulich deine Hand?"

„‚„Die Hölle hab' ich wohl genannt, doch nicht jungfräulich war die Hand; der dich erschlug, ist mir nicht fremd, so spann ich, weh! dein Todtenhemd!"'" Uhland.

1060.
Heiraths=Duett.

(Sie:) Ich nehme einen Schlosser mir, das ist der erste Mann, der sorgt für unsre Sicherheit und schlägt die Schlösser an.

(Er:) Mein Kind, da bist du schlecht bericht't, der Tischler geht zuvor, der Schlosser ist der Erste nicht, der Tischler macht das Thor.

(Sie:) Ein Schlosser ist zu schwarz für mich — und seine Lieb' zu heiß. (Er:) Verliebt sich ein Friseur in dich, der macht dir nur was weiß.

(Sie:) Nein, nein! Ein Drechsler! O, wie schön! Der ist für mich gemacht. (Er:) Der kann dir eine Nase drehn, da nimm du dich in Acht.

(Sie:) Ein Bäcker ist mir zu solid, ich fürcht', daß ich mich härm'. (Er:) So nimm dir einen Kupferschmied, der schlägt 'nen rechten Lärm.

(Sie:) Mit einem Schneider, in der That, da käm' ich prächtig draus. (Er:) Doch wenn er keine Kunden hat, geht ihm der Faden aus.

(Sie:) Ein Klempner ist ein sichrer Mann, dem fehlt es nie an Blech. (Er:) Ich rath' dir einen Schuster an — es ist halt wegem Pech.

(Sie:) Ein Hut'rer wär' wohl nicht riskirt, der hat ein sichres Gut. (Er:) Ja wenn die Welt den Kopf verliert, so braucht kein Mensch 'nen Hut.

(Sie:) Kurzum, ich wend' im Kreis herum vergebens meinen Blick; drum kehr' ich zu dem Tischler um, der ist mein einzig Glück.

1061.

Ich nehm' mein Gläschen in die Hand, vive la Compagneia! und fahr' damit in's Unterland, vive la Compagneia! Vive la, vive la, vive la, va! — vive la, vive la, hopsasa, — vive la Compagneia!

Ich hole das Gläschen wieder hervor, vive la Compagneia! und halt's an's recht' und linke Ohr, vive la Compagneia! Vive la, etc.

Ich setz' mein Gläschen an den Mund, vive la Compagneia! und leer' es aus bis auf den Grund, vive la Compagneia! Vive la, etc.

Dem Gläschen ist sein Recht geschehn, vive la Compagneia! was oben ist, muß unten stehn, vive la Compagneia! Vive la, etc.

Das Gläschen, das muß wandern, vive la Compagneia! von einer Hand zur andern, vive la Compagneia! Vive la, etc.

1062.

Ich reit' in's finstre Land hinein, nicht Mond, noch Sterne geben Schein, die kalten Winde tosen. Oft hab' ich diesen Weg gemacht, wann goldner Sonnenschein lacht, bei lauer Lüfte Kosen.

Ich reit' am finstern Garten hin, die dürren Bäume sausen drin, die welken Blätter fallen. Hier pflegt' ich in der Rosenzeit, wann Alles sich der Liebe weiht, mit meinem Lieb' zu wallen.

Erloschen ist der Sonne Strahl, verwelkt die Rosen allzumal, mein Lieb zu Grab getragen. Ich reit' in's finstre Land hinein, im Wintersturm, ohn' allen Schein, den Mantel umgeschlagen.
Uhland.

1063.

Ich sah ein Röschen am Wege stehn, das war so blühend, so wunderschön; es hauchte Balsam weit um sich her, ich wollt' es brechen und — stach mich sehr.

Doch hört nur weiter, was nun geschehn: ich ging vorüber und ließ es stehn; eh' noch sein Ende den Tag erreicht, war's schon von der Sonne ganz abgebleicht.

Ihr lieben Mädchen, dies sing' ich euch; ihr seid in Allem dem Röschen gleich; ihr lockt durch Schönheit uns um euch her, dann seid ihr spröde und quält uns sehr!

Und nun die Lehre, sie ist nicht schwer, drum sing' ich weiter kein Wörtchen mehr; leicht könnt ihr's zeigen, daß ihr's nun wißt, wenn ihr nur alle den Sänger küßt!

1064.

Ich sah ihn gestern Abend, ich sah ihn gestern Abend wohl an der Thüre stehn, wohl an der Thüre stehn.

Ich thät ihn freundlich grüßen, die Mutter sollt's nicht wissen; die Mutter ward's gewahr, daß Jemand bei mir war.

„Ach, Tochter, laß dein Freien, es wird dich bald gereuen; gereuen wird es dich, und du wirst denken an mich!"

„Wenn andre hübsche Mädchen mit ihren grünen Kränzchen wohl auf den Tanzsaal gehn, wohl auf den Tanzsaal gehn;"

„Da mußt du armes Weibchen mit deinem zarten Leibchen wohl bei der Wiege stehn, wohl bei der Wiege stehn!"

„Mußt singen Ri Ra Rädchen; schlaf' ein, mein feines Mädchen, schlaf du in guter Ruh', thu' deine Aeuglein zu!"

Das Feuer kann man löschen, die Liebe nicht vergessen, das Feuer brennet sehr, die Liebe noch viel mehr!

Volkslied.

1065.

Ich sah in die blaue unendliche See, wie ward mir im Herzen so wohl und so weh! doch hab' ich dein blaues Auge gesehn, und weiß nun selber nicht, wie mir geschehn.

Und wenn ich die blaue unendliche See auch immer und immer wieder seh', das Wasser doch immer nur Wasser bliebe: dein Aug' ist ewig unendliche Liebe.

1066.

Ich sah so frei und wonnereich einst meine Tag' entschlüpfen, wie Vögelchen von Zweig zu Zweig bei'm Morgenliede hüpfen.

Fragt jeden Sommerwind, der hier die Blumenau erfrischet, ob je ein Seufzer sich von mir in seinen Hauch gemischet?

Fragt nur den stillen Bach im Klee, ob er mich klagen hörte? und ob von mir ein Thränchen je die kleinen Wellen mehrte?

Mein Auge schaute falkenhell durch meilenlange Räume; wie Gems und Eichhorn sprang ich schnell auf Felsen und auf Bäume.

Sobald ich auf mein Lager sank, entschlief ich ungestöret; des Wächters Horn und Nachtgesang hat nie mein Ohr gehöret.

Nun aber ist mir Lust und Scherz und Muth und Kraft entgangen; ein hartes Mädchen hält mein Herz, mein armes Herz gefangen!

Nun hauch' ich meine Seele schier erseufzend in die Winde, und girre kläglich hin nach ihr gleich einem kranken Kinde.

Nun müssen Bach und Klee genug verliebter Zähren saugen, und graue Nebeldämmerung umwölkt die muntern Augen.

Nun härm' ich ganze Nächte lang auf schlummerlosem Lager, die leichten Glieder matt und krank, die vollen Wangen hager.

An meinem Leben nagt die Wuth grausamer Seelengeier, nagt Eifersucht auf fremde Gluth, nagt mein verschmähtes Feuer.

Das harte Mädchen sieht den Schmerz, und mehrt ihn dennoch stündlich. O Liebe, kennst du noch ein Herz, wie dieses unempfindlich?

Ein einzig Lächeln voller Huld würd' allen Kummer lindern, und ihre nicht erkannte Schuld flugs tilgen oder mindern.

Mich weckte wohl ihr süßer Ton noch aus dem Grabe wieder; ja, wär' ich auch im Himmel schon, er lockte mich hernieder. *Bürger.*

1067.
Frühling=Liebster.

Ich saß an meinem Rädchen, spann weiße Wittwenfädchen, da mich mein Freund verlassen hat. Da klopft' es an mein Lädchen: Geschwind heraus, du Mädchen, geschwind! dein Ungetreuer naht.

Thu' weg die Wittwenschleier, und zeige dich in Feier, verbirg, daß du dich hast gehärmt. Er kam und sprach, da sei er. Ich sprach: Mein schöner Freier, wo bist derweil herumgeschwärmt?

Da schüttelt' er's Gefieder und streut' auf Brust und Mieder mir Duft und Blumen ohne Harm, fing an und sang mir Lieder; ich kam zum Wort nicht wieder, bis er mich kosend hatt' im Arm. *Friedrich Rückert.*

1068.
Der Ring.

Ich saß auf einem Berge, gar fern dem Heimathland, tief unter mir Hügelreihen, Thalgründe, Saatenland!

In stillen Träumen zog ich den Ring vom Finger ab, den sie, ein Pfand der Liebe, beim Lebewohl mir gab.

Ich hielt ihn vor das Auge, wie man ein Fernrohr hält, und guckte durch das Reifchen hernieder auf die Welt:

Ei, lustig grüne Berge und goldnes Saatgefild, in solchem schönen Rahmen fürwahr ein schönes Bild!

Hier schmucke Häuschen schimmernd am grünen Bergeshang, dort Sicheln und Sensen blitzend die reiche Flur entlang!

Und weiterhin die Ebne, die stolz der Strom durchzieht; und fern die blauen Berge, Grenzwächter von Granit.

und Städte mit blanken Kuppeln und frisches Wäldergrün und Wolken, die zur Ferne, wie meine Sehnsucht, ziehn!

Die Erde und den Himmel, die Menschen und ihr Land, dies alles hielt als Rahmen mein goldner Reif umspannt.

O schönes Bild, zu sehen vom Ring' der Lieb' umspannt die Erde und den Himmel, die Menschen und ihr Land!
Anastasius Grün.

1069.

Ich saß bei jener Linde mit meinem trauten Kinde, wir saßen Hand in Hand. Kein Blättchen rauscht' im Winde, die Sonne schien gelinde herab aufs stille Land.

Wir saßen ganz verschwiegen, mit innigem Vergnügen, das Herz kaum merklich schlug. Was sollten wir auch sagen? was konnten wir uns fragen? wir wußten ja genug.

Es mocht' uns nichts mehr fehlen, kein Sehnen konnt' uns quälen, nichts Liebes war uns fern. Aus liebem Aug' ein Grüßen, vom lieben Mund ein Küssen gab eins dem andern gern.
Uhland.

1070.

Das Mädchen am Bache.

Ich saß im Grünen am klaren Bach, und blickte träumend den Wellen nach, und Blumen schauten so tief hinein, :,: wie muß es selig dort unten sein! :,:

Und Strahlen glänzten durch Wipfelgrün, ich sah am Himmel die Wolken ziehn, sie zogen freundlich im Sonnenschein; wie selig muß es dort oben sein!

Da stand er vor mir so morgenschön! kaum wagt' ich bebend ihn anzusehn, sein Auge strahlte so tief und rein; wie könnt' ich selig auf Erden sein!
Rellstab.

1071.

Ich saß und spann vor meiner Thür, da kam ein junger Mann gegangen; sein blaues Auge lachte mir, und röther glühten meine Wangen. Ich sah vom Rocken auf und sann, und saß verschämt, und spann und spann.

Gar freundlich bot er guten Tag, und trat mit holder Scheu mir näher. Mir ward so angst, der Faden brach, das Herz im Busen schlug mir höher; betroffen knüpft' ich wieder an, und saß verschämt, und spann und spann.

Liebkosend drückt' er mir die Hand, und schwur, daß keine Hand ihr gleiche, die schönste nicht im ganzen Land an

Lieblichkeit, an Rund' und Weiche. Wie sehr dies Lob mein Herz gewann: ich saß verschämt und spann, und spann.

Er lehnt' an meinen Stuhl den Arm und rühmte sehr das feine Fädchen. Sein naher Mund so roth und warm, wie zärtlich haucht' er: Süßes Mädchen! wie blickte mich sein Auge an! Ich saß verschämt, und spann und spann.

Indeß an meiner Wange her sein schönes Angesicht sich bückte, begegnet' ihm von Ungefähr mein Haupt, das sanft im Spinnen nickte; da küßte mich der schöne Mann: ich saß verschämt, und spann und spann.

Mit großem Ernst verwies ich's ihm: doch ward er kühner stets und freier, umarmte mich voll Ungestüm, und küßte mich so roth wie Feuer. O, sagt mir, Schwestern! sagt mir an: war's möglich, daß ich weiter spann?!

Johann Heinrich Voß.

1072.

Ich schlich einmal 'nem Mädchen nach; „wer Vögel fängt, geht leise." Ich weiß nicht, was ich ihr versprach; „mit Speck fängt man die Mäuse."

Sie sagte mir, sie wär' mir gut; „viel Schrei'n und wenig Wolle!" Das dacht' ich auch, ich junges Blut; „Gedanken frei vom Zolle!"

Doch schlich ich einmal in ihr Haus; „wer treffen will, muß zielen;" da jagte mich ein Andrer h'naus! „Ja, wer nicht hört, muß fühlen!"

1073.

Ich schnitt' es gern in alle Rinden ein, ich grüb' es gern in jeden Kieselstein, ich möcht' es sä'n auf jedes frische Beet mit Kressensamen, der es schnell verräth, auf jedes Blättchen möcht' ich's schreiben: Dein ist mein Herz, und soll es ewig bleiben!

Den Morgenwinden möcht' ich's hauchen ein, ich möcht' es säuseln durch den stillen Hain; o leuchtet' es aus jedem Blumenstern! trüg' es der Duft zu ihr von nah' und fern! Ihr Wogen, könnt ihr nichts als Räder treiben? Dein ist mein Herz, und soll es ewig bleiben!

Ich mein', es müßt' in meinen Augen stehn, auf meinen Wangen müßt' man's brennen sehn, zu lesen wär's auf meinem stummen Mund, in jeder Athemzug gäb's laut ihr kund, — und sie merkt nichts von all dem bangen Treiben. Dein ist mein Herz, und soll es ewig bleiben!

Wilhelm Müller.

1074.

Ich soll und muß ein'n Buhlen haben, trabe dich, Thier=
lein, trabe! und sollt' ich ihn aus der Erde graben, trabe
dich, Thierlein, trabe! Das Murmelthierlein hilft mir nicht,
es hat ein mürrisch Angesicht und will fast immer schlafen.

Ich soll und muß ein'n Buhlen erringen, schwinge dich,
Falke, schwing' dich! du sollst mir ihn aus den Lüften brin=
gen, schwinge dich, Falke, schwing' dich! Das Turteltäublein
hilft mir nicht, schnurren und girren kann ich nicht, sein Le=
ben muß es lassen.

Ich soll und muß ein'n Buhlen finden, laufe, mein
Hündlein, laufe! und sollt' ich ihn fangen mit meinen Win=
den, laufe, mein Hündlein, laufe! Der edle Hirsch er hilft
mir nicht, sein Horn ist mir zu hoch gericht't, er möchte
mich erstechen.

Ich soll und muß ein'n Buhlen haben, schalle, mein
Hörnlein, schalle! und wen du rufst, der muß mich laben,
schalle, mein Hörnlein, schalle! Drei schöne Thierlein stellen
sich, die holt kein Hund, kein Falke nicht, die muß ich selber
fangen.

„Ich soll und muß ein Rößlein haben, nimm mich, Jä=
gerlein, nimm mich! Ich möcht' gern durch die Wälder tra=
ben, nimm mich, Jägerlein, nimm mich!" „„Trabst du gern,
so nimm mein Roß! so wär' ich dann das Elßlein los; ade,
ade, mein Rößlein!""

„Ich soll und muß ein'n Falken kriegen, nimm mich, Jä=
gerlein, nimm mich! der muß mit mir zum Himmel fliegen,
nimm mich, Jägerlein, nimm mich!" „„Nimm hin, nimm
hin mein Federspiel, lieb Bärbelein, du warst zuviel; ade,
ade, mein Falke!""

„Ich soll und muß ein Küßlein haben, küss' mich, Jä=
gerlein, küss' mich!" „„Du sollst und mußt einen Jäger haben,
küss' mich, Jungfräulein, küss' mich!"" Die Dritt', die Dritt',
die nenn' ich nicht, sie hat ein klares Angesicht, und soll mir
nicht erröthen.

Volkslied a. d. Knaben Wunderhorn.

1075.

Ich stand in dunkeln Träumen und starrte ihr Bildniß
an, und das geliebte Antlitz heimlich zu leben begann.

Um ihre Lippen zog sich ein Lächeln wunderbar, und wie
von Wehmuthsthränen erglänzte ihr Augenpaar.

Auch meine Thränen flossen mir von den Wangen herab
— und ach, ich kann es nicht glauben, daß ich dich verloren hab'!

Heinrich Heine.

1076.
Kinderlied.

Ich suche meine Schäferin, wo werd' ich sie wohl finden? wohl unter jenem grünen Baum, wohl unter jener Linden. Frau Schäferin, wird sie sich neigen und mir ein Küßchen reichen?

Wird wiederholt, bis die Schäferin, die mit verbundenen Augen in der Mitte steht, sich vor Einem neigt, das dann eintritt.

1077.
Suschens Traum.

Ich träumte, wie um Mitternacht mein Falscher mir erschien. Fast schwür' ich, daß ich hell gewacht, so hell erblickt' ich ihn.

Er zog den Treuring von der Hand und ach! zerbrach ihn mir. Ein wasserhelles Perlenband warf er mir hin dafür.

Drauf ging ich wohl an's Gartenbeet, zu schaun mein Myrthenreis, das ich zum Kränzchen pflanzen thät, und pflegen thät mit Fleiß.

Da riß entzwei mein Perlenband, und eh' ich's mich versah, entrollten all' in Erd' und Sand, und keine war mehr da.

Ich sucht' und sucht' in Angst und Schweiß, umsonst! umsonst! da schien verwandelt mein geliebtes Reis in dunkeln Rosmarin.

Erfüllt ist längst das Nachtgesicht, ach! längst erfüllt genau. Das Traumgesicht frag' ich weiter nicht, und keine weise Frau.

Nun brich, o Herz, der Ring ist hin! die Perlen sind geweint! statt Myrth' erwuchs der Rosmarin! der Traum hat Tod gemeint.

Brich, armes Herz! zur Todtenkron' erwuchs dir Rosmarin. Verweint sind deine Perlen schon, der Ring, der Ring ist hin!

Bürger. 1773.

1078.

Ich trinke so gerne mein nektarvolles Gläschen, und darum so hab' ich schon manchmal es geleert. (Chor:) Du trinkest ꝛc.

Ich küsse so gerne mein braungelocktes Mädchen, und darum so hab' ich schon manchmal es geküßt. (Chor:) Du küssest ꝛc.

Ich schmauche so gerne mein knastervolles Pfeifchen, und darum so hab' ich schon manchmal es geschmaucht. (Chor:) Du schmauchest ꝛc.

Ich und mein Fläschchen.

Schwindet, Gram und Sorgen, lieber heut' als morgen; bald trinke ich mein Gläschen, bald küsse ich mein Mädchen, bald schmauche ich mein Pfeifchen. (Chor:) Dein Gläschen, dein Mädchen, dein Pfeifchen.

Brüder thut mir's alle gleich. (Chor:) Ja, wir thun dir's alle gleich.

1079.

Ich trink' und trinkend fällt mir bei, warum's Naturreich dreifach sei. Die Thier' und Menschen trinken, lieben, ein jegliches nach seinen Trieben: Delphin und Adler, Floh und Hund, empfindet Lieb' und netzt den Mund. Was also trinkt und lieben kann, wird in das erste Reich gethan.

Die Pflanze macht das zweite Reich, dem ersten nicht an Güte gleich: sie liebet nicht, doch kann sie trinken; wenn Wolken träufelnd niedersinken, so trinkt die Ceder und der Klee, der Weinstock und die Aloe. Drum was nicht liebt, doch trinken kann, wird in das zweite Reich gethan.

Das Steinreich macht das dritte Reich, und hier sind Sand und Demant gleich: kein Stein fühlt Durst und zarte Triebe, er wächset ohne Trunk und Liebe. Drum was nicht liebt, noch trinken kann, wird in das letzte Reich gethan. Denn ohne Lieb' und ohne Wein, sprich, Mensch, was bleibst du noch? — ein Stein. **Lessing.** 1751.

1080.

Ich und mein Fläschchen sind immer beisammen! Niemand versteht sich so herrlich als wir! Steh' auch der Erdball in Feuer und Flammen, spricht's doch die zärtlichste Sprache mit mir. Gluck, gluck, gluck! gluck, gluck, gluck! Liebliche, schöne, zaubrische Töne! :,: und sie verstehet der Mohr und Kalmuck. :,:

Mancher vertändelt mit Weibern sein Leben, höfelt und schmachtet und härmet sich krank, denn auch den rosigsten Lippen entschweben leider oft Grillen und Launen und Zank! Gluck, gluck ꝛc. spricht nur die Schöne, welcher ich fröhne, und sie begehret nicht Kleider noch Schmuck.

Wenn sich das Schicksal, mit Wettern gerüstet, wider mich frohen Gesellen erbost, und mir den Garten der Freude verwüstet, dann ist das Fläschchen mein kräftigster Trost. Gluck, gluck ꝛc. flüstert die Treue, und wie ein Leue trotz' ich dem Schicksal und sage nicht Muck!

Ich und mein Fläschchen wir scheiden uns nimmer, bis mir der Lufthach des Lebens verrinnt, und in des Schreiners verhaßtem Gezimmer schreckbar ein ewiges Dursten beginnt.

Gluck, gluck ꝛc. dich muß ich missen, dorthin gerissen unter des Grabsteins umnachtenden Druck!

Sie nur, sie dürsten nicht, die ihn erleben, den einst die Todten erweckenden Ruf, köstlichen Wein muß es oben doch geben, wo Er regiert, der die Reben erschuf. Gluck, gluck ꝛc. klingt es dort wieder, himmlische Brüder, reichet mir einen verjüngenden Schluck!
Langbein.

1081.

Ich wäre wohl fröhlich so gerne, doch kann ich recht fröhlich nicht sein, denn Liebchen, das ist ja so ferne, :,: das muß ich ja lassen allein. :,:

In Treue wird's ewig nicht wanken, und hätt' es drum Jammer und Noth; doch kann es leicht mir erkranken, leicht kann es mir nehmen der Tod.

Noch kann es zwar Herzleid erdulden, noch kann es sich härmen mit Muth; doch Liebchen wird's nimmer verschulden, sein Herzchen, das ist ja so gut.

Drum will ich's stets lieben von Herzen, und weil ich's muß lassen allein, so will ich's auch lieben mit Schmerzen, drum kann ich recht fröhlich nicht sein.

1082.

Ich wandre durch die stille Nacht, da schleicht der Mond so heimlich sacht oft aus der dunkeln Wolkenhülle, und hin und her im Thal erwacht die Nachtigall, dann wieder alles grau und stille.

O wunderbarer Nachtgesang: von fern im Land der Ströme Gang, leis' Schauern in den dunkeln Bäumen — wirrst die Gedanken mir, mein irres Singen hier ist wie ein Rufen nur aus Träumen.
Joseph Freiherr v. Eichendorff.

1083.

Ich war Brandfuchs noch an Jahren, zwei Semester zählt' ich nur, und ich dachte nicht an's Sparen, folgte meiner Brüder Spur. N. N. gab uns fette Weide, er bediente unsern Bund; :,: Alles nahm ich auf die Kreide, und war immer auf den Hund. :,:

Wo drei Tische einsam stehen, trank ich manchen Rausch mir an; heimwärts konnt' ich kaum mehr gehen, taumelnd schritt ich meine Bahn. War Commers, ertönten Lieder aus des Branders voller Brust; dann erst trank ich alles nieder in bacchantisch wilder Lust.

Auf den weinumlaubten Höhen hab' ich oftmals auch gehockt. Manches Aß mußt' mir entgehen, mancher Zehner ward entlockt. Zwar die Mädchen sind mir lieber, doch ich scheute die Gefahr; denn schon Mancher klagte drüber, daß er allzu glücklich war.

Lieber als des Hofraths Lehren, war mir stets der Schläger Klang; wer wird leere Worte hören, wen der Burschengeist durchdrang? Wer wird im Collegium schwitzen, wem empört's nicht die Natur; wenn die blanken Hieber blitzen, wenn begrenzt ist die Mensur?

Ob ich auch Collegia schwänzte, fehlt' ich im Commershaus nie, ob ich manches Glas kredenzte, manchen Schoppen wieder, spie; Brüder, ehrt das Burschenleben, Brüder, 's ist so eng begrenzt, darum laßt die Lehr' euch geben: Pauket wacker, sauft und schwänzt!

1084.

Ich ward, die Betrübniß zu meiden, von fröhlichen Aeltern gezeugt; es hat mich die Mutter in Freuden empfangen, geboren, gesäugt. Es war der mich taufende Priester sammt allen drei Zeugen voll Wein, da schrieb mich — — der Küster besoffen in's Kirchenbuch ein.

1085.

Ich war ein rechter Faselhans in meiner Jugendzeit, bei Tanz und Spiel und Zechgelag' war Hänschen auch nicht weit; und wie es denn nun manchmal geht, ich ward im Ernst verliebt; mein froher Sinn war fort, und ach! :/: mein Herz gar sehr betrübt. :/:

Das Mädchen, so ich liebgewann, war jung und schön und rund, die Augen blau, die Wangen roth, zum Kusse lud der Mund. Nett war das Füßchen, und dabei war schön auch ihre Hand; sie hatte Haare rabenschwarz, und schrecklich viel Verstand.

Da kam ein junger, schöner Herr, — weiß selbst nicht, wie er hieß: er kniete hin, er bückte sich, und roch dabei so süß; er machte alle Schönen toll, die meine folglich mit, und eh' ein halbes Jahr verging, war ich mein Mädchen quitt.

Da gab der böse Feind mir ein: „Geh, Hänschen, bring' dich um!" Ich legte vieles Mordgewehr im Kreis um mich herum. Ich sah bald dies, bald jenes an, mein Blick war trüb' und starr. Da fiel mir der Gedanke ein: „Geh! Hänschen, sei kein Narr!"

1086.
Phidile.

Ich war erst sechzehn Sommer alt, unschuldig und nichts weiter, und kannte nichts, als unsern Wald, als Blumen, Gras und Kräuter.

Da kam ein fremder Jüngling her; ich hatt' ihn nicht verschrieben, und wußte nicht, wohin, noch her; der kam und sprach von Lieben.

Er hatte schönes langes Haar um seinen Nacken wehen; und einen Nacken, als das war, hab' ich noch nie gesehen.

Sein Auge, himmelblau und klar, schien freundlich was zu flehen; so blau und freundlich, als das war, hab' ich noch keins gesehen.

Und sein Gesicht, wie Milch und Blut! ich hab's nie so gesehen; und was er sagte, war sehr gut; nur konnt' ich's nicht verstehen.

Er ging mir allenthalben nach und drückte mir die Hände, und sagte immer O! und Ach! und küßte sie behende.

Ich sah ihn einmal freundlich an und fragte, was er meinte? da fiel der schöne junge Mann mir um den Hals und weinte.

Das hatte Niemand noch gethan, doch war's mir nicht zuwider, und meine beiden Augen sahn in meinen Busen nieder.

Ich sagt' ihm nicht ein einzig Wort, als ob ich's übel nähme, kein einzig's, und doch floh er fort; wenn er doch wieder käme!   Claudius.

1087.
Eigne Melodie.

Ich war Jüngling noch an Jahren, vierzehn zählte kaum ich nur; und ich träumte nicht Gefahren, folgte meiner Brüder Spur; Sichem gab uns fette Weide, sie gehörte unserm Stamm; Niemand that ich was zu leide, und war schüchtern wie ein Lamm.

Wo drei Palmen einsam stehen, lag ich im Gebet vor Gott: da begannen ihr Vergehen meiner Brüder freche Rott'; eine Grube war daneben, da hinein versenkt' man mich; ach, ich denk' daran mit Beben, sie war feucht und schauerlich.

Endlich ward ich aufgezogen, ich war schon dem Tode nah'; Durst nach Gold hatt' überwogen', Sklavenhändler waren da: diesen ward ich hingegeben, gierig theilten sie das Gold; meines theuern Vaters Leben klebt vielleicht am Sündensold.

„Joseph in Aegypten" von Mehul.

1088.
Der Bettelvogt.

Ich war noch so jung, und war doch schon arm, kein Geld hatt' ich gar nicht, daß Gott sich erbarm'! so nahm ich meinen Stab und meinen Bettelsack, und pfiff das Vaterunser den lieben langen Tag.

Und als ich kam vor Heidelberg hinan, da packten mich die Bettelvögt' gleich hinten und vornen an; der eine packt' mich hinten, der andre packt mich vorn: „Ei, ihr verfluchte Bettelvögt', so laßt mich ungeschor'n!"

Und als ich kam vor's Bettelvogt sein Haus, da schaut der alte Spitzbub' zum Fenster heraus, ich dreh' mich gleich herum und seh' nach seiner Frau: „Ei, du verfluchter Bettelvogt, wie schön ist deine Frau!"

Der Bettelvogt, der faßt einen grimmen Zorn, er läßt mich ja setzen im tiefen tiefen Thorn, im tiefen Thorn bei Wasser und bei Brod: „Ei, du verfluchter Bettelvogt, krieg' du die schwere Noth!"

Und wenn der Bettelvogt gestorben erst ist, man sollt' ihn nicht begraben wie 'nen andern Christ, lebendig ihn begraben bei Wasser und bei Brod, wie mich der alte Bettelvogt begraben ohne Noth.

Ihr Brüder, seid nun lustig, der Bettelvogt ist todt, er hängt schon am Galgen ganz schwer und voller Noth, in der verwichenen Woch' am Dienstag um halber neun, da haben sie'n gehangen im Galgen fest hinein.

Er hätt' die schöne Frau beinahe umgebracht, weil sie mich armen Lumpen so freundlich angelacht. In der vergangenen Woch', da sah er noch hinaus, und heut' bin ich bei ihr, bei ihr in seinem Haus.

Des Knaben Wunderhorn.

1089.
Eigne Melodie.

Ich war, wenn ich erwachte, stets heiter und stets froh, ich scherzte, spielte, lachte, allein nun ist's nicht so! nein, nein, nun ist's nicht so.

Mir wird jetzt öfters bange, hier oft zu eng der Raum, der Tag wird mir so lange, voll Unruh' ist mein Traum.

Die Stunden auszufüllen, beginn' ich dies und das; ich möchte gerne spielen, und weiß doch selbst nicht was.

Ich war, wenn ich erwachte ꝛc.

„Unterbrochenes Opferfest" von P. Winter.

1090.
Der wunde Ritter.

Ich weiß eine alte Kunde, die hallet dumpf und trüb':
ein Ritter lag liebeswunde, doch treulos ist sein Lieb'.

Als treulos muß er verachten die eigne Herzliebste sein,
als schimpflich muß er betrachten die eigne Liebespein.

Er möcht' in die Schranken reiten, und rufen die Ritter
zum Streit: der mag sich zum Kampfe bereiten, wer mein
Lieb eines Makels zeiht.

Da würden wohl Alle schweigen, nur nicht sein eigener
Schmerz; da müßt' er die Lanze neigen wider's eigne klagende Herz. *Heinrich Heine.*

1091.

Ich weiß ein Mädchen hübsch und fein, hüt' du dich!
Es kann wohl falsch und freundlich sein, :/: hüt' du dich! :/:
vertrau' ihr nicht, sie narret dich!

Sie hat zwei Aeuglein, die sind braun, hüt' du dich!
sie werden dich überzwerch anschaun, hüt' du dich! c.

Sie hat ein licht goldfarbnes Haar, hüt' du dich! und
was sie red't, das ist nicht wahr, hüt' du dich! c.

Sie hat zwei Brüstlein, die sind weiß, hüt' du dich!
sie legt s' hervor nach ihrem Fleiß, hüt' du dich! c.

Sie giebt dir 'n Kränzlein fein gemacht, hüt' du dich!
für einen Narren wirst du geacht't, hüt' du dich! c.

Nicolai's feiner kleiner Almanach. 1778.

1092.

Ich weiß ein schönes Haus zu —— an der Straße stehn,
wo man geht ein und aus, daß es alle Leute sehn; da wird gespielt zum Zeitvertreib Solo, Solo, und wenn der liebe
Sonntag kommt, sind alle Spieler froh.

Hier fehlt der vierte Mann; herbei, wer Solo spielen
kann! wer Lust zum Spielen hat, der setze sich heran! Schlagt
Karten 'rum und setzt den Stamm, geschwind, geschwind; und
spielt aufrichtig, ohne Falsch, sonst ist die Lust dahin.

Zum ersten Mal ich paß'; ich hab' kein Spiel in meiner
Hand; Herr Bruder, hast du was! so mach' es mir bekannt.
Der Eine fragt, der Andre sagt: Solo, Solo! Fünf Matador,
das Tout dazu, acht Groschen ist mein Gewinn!

Vier Stich' ist kein Gewinn; wenn man nicht auch den
fünften hat, so ist schon alles hin, weil es mich contre macht.
Ich hab' gespielt, hab' nichts davon, schlag' drein, schlag' drein!
und wer nicht Solo spielen kann, der laß es lieber sein.

Das Glücke spielt mit mir, drum hab' ich meine Lust daran. Die Vorhand ist jetzt hier, daß ich Trumpf machen kann. Forsch' partu, gebt Trümpfe zu, gebt zu, gebt zu, und wenn mir gleich die Spitze fehlt, so mach' ich Solo Tout.

1093.

Ich weiß mir einen Kittel, geht vornen nicht zusammen, bin ich zu einer Nonn' gegangen. „Ach, liebe Nonn', gieb auch dazu, daß der Kittel fertig wird!" — Sprach die Nonn': „Das soll geschehn, will dir meine Kutte geben." Ei so haben wir eine Kutte! Hintenzipf, freu' dich, Mädel, der Kittel wird hübsch!

Ich weiß mir einen Kittel, geht vornen nicht zusammen, bin ich zu einem Hahn gegangen. „Ach lieber Hahn, gieb auch dazu, daß der Kittel fertig wird!" — Sprach der Hahn: „Das soll geschehn, will dir meinen Kamm geben." Ei so haben wir einen Kamm! Hahnenkamm, Nonnenkutt', Hintenzipf, freu' dich, Mädel, der Kittel wird hübsch!

Ich weiß mir einen Kittel, geht vornen nicht zusammen, bin ich zu einer Gans gegangen. „Ach liebe Gans, gieb auch dazu, daß der Kittel fertig wird! — Sprach die Gans: „Das soll geschehn, will dir meinen Kragen geben." Ei so haben wir einen Kragen! Ganskragen, Hahnenkamm, Nonnenkutt', Hintenzipf, freu' dich, Mädel, der Kittel wird hübsch!

Ich weiß mir einen Kittel, geht vornen nicht zusammen, bin ich zu einer Ent' gegangen. „Ach liebe Ent', gieb auch dazu, daß der Kittel fertig wird!" Sprach die Ent': „Das soll geschehn, will dir meinen Schnabel geben." Ei so haben wir einen Schnabel! Entenschnabel, Ganskragen, Hahnenkamm, Nonnenkutt', Hintenzipf, freu' dich, Mädel, der Kittel wird hübsch!

Ich weiß mir einen Kittel, geht vornen nicht zusammen, bin ich zu einem Has' gegangen. „Ach lieber Has', gieb auch dazu, daß der Kittel fertig wird!" — Sprach der Has': „Das soll geschehn, will dir meinen Lauf geben." Ei so haben wir einen Lauf! Hasenlauf, Entenschnabel, Ganskragen, Hahnenkamm, Nonnenkutt', Hintenzipf, freu' dich, Mädel, der Kittel wird hübsch!

1094.

Ich weiß nicht, ob ich darf trauen Michel, meinem großen Knecht, denn ich merk', bei meiner Frauen ist der Schlingel eben recht. Sie setzt ihm oft mein Mützchen auf, und küßt ihn wohl noch oben drauf, — (sprechend:) „das sind freilich ganz unschuldige Späße, indessen" — taugt's doch nicht und ist nicht recht, daß meine Frau nicht leben kann ohne Michel, ihren Knecht.

Wenn sie bleichet in dem Garten, oder Zeug gewaschen rein, muß ihr Michel stets aufwarten und allezeit der nächste sein. Das kränket mich in's Herz hinein, daß Michel soll mein Schwager sein: „Ich habe zwar sonst gegen die Schwagerschaft nichts einzuwenden, denn er ist ein tüchtiger Kerl, indessen" — taugt's doch nicht und ist nicht recht, daß meine Frau nicht leben kann ohne Michel, ihren Knecht.

Als ich neulich von der Reise kam, um späte Mitternacht, hatte sich, nach alter Weise, Michel zu der Frau gemacht; und als ich wollt' hinein zu ihr, stand Michel vor der Kammerthür: — „Nun mag der Teufel wissen, ob der Kerl heraus oder hinein wollte; indessen" — taugt's doch nicht ꝛc.

Wenn der Pfarrer nicht im Guten sie auf andre Wege bringt, wird man sehn und nicht vermuthen, was für Unheil draus entspringt; denn eh' sie sich's einmal versehn, so werd' ich vor der Kammerthür' stehn, — „und werde sagen: Kinder, ich bitt' euch um Gottes willen, laßt mir die verfluchten Narrenspossen sein; denn es" — taugt doch nicht ꝛc.

Merkt euch das, ihr Junggesellen, die ihr einst heirathen wollt: Michel pflegt sich einzustellen, ist ihm nur die Frau erst hold; drum nehmt euch einen solchen Knecht, der krumm und bucklicht, lahm und schlecht: — „Ich will grade nicht behaupten, daß solche Knechte zur Arbeit die besten sind; indessen" — taugt's doch nicht ꝛc.

Volkslied, nach der Sammlung von Büsching und v. d. Hagen.

1095.
Die Lore-Ley.

Ich weiß nicht, was soll es bedeuten, daß ich so traurig bin? Ein Mährchen aus alten Zeiten, das kommt mir nicht aus dem Sinn.

Die Luft ist kühl und es dunkelt, und ruhig fließt der Rhein; der Gipfel des Berges funkelt im Abendsonnenschein.

Die schönste Jungfrau sitzet dort oben wunderbar, ihr goldnes Geschmeide blitzet, sie kämmt ihr goldnes Haar.

Sie kämmt es mit goldnem Kamme, und singt ein Lied dabei, das hat eine wundersame, gewalt'ge Melodei.

Den Schiffer im kleinen Schiffe ergreift es mit wildem Weh; er schaut nicht die Felsenrisse, er schaut nur in die Höh'.

Ich glaube, die Wellen verschlingen am Ende Schiffer und Kahn; und das hat mit ihrem Singen die Lore=Ley gethan.
Heinrich Heine.

1096.

Ich weiß nicht, wie mir's ist, ich bin nicht krank und bin nicht gesund, ich bin blessirt und hab' keine Wund'.

Ich weiß nicht, wie mir's ist, ich thät gern essen und 's schmeckt mir nichts, ich hab' ein Geld und gilt mir nichts.

Ich weiß nicht, wie mir's ist, ich hab' sogar kein Schnupf=tabak, und hab' kein Kreuzer Geld im Sack.

Ich weiß nicht, wie mir's ist, heirathen thät ich auch so gern, kann aber Kinderschrein nicht hör'n.

Ich weiß nicht, wie mir's ist, ich hab' erst heut' den Doctor gefragt, der hat mir's unter's Gesicht gesagt:

Ich weiß wohl, was dir ist, ein Narr bist du gewiß! Nun weiß ich, wie mir ist!

1097.

Ich will einst bei Ja und Nein! vor dem Zapfen sterben! Alles, meinen Wein nur nicht, laß' ich frohen Erben. Nach der letzten Oelung soll Hefen noch mich färben; dann zer=trümmre mein Pokal in zehntausend Scherben.

Jedermann hat von Natur seine sondre Weise. Mir ge=linget jedes Werk nur nach Trank und Speise. Speis' und Trank erhalten mich in dem rechten Gleise. Wer gut schmiert, der fährt auch gut auf der Lebensreise.

Ich bin gar ein armer Wicht, bin die feigste Memme, halten Durst und Hungerqual mich in Angst und Klemme. Schon ein Knäbchen schüttelt mich, was ich mich auch stemme. Einem Riesen halt' ich Stand, wenn ich zech' und schlemme.

Aechter Wein ist ächtes Oel zur Verstandeslampe, giebt der Seele Kraft und Schwung bis zum Sternenkampe. Witz und Weisheit dünsten auf aus gefülter Wampe. Baß glückt Harfenspiel und Sang, wenn ich brav schlampampe.

Nüchtern bin ich immerdar nur ein Harfenstümper; mir erlahmen Hand und Griff, welken Haupt und Wimper. Wenn der Wein in Himmelsklang wandelt mein Geklimper, sind Homer und Ossian gegen mich nur Stümper.

Nimmer hat durch meinen Mund hoher Geist gesungen, bis ich meinen lieben Bauch weidlich vollgeschlungen. Wann mein Capitolium Bacchus Kraft erschwungen, sing' und red' ich wundersam gar in fremden Zungen.

Drum will ich bei Ja und Nein! vor dem Zapfen sterben, nach der letzten Oelung soll Hefen noch mich färben. Engelchöre weihen dann mich zum Nektarerben: „Diesem Trinker Gnade, Gott! Laß ihn nicht verderben!"

Bürger. 1777.

1098.

Ich will euch erzählen, und will auch nicht lügen: ich sah 'n Paar gebratene Ochsen fliegen; sie flogen von ferne, sie hatten den Rücken zur Erde gekehrt, den Bauch wohl gegen die Sterne. (Chor:) Heidudeldumdei, heidudeldumdei! den Bauch wohl gegen die Sterne.

Ein Amboß und ein Mühlenstein, die schwammen bei Cöln wohl über den Rhein; sie schwammen gar leise; ein Frosch verschlang sie alle beid' zu Pfingsten wohl auf dem Eise. (Chor:) Heidudeldumdei, heidudeldumdei! zu Pfingsten wohl auf dem Eise.

In Stralsund stand ein hoher Thurm, der trotzte Schnee, Hagel, Wetter und Sturm, stand fest über alle Maßen; den hat der Kuhhirt mit seinem Cornu auf einmal umgeblasen. ꝛc.

In Greifswald stand ein hohes Haus, da flog eine Fledermaus hinaus, da borst es in tausend Stücken. Da kamen elftausend Schock Schneidergesell'n, die wollten das Haus wieder flicken. ꝛc.

So will ich denn hiermit mein Liedchen beschließen, und sollt's auch nur die ganze Gesellschaft verdrießen; will trinken und nicht mehr lügen: in meinem Land sind die Mücken so groß, als hier die größten Ziegen. ꝛc.

Fliegendes Blatt.

1099.

Ich wohn' in meiner Liebsten Brust, in ihren stillen Träumen. Was ist die Welt und ihre Lust? ich will sie gern versäumen. Was ist des Paradieses Lust mit grünen Lebensbäumen? Ich wohn' in meiner Liebsten Brust in ihren stillen Träumen!

Ich wohn' in meiner Liebsten Brust, in ihren stillen Träumen. Ich neide keines Sternes Lust in kalten Himmelsräumen. Was ist die Welt und ihre Lust? ich will sie gern versäumen. Ich wohn' in meiner Liebsten Brust in ihren stillen Träumen.

Friedrich Rückert.

1100.

Ich wollt' einmal recht früh aufstehn, :,: und wollt' in den grünen, grünen Wald :,: spazieren gehn.

Und als ich nun in den grünen Wald 'nein kam, ei da fand ich einen verwundt'n Knab'n.

Der Knab', der war von dem Blute so roth, und eh' man ihn verband, war er schon todt.

Wo krieg' ich nun zwölf Träger her, die mir mein feins Liebelein zu Grabe trag'n?

Wie lange soll ich denn nun traurig sein? bis daß alle Wasser verlaufen sein?

Ja, alle Wasser die verlaufen sich ja nicht! Ei, so nimmt mein Trauern kein Ende nicht.   Volkslied.

1101.

Ich wollt', ich wär' eine Butterblum', und ständ' im grünen Gras, dann wählte mich ein Schäfchen wohl mit Lust zu seinem Fraß.

Und wenn es mich gefressen hätt', so würf's mich wieder aus; dann würd' ich wieder 'ne Butterblum', und dann auf's Neu' zum Schmaus.

1102.

Ich wußt' einmal nichts anzufangen an einem Sonntag in der Früh', da bin ich 'naus in's Feld gegangen, da traf ich eine Herde Vieh. Ei, ei, trala burli, das Ding vergeß' ich nie! Ei, ei, trala burli, burli, burli, burli, burli, das Ding vergeß' ich nie, das Ding, das Ding—d'rling, das Ding vergeß' ich nie!

Da hört' ich aus dem Walde schöne, ich dacht', es wird der Schäfer sein, gar liebliche Schalmeientöne, da ging ich in den Wald hinein. Ei, ei, trala ꝛc.

Da ruht' bei einem kleinen Knaben nachlässig eine Schäferin; gemalt wär' sie nicht so zu haben, drum setzt' ich mich zum Mädel hin. Ei, ei, trala ꝛc.

Erst sprach ich: Grüß' euch Gott, ihr Beide, wie geht's euch? ist die Ruhe gut? Ich stör' euch doch nicht, lieben Leute? und zog bescheiden meinen Hut. Ei, ei, trala ꝛc.

Sie sprach: 's hat weiter nichts zu sagen: wir machen uns zum Zeitvertreib, es wird ihm aber schlecht behagen, ein'n Spaß für unsern eignen Leib. Ei, ei, trala ꝛc.

Ich war zum Glück recht glatt rasiret, hatt' auch die guten Kleider an, ich sprach: Wenn's euch nur nicht scheniret, ich nähm' auch gerne Theil daran. Ei, ei, trala ꝛc.

Und schwiegen die Schalmeienlieder, da lobt' ich Stimm' und Augenpaar, ihr Hütchen, Schürz' und rothes Mieder, und auch ihr schwarzbraun Lockenhaar. Ei, ei, trala ꝛc.

Sie wurde roth bis an die Ohren, und hieß mich einen falschen Herrn; ich hab's ihr aber zugeschworen, ich merkte wohl, sie hatt' es gern. Ei, ei, trala ꝛc.

Und als ich nun Lebwohl genommen, da sprach die Schäerin zu mir: ich möchte hübsch bald wieder kommen; ich wollt', wär' alle Tag' bei ihr. Ei, ei, trala ꝛc.
G. W. Fink.

1103.

Eigne Melodie.

Ich ziehe fort, schon morgen muß ich scheiden, ach! mein Geschick ruft mich an fernen Ort! ich soll fortan dein liebes Antlitz meiden, nur die Erinnerung soll mich begleiten, — ich muß fort!

Ich ziehe fort! Wie in der Kindheit Tagen schenk' mir auch heute noch ein freundlich Wort! ich werde dann den Abschied leichter tragen, und mein Geschick, das mich entfernt, beklagen, — ich ziehe fort.

Aus „Maria", von Herold.

1104.

Ich ziehe so lustig zum Thor hinaus, als ob's ein Spaß nur wär': das macht, es wallt fein Liebchens Bild gar freundlich vor mir her.

Da merk' ich denn im Herzen bald, ich sei dort oder hier, ich gehe fort, ich kehre heim, ich ziehe stets zu ihr.

Und wer zu seinem Liebchen reist, dem wird kein Weg zu schwer, der läuft bei Tag und läuft bei Nacht und ruht sich nimmermehr.

Und ob es regnet, ob es stürmt, mir thut kein Wetter weh! es hat mein Liebchen mir gesagt ein freundliches Ade!
Wilhelm Müller.

1105.

Ich zog mir einen Falken wohl länger als ein Jahr. Ihr wißt, wie zahm und sittig der schöne Vogel war. Als ich ihm sein Gefieder mit Golde reich umwand, hub er sich in die Wolken und flog in fernes Land.

Mein Falk! ich sah dich wieder, stolz war dein Flug und hoch, du führst an deinem Fuße den seidnen Riemen noch, und Gold um dein Gefieder; doch mich vermeidest du. Gott sende jedem Herzen sein holdes Liebchen zu!

Ich und mein altes Weib.

Bewegt ist meine Seele, mein Auge thränenvoll, daß ich von meiner Schönen und Guten scheiden soll. Verleumder, die mich trennten, euch stürze Gott in Leid! Gott lohne, wer mich aussöhnt, in Lieb' und Seligkeit!

Nach dem von Kürenberg.

1106.

Bekannte Melodie.

Ick bin ein Franzose, mes dames, voll Muth wie Champagnerwein, Jean Grillard ist mein Name, :,: mein Stolz ist die ölzerne Bein. :,:

Ick danze, ick singe, ick kose, comme ça mit die ölzerne Bein, denn oberhalb bin ick Franzose, und wär' ick auk unten von Stein.

Glaubt ihr, daß ick Küsse nicht gebe, betrügt euk wahrhaftik der Schein; zum Küssen, so wahr ick noch lebe, gebraucht man die Maul, nik die Bein.

Luft, Wasser und pommes de terre, mehr brauk ick nicht, fröhlik zu sein; der Platz, wo ick steh' und die Ehre des braven Soldaten sind mein.

So ink ick fröhlik durch's Leben, comme ça mit die ölzerne Bein, und Kaiser und Könige geben mir Platz für die ölzerne Bein.

Mir freut, kriegt mein Leben 'ne Pause, wie giftik der Grabwurm wird sein, er will dann so rekt an mir schmause, und findt nur die ölzerne Bein.

Und end' ick mein Leben, wär's heute, passir ick zum Himmel hinein, Sanct Petrus besiehlt dann: Ihr Leute, macket Platz für die ölzerne Bein!

1107.

Melodie von Weber.

Ick und mein altes Weib können schön tanza, sie mit dem Bettelsack, ick mit dem Ranza. Schenkt mir mal bairisch ein! wollen mal lustig sein! bairisch, bairisch, bairisch muß 's sein!

Des Schulzens Mägdela thut mir gefalla, sie heißet Gretela, liebt mich vor alla. Schenkt mir mal bairisch ein! 2c.

Hinter'm Dorf, auf dem Sand Bauern thun dröscha; Mädel hat's Hemd verbrannt, Henker mag's löscha. 2c.

Schlächter gehn auf das Land, wollen was kaufa, haben 'n Stock in der Hand, müssen brav laufa. 2c.

Mein Weib geht in die Stadt, ick bleib daraußa, was sie erbettelt hat, thu ick versaufa. ꝛc.

Aus Büsching's und v. d. Hagen's Samml.

1108.

Nach der Melodie eines ungarischen Tanzes.

Jeder Mensch hat sein Vergnügen: mancher mag gern Kärtchen biegen, mancher mag gern hübschen Frauen in die Schelmenaugen schauen, mancher liebt das Sternengucken, mancher mag gern Austern schlucken, doch ich lob' ein Fläschchen mir, trinken, das ist mein Plaisir.

Meine Frau spielt die Xantippe; wenn ich mal ein wenig nippe, und mich nicht ganz grad' bewege, schreit sie laut: schon wieder schräge? Was sind das für dumme Faxen! Ist die Rebe grad' gewachsen? Nein, die Reb' ist krumm, und drum gehet auch der Trinker krumm.

„List und Phlegma" von Angely.

1109.

Jedes Land hat seine Sitte, jedes Land hat seinen Brauch, :/: und sein Gutes, wie der Britte, hat der Kamtschadale auch. :/:

Willst durch Grazie du ergötzen, leicht dich wie bei'm Tanze drehn, und von Liebe artig schwätzen, mußt du auf den Franzmann sehn.

Willst du Herz und Ohren rühren durch Gesanges Melodien, und den Pinsel kunstreich führen: nach Italien wandre hin.

Willst du Großes kalt verachten, sprechen selbst dem Himmel Hohn, und nach Sonderbarem trachten, wandre nur nach Albion.

Willst du leben und genießen, Gott dich und der Liebe weihn: Spanien lehrt die Sünde büßen, Spanien ladt zur Sünde ein.

Willst du auf dem Eise fahren, lustig gleiten über Schnee, und mit Güte Schalkheit paaren, zu den Moskowiten geh.

Willst du Fremdes einzig preisen, und verachten eignen Werth, lieber Michel! mußt du reisen um den eignen deutschen Herd.

1110.

Jetzo reis' ich weg von hier und muß hinfort meiden dich, mein' allerschönste Zier! Scheiden das bringt Leiden!

Jetzt geht der Marsch in's Feld.

Scheiden macht mich recht betrübt, weil ich die, die ich geliebt über alle Maßen, soll und muß verlassen.

Wenn zwei gute Freunde sich von einander trennen, wie das ist so jämmerlich, mußt du selbst bekennen! Noch viel größer ist der Schmerz, wenn ein treu gesinntes Herz muß von seines Gleichen eine Zeitlang weichen.

Dort auf jener grünen Au steht mein junges Leben; sollt' ich dann mein Leben lang in der Fremd' 'rum schweben: hab' ich dir was zu Leide gethan, bitt' ich um Verzeihung an; reich' mir Mund und Hände! denn es geht zu Ende.

Volkslied aus Schlesien.

1111.

Jetzt gang i an's Brünnele, trink' aber net, :,: da such' i mei herztausiga Schatz, find'n aber net. :,:

Da laß i mein' Aeugele rund um mi gehn, da seh' i mei herztausiga Schatz bei'm Andre stehn.

Und bei'm Andre stehn sehn, ach, das thut weh! Jetzt b'hüt' di Gott, herztausiga Schatz, dich seh' i nimme mehr!

Jetzt kauf' i mer Feder und Dinten und Papier, und schreib' mei'm herztausiga Schatz ein'n Abschiedsbrief.

Jetzt leg' i mi nieder auf's Heu und auf's Stroh, da fallen drei Röselein mir in den Schooß.

Und die drei Röselein sehn blutigroth; jetzt weiß i net, lebt mei Schatz, oder ist er todt!

Schwäbisches Volkslied.

1112.

Jetzt geht der Marsch in's Feld; da heißt's: Soldaten, schlaget auf euer Zelt! Des Abends wird gecommandirt, des Morgens wird geexercirt, des Morgens, wenn der Tag anbricht, das Gewehr auf Schultern liegt.

Allwo die Trommeln und die Pfeifen spielen, da ist viel tausend Pläsir zu sehn; allwo die Bomben fallen ein, da heißt's: Soldaten, schlaget tapfer, tapfer drein, sonst gehn wir all' zu Grund' in einer Viertelstund'.

Es freut sich so mancher, so braver Soldat. — O weh! wo bleibt mein lieber Kamerad? Er liegt auf grüniger Haiden, schneeweiß wollen wir ihn bekleiden — mein Kamerad und der ist todt, tröste ihn der liebe Gott!

Die Weiber fangen auch zu weinen an: O weh! wo bleibt mein lieber, lieber Mann? — Die Kinder schreien allzugleich: Grüß' dich Gott, mein Vater, im Himmelreich! Mein Vater und der ist todt; wer schafft uns Kindern Brod? —

Volkslied.

1113.
Landwehr.

Jetzt ist es Zeit, die Trommel ruft, lieb Mädel, laß mich ziehn; die Fahne flattert in die Luft, muß zu den Männern hin.

Muß fort, als Wehrmann, in das Feld, es ist beschworne Pflicht! und wer nun Wort und Schwur nicht hält, der bleibt ein feiger Wicht.

Was weinst du dir die Augen aus, machst mir das Herz so schwer? Bald dränge dir der Feind in's Haus, eilt' ich nun nicht zur Wehr.

Den Aeltern raubt' er dann das Brod, tränk' euren guten Wein, stürzt' euch in Jammer, Angst und Noth, in's Elend tief hinein.

Vom Schlimmsten red' ich gar kein Wort, wenn Schurken mit Gewalt — es treibt mich wie mit Spornen fort und überläuft mich kalt.

Wenn an des leeren Hauses Thor du ständest jammervoll, wohl rücktest du mir Feigheit vor und riefst mit tiefem Groll:

„O hättest du das Land beschützt, nicht würd' ich trostlos sein; nun sieh', was dir die Feigheit nützt: ich kann dich nimmer frein!"

Der Vorwurf bräche mir das Herz, weit würd' ich weg dann ziehn; mit Scham und Zorn, und Reu' und Schmerz durch Berg' und Thäler fliehn.

Und würd' es ohne mich vollbracht und kämen sie zurück, würd' ich dann bitter ausgelacht; mich höhnte Aller Blick.

Schaut, riefen sie, den Burschen an, der heim, bei'm Rocken saß: ist an der Dirn' wohl auch nichts dran, die sich der Wicht erlas.

Ach, wir ertrügen nicht den Spott und härmten still uns ab, bis uns vereinte dann der Tod unrühmlich in ein Grab.

So laß mich ziehn! Am Siegesmahl soll unsre Hochzeit sein, bei Pauken- und Trompetenschall will ich dich, Liebste, frein!

Dann rühmt dich Jeder in's Gesicht, weil dich ein Held erlas, der über seiner Liebe nicht des Vaterlands vergaß.

v. Collin.

1114.

Melodie: Ich bin der Doctor Eisenbart.

Jetzt kenn' ich das gelobte Land, valleri juchhe! wonach so lang' der Sinn mir stand, valleri juchhe! Das Herzogthum des Herrn Lothar, valleri juchheirassa! das ist's gelobte Land fürwahr, valleri juchhe! juchhe, juchhe! Lothringen ist nicht weit von hier; juchhe, juchhe! Lothringen ist nicht weit!

Da ist's so schön, so wonniglich, valleri ꝛc.! Da ist der schönste Himmelsstrich, valleri ꝛc. Die Gerste blüht in voller Pracht, valleri ꝛc. daß einem 's Herz im Leibe lacht. Valleri ꝛc.

Wenn irgendwo ein Wagen fährt, mit hundert Tonnen Bier beschwert, — dem Wagen folgt! Ich wette d'rum, er fährt gewiß in's Herzogthum.

Ein Fluß geht mitten durch's Revier, das ist der sogenannte Bier; der fließet ohne Rast und Ruh', und friert im Winter niemals zu.

Und um den lieben Fluß herum, da liegt das ganze Herzogthum; sie trinken draus zu jeder Stund', und kommen doch nicht auf den Grund.

Dort gehn die Menschen nie allein, es müssen drei beisammen sein; der Mittelste, der kann nicht stehn, es müssen zwei zur Seite gehn.

Der Herzog thront, sein Glas zur Hand, sorgt väterlich für's ganze Land, die Ritter fest, die Bürger treu, die helfen redlich ihm dabei.

So sitzen sie, für's Land bedacht, die lieben Herrn, die ganze Nacht, und wenn kein Mensch mehr trinken kann, so ist die Sitzung abgethan.

Doch sintemal und alldieweil die Flaschen voll, der Kopf noch heil, so trinken wir in froher Schar, und rufen: Vivat Herr Lothar! *Wollheim.*

1115.

Melodie von Methfessel.

Jetzt schwingen wir den Hut, der Wein, der Wein war gut! Der Kaiser trinkt Burgunderwein, sein schönster Junker schenkt ihm ein, und schmeckt ihm doch nicht besser, nicht besser.

Der Wirth, der ist bezahlt, und keine Kreide malt den Namen an die Kammerthür, und hinten dran die Schuldgebühr; der Gast darf wiederkommen, ja kommen.

Und wer sein Gläslein trinkt, ein lustig Liedlein singt in Frieden und mit Sittsamkeit, und geht nach Haus zu rechter Zeit, der Gast darf wiederkehren in Ehren.

Jetzt, Brüder! gute Nacht! der Mond am Himmel wacht; und wacht er nicht, so schläft er noch, wir finden Weg und Hausthür doch, und schlafen aus in Frieden, in Frieden!

J. P. Hebel.

1116.

Jetzunder geht mir mein Trauern an, die Zeit ist leider kommen: die mir vor'm Jahr die Liebste war, ist schlecht mir vorgekommen.

Mein Herz ist von lauter Eisen und Stahl, dazu von Edelsteinen. Ach, wenn doch das mein Schatzliebchen erführ', es würde trauern und weinen.

Es trauert mit mir die Sonne, der Mond, dazu die hellen Sterne, die haben den lebenden, schwebenden Lustgarten an dem Himmel.

Mein Garten von lauter Lust war erbaut auf einem schwarzen Sumpfe, und wo ich lebend und schwebend verbend vertraut, da ist ein Irrlicht versunken.

Wollt' Gott, daß früh ich gestorben wär' in meinen jungen Jahren, so wäre mir all' mein Lebetag kein' größre Freud' widerfahren.

Es ist nicht hier ein kühler Brunn, der mir mein Herz thät laben, ein kühler Brunn zu aller Stund', er fließt aus meinem Herzen.

Des Knaben Wunderhorn.

1117.

Jetzund kommt die Nacht herbei, Vieh und Menschen werden frei, die gewünschte Ruh' geht an; meine Sorge kommt heran.

Schöne glänzt der Mondenschein und die güldnen Sternelein, froh ist Alles weit und breit; ich nur bin in Traurigkeit.

Zweene mangeln überall an der schönen Sternen Zahl, diese Sterne, die ich mein', ist der Liebsten Augenschein.

Nach dem Monden frag' ich nicht, dunkel ist der Sternen Licht, weil sich von mir weggewendt Asteris, mein Firmament.

Wann sich aber neigt zu mir dieser meiner Sonnen Zier, acht' ich es das Beste sein, daß kein Stern noch Monde schein'.

Martin Opitz.

1118.

I hab' ein artiges Blümeli g'seh, a Blümeli roth und wieß, selbs Blümeli seh i nimma meh, und das thut mir im Herzen so weh! :/: O Blümeli mi, o Blümeli mi, ich möcht' gern bi der si! :/:

O laßt mi bi mei Blümeli si, i schänd' es wahrli nit. Es tröpfelt wohl a Thräneli dri, doch wer kann imma luschtig si? O Blümeli mi, o Blümeli mi, i möcht' gern bi der si!

Und wenn i einst gestorben bi, und's Blümeli auch verblüht, dann leget doch, i bitte jih, dann legt's uf das Grab zu mi. O Blümeli mi, o Blümeli mi, i möcht' gern bi der si!

Volkslied.

1119.
Der Schwab in der Fremde.

I han durch Deutschland uf und a schon lang' und viel mein Bündel tra; es bleibt derbei: in mei'm Verstand giebt's no an einzig Schwobaland.

Wone ma kommt, sind d'Menscha gut, wenn unser eis sei Sach recht thut; blau ist der Himmel, grün sind d'Bäum': und doch ist's nirgeds wie daheim.

's Groschaland ist net so schlecht, als wie ma ällaweil es mecht: zur Freud' möcht' i no dann und wann in wirtabergische Kreuzer han.

Kommt mir a saubers Mädle für, denk' i, so Mädla hent au wir, und die i möcht', wenn sie mi wött, so eine giebt's halt nirgeds net.

's ist lustig in der weite Welt, i mach' mer au mei Stückle Geld. Was ist mer denn mei Herz so schwer? wenn i no in der Heimath wär'!

Aufgezeichnet durch W. Menzel.

1120.

Ihr Blümlein alle, die sie mir gab, euch soll man legen mit mir in's Grab. Wie seht ihr alle mich an so weh, als ob ihr wüßtet, wie mir geschäh'!

Ihr Blümlein alle, wie welk, wie blaß! ihr Blümlein alle, wovon so naß? Ach Thränen machen nicht maiengrün, und todte Liebe nicht wieder blühn!

Der Lenz wird kommen, der Winter wird gehn, und Blümlein werden im Grase stehn, und Blümlein liegen in meinem Grab, die Blümlein alle, die sie mir gab.

Wenn sie dann wandelt am Hügel vorbei und denkt im Herzen: der meint' es treu! dann Blümlein alle heraus, heraus! der Mai ist kommen, der Winter ist aus!

Wilhelm Müller.

1121.

Bekannte Melodie.

Ihr Brüder, wenn ich nicht mehr trinke, gelähmt von Gicht und Podagra hin auf mein Krankenlager sinke, so glaubt, es ist mein Ende nah'. Sterb' ich dann heute oder morgen, so ist mein Testament gemacht; für das Begräbniß müßt ihr sorgen, doch ohne Glanz und ohne Pracht.

Bei'm Sarge laßt es nur bewenden, steckt mich nur in ein Rheinweinfaß, statt der Zitronen in den Händen, nehm' Jeder sich ein volles Glas. Im Keller müßt ihr mich begraben, wo ich so manches Faß geleert; den Kopf will ich bei'm Zapfen haben, die Füße nach der Wand gekehrt.

Und wollt ihr mich zu Grab' geleiten, so folget Alle Mann für Mann; um Gottes willen laßt das Läuten, stoßt lieber mit den Gläsern an. Auf meinen Grabstein setzt die Worte: Er ward geboren, wuchs und trank, — jetzt ruht er hier an diesem Orte, wo er gezecht sein Lebelang. —

1122.

Ihren Schäfer zu erwarten, trallalala, tirallalala! schlich sich Phyllis in den Garten, trallalala, tirallalala! In dem dunklen Myrthenhain schlief das lose Mädchen ein. Trallalala, tirallalala, tirallalala, tirallalala!

Ihre Mutter kam ganz leise ꝛc. nach der alten Mütter Weise nachgeschlichen, o wie fein! fand das Mädchen ganz allein.

Ihrem Schlummer halb entrissen von den zarten Mutterküssen, rief das Mädchen: „O Damöt! warum kommst du heut' so spät?"

„"Warum hast du mich belogen? Deine Unschuld ist betrogen! Ihm zur Schmach und dir zur Pein sperr' ich dich in's Kloster ein!"''

Sammlung von Erk und Irmer.

1123.

Ihr fragt mich, Herr, was ich hier sitz' und weine? Zieht eures Wegs und laßt mir meinen Schmerz! Ihr blicket auf das Holz an meinem Beine? wahrhaftig, Herr, ihr tragt ein

Ihr Freunde, seht.

fühlend Herz; ich nehm' sie an die vollgewicht'gen Kronen, Gott mag euch einst, was ihr mir thatet, lohnen!

Ja glaubet mir, es hat die Zeit gegeben, wo ich, wie ihr, noch frisch und rüstig ging, wo ich in stolzem jugendlichen Leben an Hoffnung nur, an Ehr' und Ruhme hing. Damals, die Thränen mögen's mir bezeugen, vermochte mich kein Schicksalssturm zu beugen.

In Rußlands blutgefärbten Schneegefilden schwang ich den Säbel auf mit kühnem Muth, nicht zagt' ich vor den tausend Todgebilden, die mich umgrinsten in verzerrter Wuth; in Moskau stand ich mitten in den Flammen, der Beresina Eis brach unter mir zusammen.

Bei Leipzig scholl mir donnernd die Kanone, es sank das Roß mir drei Mal in der Schlacht; es raste über mich im Sturmestone der Choque hinweg, gehüllt in Dampfesnacht! Ich zagte nicht und der Trompete Stimme erweckte mich zu neuem Kampfesgrimme.

Bei Waterloo sah ich die Unsern weichen, ich sah die Hülfe wetterstürmend nahn; Hurrah! ging's fort; mit wuthentbrannten Streichen brach unser Heer sich in die Feindes Bahn; Held Blücher lebe! scholl es durch die Glieder — da sank ich blutend, sammt dem Roß, danieder.

Man trug mich fort und schnallte mir den Krücken, statt eines Beins, hier an die Lende an. Jetzt bin ich alt und muß mich bettelnd bücken, — nochmals habt Dank für das, was ihr gethan! Lebt wohl! o Herr, ich seh's, daß meine Thränen euch auf der jungen Seele schmerzend brennen.

1124.
Eigne Melodie.

Ihr Freunde, seht, es strahlt der Morgen, und ruft euch an's Gestade hin; besteigt das Schifflein ohne Sorgen, nur wohlgemuth mit frohem Sinn. Doch schifft mit Vorsicht durch die Wogen, und haltet euch still, so wird des Meeres Volk betrogen, nur so erreicht ihr sicher euer Ziel. (Chor:) Mit Vorsicht leitet euren Kahn, und redet nicht viel, verfolgt behutsam eure Bahn, nur so erreicht ihr sicher euer Ziel.

Geduld, der Augenblick wird kommen, nur mit der Zeit gewinnt man viel; was Muth und Kühnheit unternommen, das führt die Klugheit erst zum Ziel. Doch schifft mit Vorsicht durch die Wogen, und haltet euch still, so wird des Meeres Volk betrogen, nur so erreicht ihr sicher euer Ziel. (Chor:) Mit Vorsicht leitet euren Kahn, und redet nicht viel, verfolgt behutsam eure Bahn, nur so erreicht ihr sicher euer Ziel.

„Stumme von Portici."

1125.

Ihr Freunde, trinkt! — Nicht zwei Mal könnt ihr leben! Drum stoßet an! Es gilt! Denn Thorheit ist's, ob dem in Sorgen schweben, was Zukunft uns verhüllt.

Ein Duns allein erlernt die Weltgeschichte, die immer ähnlich ist. Ihr wißt genug, wenn bis zum Morgenlichte ihr fortzutrinken wißt.

Nicht kannegießern von der Saaten Heile und Untergang — o nein! — Besingen will ich nur die Langeweile, erbeuten nichts als Wein.

Zu Fuß, zu Schiff um diese Welt zu reisen, ist kostbar und zu spät. O süße Lust, wenn sich in Taumelkreisen um uns das Weltall dreht.

Ein Astronom mag fruchtlos nach Planeten mit langem Fernrohr spähn: wir haben keines Teleskops vonnöthen, der Flasche Grund zu sehn.

Verschleudert, Alchymisten, eure Habe, und träumt von Geldgewinn! Mein Stein der Weisen ist nur — Bacchus Gabe, mein Schatz — ein froher Sinn.

Ebräisch, Griechisch! — Lächerliche Plage! Hört meine Theorie! Wenn ich zum Kellner, Freund und Liebchen sage: "Schenkt ein!" — so füllen sie.

Ja, Thorheit ist's, ob dem in Sorgen schweben, was Zukunft uns verhüllt. Trinkt, Freunde, trinkt! — Nicht zwei Mal könnt ihr leben! Drum stoßet an! Es gilt!

1126.

Melodie: Es kann ja nicht immer so bleiben.

Ihr habt nun das Bündniß geschlossen, ihr knüpftet das heilige Band, als liebende, treue Genossen :,: zu wandeln durch's irdische Land. :,:

Was immer in künftigen Tagen beschweret des Einzelnen Herz, ihr wollt mit einander es tragen, und theilen die Freud' und den Schmerz.

Doch sei euch nur Freude beschieden, und ferne euch Sorg' und Gefahr! Der häusliche, schönste der Frieden, der biete sich immer euch dar!

Der Frohsinn im flatternden Kleide umhüpfet euch auf blumiger Bahn, und grüßet nun traulich euch Beide euch heute als Frau und als Mann.

Drum richtet, von Freude umgeben, ihr jetzt in die Zukunft den Blick, und hoffet vom künftigen Leben nur Segen und bleibendes Glück.

Zwar kann es nicht immer so bleiben im wechselnden Erdengebiet', die Stürme des Herbstes vertreiben, was hold uns im Lenze erblüht.

Doch haltet die Hoffnung im Arme und Liebe im Herzen nur treu, dann bleibt euch, befreiet vom Harme, des Glückes hold blühender Mai.

Das wünschen im fröhlichen Kreise wir Alle, und haben euch lieb, und singen dies Lied nach der Weise: Ach, wenn es doch immer so blieb'!

1127.

Ihr jungen Herren und loßt's enk sog'n: der Hammer hat lustig g'schlog'n. Am Anfang, do heißt's wohl juhe! doch seid's ihr mal älter, no hobt's enkern Thee; :,: do hot's nit viel g'schlog'n. :,:

Ihr jungen Madeln und loßt's enk sog'n: der Hammer hot Liebe g'schlog'n; und seht ihr a Mannsbild von fern, do klopft enker Herzerl, ihr hätt' ihn holt gern, do hot's Buserl g'schlog'n.

Ihr alten Herrn und loßt's enk sog'n: der Hammer hat sechzig g'schlog'n. Und geht ihr auf's Heirathen aus, so nehmt's nur bei Zeiten den Geldbeutel 'raus, do muß Batzen schlog'n.

Ihr alten Jungfern und loßt's enk sog'n: der Hammer hot siebzig g'schlog'n; do kommt mit der Lieb' nir heraus, drum bind's enk den Kopf ein und bleibt's hübsch zu Haus. Do hot's nir mehr g'schlog'n.

1128.

Ihr lieben Lerchen, guten Tag, wie weit ist's in die Fern'! Und über meiner Liebsten Dach :,: da steht der Morgenstern. :,:

Leb' wohl, du Sonne auf der Au, du liebes grünes Feld! Ach hinter jenen Bergen blau, wie weit ist nur die Welt!

So viele Tropfen in dem Fluß, so viele Blätter grün, so viele Schritt' ich wandern muß, und hoch die Wolken ziehn.

Ihr lieben Lerchen, guten Tag, Berg auf, Berg ab in's Thal! Und wird die treue Liebste wach, grüßt sie viel tausend Mal!

Albert Graf Schlippenbach.

1129.

Ihr Leutchen, seid mir all' willkomm, und setzt euch um den Tisch heromm und trinkt mit mir ein gut Glas Bier, und raucht dazu Tuwack. (Chor:) Tuwack! Tuwack ꝛc.

Ein edles Kraut ist der Tuwack, trägt's mancher große Herr im Sack, Stein, Stahl und Schwamm seind immer beisamm, bei'm edlen Rauchtuwack. (Chor:) Tuwack! Tuwack 2c.

Wenn dieses edle Kraut nicht wär', ständ' mancher Tuwacksladen leer, der früh und spat seine Lösung hat von allerlei Tuwack.

Der Student kann eher ohn' Latein, als ohne lange Pfeife sein; Kanon' und Flaus sehn nobel aus bei einer Pfeif' Tuwack.

Der Bub' zum Rauchen noch nicht reif, stiehlt seinem Vater Tuwack und Pfeif', und freut sich sehr an der Stadtmauer auf eine Pfeif' Tuwack.

Der Soldat auf der Wach' nicht schlafen kann, steckt er sich eine Pfeife an, und raucht für sich ganz geheimiglich eine stille Pfeif' Tuwack.

Der Nachtwächter auf kalter Straß' erwärmt sich an der Pfeif' die Nas', er ruhet nur, wenn er ruft die Uhr, raucht gleich dann wieder Tuwack.

Der Invalid auf einem Bein läßt dennoch nicht das Rauchen sein, hat spät und früh in der Physiognomie eine Pfeif' und raucht Tuwack.

Sogar die Marketenderin mit Kind und Fäßchen thut sie ziehn, ihr Kind sie säugt und dabei raucht sie eine Pfeif' Tuwack.

Der Jäger in den Wald thut gehn, die Hirschlein wollen nicht gleich stehn, so raucht er für sein Plaisir eine gute Pfeif' Tuwack.

Dem Kutscher fehlt das Mittelstück, steckt in den Wassersack das Elastik, und ziehet sehr durch Saft und Schmeer geschmackvoll Rauchtuwack.

Zwei Handwerksburschen auf Reisen sein und hatten nur der Pfeifen ein', so rauchen sie per Compagnie aus einer Pfeif' Tuwack.

Der Matros' dem Sturm entgangen kaum, nimmt eine Pfeif' von Meerschaum und raucht auf Deck' vom Herrn Torbeck eine gute Pfeif' Tuwack.

Der treu' und fleiß'ge Nachtarbeiter raucht stramm sein Pfeifchen A. B. Reuther, wie hielt sonst das die arme Nas' aus ohne Rauchtuwack.

Der Mann im eh'lichen Verdruß schmaucht Brunzlow und Prätorius, und pustet sehr dann um sich her den edlen Rauchtuwack.

Der alte Mann, schon ohne Zahn, die Pfeife nicht mehr halten kann, nimmt flugs dann Garn, umwickelt varrn die Röhr' und raucht Tuwack.

Aus ird'scher Pfeife raucht Mynheer, der wohlgenährte Holländer, raucht Maryland aus erster Hand, den edelsten Tuwack.

Glaubt Einer bei der Pfeife nicht gut mehr zu farren, so geht er und kauft sich Havannah-Cigarren, hat am Tuwack dann doppelt Geschmack, er kaut und raucht Tuwack.

Des Spaniers Art gefallet mir, er wickelt Tuwack in Papier, und steckt es an und rauchet dann eine wohlfeile Pfeif' Tuwack.

Der bärt'ge Türk', der meint, er wär'sch, er schlägt die Beine unter'n —, bläst durch den Bart, nach Türkenart, den feinsten Krülltuwack.

Der Chines' mit seinem curiosen Sitz raucht den Tuwack aus Bernsteinspitz', zieht Dampf hervor durch's Weichselrohr und rauchet Tentuwack.

Hier seht auch rauchen den Franzos', er dampft ein klein Cigarrchen blos, und hat ganz Recht, es wird ihm schlecht bei einer Pfeif' Tuwack.

Und wenn wir in den Krieg thun ziehn, so muß die Pfeife immer glühn, und nach dem Krieg erfolgt der Sieg bei einer Pfeif' Tuwack.

Sie sollen ihn nicht haben, nein, den freien alten deutschen Rhein, über kurz oder lang vertreibt sie der Gestank von einer Pfeif' Tuwack. Volkslied vom Rhein.

1130.
Eigne Melodie.

Ihr Matten, lebt wohl! ihr sonnigen Weiden! der Senne muß scheiden, der Sommer ist hin.

Wir fahren zu Berg, wir kommen wieder, wenn der Kukuk ruft, wenn erwachen die Lieder, wenn mit Blumen die Erde sich kleidet neu, wenn die Brünnlein fließen im lieblichen Mai.

Ihr Matten, lebt wohl ꝛc.

Schiller, im „Wilhelm Tell."

1131.

:/: Im Aargau wohnten zwei Liebi, :/: die hätten enander so gern. :/:

Der jung Chnab zog zum Chriegi: „Und wenn kummsch wiederum hei?"

„'Uf's Jahr im andere Summer, wenn de Stüdeli tragen das Laub.'"

Und's Jahr und das war umme, der jung Chnab kummt wiederum hei.

Er zog dur's Gässeli ufe, wo's schön Ann im Fensterli lag.

„Gott grüß di, du Hübschi, du Feini, von Herze gefallsch du mer wol."'

„Was soll i der denn noh g'falle? ha scho längst 'ne andre Ma;"

„'ne hübsche und 'ne riche, der mich wol erhalten cha."

Er zog dur's Gässeli abe und weinet und truret so sehr.

Do begegnet ihm sine Frau Mutter: „„Was weinesch un truresch so sehr?""

„„Was sott' i nit weinen und true? i ha jo kei Schätzeli meh!"'

„„Wärsch du doheime gebliebe, du hättesch di Schätzeli noh."''
Schweizer Volkslied.

1132.
Morelly.

Im Apollo=Saal drauß, da, da, dirium, da is net aus, da, da, dirium, Kaßino brav, da, da, dirium, fidel und fidel ist drauß bei'm Schaff. Aber der von Morelly, der bleibt der fideli, das g'wiße dui dui, des zieht an die Füß in d'Höh'.

Die Straußischen Walzer, la, lala, la, la, lala, la, erst mit die Schnalzer, la, lala, la, der da net tanz'n muß, der da net tanz'n muß, der hat ja, der hat ja gar keinen Fuß. Aber der von Morelly 2c.

Maderl so geh', da, da, dirium, hebs Fußerl in d'Höh', da, da, dirium, drah die heut um a mal, da, da, dirium, denk nur, wir san heut beim Sperl am Saal. Aber der von Morelly 2c.

Die Walza von Baden, la, lala, la, la, lala, la, dö ham ihm grabn, la, lala, la, — — da ziehts an d'Füß in d'Höh, da ziehts an d'Füß in d'Höh, da schwitzt ma mehr als beim Hollunder=Thee. Aber der von Morelly 2c.

Und dann auch der Lanner, da, da, dirium, das ist erst aner, da, da, dirium, schaut no den Madeln zue, da, da, dirium, geht ihnen beim Tanzen der Unterrock vor. Aber der von Morelly 2c.

Bei die Straußischen Deutschen, la, lala, la — braucht ma ka Peitschen, la, lala — — das is zum Teufel holn, das ist zum Teufel holn. Da verlieren Männer vom Stiefel die Soln. Aber der von Morelly 2c.

1133.

Im Arm der Liebe ruht sich's wohl, wohl auch im Schooß der Erde! Ob's dort noch, oder hier sein soll, wo Ruh' ich finden werde? Das forscht mein Geist und sinnt und denkt und fleht zur Vorsicht, die sie schenkt.

Im Arm der Liebe ruht sich's wohl; wenn mich, der Welt entrücket, Elisens Blick, so seelenvoll, Elisens Kuß beglücket: dann schwinden vor dem trunknen Sinn des Lebens Sorgen alle hin.

Im Schooß der Erde ruht sich's wohl, so still und ungestöret! Hier ist das Herz oft kummervoll, dort wird's durch nichts beschweret; man schläft so sanft, schläft sich so süß hinüber in das Paradies.

Ach! wo ich noch wohl ruhen soll von jeglicher Beschwerde? Im Arm der Liebe ruht sich's wohl, wohl auch im Schooß der Erde! Bald muß ich ruhen, wo es sei, das ist dem Müden einerlei.

H. W. F. Ueltzen.

1134.

Ostrolenka.

Im Feld bei Ostrolenka da steht ein Eichenbaum, der breitet seine Zweige hoch nach des Himmels Raum. In seinen Blättern rauschen die Lüfte wunderbar, und in der Eiche Wipfel, da thront ein weißer Aar. Im Feld bei Ostrolenka da geht es irr' bei Nacht, da leben alle Büsche, da klingt's, wie Ton der Schlacht.

Im Feld bei Ostrolenka da gehn die Geister um, da fechten Polen-Schatten mit Russen sich herum. Im Feld bei Ostrolenka sitzt, Arm in Arm, verschränkt, dein bleich Gespenst, o Diebitsch! in tiefen Gram verhängt. Und bei ihm auf dem Hügel sitzt Kosciusko's Bild, von Heil'genschein umflossen, die Augen kühn und wild.

Im Feld bei Ostrolenka da steht manch' alter Mann, und sieht die wüsten Fluren mit nassen Augen an, blickt nach der einzeln Eiche, gedenkt der Söhne sein, und hebt die Hand zum Himmel, und seufzt: Allein! Allein! Im Feld bei Ostrolenka ward's Herbst am Frühlingstag, es sank die ganze Ernte auf einen Sichelschlag.

Im Feld bei Ostrolenka ruhn unter stillem Moos viel tausend müde Schnitter im kühlen Erdenschooß. Im Feld bei Ostrolenka singt keine Lerche mehr, da blühet keine Blume, 's ist alles wüst und leer. Auf's Feld bei Ostrolenka, da steigt das Abendroth vom blut'gen Throne nieder, und drüber sitzt der Tod.

Im Feld bei Ostrolenka grünt doch die Eiche fort, und ihre Blätter flüstern gar manch prophetisch Wort. Es weht ein Frühlingsodem aus ihrem Adlersitz, sie spricht von manchen Stürmen, erzählt von manchem Blitz. Im Feld bei Ostrolenka, so lang' die Eiche steht, so lebt im Volk die Sage: Nie Polen untergeht!

1135.
Jägers Abendlied.

Im Felde schleich' ich still und wild, gespannt mein Feuerrohr. Da schwebt so licht dein liebes Bild, dein süßes Bild mir vor.

Du wandelst jetzt wohl still und mild durch Feld und liebes Thal, und ach, mein schnell verrauschend Bild stellt sich dir's nicht einmal?

Des Menschen, der die Welt durchstreift, voll Unmuth und Verdruß, nach Osten und nach Westen schweift, weil er dich lassen muß.

Mir ist es, denk' ich nur an dich, als in den Mond zu sehn; ein stiller Friede kommt auf mich, weiß nicht, wie mir geschehn. *Göthe.*

1136.
Ein Traum.

Im fernen, fernen Meere da segelt' ein Schiff bei Nacht, der Schiffsherr in der Kajüte entschlief auf der Matte sacht.

Der Kiel schnitt still und ruhig den weiten, stillen Raum; jedoch so still und ruhig war nicht des Schiffsherrn Traum.

Ihm träumt': ein Blitzstrahl habe den stolzen Mast zerspellt, es sei an einem Felsen im Sturm das Schiff zerschellt,

Und über Bord geschleudert, schwimm' er im tosenden Meer, und Wogenkolosse und Blitze, die sausen um ihn her.

Er rudert mit brechenden Armen, schon sieht er die Küste nahn, doch brausend an ihre Felsen schlägt hoch die Brandung hinan.

Auf einem der grauen Felsen sieht er eine Jungfrau stehn; sie winkt und läßt hernieder zu ihm eine Rose wehn.

Doch dort schwimmt nun ein Balken zur Rettung ihm heran; soll er zuerst die Rose, zuerst den Balken umfahn?

Schon brechen die Arme, schon sinkt er in's fluthende Grab hinein; da faßt ihn die Brandung und schleudert ihn an das Felsgestein. —

Der Schiffsherr erwacht und stürzet rasch auf's Verdeck hinan; doch ruhig und sicher gleitet das Schiff durch die stille Bahn.

Die flüsternden Wellen baden die Häupter im Morgenlicht; — wohl sah er keine Trümmer, doch auch die Rose nicht.
Grün.

1137.
Maurerlied.
Melodie: Der Ritter muß.

Im Festesglanz, der mild dem Ost entsprießt, sei, holder Strahl, des Maurerlichtes Quelle, uns feierlich durch dreimal drei begrüßt! Hier an des Jahres neu betretner Schwelle, beim Bundesmahl, mit Frohgefühl, schwör' Jeder sich, zur Festeszierde: „Ich bleibe treu bis an das Ziel der Maurerei und ihrer Würde!" (Chor:) Ich bleibe ꝛc.

Dem Maurer Heil, der das Bewußtsein hat, bei jedes Tag's, bei jedes Jahres Werke, daß er vollendet manche gute That im Segenglanz der Weisheit, Schönheit, Stärke! Beim Morgenglanz und Abendroth befördert er der Menschheit Würde und bleibet treu bis in den Tod der Maurerei und ihrer Würde. (Chor:) Und bleibet treu ꝛc.

Treu dem Beruf, dem er sein Leben weiht, als Menschenfreund, stillt er der Wehmuth Sehnen, ist er zum Trost, zu Hülfe stets bereit und trocknet gern des Menschenbruders Thränen. Wo Unschuld weint, wo Unglück droht, der Arme darbt bei harter Bürde, bleibt er stets treu bis in den Tod der Maurerei und ihrer Würde. (Chor:) Bleibt er stets ꝛc.

Ist nun am Ziel das Tagewerk vollbracht, wo, grauumflort, des Lebens Nachtstück sinket, der Engel Tod durch düstre Grabesnacht den Edeln hin zu der Vollendung winket, ruft sterbend er, von Nacht bedroht, voll hohen Muths und Seelenwürde: „Ich bleibe treu bis in den Tod der Maurerei und ihrer Würde!" (Chor:) Ich bleibe treu ꝛc.
Th. Hell.

1138.

Im Garten zu Schönbronnen da liegt der König von Rom, sieht nicht das Licht der Sonnen, sieht nicht des Himmels Dom.

Am fernen Inselstrande da liegt Napoleon, liegt da zu Englands Schande, liegt da zu Englands Hohn.

Im Garten zu Schönbronnen da liegt der König von Rom, sein Blut ist ihm geronnen, es stockt sein Lebensstrom.

Am fernen Inselstrande da liegt Napoleon, liegt nicht in seinem Lande, liegt nicht bei seinem Sohn.

Liegt nicht bei seinen Kriegern, bei den Marschällen nicht, liegt nicht bei seinen Siegern, liegt in Europa nicht.

Liegt hart und tief gebettet im fernen Meereskreis, am Felsen angekettet ein todter Prometheus.

Wo Baum und Blatt und Reiser versengt vom Sonnenstrahl, da liegt der große Kaiser, der kleine Korporal!

An seinem Grabe fehlen Cypreß und Blumenstab, am Tage Allerseelen besucht kein Mensch sein Grab.

So liegt er lange Jahre in öder Einsamkeit, da klopft es an der Bahre um mitternächt'ge Zeit.

— Es klopft und rufet leise: „Wach' auf, du todter Held! Es kommt nach langer Reise ein Gast aus jener Welt."

— Es klopft zum zweiten Male: „Mach', großer Kaiser, auf! Es kommt vom Erdenthale ein Bote dir herauf."

— Es klopft zum dritten Male: „Mach', Vater, auf geschwind! Es kommt im Geisterstrahle zu dir dein einzig Kind."

Da weichen Erd' und Steine, es thut sich auf der Sarg, der lange die Gebeine des größten Helden barg.

Da streckt des Kaisers Leiche die Knochenarme aus, und zieht das Kind, das bleiche, hinab in's Bretterhaus.

Und ziehet es hernieder: „So seh' ich, theurer Sohn, seh' ich dich endlich wieder, mein Kind Napoleon!"

Und rücket an die Seite und rücket an die Wand. „Mein Kind, das ist die Breite von meinem ganzen Land!"

Da schlingen die Gerippe, die Knochen ineinand, und liegen Lipp' an Lippe und liegen Hand in Hand.

Und zu derselben Stunde schließt auch das Grab sich schon; das war die letzte Stunde vom Haus Napoleon.

1139.
Das St. Hubertuslied.

Im grünen Wald bin ich gewesen, sah ich es ein Hirschelein stehn; das Hirschlein, das wollt' ich erschießen, o Wunder, was hab' ich gesehn!

Es thut mir die Flinte versagen, ein Kreuz thut das Hirschelein tragen, stolzirend auf seinem Gewicht; die Gnade zum Sünder wohl spricht.

Da thät ich zur Erden hinsinken wohl auf meine bogene Knie; thät mir es entgegen blinken, ein silbernes Kreuzlein schneeweiß.

Jetzt thu' ich kein Hirschlein mehr schießen, will lieber in's Kloster mich schließen; dem grünen Wald' sag' ich: Gut' Nacht! die Gnade hat Alles gemacht.

Des Knaben Wunderhorn.

1140.
Eigne Melodie.

Im Herbst da muß man trinken, das ist die rechte Zeit! da reift uns ja der Traube Blut, und dabei schmeckt der Wein so gut: im Herbst da muß man trinken!

Im Winter muß man trinken, im Winter ist es kalt! da wärmt uns ja der Traube Blut, und dabei schmeckt der Wein so gut: im Winter muß man trinken!

Im Frühling muß man trinken, da ist's nicht kalt; noch heiß, da labt uns erst der Traube Blut, da schmeckt der Wein erst doppelt gut: im Frühling muß man trinken!

Im Sommer muß man trinken, im Sommer ist es heiß! da kühlet uns der Traube Blut, und dabei schmeckt der Wein so gut: im Sommer muß man trinken!

Wohlbrück. „Vampyr" von Marschner.

1141.

(Er:) Im holden Taumel wiegt sich nun wieder, o holdes Mädchen, bei dir mein Blick; der Gott der Liebe schwebt sanft hernieder, zu krönen unsers Bundes Glück; mit Sonnengüte scheucht sein Gefieder von unserm Himmel die Nacht zurück.

(Sie:) Wie lieblich steiget aus Wintergrausen die milde Laube des Mai's empor; wie lieblich tönet nach langen Pausen das Lied vom Nachtigallenchor, und trägt aus Gründen, wo Schrecken hausen, zu ihrem Tempel die Lieb' empor!

(Er:) Emporgetragen schließt mit Entzücken dich dein Geliebter in den Arm. (Sie:) O mein Geliebter! aus deinen Blicken glänzt mir Vergessenheit für Harm. (Er:) Indem mich die Händchen zärtlich drücken, küss' ich die Wange dir traulich warm.

(Sie:) Sieh' von den Hügeln, auf den wir schweben, hin in die Thäler der Folgezeit! (Er:) Wie dort in Kränze sich Rosen weben, wie Flora uns den Weg bestreut! (Sie:) An deiner Seite zum Ziele streben durch diese Fluren, ist Seligkeit.

(Er:) Dies Feuerauge wird mich beleben, (Sie:) wenn Lebensschwüle in Schlaf dich wiegt; der Arm des Mannes wird sanft mich heben, (Er:) wenn deine Wunderkraft erliegt; und Harmonie dies Mädchen geben, wenn Mißgetön mein Ohr umfliegt.

(Beide:) Glück auf! wir wandeln in uns verschlungen, schlag' ein zum Bunde in Freud' und Noth! Und sinkt das Leben in Dämmerungen nach abgestorbenem Abendroth: so sind uns beide, von süßer Freude noch fest umschlungen, der traute Tod.

1142.

Im Kreise froher, kluger Zecher wird jeder Wein zum Göttertrank; denn ohne Weiber, Sang und Becher bleibt man ein Narr sein Lebelang; und alle Kehlen stimmen ein: Es leben Weiber, Sang und Wein!

Wir Menschen sind ja alle Brüder, und jeder ist mit uns verwandt: du, Schwester, mit dem Leinwandmieder, du, Bruder, mit dem Ordensband! Denn jeder Stand hat aufgehört, wenn wir das letzte Glas geleert.

Der Mann auf seinem Throne lebe mit allem, was ihm angehört, und unser Vaterland umschwebe der Friedensengel ungestört! Der Mensch sei Mensch, der Sklave frei, dann eilt die goldne Zeit herbei.

Wem für der Menschheit gute Sache ein edles Herz im Busen schlägt, wer gegen Feinde keine Rache und gegen Freunde Freundschaft hegt, wer über seine Pflichten wacht, dem sei dies volle Glas gebracht!

Bei'm Silberklange voller Humpen gedenken wir des Armen gern; ein Menschenherz schlägt unter Lumpen, ein Menschenherz schlägt unter'm Stern. Drum, Brüder, stoßt die Gläser an: es gilt dem armen braven Mann!

Wer aus Fortuna's Lotterädchen den Treffer ächten Werthes zog, wer einem edlen deutschen Mädchen, das innig liebt, nie Liebe log; wer deutscher Frauen Tugend ehrt, sei ewig unsrer Freundschaft werth!

Dem Dulder strahle Hoffnungssonne, Versöhnung lächle unserm Feind'! dem Kranken der Genesung Wonne, dem Irrenden ein sanfter Freund! Wir wollen froh durch's Leben gehn und einst uns besser wiedersehn! *Zschokke.*

1143.

Melodie: Ich stand auf hohem Berge.

Im Krug zum grünen Kranze da kehrt' ich durstig ein; da saß ein Wandrer drinnen, drinnen, am Tisch bei kühlem Wein.

Ein Glas war eingegossen, das wurde nimmer leer; sein Haupt ruht' auf dem Bündel, Bündel, als wär's ihm viel zu schwer.

Ich thät mich zu ihm setzen, ich sah ihm in's Gesicht, das schien mir gar befreundet, freundet, und dennoch kannt' ich's nicht.

Da sah auch mir in's Auge der fremde Wandersmann, und füllte meinen Becher, Becher, und sah mich wieder an.

Hei, was die Becher klangen, wie brannte Hand in Hand: „Es lebe die Liebste deine, deine, Herzbruder, im Vaterland!"

Wilhelm Müller.

1144.

Im kühlen Keller sitz' ich hier, auf einem Faß voll Reben, bin frohen Muths und lasse mir vom allerbesten geben. Der Küper zieht den Heber voll, gehorsam meinem Winke, reicht mir das Glas, ich halt's empor, und trinke, trinke, trinke.

Mich plagt ein Dämon, Durst genannt, doch, um ihn zu verscheuchen, nehm' ich mein Deckelglas zur Hand und laß mir Rheinwein reichen. Die ganze Welt erscheint mir nur in rosenrother Schminke; ich könnte Niemand Leides thun, ich trinke, trinke, trinke.

Allein mein Durst vermehrt sich nur bei jedem vollen Becher, das ist die leidige Natur der ächten Rheinweinzecher! Doch tröst' ich mich, wenn ich zuletzt vom Faß zu Boden sinke, ich habe keine Pflicht verletzt, ich trinke, trinke, trinke.

1145.

Mailied.

Im Maien, im Maien ist's lieblich und schön, da finden sich viel Kurzweil' und Wonn'; Frau Nachtigall singet, die Lerche sich schwinget :/: über Berg und über Thal. :/:

Die Pforten der Erde die schließen sich auf, und lassen so manches Blümlein herauf, als Lilien und Rosen, Violen, Zeitlosen, Cypressen und auch Nägelein.

In solchen wohlriechenden Blümlein zart spazieret eine Jungfrau von edeler Art; sie windet und bindet, gar zierlich und fein, ihrem Herzallerliebsten ein Kränzelein.

Da herzt man, da scherzt man, da freuet man sich, da singt man, da springt man, da ist man fröhlich; da klaget ein Liebchen dem andern sein' Noth, da küßt man so manches Mündelein roth.

Ach, zartes Jungfräulein, von schöner Gestalt, in Zucht und Ehren mannigfalt! und wenn ich euch hätte, so wär' ich gesund, ihr habt mir mein junges Herze verwund't.

Verlassen will ich euch nimmermehr, reicht mir euer schneeweißes Händelein her, und saget's mir zu in Zucht und in Ehren, daß ihr mein wollt zu eigen werden!

Ach Scheiden, ach Meiden, du schneidendes Schwert, hast mir mein junges Herze verkehrt! Wiederkommen macht, daß man Scheiden nicht acht't; Ade, zu tausendguter Nacht!

Im Maien, im Maien, da freuet man sich, da singt man, da springt man, da ist man fröhlich, da kommet so manches Liebchen zusammen; Ade, in tausend Gottes Namen!

Fliegendes Blatt aus dem 17. Jahrh.

1146.

Melodie: Ich will einst bei Ja und Nein.

Immerdar mit Schnee und Eis laßt den Winter schalten! Wer vom Winter Böses weiß, mag's für sich behalten! Dichtgedränget Mann und Weib, pflegen wir mit Punsch den Leib, wie den Fuchs die Grube, wärmet uns die Stube.

Tadel hört der Winter viel: Manchem wird's zu lustig, wenn er athmet, dem zu kühl, dem zu dumpf und durstig; Manchem dünkt im weißen Schnee gar zu einfach Land und See; gern zum Lappen schöb' er ewiges Gestöber.

Uns auch machen Nord und Ost oft den Pol zu düster; und was unser Dach umtost, dünkt uns kein Geflüster. Doch das eng' verschloßne Haus heitert Wärm' und froher Schmaus; Uebles kommt zum Uebeln durch das starre Grübeln.

Könnten wir den alten Pol wie ein Uhrwerk stellen: Wälschlands Sonne sollt' uns wohl Paradies' erhellen! Aber grämlich kreis't der Bär dort um unsern Scheitel her, vom beschneiten Nacken schüttelnd Reif und Zacken.

Auf! den Frühlingsgeist geschöpft, mit geschweifter Kelle: wenig Tropfen eingetröpft schaffen Mild' und Helle! Schaut! und voll ist jedes Glas! voll das große Deckelfaß! Unversieglich fleußt es voll des milden Geistes!

Ja vom Paradieses Lenz, Zucker, Rack, Citronen, gabt ihr uns die Quintessenz, Kinder heißer Zonen! Frost und Ungethüm verthaut, hat euch kluge Hand gebraut, wie am Morgenstrahle, um die heiße Schale!

Wenn ihr, Freund', im Herzen kalt, gleich dem Schneemann, wäret: gleich dem Schneemann würd' euch bald Haupt= und Hirn verkläret! Hänenschuldig, wohlgebauchet, glänzt

die schneeigte Durchlaucht; vor der Auge Flamme staunet
Kind und Amme.
 Eingeschenkt den Frühlingssaft, ihr, des Festes Horen!
Wer ihn trinkt, fühlt Götterkraft, fühlt sich neugeboren!
Hell in heller Gläser Klang stimmt melodischer Gesang; gleich
dem Lenz entdunkelt, lacht das Aug' und funkelt!

Voß.

1147.
Der Traum.

Im schönsten Garten wallten zwei Buhlen Hand in Hand,
zwo bleiche, kranke Gestalten, sie saßen in's Blumenland.
 Sie küßten sich auf die Wangen, und küßten sich auf
den Mund, sie hielten sich fest umfangen, sie wurden jung
und gesund.
 Zwei Glöcklein klangen helle, der Traum entschwand zur
Stund'; sie lag in der Klosterzelle, er fern in Thurmes Grund.

Uhland.

1148.
Neujahrslied.

Im Schooß der Mitternacht geboren, worin das Kind
bewußtlos lag, erwacht, zum Leben jetzt erkohren, das Jahr
am ernsten Glockenschlag. An seiner Wieg' ein Engel sitzet,
dem vom zweifachen Angesicht zweifacher Glanz des Lebens
blitzet, hier Abendroth, dort Morgenlicht.
 Hier, mit dem abendrothen Blicke, schaut er nach Westen
hin und sinnt, zusammenfassend die Geschicke der Jahre, die
vorüber sind; dort, mit dem Morgenantlitz, wendet er sich erwartungsvoll zum Ost, dem, was von dort die Zukunft sendet, entgegenblickend, still getrost.
 Dann, während in des Engels Mienen das Abendroth
stets matter glüht, und immer heller ist erschienen auf ihnen,
was wie Morgen sprüht, nimmt er das Kind aus seiner
Wiegen, und aus des Engels Auge bricht die Thräne, die
darin gestiegen, indeß sein Mund zum Kindlein spricht:
 O du, der Jüngste jetzt der Söhne, die unsre Mutter,
Zeit, gebar, sei mir in deiner Unschuld Schöne, sei mir gegrüßt, du junges Jahr! Schon manches hab' ich aus der
Wiege genommen, und in's Grab gelegt, damit an's Licht
ein andres stiege; und süße Hoffnung stets geheget.
 Die Hoffnung aller Welt, und meine, die jedem Jahr
entgegen tönt, ob endlich einmal das erscheine, von welchem
sei das Werk gekrönt? Ob endlich das sei angebrochen, von

welchem uns erfüllet sei, was von dem vor'gen ward ver=
sprochen? Wenn du das bist, so sag' mir's frei.

Ich kann durch meiner Rührung Zähren nicht deine Züge
deutlich sehn; ein Lächeln scheint sie zu verklären: sprich,
soll durch dich uns Heil geschehn? Willst du nicht wieder
täuschend schwinden, wie vor dir deiner Brüder g'nug, daß
wir den Glauben wieder finden, den uns geraubt der Zeiten Lug?

Willst du den langen Knäul entwirren, der um der Men=
schen Brust sich schlang, und lösen ird'scher Zwietracht Klir=
ren auf in harmon'schen Sphärenklang? aufführen aus be=
wegten Stoffen den Bau, der auf sich selbst kann ruhn?
Kurz: was wir wünschen, was wir hoffen! ja! was wir hof=
fen, willst du's thun?

O, seligstes der Zeiten Kinder, wenn das Geschick das
Amt dir beut, zu sein der Ernte Garbenbinder, die jene
vor dir ausgestreut! So wünsch' ich dir vom Himmel heuer
den besten Sonnenschein, der frommt, daß in die große
Völkerscheuer der Weizen unberegnet kommt.

So wünsch' ich, daß ein neues Leben der alten Erde
Mark durchdringt, daß aus des nächsten Herbstes Reben uns
goldnes Heil entgegenspringt; daß bei des Jahres Brod und
Weine, frei unter'm offnen Himmelssaal, die Völker feiern
im Vereine das große Bundes=Abendmahl.

1149.
Die Nonne.

Im stillen Klostergarten eine bleiche Jungfrau ging; der
Mond beschien sie trübe, an ihrer Wimper hing die Thräne
zarter Liebe.

„O wohl mir, daß gestorben der treue Buhle mein! ich
darf ihn wieder lieben: er wird ein Engel sein, und Engel
darf ich lieben."

Sie trat mit zagem Schritte wohl zum Mariabild; es
stand im lichten Scheine, es sah so muttermild herunter auf
die Reine.

Sie sank zu seinen Füßen, sah auf mit Himmelsruh',
bis ihre Augenlider im Tode fielen zu; ihr Schleier wallte
nieder. Uhland.

1150.
Eigne Melodie.

Im Wald, im Wald, im frischen grünen Wald, wo's
Echo schallt, im Wald, wo's Echo schallt: da tönt Gesang
und der Hörner Klang so lustig den schweigenden Forst entlang.
Trarah! trarah! trarah!

Die Nacht, die Nacht, die rabenschwarze Nacht, Gesellen wacht, durchwacht die schwarze Nacht! Die Wölfe, sie lauern und sind uns nicht fern; das Bellen der Hunde, sie hören's nicht gern. Wauwau! wauwau! wauwau!

Die Welt, die Welt, die große weite Welt ist unser Zelt, die Welt ist unser Zelt; und wandern wir singend, so schallen die Lüfte, die Wälder, die Thäler, die felsigen Klüfte. Halloh! halloh! halloh!

A. Wolff. Aus „Preciosa" von C. M. v. Weber.

1151.

Der Postillon.

Im Walde rollt der Wagen bei tiefer stiller Nacht; die Passagiere schlafen, der Postillon fährt sacht.

Bei'm Försterhaus im Walde was bläst der Postillon? Die Passagiere erwachen, und meinen, es wäre Station.

Er bläst so sanfte Lieder zum Fenster klar empor, es hallt der Wald sie wieder und kommt der Mond hervor.

Ja scheine, Mond, in's Fenster des Liebchens hold herein: da zieht durch ihre Träume Posthorn und Mondenschein.

Gruppe.

1152.

Jägerlied.

Bekannte Melodie.

Im Wald und auf der Haide, da such' ich meine Freude, ich bin ein Jägersmann, ich bin ein Jägersmann. Den Wald und Forst zu hegen, das Wildpret zu erlegen, ist das nicht wohlgethan? ist das nicht wohlgethan? Halli, halloh, halli, halloh! ist das nicht wohlgethan?

Das Huhn im schnellen Fluge, die Schnepf im Zickzackzuge treff' ich mit Sicherheit. Die Sauen, Reh' und Hirsche erleg' ich auf der Bürsche, der Fuchs läßt mir sein Kleid; :,: halli, halloh! :,: der Fuchs 2c.

Kein Heller in der Tasche, ein Schlückchen aus der Flasche, ein Stückchen schwarzes Brod; den treuen Hund zur Seite, wenn ich den Wald durchschreite, dann hat es keine Noth; halli, halloh! 2c.

Wenn sich die Sonne neiget, der düstre Nebel steiget, das Tagwerk ist gethan; dann kehr' ich von der Haide zur häuslich stillen Freude, ein frommer Jägersmann, halli, halloh! 2c.

Volkslied.

1153.

Melodie: Auf! auf, ihr Brüder und seid stark.

Im Weine — wie das Sprichwort sagt — hüllt gern sich Wahrheit ein. Drum auf, bei voller Gläser Klang, der Wahrheit froher Hochgesang soll heut' gesungen sein.

Es lebe, wer der Menschheit Pflicht, der Menschheit Würde kennt; und wer den Mann am Krückenstock, wie jenen dort im Purpurrock, gleich willig Bruder nennt!

Es lebe, wer noch nie sein Knie vor goldnen Götzen bog; wer ungereizt von schnödem Lohn, selbst vor des größten Königs Thron, nie schmeichelte noch log!

Doch, wen der Zeug' in eigner Brust noch nie zu Thaten rief; wer, wenn der Unschuld Ach! erscholl, noch schlummern kann, von Trägheit voll, — der falle, falle tief!

Es lebe, wer von Vorurtheil und Dummheitstraum befreit, ein Feind von jeder Pfaffenzunft, nur dir, o heilige Vernunft, zum Priester sich geweiht!

Es lebe, wer Gerechtigkeit, nicht das Gesetz nur, ehrt; wer Waisen leitet, Wittwen schützt, nie glänzende Betrüger schützt, und Ränke gern zerstört.

Es lebe, wer des Siechen Schmerz, des Kranken Jammer heilt; nicht kaufbar durch das Gold allein, noch oft bei düstrer Sterne Schein zur Armuth Lager eilt!

Doch sterbe, wer das blöde Volk mit Hirngespinnst umwebt! Er sinke tief im tiefsten Pfuhl, der Richter, der im Richterstuhl vor größern Sündern bebt!

Es lebe, wer für's Vaterland die blut'ge Fahne schwingt; und wenn es Sieg und Freiheit gilt, dreist auf der Unschuld Demantschild, in Feindesscharen dringt!

Es lebe, wer noch schwerern Krieg mit Wahn und Irrthum führt; wer, wenn man „crucefige" schreit, wenn ihm Satrap und Bonze dräut, nicht Kopf und Muth verliert!

Es lebe jeder Redliche und jeder Mann voll Kraft! sei's König oder Unterthan, sei's Bürger oder Bauersmann, wenn er nur Gutes schafft!

1154.

Im Windgeräusch bei stiller Nacht geht dort ein Wandersmann, er seufzt und weint und geht so sacht und ruft die Sterne an: „Mein Busen pocht, mein Herz ist schwer in stiller Einsamkeit, mir unbekannt, wohin, woher, durchwall' ich Freud' und Leid; ihr kleinen goldnen Sterne, ihr bleibt mir ewig ferne, ferne, ferne, und ach! ich vertrau' euch so gerne!"

Da klingt es plötzlich um ihn her, und heller wird die Nacht, schon fühlt er nicht sein Herz so schwer, er dünkt sich neu erwacht. O Mensch, du bist uns fern und nah', doch einsam bist du nicht, vertrau' uns nur, dein Auge sah oft unser stilles Licht: wir kleinen goldnen Sterne sind dir nicht ewig ferne; gerne, gerne gedenken ja deiner die Sterne.
Ludwig Tieck.

1155.
Eigne Melodie.

Jnäd'ge Frau, wie ick anj'tzt um die Ecke rannte, kam uf enmal angeflitzt Ihre jnäd'je Tante, sah mir an und winkte mich, macht en lang Jesichte: „Liebe Dörthe, weßt de nich, wo ist meine Nichte?" Wie ick sage: nu se is bei den Herren Wiener, sagt sie: „Jeh und sag' ihr dies, mach' ihr meinen Diener; wenn sie kann, so soll sie mir doch recht bald besuchen: ach wie sehr erwart' ick ihr uf en Stückken Kuchen."
„Wiener in Berlin."

1156.

In allen guten Stunden, erhöht von Lieb' und Wein, soll dieses Lied verbunden von uns gesungen sein! Uns hält der Gott zusammen, der uns hierher gebracht, erneuert unsre Flammen, er hat sie angefacht.

So glühet fröhlich heute, seid recht von Herzen eins! Auf, trinkt erneuter Freude dies Glas des ächten Weins! Auf, in der holden Stunde stoßt an, und küsset treu bei jedem neuen Bunde den alten wieder neu!

Wer lebt in unserm Kreise, und lebt nicht selig drin? Genießt die freie Weise und treuen Brudersinn! So bleibt durch alle Zeiten Herz Herzen zugekehrt; von keinen Kleinigkeiten wird unser Bund gestört.

Uns hat ein Gott gesegnet mit freiem Lebensblick, und alles, was begegnet, erneuert unser Glück. Durch Grillen nicht gedränget, verknickt sich keine Lust; durch Zieren nicht geenget, schlägt freier unsre Brust.

Mit jedem Schritt wird weiter die rasche Lebensbahn, und heiter, immer heiter steigt unser Blick hinan. Uns wird es nimmer bange, wenn alles steigt und fällt, und bleiben lange, lange! auf ewig so gesellt.
Göthe.

1157.

In Aller Herzen liegt die Welt des Schönen, die Götter ruhn an jeder reinen Brust. Was du vernimmst in des Ge=

sanges Tönen, was dich bewegt mit wunderbarer Lust, wenn
süße Melodien dich umschweben: es ist in dir, es ist dein
inn'res Leben.

Von außen regt der Sinn nur den Gedanken; ihn weckt
die Sprache, das erhabne Bild. Dann reißt er kühn sich los
von seinen Schranken, dem Staub gebietend, der ihn über-
hüllt; der Künste Zauber wird kein Herz empfinden, fehlt
ihm die Kraft, ihn selbst in sich zu finden.

Denn wie ein Traumbild eilt das flücht'ge Leben; die
Kunst nur faßt, was unvergänglich blüht! Unendlichkeit dem
Augenblick zu geben, spricht sie, ein Gott, an's menschliche
Gemüth; in alle Herzen weiß sie einzudringen, an jeden Ton
harmonisch anzuklingen.

Dann blüht ein Morgenroth vor deinen Blicken, wo sich
der Ahnung Dunkel mild verklärt; der heil'ge Glaube naht,
dich zu beglücken, der Wahn entflieht, der deine Lust gestört;
du fühlst dich groß im weiten Raum der Wesen, der ew'gen
Ordnung ew'gen Sinn zu lesen. *Schreiber.*

1158.
Eigne Melodie.

In Berlin, sagt' er, mußt du sein, sagt' er, und gescheidt, sagt' er, immer sein, sagt' er, denn da haben's, sagt'
er, viel Verstand, sagt' er, ich bin dort, sagt' er, schon bekannt.

Nimm zehn Briefl, sagt' er, mit hinab, sagt' er, gieb
sie richtig, sagt' er, alli ab, sagt' er, hier der Groß', sagt'
er, hat's im Bauch, sagt' er, und g'schrieb'n, sagt' er, sein
sie auch.

Und hernach, sagt' er, leg' dich an, sagt' er, grad' so
schön, sagt' er, wie man kann, sagt' er, gute Kleider, sagt'
er, wie zur Tauf', sagt' er, und d' Hauben, sagt' er, oben
drauf.

Ganz besonders, sagt' er, noch vor Allem, sagt' er,
such' durch's Sprechen, sagt' er, zu gefallen, sagt' er, recht
berlinisch, sagt' er, immer sprich, sagt' er, und statt mir,
sagt' er, sagst du mich.

Im Thiergarten, sagt' er, ist's gar schön, sagt' er, wirst
viel Wagen, sagt' er, fahren sehn, sagt' er, und es sitzen,
sagt' er, Damen drin, sagt' er, wie die schöne, sagt' er,
Wienerin.

Grüß' mir alle, sagt' er, die ich kenn', sagt' er, kann
sie dir nicht, sagt' er, alli g'nenn', sagt' er, wen du siehst,
sagt' er, grüß' mir bald, sagt' er, Jeder nimmt sich's, sagt'
er, dem's g'fallt.

Merke auf, sagt' er, daß d'Herrn, sagt' er, dich nicht fopp'n, sagt' er, sie thun's gern, sagt' er, du bist halt, sagt' er, noch an Schuß, sagt' er, und a Bußerl, sagt' er, heißt dort Kuß.

Gar zu leicht, sagt' er, wenn man küßt, sagt' er, kommt man dort, sagt' er, zu 'nem Zwist, sagt' er, denn sie plauschen, sagt' er, wunderschön, sagt' er, du wirst's halt, sagt' er, nit verstehn.

Wann i wüßt', sagt' ich, daß i müßt', sagt' ich, wann i küßt', sagt' ich, zu 'nem Zwist, sagt' ich, lieber küßt' ich, sagt' ich, nimmer mehr, sagt' ich, fiel' mir's wirklich, sagt' ich, noch so schwer.

Nun so reis', sagt' er, b'hüt' di Gott, sagt' er, komm nit ham, sagt' er, eppa todt, sagt' er, denn Berlin, sagt' er, ist nit nah'! sagt' er, b'hüt di Gott, sagt' er — nun bin i da.

"Wiener in Berlin."

1159.
Seume.

In dem alten Lande Böhmen, wo die frischen Quellen strömen, wo die Eiche grünend steht, zwischen Bergen, tief im Thale, ist bei manchem Todesmahle auch ein grauer Stein erhöht.

Sprich, o Stein, wer ruht da unten, wer hat hier das Ziel gefunden, von der Erde Lust und Weh'n? "Freund, ein Mann ist's, der hieß Seume, weil er nur die Morgensäume deutscher Freiheit sollte sehn."

"Wie die Ströme vorwärts ziehen, und die Wellen sanft erglühen in des Nordsterns heiterm Schein: war schon frühe sein Bestreben, sich der Freiheit hinzugeben, sich dem heil'gen Stern zu weihn."

"Manches Land hat er durchzogen, Sturmgebraus und Meereswogen, aber ach, er fand ihn nicht. Endlich kehrt' er still zurücke, mit des Zweifels trübem Blicke, düstern Unmuth im Gesicht."

"Nichts mehr hab' ich zu verkünden; Freiheit konnt' er hier nicht finden, darum schritt er himmelan. Wie er litt, wie er gerungen, Schwert und Leier kühn geschwungen, sagt sein reines Leben an."

Mann des Volkes, biedrer Seume! deutscher Freiheit Eichenkeime steigen jetzt aus deinem Grab'. Bald entfliehn die ernsten Falten, und im frohen, freien Walten schauest du auf uns herab!

1160.
Des Vogels Freude.

In dem goldnen Strahl über Berg und Thal läßt du lustig dein Lied erklingen, schwebest hin und her in dem blauen Meer, dir zu kühlen die luftigen Schwingen.

Wo die Wolke saust, wo der Waldstrom braust, kannst du auf, kannst du nieder schweben, so mit einem Mal aus der Luft in's Thal, ach, was führst du ein herrliches Leben!

Liebes Vögelein, wär' dein Himmel mein und die himmlischen Wiesen und Auen, flög' ich auch, wie du, nach der Sonne zu, ihre goldenen Gärten zu schauen. *Deinhardstein.*

1161.
Der alte Walzer.

In dem Kerker Lavalette's, wo hinab kein Lichtstrahl fiel, tönte oft in stillen Stunden wunderbar ein Flötenspiel.

War's doch Ney, der Fürst der Moskwa, dort im oberen Gemach, der gefangen, ruhig=heiter, so mit seiner Flöte sprach.

Und ein alter, alter Walzer aus dem grünen Deutschland her, herzgewinnend, herzbezwingend, diesen liebt' er gar zu sehr.

Und er spielt' ihn immer wieder, wenn er dort am Fenster saß, bis auch Lavalette nicht wieder dieses holde Stück vergaß.

Stunden rannen, Tage gingen, immer zu gewohnter Zeit tönt der Walzer, wird durch diesen Lavalette's Herz erfreut.

War in seiner dunklen Zelle dieser liebe Freundesgruß in den einsamreichen Stunden ja der einzige Genuß.

Aber horch! welch seltsam Schweigen, welche Stille, dumpf und schwer; ist die Stunde doch gekommen, und der Walzer tönt nicht mehr.

Und es klirrt die Kerkerpforte, und der Wärter tritt herein, und es fragt der Freund erbleichend: Was muß mit dem Marschall sein?

„Marschall Ney wird nicht mehr spielen mit der Flöte in der Hand; von sechs Kugeln wohl getroffen, stürzt' er heute in den Sand."

Da bricht dem getreuen Freunde schmerzlich das getreue Herz, und des Flötenspieles Schweigen mehret nur den tiefen Schmerz.

Und er rief nach dumpfem Schmerze. So verblieb mir nichts von dir als der alte deutsche Walzer, o, er sei geheiligt mir.

Aber seltsam, ob er sinnet, ob er sinnt mit vieler Müh' — ausgelöschet bleibt für immer ihm die Walzermelodie.

* * *

Jahre sind dahin gegangen, lang' schon weilt im freien Land, in Amerika's Gefilden, Lavalette, geehrt, bekannt.

Und er kommt zu deutschen Leuten, eine Kirchweih' feiern sie — horch! zum Tanze um die Linde tönt 'ne Walzermelodie.

Und er bleibt betroffen stehen, lauscht und lauschet, sinnt und sinnt; und es wird ihm seltsam helle, Zeit und Gegenwart verrinnt.

Und die hellen Thränen perlen, 's wird ihm, wie er nie gefühlt — ja, es ist der alte Walzer, den im Kerker Ney gespielt.

Und die ersten Thränen weint er in dem fernen freien Land, wo er seines Freundes Stimme, seinen Walzer wieder fand.
Stolle.

1162.

Melodie: Prinz Eugen.

In dem wilden Kriegestanze brach die schönste Heldenlanze, Preußen, euer General. Lustig auf dem Feld bei Lützen, sah' er Freiheitswaffen blitzen; doch ihn traf des Todes Strahl.

„Kugel, rafft mich doch nicht nieder! Dien' euch blutend, werthe Brüder, bringt in Eile mich nach Prag! Will mit Blut um Oestreich werben, ist's beschlossen, will ich sterben, wo Schwerin im Blute lag."

Arge Stadt! wo Helden kranken, Heil'ge von den Brücken sanken, reißest alle Blüthen ab! nennen dich mit leisen Schauern, heil'ge Stadt, zu deinen Mauern zieht uns manches theure Grab.

Aus dem irdischen Getümmel haben Engel in den Himmel seine Seele sanft geführt, zu dem alten deutschen Rathe, den, in ritterlichem Staate, ewig Kaiser Karl regiert.

„Grüß' euch Gott! ihr theuern Helden, kann euch frohe Zeitung melden: unser Volk ist aufgewacht! Deutschland hat sein Recht gefunden; schaut, ich trage Sühnungswunden aus der heil'gen Opferschlacht."

Solches hat er dort verkündet, und wir alle stehn verbündet, daß dies Wort nicht Lüge sei. Heer aus seinem Geist geboren, Kämpfer, die sein Muth erkoren, wählet ihn zum Feldgeschrei!

Zu den höchsten Bergesforsten, wo die freien Adler horsten, hat sich früh sein Blick gewandt; nur dem Höchsten galt sein Streben, nur in Freiheit wollt' er leben: Scharnhorst ist er drum genannt.

Keiner war wohl treuer, reiner, näher stand dem König keiner, doch dem Volke schlug sein Herz. Ewig auf den Lippen schweben wird er, wird im Volke leben, besser als in Stein und Erz.   Max v. Schenkendorf. 1813.

1163.
Der Ueberläufer.

In den Garten wollen wir gehen, wo die schönen Rosen stehen, da stehen der Rosen gar zu viel, brech' ich mir eine, wo ich will.

Wir haben gar öfters beisammen gesessen, wie ist mir mein Schatz so treu gewesen! das hatt' ich mir nicht gebildet ein, daß mein Schatz so falsch könnt' sein.

Hört ihr nicht den Jäger blasen in dem Wald auf grünem Rasen? den Jäger mit dem grünen Hut, der meinen Schatz verführen thut.

Hört ihr nicht den Trompeter blasen in der Stadt auf der Parade? den Trompeter mit dem Federbusch, der mir meinen Schatz verrathen thut?

    Des Knaben Wunderhorn.

1164.
Rheinwein-Lied.

In des Abends goldnem Strahl schwebt die Freundschaft nieder, setzt sich mit zu unserm Mahl, fordert von uns Lieder :,: Evan kömmt an ihrer Hand, Brüder, singt dies schöne Band! :,:

Nieder trinkt die Politik und die Zeitungsleser, lieblicher tönt die Musik angestoßner Gläser; von der Tafelrunde sei weggebannt die Plauderei!

Weggebannt gelehrter Streit! werden wir drum besser? Laßt Geschäft' und Bücher heut', und studirt die Fässer! Freunde, stimmt in's Sprichwort ein: Wahrheit, Wahrheit liegt im Wein!

Laßt den Großen ihren Glanz und der Schüsseln Menge; reicht die Freud' nur ihren Kranz, lehrt sie uns Gesänge, o, dann wird im kleinen Saal unser Tisch zum Göttermahl!

Füllt das Glas und stoßet an, und singt aus einem Munde: Heil sei jedem Biedermann an der Tafelrunde! Ihm, der weise scherzt und lacht, sei dies volle Glas gebracht!

Schenkt die Gläser voller ein, singt auf's Wohl der Schö=
nen, sie, die gern mit uns sich freun, singt in süßern Tönen:
alle Schönen leben hoch, unsre Schönen höher noch!

Freunde, laßt der Freundschaft Band hier uns fester knü=
pfen, unter Liedern Hand in Hand leicht durch's Leben schlüpfen!
Ihr und weiser Fröhlichkeit sei dies Leben ganz geweiht!

F. v. Köpken.

1165.

Bekannte Melodie.

In des Waldes finstern Gründen, :,: in der Höhlen tief
versteckt, :,: schlief der allerkühnste Räuber, :,: bis ihn seine
Rosa weckt. :,:

„Rinaldini!" ruft sie schmeichelnd, „Rinaldini, wache auf!
deine Leute sind schon munter, längst schon ging die Sonne auf."

Und er öffnet seine Augen, lächelt ihr den Morgengruß.
Sie sinkt sanft in seine Arme und erwiedert seinen Kuß.

Draußen bellen laut die Hunde, alles strömet hin und
her, jeder rüstet sich zum Streite, ladet doppelt sein Gewehr.

Und der Hauptmann, schön gerüstet, tritt nun mitten unter
sie. „Guten Morgen, Kameraden! sagt, was giebt's denn
schon so früh?"

„„Unsre Feinde sind gerüstet, ziehen gegen uns heran.""
„Nun wohlan! sie sollen sehen, ob der Waldsohn fechten kann."

„Laßt uns fallen oder siegen!" Alle rufen: „„Wohl es
sei!"" Und es tönen Berg' und Wälder rundherum vom
Feldgeschrei.

Seht sie fechten, seht sie streiten! jetzt verdoppelt sich ihr
Muth; aber, ach! sie müssen weichen, nur vergebens strömt
ihr Blut.

Rinaldini, eingeschlossen, haut sich, muthig kämpfend,
durch, und erreicht im finstern Walde eine alte Felsenburg.

Zwischen hohen, düstern Mauern lächelt ihm der Liebe
Glück, es erheitert seine Seele Dianorens Zauberblick.

„Rinaldini! Lieber Räuber! raubst den Weibern Herz
und Ruh'. Ach! wie schrecklich in dem Kampfe, wie verliebt
im Schloß bist du!"

Vulpius.

1166.

Eigne Melodie.

In diesen heil'gen Hallen kennt man die Rache nicht,
und ist ein Mensch gefallen, führt Liebe ihn zur Pflicht;
dann wandelt er an Freundes Hand vergnügt und froh in's
beßre Land.

In diesen heil'gen Mauern, wo Mensch den Menschen liebt, kann kein Verräther lauern, weil man dem Feind vergiebt; wen solche Lehren nicht erfreun, verdienet nicht ein Mensch zu sein.

In diesem heil'gen Kreise, wo man nach Wahrheit ringt, und nach der Väter Weise das Band der Eintracht schlingt, da reifet unter Gottes Blick die Wahrheit und der Menschen Glück.   Schikaneder. „Zauberflöte" von Mozart.

1167.

Melodie: In diesen heil'gen Hallen.

In dieses Kellers Hallen weiß man vom Durste nicht, ein frohes Lied zu lallen, ist jedes Zechers Pflicht; hier leert er manchen Schoppen aus, und wanket dann berauscht nach Haus.

In diesen kühlen Mauern kauft jeder Wein für Geld: bald süßen und bald sauern, wie jedem es gefällt; und trinkt er nicht vom besten Wein, verdient er nicht hier Gast zu sein.

1168.

In die weite Welt zieh' ich hinaus, was soll mir das theure Vaterhaus? Ohne mich wohnt Niemand drin, alle meine Freud' ist hin.

Ach, was war's für eine goldne Zeit, als ich um mein liebes Weib gefreit! Mutter sprach mit sanftem Ton: Nimm zum Weib das Mägdlein, Sohn.

Und ich sprach mit frohem Muth: Mägdlein hold, bist du mir gut? Und sie sprach: So soll es sein, ich will dich, mein Büblein, frein.

Und ich bracht' ihr manchen Blumenstrauß, doch sie war die schönste Blum' im Haus, lilienweiß und rosenschön, hatt' noch nie so 'n Weib gesehn.

Und wir lebten in dem Hüttelein selig, wie des Herrn Engelein, daß ich sprach: Hab' Dank, Herr Gott! — Morgens war mein Weiblein todt.

Bald ging Mutter auch zur ew'gen Ruh', ich schloß ihr die müden Augen zu. Und nun will ich meine Heimath fliehn, in die weite weite Welt hinziehn.   Weidner.

1169.

In dulci jubilo, nun singet und seid froh, unsers Herzens Wonne laset in poculo, gezapfet aus der Tonne pro hoc convivio, nunc, nunc bibito!

O crater parvule! nach bir thut mir so weh, erfreue mein Gemüthe, o potus optime, durch deines Weines Güte, et vos concinite, vivant socii!

O vini caritas! o Bacchi lenitas! wir haben's Geld vertrunken per multa pocula, doch haben wir zu hoffen nummorum gaudia; eia, wären sie da!

Ubi sunt gaudia? nirgends mehr denn da, wo die Burschen singen selecta cantica, und die Gläser klingen in villae curia; ei, wären wir da!

1170.

In einem kühlen Grunde, da geht ein Mühlenrad, mein Liebste ist verschwunden, die dort gewohnet hat.

Sie hat mir Treu' versprochen, gab mir ein'n Ring dabei; sie hat die Treu' gebrochen, das Ringlein sprang entzwei.

Ich möcht' als Spielmann reisen weit in die Welt hinaus, und singen meine Weisen, und gehn von Haus zu Haus.

Ich möcht' als Reiter fliegen wohl in die blut'ge Schlacht, um stille Feuer liegen im Feld bei dunkler Nacht.

Hör' ich das Mühlrad gehen: ich weiß nicht, was ich will, — ich möcht' am liebsten sterben, da wär's auf einmal still!

Joseph Freiherr v. Eichendorff. 1826.

1171.
Das Mädchen aus der Fremde.

In einem Thal bei armen Hirten erschien mit jedem jungen Jahr, sobald die ersten Lerchen schwirrten, ein Mädchen schön und wunderbar.

Sie war nicht in dem Thal geboren, man wußte nicht, woher sie kam; doch schnell war ihre Spur verloren, sobald das Mädchen Abschied nahm.

Beseligend war ihre Nähe, und alle Herzen wurden weit; doch eine Würde, eine Höhe entfernte die Vertraulichkeit.

Sie brachte Blumen mit und Früchte, gereift auf einer andern Flur, in einem andern Sonnenlichte, in einer glücklichern Natur.

Und theilte Jedem eine Gabe, dem Früchte, jenem Blumen aus; der Jüngling und der Greis am Stabe, ein jeder ging beschenkt nach Haus.

Willkommen waren alle Gäste, doch nahte sich ein liebend Paar, dem reichte sie der Gaben beste, der Blumen allerschönste dar. *Schiller.*

1172.

In einem Thale, friedlich stille, sah eine Rose jüngst ich stehn, begabt mit hoher Anmuth Fülle, wie ich noch keine je gesehn. In duftig angeschwelltem Moose erschien der Knospe volle Pracht, und schöner, wie in dieser Rose, hat nie der Tugend Bild gelacht.

Und mich ergriff's mit süßem Beben, bezaubert stand ich vor ihr da, es floß in meine Brust ein Leben, wie nie auf Erden mir geschah. Das Wonnebild der Rose weilet in meiner treuen warmen Brust, und in der fernsten Zeit enteilet mir nie des Bildes ew'ge Lust.

In trüb' umwölkten Trauerstunden da zeigt sich mir der Rose Bild, und schnell ist Leid und Gram verschwunden und jede Zähre ist gestillt. Was durch verborgner Mächte Walten auf dunklen Pfaden leicht erschien, soll Liebe treu im Busen halten, soll stets mit mir durch's Leben ziehn!

1173.

In einsamen Stunden drängt Wehmuth sich auf, da brechen die Wunden, die alten, mir auf.

O laß sie nur bluten, sie schmerzen nicht sehr; als du sie geschlagen, da schmerzten sie mehr!

Ob du es bereuest, was du mir gethan, mit Andern dich freuest, was geht es mich an!

Was auch du beginnest, vorbei ist die Pein, ich kann dir nicht zürnen, kann dir nur verzeihn.

Volkslied nach der Weise eines Walzers.

1174.
Kinderlied.

In finstrer Kammer um Mitternacht das arme kranke Kind noch wacht, es hört die Glocken zur Christmett läuten, die fröhlichen Nachbarn zur Kirche schreiten, und klagt im Stillen seinen Harm: „Ach wär' die Mutter nicht so arm! möcht' auch das Christfest mit begehn, die finstre Kammer erleuchtet sehn!

Die Nachbarskinder gesund und frisch erfreuen sich all' an dem bunten Tisch! Ach, wenn ich doch an meinem Bette ein Lichtlein nur, einen Apfel hätte! da wollt' ich mich auch wie sie erfreun im kleinen ruhigen Kämmerlein; vergäße mein Leid und allen Harm, doch gute Mutter ist gar so arm!"

Und als es tiefer sein Leid empfand, da sieht es Wunder in seiner Hand: aus der Rechten gülden den Apfel blinken, ein brennend Kerzlein in der Linken! Und wie es hold in den Apfel blickt, das Flämmchen den freudigen Blick verklärt: da ward es leise der Erd' entrückt, ihm hatten die Engel im Himmel beschert.
G. Schöne.

1175.

Das Lied.

In Gram durchschiffet leise der Schwan die blaue Fluth, still eines Liedes Weise in seinem Busen ruht.

Er singt's nicht in den Tagen des Leids, noch so beraubt; wenn beßre Stern' ihm tagen, singt er's und neigt das Haupt.

Der Sänger, der mit Schmerzen erstorben sieht sein Glück, dem bleibt das Lied im Herzen, die Thrän' im Aug' zurück.

Doch wird der Gram zum Sehnen, das süß die Brust durchglüht, entquell'n dem Auge Thränen, springt aus der Brust das Lied.

So ist auch mir entsprungen dies Lied bei mild'rem Schmerz; doch kaum ist es verklungen, kehrt starrer Gram in's Herz.

Im Busen steigt es nieder, die Thräne stockt im Blick; ihr, Freunde, singet Lieder, mir hält's der Gram zurück.
J. Kerner.

1176.

Bekannte Melodie.

In Geselligkeit und Freude flieht das Leben froh dahin; unsern Zirkel nur begleite muntre Laune, froher Sinn. Was geht uns der Weltlauf an? Froh gelebt, ist froh gethan!

Wohlgethan und froh gelebet, dies sei unser Symbolum! Freundschaft, Lieb' und Wein erhebet uns bis in's Elysium. Was geht uns der Weltlauf an? Froh gelebt, ist froh gethan!

Hier bei reinem Wein und Liebe, wer denkt da an Ungemach? Unsre Gläser sind nicht trübe, hallen laut und klingen nach. Wein und Liebe ziehn uns an? Froh gelebt ist froh gethan!

Hier in diesem frohen Kreise sei ein Jeder wohlgemuth, von dem Jüngling bis zum Greise, Alle meinen's redlich, gut. Alle stimmen froh mit an: froh gelebt, ist wohlgethan!

1177.
Rheinlied und Rheinleid.

Russ. Volksmelodie: Seht ihr drei Rosse vor dem Wagen.

In jedem Haus' ein Klimperkasten, in jedem Hause Stimm' und Hand, in jedem Haus' Enthusiasten für's liebe deutsche Vaterland.

Und die Begeist'rung nimmt kein Ende, sie macht sich Platz bei Tag und Nacht, sie bringt durch Thüren, Schränk' und Wände, daß man noch aus dem Schlaf erwacht.

Du stehest auf, du legst dich nieder, du hörst vom freien, deutschen Rhein, du wachest auf und hörest wieder vom freien, deutschen Rheine schrein.

Du magst nun ruhen, gehen, traben, du hörst in tausend Melodien: "Sie sollen, sollen ihn nicht haben!" von Tilsit bis nach Wesel schrein.

Ganz Deutschland singt — und unterdessen, der liebe freie, deutsche Rhein! da schmeißen uns die blinden Hessen ihm Quaderstein' in's Bett' hinein.

Hoffmann v. F.

1178.
Eigne Melodie.

In jener Mühle, wie bekannt, da hauste Kilian, der Teufelsmüller einst genannt, er war ein böser Mann.

Es sind jetzt bald die dreißig Jahr', verschrieb er sich dem Satan gar, und mordete zum Zeitvertreib zuletzt sogar sein eignes Weib.

Das Weib war fromm, so wie es heißt, das Leben war ihr schwer; nun wandert sie umher als Geist, und neckt den Wandrer sehr.

Bald foppt der Geist manch armen Tropf, setzt Eselsohren ihm am Kopf — spukt Tag und Nacht, spukt weit und breit, doch thut er Niemand was zu Leid."

In jener Mühle ist verwahrt ein wundergroßer Schatz, und vieles Geld ist eingescharrt an jenem Teufelsplatz.

Und wer den Geist erlösen kann, der wird ein reicher, reicher Mann, er trägt — bewahr' uns Gott — zum Lohn das Geld und auch den Schatz davon.

Aus der "Teufelsmühle am Wienerberg."

1179.

In jedes Haus, wo Liebe wohnt, da scheint hinein auch Sonn' und Mond, und ist es noch so ärmlich klein, so kommt der Frühling doch hinein.

Der Frühling schmückt das kleinste Haus mit frischem Grün und Blumen aus, legt Freud' in Schüssel, Schrank und Schrein, gießt Freud' in unsre Gläser ein.

Und wenn im letzten Abendroth an unser Häuschen klopft der Tod, so reichen wir ihm gern die Hand, er führt uns in ein beßres Land.

Hoffmann v. F.

1180.

Elfer.

In liebender Umarmung brannten die Sonne und der Erdenkreis, :/: und Kinder ohne Zahl entstanden, hellprangend zu der Aeltern Preis. :/:

Ein Zeuge der Vermählungswonne erglänzt ein Stern in stiller Nacht, und Strahlen sendend, gleich der Sonne, ist er ein Herold ihrer Macht.

Doch einen lieben Sohn vor allen erzeugt der Mutter reicher Schooß, und zu der Aeltern Wohlgefallen blüht er ein Jüngling stark und groß.

Des Vaters und der Mutter Züge trägt er im Sinn und Angesicht; der Sonne Sohn kennt keine Lüge, der Erde Kind strebt nach dem Licht.

Und alle Elemente bringen dem Liebling ihre Gaben dar, so Gluth als Wasserklarheit dringen aus seinem Wesen wunderbar.

Die köstlichste der Gaben sendet ihm die beweglich treue Luft, die Balsamhauch der Blüthen spendet und aller Blumen süßen Duft.

So steht er, himmlisch ausgestattet, im Jünglingsalter schon ein Mann, der gern sich allen Freuden gattet, mit Kraft und Milde angethan.

Sein Wohnsitz ist am deutschen Rheine, doch läßt er gern bei uns sich sehn, wenn wir in traulichem Vereine das hohe Götterkind verstehn.

E. Conradi.

1181.

Eigne Melodie.

In meinem Schlößchen ist's gar fein, komm, Ritter, kehre bei mir ein! mein Schlößchen ist gar schön gebaut, du findest eine reiche Braut.

Du weißt es nicht, wie gut ich bin, mein Herz hegt sanften Liebessinn. Viel Freier buhlen nah' und fern und wünschen mich zum Weibchen gern.

Was helfen alle Freier mir? mein Liebessinn steht nur nach dir. Nur deine Braut wünscht' ich zu sein, komm, lieber Ritter, komm herein!

Hensler. „Donauweibchen" von Kauer.

1182.
Weihnachtslied.

In Mitten der Nacht die Hirten erwacht in Lüften hör'n klingen, das Gloria singen die englische Schar, Schar: daß Gott geboren, ist wahr!

Die Hirten im Feld' verließen ihr Zelt, sie konnten kaum schnaufen vor Rennen, es laufen der Hirt und der Bub', der Bub' dem Krippelein zu.

Ach Vater, schau'! schau'! Was finden wir da! Ein herziges Kindlein auf schneeweißen Windlein; dabei sind zwei Thier', zwei Thier', Ochs, Esel allhier.

Dabei zeigt sich auch eine schöne Jungfraun, sie thät sich bemühen bei'm Kindlein zu knieen und betet es an, an; ei Brüderl, schau's an!

Ach, daß Gott walt', wie ist es so kalt! Möcht' einer erfrieren, das Leben verlieren, wie dauert mich das Kind, das Kind! Wie scharf geht der Wind!

Ach, daß Gott erbarm', wie ist die Mutter so arm, sie hat ja kein Pfännlein, zu kochen dem Kindlein; kein Mehl und kein Schmalz, Schmalz, kein' Milch und kein' Salz.

Ihr Brüder, kommt h'raus, wir wollen nach Haus, kommt alle, wir wollen dem Kindlein was holen. Kommt einer hierher, hierher, so komm' er nicht leer.

Volkslied aus Franken.

1183.
Die aufgehende Sonne.

In Morgenroth gekleidet beginnt sie ihren Lauf, die schöne große Sonne, wie herrlich geht sie auf!

Willkommen uns, willkommen, des guten Gottes Bild! so groß und so erhaben, und doch so sanft und mild!

Wie frisch hervor in's Leben sich alles ringt und drängt! wie schön an jedem Gräschen des Thaues Perle hängt!

Der dich erschuf, o Sonne, wie freundlich muß er sein! O laßt uns ihm, ihr Brüder, ein reines Leben weihn!

H. C. G. Demme.

1184.
Nächtliche Fahrt.

In Purpur pranget der Abend, der Landwind hebet schon an; zur Lustfahrt ladet der Fischer dich, Mädchen, in seinen Kahn. —

Noch heißer begehr' ich selbander mit dir zu fahren, als du. Gieb voll das Segel dem Winde, es kommt zu steuern mir zu. —

Du steuerst zu kühn, o Mädchen, hinaus in das offene Meer, du trauest dem leichten Fahrzeug bei hohen Wellen zu sehr. —

Mißtrauen sollt' ich dem Fahrzeug? Ich habe dazu nicht Grund, die einst ich deiner Treue getrauet in böser Stund'! —

Unsinnige, wende das Ruder! du bringest uns Beide in Noth; schon treiben der Wind und die Wellen ihr Spiel mit dem schwachen Boot.

Laß treiben den Wind und die Wellen mit diesen Brettern ihr Spiel; hinweg mit Rudern und Segel, hinweg! ich bin am Ziel.

Wie du mich einst, so hab' ich dich heut' zu verderben berückt; mach' Frieden mit dem Himmel, denn siehe, der Dolch ist gezückt.

Du zitterst, verworfner Betrüger, vor dieses Messers Schein? Verrathene Treue schneidet noch schärfer in's Herz hinein.

Und manche betrogene Buhle härmt stille zu Tode sich: ich weiß nur, mich rächend, zu sterben, weh über dich und mich! —

Der Jüngling rang die Hände, der eigenen Schuld bewußt; sie stieß den Dolch in das Herz ihm, und dann in die eigene Brust.

Es trieb ein Wrack an das Ufer bei wiederkehrender Fluth, es lagen darauf zwei Leichen, gebadet in ihrem Blut.
A. v. Chamisso.

1185.
Reiterlied.

In ritterlichen Kriegeszügen mein Herz im Leib' mir lacht; ha! wenn die Fahnen im Feld' herfliegen und manch' Karthaune kracht: dann streit' ich stark mit meinem Gott für mein lieb' Vaterland, der mich verläßt in keiner Noth, frisch brauch' ich meine Hand.

Dann schließ' ich meinen Helmen zu, leg' ein den scharfen Speer, mein'n Gegenpart erwarten thu', wenn er rennt auf mich her. Mein Schwert ist blank, die Büchs' gelöst, das Roß steigt frisch hinan, mein Schwert den Feind zur Erde stößt; gut' Sache stärkt den Mann.

Herr Christ, stärk' alle Rittersleut', die mit Gewissen gut dein Wort zu ehren sind bereit, zu sterben aus freiem Muth! Unrechten Krieg gewaltig wehr', der eigen Nutz und Macht mehr sucht, als deines Namens Ehr': drauf sei es frisch gewagt!

Philander v. Sittewald (Moscherosch), † 1669.

1186.

In sanitatem omnium! ça ça :,: In sanitatem virginum! ça ça :,: Absentium, praesentium, strictissime bibentium! ça ça! ça ça! ça ça! (Chor:) Absentium etc.

Es leben alle Burschen hoch! ça ça! :,: Es lebe auch mein Mädchen hoch! ça ça! :,: Es lebe, wer flott commersirt, wenn's sein muß, auch den Schläger führt! ça ça! ça ça! ça ça! (Chor:) Es lebe, wer ꝛc.

1187.
Lied der schwarzen Jäger.
Melodie: Bekränzt mit Laub.

In's Feld! in's Feld! Die Rachegeister mahnen, :,: auf, deutsches Volk, zum Krieg! :,: In's Feld, in's Feld! hoch flattern unsre Fahnen, :,: sie führen uns zum Sieg. :,:

Klein ist die Schar: doch groß ist das Vertrauen auf den gerechten Gott; wo seine Engel ihre Festen bauen, sind Höllenkünste Spott.

Gebt kein Pardon! Könnt ihr das Schwert nicht heben: so würgt sie ohne Scheu; und hoch verkauft den letzten Tropfen Leben! der Tod macht alle frei.

Noch trauern wir im schwarzen Rächerkleide um den gestorbnen Muth; doch fragt man euch, was dieses Roth bedeute: das deutet Frankenblut.

Mit Gott! — Einst geht, hoch über Feindes Leichen, der Stern des Friedens auf; dann pflanzen wir ein weißes Siegeszeichen am freien Rheinstrom auf.

Theodor Körner. 1813.

1188.
Straßburger Münster.
Melodie: Es ist nichts Lust'gers auf der Welt.

In Straßburg steht ein hoher Thurm, der steht vielhundert Jahr'; es weht um ihn so mancher Sturm: er bleibet fest und klar; so war auch wohl die fromme Welt, die solches Werk gedacht, zu dem sie von dem Sternenzelt den Abriß hergebracht.

Wie sich, ein ewig Heldenmal, das Gotteshaus erhebt, aus dem ein heller schlanker Strahl, der Thurm, gen Himmel strebt: so war auch einst das deutsche Reich, so war der deutsche Mann, auf starkem Grund, im Herzen reich, das Haupt zu Gott hinan.

Und wie den festen Bau umgiebt die schöne Heil'genwelt: so hatte jeder, was er liebt, in ihren Schutz gestellt. — Wir wollen vor dem Altar noch ein fromm Gelübde thun, dem Erwin's Sohn das fremde Joch dereinst noch abzuthun.

Wir sprechen dort ein hohes Wort, ein brünstiges Gebet, daß Gott der Deutschen starker Hort verbleibe stet und stet! Und ob wir wieder heimwärts gehn, wir wenden unsern Blick und schauen nach des Wasgau's Höh'n und nach dem Thurm zurück.

Die Bundesfahn' in Feindes Hand? Der Thurm in fremder Macht? Ha, nein! — sie sind vorausgesandt als kühne Vorderwacht. Wir retten euch, wir haben's Eil', vergaß euch doch kein Herz! O Hermannssäul', o Himmelssäul'! blickt immer heimathwärts.
Max v. Schenkendorf.

1189.
Der Zeitgeist.

In unserm heut'gen Geist der Zeiten will jeder Stümper Künstler sein; den Hang, aus seiner Sphär' zu gleiten, saugt Jeder mit der Milch schon ein.

Chirurgus nennt sich mancher Bader, der täglich Bärte nur rasirt, und läßt sich wer bei ihm zur Ader, spricht er: den hab' ich operirt!

Tonkünstler nennt mit frecher Stirne sich jeder Fiedler und Schnurant; dem Schuster rappelt's im Gehirne, er nennt sich Stiefelfabrikant.

Ein Männchen, das nach der Patrone die Zimmerwände nur bestreicht, spricht prahlend jetzt aus einem Tone, als hätt er den Van Dyk erreicht.

Als Kostumier erscheint der Schneider, die Werkstatt heißt Manufaktur, Producte nennt er seine Kleider, die Röcke Draperien nur.

Kurz, wenn die Welt in unsern Tagen den Geist der Künste so verhunzt, so wird das Holz- und Wassertragen zuletzt noch eine freie Kunst.

1190.

In Warschau schwuren Tausend auf den Knieen: kein Schuß im heil'gen Kampfe sei gethan! Tambour, schlag' an! Zum Blachfeld laßt uns ziehen, wir greifen nur mit Bajonetten an! Und ewig kennt das Vaterland und nennt mit stillem Schmerz sein viertes Regiment.

Und als wir dort bei Praga blutig rangen, hat doch kein Kam'rad einen Schuß gethan; und als wir dort den Blutfeind kühn bezwangen, mit Bajonetten ging es drauf und dran; fragt Praga, das die treuen Polen kennt: wir waren dort das vierte Regiment.

Drang auch der Feind mit tausend Feuerschlünden bei Ostrolenka grimmig auf uns an; doch wußten wir sein tükkisch Herz zu finden, mit Bajonetten brachen wir uns Bahn; fragt Ostrolenka, das uns blutend nennt: wir waren dort das vierte Regiment!

Und ob viel wackre Männerherzen brachen, doch griffen wir mit Bajonetten an; und ob wir auch dem Schicksal unterlagen, doch hatte keiner einen Schuß gethan. Wo blutigroth zum Meer die Weichsel rennt, dort blutete das vierte Regiment!

O weh, das heil'ge Vaterland verloren! Ach, fraget nicht, wer uns dies Leid gethan? Weh allen, die in Polenland geboren! die Wunden fangen frisch zu bluten an; doch fragt ihr, wo die ärgste Wunde brennt, ach, Polen kennt sein viertes Regiment!

Ade, ihr Brüder, die zu Tod' getroffen an unsrer Seite dort wir stürzen sahn! Wir leben noch, die Wunden stehen offen, und um die Heimath ewig ist's gethan. Herr Gott im Himmel, schenk' ein gnädig End' uns Letzten noch vom vierten Regiment! —

Von Polen her, im Nebelgrauen, rücken zehn Grenadiere in das Preußenland, mit dumpfem Schweigen, gramumwölkten Blicken. Ein Wer da? schallt, sie stehen festgebannt, und einer spricht: „Vom Vaterland getrennt — die letzten Zehn vom vierten Regiment!   Julius Mosen.

1191.

Ist denn Lieben ein Verbrechen? Darf man denn nicht zärtlich sein? nicht von seinem Liebchen sprechen? sich nicht in der Liebe freun? Dann gereut es mich des Lebens, dann beklag' ich die Natur; hab' ich denn ein Herz vergebens, oder blos zum Klagen nur?

O, warum mußt' ich dich sehen? war das Schicksal mir so gram, daß ich dahin mußte gehen, wo dein Blick mir Alles nahm? Ruh' und Frieden sind verloren, sind geopfert, sind dahin; ach, wär' ich doch nie geboren, weil ich so unglücklich bin.

Lange hab' ich meine Klagen stummen Felsen zugebracht; ach! ich darf es dir nicht sagen, was so hart mich leiden macht. Kenntest du die heißen Triebe, die mein Herz dir so verhehlt! Liebe ist es, heiße Liebe, die mich so unendlich quält.

Ewig, ewig muß ich schweigen, schrecklich ist mir diese Pflicht. Ach! ich darf mich dir nicht zeigen, denn das Schicksal will es nicht. Ewig werd' ich mich betrüben, ewig trag' ich meinen Schmerz; doch darf ich dich gleich nicht lieben, so verehrt dich doch mein Herz.

1192.

Melodie von B. E. Philipp.

Ist ein Leben auf der Welt, das vor allen mir gefällt, ist es das Studentenleben, weil's von lauter Lust umgeben. Gaudeamus igitur! hodie non legitur! Lustig ist das Commersiren, Musiciren und Spazieren, lustig ist auch das Studiren. Heute lustig, morgen froh, übermorgen wieder so, immer, immer frisch, frei, froh, juchheißa, heißa, ho, hoho! juchheißa, heißa, ho, hoho! lebt der Bruder, Bruder, lebt der Bruder Studio! (Chor:) Heute lustig, morgen froh, übermorgen wieder so, immer, immer frisch, frei, froh, juchheißa, heißa, ho, hoho! juchheißa, heißa, ho, hoho! lebt der Bruder, Bruder, lebt der Bruder Studio!

Ist ein Leben auf der Welt, das vor allen mir gefällt, ist es das Studentenleben, weil's von lauter Lust umgeben. — Ja der Freude Sonnenschein lassen wir in's Herz hinein. Uns geziemt vor allen Dingen, mit der Jugend leichten Schwingen zwanglos durch die Welt zu springen. — Heute lustig, morgen froh ꝛc. — (Chor:) Heute lustig ꝛc.

Ist ein Leben ꝛc. — Schlagt die Grillen in den Wind! Laßt uns bleiben, was wir sind! Laßt uns nie Philister werden, denn zu Sorgen und Beschwerden sind wir immer reif auf Erden. — (Chor:) Heute lustig ꝛc.

Ist ein Leben ꝛc. — Wenn auch ihr nicht fröhlich seid, laßt uns unsre Fröhlichkeit! Jugend hat auch ihre Rechte, aber Fluch sei dem Geschlechte, das nicht ehrt der Jugend Rechte. — (Chor:) Heute ꝛc.

Ist ein Leben ꝛc. — Gaudeamus igitur! hodie non legitur! Lustig ist das Commersiren, Musiciren und Spazieren, lustig ist auch das Studiren. — Heute lustig ꝛc.

Hoffmann v. F.

1193.

Trinkspruch.

Ist's auch kein Steinwein, wenn's nur kein Weinstein. Ist's auch kein Rheinwein, wenn nur der Wein rein. Ja, wär's vom Main Wein, wollt', wenn der Wein mein, froh ich bei'm Wein sein, und ihm mein Sein weihn!

1194.

I thät so gern heirath'n, sie dürfen mir's glauben, i wär' a schon alt gnu, ja wenn sie's erlauben; drum schaun's mi nur recht an, bin, glaub' i, groß gnu, aber i hab' a Malheur, hörn's, i komm nit dazu!

Mei Nachb'rin, a Wittfrau, ihr Mann war a Schmied, sie hat a schöne Werkstatt, a Haus und Credit: die nehmet mi gleich, sie hat's g'sagt schon oft gnu — aber weil i kein Schmied bin, komm i nit dazu!

A steinreicher Wirth aus der Gegend, den i kenn', der gäb' mir sei Tochter, blutjung und recht schön, das heißt, wenn i Geld hätt' und das nur recht gnu, aber weil i kein Geld hab', komm i nit dazu!

Auf die Art, da ist's halt mit mir üb'rall g'fehlt, drum wend' i mein Augenmerk immer auf's Geld; i will nun recht hausen, dann hab' ich Geld gnu, aber i weiß schon im Voraus — i komm nit dazu!

Es ist recht fatal, wenn ma gern etwas hat, und ma kommt nit dazu, ma wird ganz rabiat! Drum will ich's beschließen, und das mit em Schwur, a Jungg'sell zu bleiben, aber i komm nit dazu!

I hab' mi bei'm Weinglas schon oft drüber tröst', daß mi von meim Schicksal halt gar nichts erlöst; da trink' i halt einen, krieg' gar nimma gnu, und wenn i auch heim will, i komm nit dazu!

Wenn sich nun mein Schicksal nicht bald ändern wird, und wenn sich kein Vorsatz in mir realisirt, dann schieß' i mi todt, sie werd'n sehn, daß ich's thu': aber i weiß schon im Voraus, i komm nit dazu!

1195.

I trink' gern mein Glasel Wein, doch bin i nit gern al=
lein; a Freund muß halt bei mir sein, dann schmeckt mir
ma Glasel Wein! La, la, la, la, la, la, la, la, la, la.

Ja, trinkt auch ma Freund mit Wein, i kann doch nicht
lustig sein, schenkt's Madel ma Wein nit ein, und ruhet nit
am Herzen mein! Lala, u. s. w.

Hab' halt i a Madel sein, schmeckt doch mi ka Glasel Wein,
sing' i kane Liedelein, und stimmt ni ma Freund mit ein.
Lala, u. s. w.

Ja, trink' i halt so ma Wein, dann träum' i mi, Fürst
zu sein; und küßt mi ma Schatzelein, ja dann ist der Him=
mel mein! Lala, u. s. w.

1196.

Melodie: Gaudeamus igitur.

Juble! Deutschlands junge Brut, laß die Freude tosen!
Sieh' die ruhmbedeckten Franzen, wie sie nach dem Rheine tan=
zen, ohne Waff' und Hosen.

Sagt, wo sind, die vormals sich große Namen gaben?
Geh in's Pyrenäenland, an des Dniepers blut'gen Strand,
dort sind sie begraben!

Gott beschützt, wie lang' er weilt, die gerechte Sache;
endlich trifft des Frevels Lohn selbst Tyrannen auf dem Thron,
furchtbar ist die Rache.

Blühe auf, Germania! Oesterreich soll leben! Blühe auf,
Ruthenia! blühe auf, Borussia! Sachsen auch soll leben!

Wer, wie Löwen, ohne Recht herrschen will, soll sterben!
Wer die Freiheit will erdrücken, wer die Völker will berücken,
stürze in's Verderben!

Unser Leben währet kurz, bald ist's hingeschwunden; uner=
bittlich kommt der Tod, raubt uns durch sein Machtgebot,
Keinem mag er stunden.

Drum so laßt als Helden uns tapfer kämpfend sterben!
Wer für's Vaterland im Streit freudig sich dem Tode weiht,
muß den Himmel erben.

1197.

Eigne Melodie.

Jubelklang, Jubelklang ertöne laut. und hell! Froher
Sang, froher Sang soll Lieb' und Muth erheben! Seht
hoch die Fahnen dort schweben der tapfern Schar von Avenel! (Georg:) Was ist das für Gesang? (Einer:) Der Ge=

sang ist's der Tapfern vom Heldenstamm Avenel. (Georg:) Ach, wiederholt, ich bitte drum, wiederholt, ich bitte drum, wiederholt doch den Gesang! (Chor:) Jubelklang ꝛc. Laut tön' das Siegeslied, ja laut und hell! (Georg:) Haltet ein, so wird's sein, das Ende fällt mir ein: La, la, la, lalera, lala ꝛc. „Die weiße Dame."

1198.

Juchhei, Blümelein! dufte und blühe! stecke alle Blätt= chen aus, wachse bis zum Himmel 'naus. Juchhei! heididei! Blümelein, und blühe!

Juchhei, Lüftelein! hauche und wehe! Hell der Himmel über dir, bunt die Erde unter dir. Juchhei! heididei! Lüftlein, und wehe!

Juchhei, Bächlein klein! rausche und brause! brause hin durch Berg' und Thal, grüß' die Freunde allzumal. Juchhei! heididei! Bächlein, und brause!

Juchhei, Vögelein! klinge und singe! Blüthenhain und Sonnenschein, Frühling tanzt den bunten Reih'n. Juchhei! heididei! Vöglein, und singe!

Juchhei, Menschenherz! klinge und springe! Wolltest du das letzte sein, da sich alle Wesen freun? Juchhei! heididei! klinge und springe!

Juchhei, alle Welt! juchhei in Liebe! Liebeslust und Wonne= schall, Erd' und Himmel halten Ball. Juchhei! heididei! Juchhei in Liebe! Arndt.

1199.

Juheisa! fein's Liebchen! Guck' um dich und schau', die Wiesen sind grünend, die Veilchen sind blau, der Pfirschbaum blüht schon, im Feld und im Wald treibt alles, bricht alles heraus mit Gewalt.

Juheisa! fein's Liebchen! Sieh' um dich und horch! wie plätschert's im Bächlein, wie klappert der Storch, wie summen die Mücken, wie trillert die Lerch', es blöken so lustig die Lämmchen im Pferch.

Juheisa! fein's Liebchen! Vom Himmel her schaut die Sonne so freundlich, als wäre sie Braut. Es jauchzet und alles springt singend daher, als ob es der Allerwelt=Hoch= zeittag wär'.

Juheisa! fein's Liebchen! Was sinnst du noch lang'? was machst du uns beiden so lästigen Zwang? Geh mit mir! wir holen den Aufgebotschein! Was zauderst? lieb's Herzel! 's muß doch einmal sein. F. R. Hiemer.

1200.

Jüngling, wenn ich dich von fern erblicke, wird vor Sehnsucht mir das Auge naß; nahst du dich, so hält es mich zurücke wie mit Fesseln, und ich weiß nicht was?

Fern von dir hab' ich dir viel zu klagen, und dir gegenüber sitz' ich stumm, kann dir nicht ein Sterbenswörtchen sagen, stammle nur — und weiß doch nicht warum?

Stundenlang hang ich an deinem Blicke, aber trifft der deinige mich so, o dann fährt der meine schnell zurücke, will sich bergen ach! und weiß nicht wo?

Seh' ich dich mit andern Mädchen spaßen, o dann möcht' ich vor mir selber fliehn; möchte weit, um alles zu verlassen, mich entfernen, und weiß nicht wohin?

Einsam laß' ich, statt mich zu zerstreuen, meinen Thränen ungestörten Lauf, wiege mich in süße Träumereien, freue mich', und weiß doch nicht worauf?

Denke mir das höchste Glück auf Erden, das ein Mädchen sich nur wünschen kann, hoffe, daß sie einmal kommen werden, diese Freuden, und weiß nicht wann?

Denke von zwei gleichgestimmten Seelen mir die schönste, reinste Harmonie; möchte dich vor allen Andern wählen mir zum Gatten — ach! und weiß nicht wie?

Und es läßt bei meinen regen Trieben weder wie, noch wo, noch wann sich sehn; doch erlaubt man mir dereinst zu lieben und zu wählen, o dann weiß ich wen!

1201.

Jüngling, willst du dich verbinden, o, so prüf' zuvor dein Herz; lern' den Werth der Treu' empfinden, Mann zu sein, dies ist kein Scherz. — Holdes Schäkern, süßes Küssen ist noch keine Zärtlichkeit, — der muß mehr, denn Liebe wissen, der sich einer Gattin weiht.

Prüfe deines Mädchens Seele; zeig' dich öfters, wie du bist; fordre nicht, daß sie Pamöle, daß sie eine Göttin ist. Zeig' ihr öfters deine Mängel, forsche sanft die ihr'gen aus; dann seid ihr euch keine Engel, aber Mann und Weib für's Haus.

Endlich, hast du dich verbunden, o mein Freund, so liebe treu, — und bedenk' zu jeder Stunde, was ein Weib für Wonne sei. Liebe sie von ganzem Herzen, daß dein Weib es fühlen kann; zeig' nicht blos durch Kuß und Scherzen, zeig' durch Achtung ihr den Mann.

Weiber lieben ohne Schranken, wenn ein treuer Mann sie schätzt, aber Weiber können wanken, wenn man sie heruntersetzt. Haben Weiber ihre Grillen, Männer, o so gebet nach, lenket weise ihren Willen, denn das beste Weib ist schwach.

1202.

Jüngst saßen wir bei'm Wirth am Tisch, drei Herren oder vier, da tranken und da zahlten frisch gar manche Flasche wir.

Und als die Glocke zehne schlug, der erste sprach zur Stell': „Ihr Herr'n, ihr Herr'n, es ist genug, zu Hause muß ich schnell."

Da lachten wir ihn lustig an, man sieht es nun genau, der Herr im Hauf' ist Unterthan, die Herrin ist die Frau.

Und als die Glocke elfe war, der Zweite sprach: „Trinkt aus! die böse Welt — die Acten gar, ich muß, ich muß nach Haus!"

Da lachten wir, die andern zwei: wie ihn das Feuer brennt! Er bliebe gerne noch dabei, allein — der Präsident!

Und als die Glock' auf zwölfe stund, der Letzte sagte da: „Ich muß in's Bett zu dieser Stund', — verwünschtes Podagra!"

Und wie ich nun alleine war, zog ich den Schluß mir draus: ein Weib, ein Amt und sechzig Jahr, da ist's mit Trinken aus.

v. Mühler.

1203.

Eigne Melodie.

Jüngst sprach mein Herr, der Bader: Frisch, fasse Muth! geh, laß dem Hans zur Ader! und das war gut. Bei Adern wie bei Plunzen, dacht' ich, giebt's Blut, ich ließ ihm hundert Unzen; und das war gut! Mein Hans fiel nun in Ohnmacht! wie wunderlich! Doch der sich flugs davon macht', das war ich. Mein Hans zwar mußte wandern; wohl ihm, er ruht! Sein Weib nahm einen Andern, und das war gut. :,:

Der Hans=Philipp kriegt's Fieber, und das war gut! Ich sprach zu ihm: Mein Lieber! dir hockt's im Blut. Ich will dir was verschreiben, das nimm hübsch ein; das Fieber zu vertreiben, that er's auch fein. Nach vierzehn langen Tagen, wie wunderlich! da lag er auf dem Schragen, und das durch mich. Da gab's im Dorf Spektakel, als wär es ein Mirakel. Wozu die Noth? :,: Ein Vieh ward ich geheißen, doch konnt' er mich nicht beißen, denn er war todt, und das war gut. :,:

Der Schäfer kriegt'n Schaden an seiner Hand, ich sollt' ihm etwas rathen wider den Brand. Ich dacht': 's ist g'hupft wie g'sprungen, weg mit dem Arm! Der Kerl hat gräßlich g'sungen, daß's Gott erbarm! Das Blut ließ sich nicht stillen. Was war zu thun? ich ließ dem Blut den Willen; und das war gut! Der Kerl fuhr fort zu brüllen, :/: ich sprach ihm Muth: Was lärmst du denn, du Lümmel, du kommst ja eh'r in Himmel, und das war gut.

„Dorfbarbier."

1204.

Jüngst träumte mir, ich säh' auf lichten Höhen ein Mädchen sich im jungen Tag ergehen, so hold, so süß, daß es dir völlig glich; und vor ihr lag ein Jüngling auf den Knieen, er schien sie sanft an seine Brust zu ziehen, und das war ich!

Doch bald verändert hatte sich die Scene; in tiefen Fluthen sah ich jetzt die Schöne, wie ihr die letzte schwache Kraft entwich; da kam ein Knabe hülfreich hergeflogen; er sprang ihr nach und trug sie aus den Wogen, und das war ich!

So malte sich der Traum in bunten Zügen, und überall sah ich die Liebe siegen, und Alles, Alles drehte sich um dich! du flogst voran in ungebundner Freie, der Jüngling zog dir nach in stiller Treue, und das war ich!

Und als ich endlich aus dem Traum erwachte, der neue Tag die neue Sehnsucht brachte, da blieb ein süßes Licht um mich; ich sah dich von der Liebe Gluth erwarmen, ich sah dich selig in des Jünglings Armen, und das war ich!

Da kamst du endlich auf des Lebens Wegen mit holder Anmuth freundlich mir entgegen, und tiefe, heiße Sehnsucht faßte mich! Sahst du den Jüngling nicht mit trunknen Blicken? Es schlug sein Herz in seligem Entzücken; und das war ich!

Du zogst mich in den Kreis des höhern Lebens, in dir vermählt sich alle Kraft des Strebens, und alle meine Wünsche rufen dich. Hat Einer einst dein Herz davongetragen, dürft' ich nur dann mit lautem Munde sagen: ja, das war ich!

Th. Körner.

1205.

Jüngst war ich auf der Kirmeß, da ging's gar lustig her; ich wollt', daß alle Tage im Dorfe Kirmeß wär'.

Es war ein Mordspektakel bis in die späte Nacht, daß mir noch heut' vor Freude das Herz im Leibe lacht.

Da standen lange Tische mit Bier und Schnapps und Wein, und Schulzens Liese selber, die schenkte wacker ein.

Die Mädel waren alle gar prächtig aufgeputzt, ich wurde von den Bändern und Blumen ganz verdutzt.

Die Musikanten bliesen und strichen auf dem Baß, daß mir die Ohren summten, als ich daneben saß.

Ich tanzte mit der Suse, 's ist gar ein schmuckes Ding, wir flogen um die Linde, daß uns die Luft verging.

Juchhe! das war ein Leben, das war 'ne Hexenlust! Ich wär' nicht heimgegangen, hätt' ich nicht fortgemußt.

1206.
Bekannte Melodie.

I und mei Flascherl wir kennen eins das ander, wir war'n noch niemals in Zank und in Streit! Läßt mi mein Hausherr ohn' Einrichtung wander, bleibst du, lieb's Flascherl, mei Trost u mei Freud. Du holde Kleine, du nur alleine kennst alle Sprachen von Süd und von Ost, discurirst mit dem Schwaben, parlirst mit dem Franzos. Gluck, gluck, gluck ꝛc.

Mei Nachbar verthut halt sein Geld mit der Sannerl, drückerlt und pusserlt und schatzerlt sie z' Tod; in dem Punkt da bin i halt a kritisches Mannerl, i denk: mit dem Schatzerl hat's justment keine Noth. O du armes Harrscherl, du mein lieb's Flascherl, du brauchst kei Zwangger zu Luxus und Gold, wirst voll um sechs Kreuzer und bleibst mir stets hold. Gluck, gluck, gluck ꝛc.

I und mei Flascherl von einander nicht scheiden, bis mich der Tod ruft, mein ausgemachter Feind; i fürcht mi, daß i dort werde Durst müssen leiden zwischen den Brettern, die der Tischler z'samm leimt. Dich sollt i missen, dorthin gerissen, statt deinem süßen wohlschmeckenden Schluck krieg i vom Grabstein 'nen gewaltigen Druck. Gluck, gluck, gluck ꝛc.

Der braucht kei Durst z' leiden, der da 'nauf wird kommen, droben da giebt's erst ein göttliches Leben; drum sollt' ei Jeder sei Flascherl mitnehme, droben, da wird's wohl kei Glashändler mehr geben. Und kommt d' schwarz Kasperl und nimmt mir mei Flascherl, da schrei i: Himmelsbruderl! geh, bring mir's mal zu, da drunten in der Finsterniß muß i Durst leiden gnu!

In Süd=Deutschland aufgezeichnet von W. Cornelius.

1207.

Junge Freudengötter, flattert auf und ab! Streuet Rosenblätter auf den Ernst herab: :,: daß die Stirn' erheitert, daß die Lippe frei, und die Brust erweitert für die Scherze sei!:,:

Leichter Sinn befreiet den gefangnen Witz, jede Stelle weihet er zum Göttersitz. :,: Seht, die Götter kommen! Nur von Trübsinn fern, sind sie unter frommen, frohen Menschen gern. :/:

Mag die Weisheit immer unsre Mahle weihn, aber laßt uns nimmer zu vernünftig sein! :/: Zuviel Weisheit machte manchen kalten Tropf; doch kein Froher lachte sich um Herz und Kopf. :/:

Laßt die Grübler denken und sich laut entzwei'n! Heitres Leben schenken Grazien uns ein. :/: Nehmt die Freudenschale, eh' die Sonne sinkt, die zum Lebensmahle frohe Gäste winkt. :/:

Trinkt in langen Zügen, kurz währt alles Ding. Haschet das Vergnügen; diesen Schmetterling, :/: der sich auf den Blüthen unsers Lebens wiegt; keiner mag ihn hüten; hascht ihn, er entfliegt. :/:

Auch die Blüthen fallen: eine Hore bringt alles zu den Hallen, wo kein Lied erklingt. :/: Doch wenn ihr veraltet auf vom Mahle steht: nur die Freude haltet dann noch fest und geht. :/:
Tiedge.

1208.

Jungfräulein, soll ich mit euch gehn in euern Rosengarten? Ich seh' die rothen Röslein stehn, die feinen und die zarten, den schönen Baum voll Blüthen, von grünen Blättern reich; Gott muß euch wohl behüten, den Blüthen seid ihr gleich.

„In meinen Garten darfst du nicht, es ist noch gar zu früh, den Gartenschlüssel hast du nicht, er ist verborgen hie, er ist gar wohl verborgen und liegt in guter Hut, deß bin ich ohne Sorgen und habe guten Muth."

Sie sang und sprach dann wieder: „In'n Garten kannst du nicht, du trittst die Blümlein nieder, und das gefällt mir nicht. Es brächte mir nur Schaden, drum ziehe wieder heim; Gott mag dich wohl berathen und schützend bei dir sein!
Aus dem 16. Jahrhundert.

1209.

Jung Hänschen saß am hohen Thor! Schön Lindenzweig! Der Regen fiel, jung Hänschen fror. O Abend, o Abend die müden Arme ruhen.

Die Hand, sie fror, daß Gott erbarm! Schön Lindenzweig! Das Herzchen, das schlug innen warm. O Abend, o Abend die müden Arme ruhen!

Und frier' ich hier in Sturmessaus, 2c. Geduld, ich lach' euch Lacher aus! 2c.

Der Pfortenring klang durch die Nacht, das Pförtlein leis' ward aufgemacht.

Der Regen schlug an's hohe Thor, jung Hänschen stand nicht mehr davor.

„Um meinetwillen litt'st du Frost; ich wärm' dich wieder, sei getrost!"

„‚Sei sorglos, schönstes Ritterkind! die Hand nur kältet Guß und Wind.'"

Jung Hänschen ruht in Wallburgs Arm: drin wird ein starrer Stein wohl warm.

Bergisches Volkslied.

1210.

Siegfried's Schwert.

Eigne Melodie.

Jung Siegfried war ein stolzer Knab', ging von des Vaters Burg herab.

Wollt' rasten nicht in Vaters Haus, wollt' wandern in alle Welt hinaus.

Begegnet' ihm manch Ritter werth mit festem Schild und breitem Schwert.

Siegfried nur einen Stecken trug, das war ihm bitter und leid genug.

Und als er ging im finstern Wald, kam er zu einer Schmiede bald.

Da sah er Eisen und Stahl genug, ein lustig Feuer Flammen schlug.

„O Meister, liebster Meister mein! laß du mich deinen Gesellen sein!

Und lehr' du mich mit Fleiß und Acht, wie man die guten Schwerter macht!"

Siegfried den Hammer wohl schwingen kunnt, er schlug den Amboß in den Grund.

Er schlug, daß weit der Wald erklang und alles Eisen in Stücken sprang.

Und von der letzten Eisenstang' macht' er ein Schwert so breit und lang.

„Nun hab' ich geschmiedet ein gutes Schwert, nun bin ich wie andere Ritter werth.

Nun schlag' ich wie ein andrer Held die Riesen und Drachen in Wald und Feld."

Uhland.

1211.

Melodie: Jung Siegfried war.

Jung Siegfried zog in die Welt hinein, vom Morgen bis zum Abendschein.

Sein Leib ward stark und fromm sein Muth, und ward ein schneller Degen gut.

So zog er stets gar keck und kühn und ritt einst mitten in Waldes Grün.

Und als er kam zu einer Lind', da stürzt' ihm entgegen ein Drache geschwind.

Kein Lindwurm war noch grauser nie, er aus dem Rachen Flammen spie.

Jung Siegfried schnell vom Rosse flog und seinen guten Balmung zog.

Der Drache drang gar gewaltig herbei, da hieb ihn der Siegfried mitten entzwei.

Der Lindwurm sprühte noch in dem Tod, das Blut, das strömte so schwarz und roth.

Und Siegfried badet sich in dem Blut, da ward ganz hörnern der Ritter gut. *Maßmann.*

1212.

Der Harfner.

Jung und arm, vor jede Thür irr' ich durch des Landes Weiten; Kummer nur in trüben Zeiten ernt' ich für und für.

Aus der heimathlichen Flur, weit vom Herzen meiner Lieben, ach! durch Mangel fortgetrieben, wandl' ich einsam nur.

Wehmuth netzt mir oft dem Blick hier auf ungekannter Erde; Hoffnung, daß es besser werde, giebt nicht mein Geschick.

Süßer Liebe Himmelslust muß ich Armer ewig meiden; nur der Liebe bittre Leiden wühlen in der Brust.

Zähren, die der Saiten Ton locket auf des Mädchens Wange, bei der Liebe Preisgesange, sind mein schönster Lohn.

Nur ein Druck von weicher Hand, wann sie mir die Gabe spendet, und ein Blick, auf mich gewendet, sind der Liebe Pfand.

Dann muß ich von dannen ziehn, nirgend kann ich ruhn noch bleiben, ohne Ziel muß ich mich treiben durch des Lebens Müh'n.

Doch es blüht ein schön'res Glück, wo sich diese Wallfahrt endet, wann zur bessern Welt gewendet, bricht der matte Blick.

Dann errungen ist der Port; zu des Himmels Wonnetagen wird mein letzter Hauch mich tragen; glücklich sing' ich dort.
Sigismund.

1213.

I woaß a kloans Häuserl am Roan, dös Häuserl is groß und nit kloan, und all' meini Zimma, die g'fall'n ma halt nimma, denn i bin im Häuserl alloan, ja, denn i bin im Häuserl alloan.

Viel Vögerl, bald groß und bald kloan, die singe vor'm Häuserl am Roan. Ihr G'sangerl thut schallen; ab'r's will mer nit g'fallen, denn i hör' dös G'sangerl alloan, ja denn i hör' ꝛc. :/:

Am Berg vor'm Häuserl is a Stoan, drauf sitz' i, schneid' alliweil Spoan; die Aussicht is prächti, da sieht ma weit mächti; doch freut mi das Schau'n nit alloan.

Mei Betterl is woach und nit kloan, i aber lieg' hart wie auf Stoan; da woalz i mi umma, als hätt' i an Kumma, denn i lieg' im Betterl alloan.

A Diarn hat der Wirth von der G'moand', die war für mi recht, hab' i g'moant; zum Weib hab' i 's'g'numma den vorigen Summa; seitdem bin i nimma alloan.

Jetzt will's si aber nimma recht thoan, dös Häuserl, dös werd' ma scho z'kloan; die Ruah' ist ausg'flogen, si hat mi betrogen. O, i wollt', i wär' wieder alloan!
Volkslied.

1214.

Soldaten=Schicksal.

Kamrad, ich bin geschossen, die Kugel hat mich getroffen, führe mich in mein Quartier, daß ich werd' verbunden hier.

„Kamrad, ich kann dir nicht helfen, helf' dir der liebe Gott selber! helfe dir der liebe Gott; morgen früh marschir'n wir fort."

„Morgen früh um halber viere, da müssen wir Soldaten marschiren, marschiren die Gasse wohl auf und ab; schönster Schatz, komm zu mir herab!"

„'Ich kann nicht zu dir kommen, es hat viel falsche Zungen: diese schneid'n mir ab mein' Ehr'; sonsten hab' ich keine nicht mehr.'"

„Thun sie dir dein' Ehr' abschneiden, mußt du's geduldig leiden; leide alles mit Geduld, schönster Schatz, bis ich wieder werd' komm'n!"

„Wann wirst du wieder kommen, im Winter oder im Sommer? Sag' mir die gewisse Stund', schönster Schatz, wann du wieder wirst komm'n!"

„Die gewisse Stunde kann ich dir nicht sagen, wir hör'n keine Uhr mehr schlagen; denn wir stehn gar weit im Feld, draußen vor des Königes Zelt."

Sammlung deutscher Volkslieder von Erk u. Irmer.

1215.

Kann denn kein Lied krachen mit Macht, so laut, wie die Schlacht hat gekracht um Leipzigs Gebiet?

Drei Tag und drei Nacht ohn' Unterlaß, und nicht zum Spaß, hat die Schlacht gekracht.

Drei Tag und drei Nacht hat man gehalten Leipziger Messen, hat euch mit eiserner Elle gemessen, die Rechnung mit euch in's Gleiche gebracht.

Drei Tag und drei Nacht währte der Leipziger Lerchenfang; hundert fing man auf Einen Gang, tausend auf Einen Schlag.

Ei, es ist gut, daß sich nicht können die Russen brüsten, daß allein sie ihre Wüsten tränken können mit Feindesblut.

Nicht im kalten Rußland allein, auch in Meißen, auch bei Leipzig an der Pleißen, kann der Franzose geschlagen sein.

Die seichte Pleiß ist von Blut geschwollen, die Ebenen haben so viel zu begraben, daß sie zu Bergen uns werden sollen.

Wenn sie uns auch zu Bergen nicht werden, wird der Ruhm zum Eigenthum auf ewig davon uns werden auf Erden.

Fr. Rückert.

1216.

Kein Alter ist von Liebe frei, trallera ɛc. Die Wahrheit ist zwar nicht mehr, trall. Mit Kindern spielet schon die Liebe, sie fühlen manche dunkle Triebe; kaum blüht dem Jüngling voll das Kinn, so schielt er schon nach Mädchen hin. :,:

Kaum daß der Frühling zwölf Mal blüht, trall. ist schon des Mädchens Herz entglüht. Die Liebe röthet ihre Wangen, sie fühlt ein Sehnen und Verlangen; sobald sie spinnen, kochen kann, so wünscht sie sich schon einen Mann.

Der Liebe Macht ist wunderlich, sie zeigt sogar im Alter sich; ein Greis liebt noch den Kuß von Schönen, läßt sich von Mädchen gern bedienen. Vom Steckenpferd zum Knotenstab folgt uns die Liebe bis in's Grab.

1217.

Kein besser Leben auf der Welt, als so ein Wanderleben! Bald geht's bei Tag durch Wald und Feld, bald Abends unter'm Sternenzelt, bald hoch, bald tief, bald eben.

Frei, wo nur Kunst und Handwerk blühn, darf jeder Bursche kommen, in Petersburg, Stockholm und Wien, in Straßburg, Hamburg und Berlin wird gern er angenommen.

Und kommt der Winter, ruhn wir aus, da wo sich Arbeit findet. Die Meisterin besorgt das Haus und Sonntags geht's zu Tanz und Schmaus, wo schnell die Zeit verschwindet.

Doch ist der Frühling aufgewacht und haben wir zu klagen, so heißt es: „Meister, gute Nacht, wir gehn, wo besser Glück uns lacht, mit ihm ist kein Vertragen."

Dem Mägdlein, das es redlich meint, wird Lebewohl gesaget. So sehr das arme Kind auch weint, was hilft's? die Abschiedsstund' erscheint! fort geht's, sobald es taget.

Im Freien freier schlägt das Herz, rings tönen süße Lieder. Die Lerche steiget himmelwärts, bald lindert sich der Trennung Schmerz, wir sind die Alten wieder.

Und kommt man so nach Jahr und Tag an seiner Heimath Grenzen, wie wird so laut des Herzens Schlag, wenn fern der trauten Kirche Dach und ihre Thürme glänzen!

Darum, so lang' wir jung und frei, laßt uns die Welt durchwandern, und ist die Reiselust vorbei, so treten für uns in die Reih' die nachgebornen Andern.

Fliegendes Blatt.

1218.
Soldatenleben.

Kein besser Leben ist auf dieser Welt zu denken, als wenn man ißt und trinkt und läßt sich gar nichts kränken; denn ein Soldat im Feld sein'm Herren dienet treu; hat er gleich nicht viel Geld, hat er doch Ehr' dabei! Valleri, vallera, vallera!

Sein Häuslein ist sehr klein, von Leinwand ausgeschnitten, wie auch das Bett allein mit Stroh ist überschüttet. Der Rock ist meine Deck', worunter ich schlaf' ein, bis mich der Tambour weckt, dann muß ich munter sein. ⁊c.

Wenn's heißt, der Feind rückt an, und die Karthaunen blitzen, da freut sich jedermann, zu Pferd muß alles sitzen. Man rückt in's weite Feld, und schlägt sich tapfer 'rum; der Feind kriegt Schläg' für Geld, wer's Glück hat, kommt davon. ⁊c.

Bekomm' ich einen Schuß, aus meinem Glied muß sinken: hab' weder Weib noch Kind, die sich um mich bekränken; sterb' ich nun in dem Feld, Sterben ist mein Gewinn; sterb' ich auf frischer That, vor'm Feind gestorben bin. ⁊c.

Wenn ich gestorben bin, so thut man mich begraben mit Trommeln und mit Spiel, wie's die Soldaten haben. Drei Salven giebt man mir wohl in das Grab hinein, das ist Soldatmanier, laßt andre lustig sein. ⁊c.

Aus dem siebenjährigen Kriege.

1219.

Kein' beßre Lust in dieser Zeit, als durch den Wald zu dringen, wo Drossel singt und Habicht schreit, wo Hirsch' und Rehe springen.

O säß' mein Lieb im Wipfel grün, thät wie 'ne Drossel schlagen! O spräng' es wie ein Reh dahin, daß ich es könnte jagen!
Uhland.

1220.

Kein Feuer, keine Kohle kann brennen so heiß, als heimliche Liebe, von der Niemand nichts weiß.

Keine Rose, keine Nelke kann blühen so schön, als wenn zwei verliebte Seelen beisammen thun stehn.

Setze du mir einen Spiegel in's Herze hinein, damit du kannst sehen, wie treu ich es mein'.
Volkslied.

1221.

Nonnenlied.

Kein' schön're Freud' auf Erden ist, als in das Kloster zu ziehn. Ich hab' mich drein ergeben, zu führen ein geistlich Leben; :,: o Liebe, was hab' ich gethan! :,:

Des Morgens, wenn ich in die Kirche geh', muß singen die Mett' allein, und wenn ich das *gloria patri* sing', so liegt mir mein Liebchen immer im Sinn. O Liebe rc.

Da kommt mein Vater und Mutter her, sie beten für sich allein; sie haben schöne Kleider an, ich aber muß in der Kutte stahn; o Liebe rc.

Des Abends, wenn ich schlafen geh', so find' ich mein Bettchen allein; so denk' ich dann, daß Gott erbarm'! ach, hätt' ich mein Liebchen in dem Arm! O Liebe rc.

Thüringer Volkslied, aus Herder's Sammlung.

1222.

Kein schön'rer Tod auf dieser Welt, als wer auf grüner Haide fällt! Auf grüner Haide schlafen, wenn Schwert und Kugel trafen, :,: das nenn' ich süße Ruh', thät gern die Augen zu! :,:

Und zieht ihr heim in's Vaterland, — wer fällt, zieht noch in schön'res Land; des Heils kann sich vermessen, kann Welt und Glück vergessen, wer unter Blumen ruht, getränkt von treuem Blut.

Und wer daheim ein Herz noch kennt, das treu sich und sein eigen nennt, der denke dran im Streite, daß Freiheit er bereite, zum Heil dem Vaterland, zum Heil dem Liebesband.

Drum, Brüder, rasch die Wehr zur Hand! den kühnen Blick zum Feind gewandt! laßt eure Banner schweben! ertrotzt vom Tod das Leben! Denn nur aus Sieg und Tod blüht Freiheitsmorgenroth.
Karl Göttling. 1814.

1223.
Soldatenlied aus dem dreißigjährigen Kriege.

Kein Tod ist löblicher, kein Tod wird mehr geehret, als der, durch den das Heil des Vaterlands sich mehret, den einer willkommen heißt, dem er entgegenlacht, ihn in die Arme nimmt und doch zugleich veracht'.

Drum gehet tapfer an, ihr meine Kriegsgenossen, schlagt ritterlich darein; eu'r Leben unverdrossen für's Vaterland aufsetzt, von dem ihr solches auch zuvor empfangen habt, das ist der Ehre Brauch.

Eu'r Herz und Augen laßt mit Eiferflammen brennen, keiner vom andern sich menschlich Gewalt laß trennen, keiner den andern durch Kleinmuth je erschreck', noch durch sein' Flucht im Heer ein' Unordnung erweck'.

Kann er nicht fechten mehr, er doch mit seiner Stimme, kann er nicht rufen mehr, mit seiner Augen Grimme den Feinden Abbruch thun, in seinem Heldenmuth nur wünschend, daß er theu'r verkaufen mög' sein Blut.

Ein jeder sei bedacht, wie er das Lob erwerbe, daß er in mannlicher Postur und Stellung sterbe, an seinem Ort besteh' fest mit den Füßen sein, und beiß' die Zähn' zusamm' und beide Lippen ein.

Daß seine Wunden sich lobwürdig all' befinden davornen auf der Brust, und keine nicht dahinten, daß ihn der Tod selbst auch in dem Tode zier', und man in sein'm Gesicht sein Ernst und Leben spür'.

So muß, wer Tyrannei entübriget will leben, er seines Lebens sich freiwillig vor begeben; wer nur des Tod's begehrt, wer nur frisch geht dahin, der hat den Sieg und dann das Leben zum Gewinn. *J. W. Zinkgref. 1624.*

1224.

Kennst du das Land, wo Blümchen Liebe blüht, und ungerügt des Mädchens Wange glüht? aus Mutter Erde Schooß ein Himmel weht, vor stillen Schwellen nie der Horcher steht? Kennst du solch Land? Dahin, dahin wollt' ich mit dir, o du mein Leben, fliehn!

Kennst du das Haus, mit schwachem Schilf bedeckt, wo Freiheit uns den Arm entgegenstreckt? ein mattes Flämmchen nur zur Mahlzeit brennt, und Ruhe von der Städte Lärm uns trennt? Kennst du solch Haus? Dahin, dahin möcht' ich mit dir, o meine Wonne, fliehn!

Kennst du den Ort? er ist von Spöttern frei, er ekelt nicht durch Geckenfaselei; dort fühlt die Menschheit in der

Liebe Schooß das einzig noch beneidenswerthe Loos. Kennst du den Ort? Dahin, dahin sehnt sich mein Herz, Geliebte, laß uns fliehn!

1225.

Mignon.

Kennst du das Land, wo die Citronen blühn, im dunkeln Laub die Goldorangen glühn, ein sanfter Wind vom blauen Himmel weht, die Myrthe still und hoch der Lorbeer steht, kennst du es wohl? Dahin! dahin möcht' ich mit dir, o mein Geliebter, ziehn.

Kennst du das Haus? Auf Säulen ruht sein Dach, es glänzt der Saal, es schimmert das Gemach, und Marmorbilder stehn und sehn mich an: was hat man dir, du armes Kind, gethan? Kennst du es wohl? Dahin! dahin möcht' ich mit dir, o mein Beschützer, ziehn.

Kennst du den Berg und seinen Wolkensteg? das Maulthier sucht im Nebel seinen Weg; in Höhlen wohnt der Drachen alte Brut; es stürzt der Fels und über ihn die Fluth. Kennst du ihn wohl? Dahin! dahin geht unser Weg! o Vater, laß uns ziehn!

Göthe.

1226.

Kennst du das Land, wo hoch die Eiche steht? ein milder Wind durch ihre Blätter weht, ein biedres Volk dich liebevoll umgiebt, ein Volk, das noch die alte Freiheit liebt? Kennst du das Land? Dahin, dahin möcht' ich mit dir, o holdes Mädchen, fliehn!

Kennst du das Land in seiner alten Kraft mit regem Sinn für Kunst und Wissenschaft? Ehrst du der Treue altes heil'ges Band, so nimm von diesem Volk den Druck der Hand, wo Herzen noch in alter Treue glühn, dorthin möcht' ich mit dir, o Mädchen, ziehn.

Kennst du die Ritter aus der goldnen Zeit, die ihren Arm dem Vaterland geweiht? „Hoch schlägt das Herz, bis einst das Auge bricht." Kennst du, Geliebte, diese Ritter nicht? Im wilden Streite sanken sie dahin. O, laß uns schnell zu ihren Gräbern fliehn!

Kennst du die Berge, wo die Reben blühn, die Becher voll vom goldnen Safte glühn? Kennst du die Thäler, wo der Rheinstrom fließt und seine Welle schöne Länder küßt? Kennst du den Rhein? Dahin, dahin in jene Länder laß uns eilend fliehn!

Kennst du die Liebe, süße holde Maid, die dir mit Inbrunst diese Rechte beut? Dann reiche mir die liebevolle Hand

und laß uns fliehen in mein Vaterland. Kennst du es wohl?
Nur dort, nur dort ist für die Lieb' ein sichrer Friedensort.

Nach Deutschland muß die treue Liebe fliehn, soll uns
des Glückes goldne Palme blühn. Dort knüpft sich fester
unsrer Seelen Band; Heil mir, es ist mein theures Vaterland!
Kennst du das Land? Dahin, dahin will ich mit dir, o schöne
Seele, fliehn. Engelhardt.

1227.

Kennt ihr das Land, so wunderschön in seiner Eichen
grünem Kranz? das Land, wo auf den sanften Höh'n die
Traube reift im Sonnenglanz? Das schöne Land ist uns be=
kannt, es ist ja unser Vaterland.

Kennt ihr das Land, vom Truge frei, wo noch das Wort
des Mannes gilt? das gute Land, wo Lieb' und Treu' den
Schmerz des Erdenlebens stillt? Das gute Land ist uns be=
kannt, es ist ja unser Vaterland.

Kennt ihr das Land, wo Sittlichkeit im Kreise froher
Menschen wohnt? das heil'ge Land, wo unentweiht der Glaube
an Vergeltung thront? Das heil'ge Land ist uns bekannt, es
ist ja unser Vaterland.

Heil dir, du Land, so hehr und groß vor allen auf dem
Erdenrund! Wie schön gedeiht in deinem Schooß der edeln
Freiheit schöner Bund. Drum wollen wir dir Liebe weihn
und deines Ruhmes würdig sein.

Veit Weber (Leonhard Wächter). 1814.

1228.

Kennt ihr die frohe Siegesweise im vollen, freien Männer=
chor? sie schwingt sich aus der Brüder Kreise in freien Klän=
gen voll empor; die an Massilia's fernem Strande einst jubelten
in Freiheitslust, sie tragen heut' aus deutscher Brust ein Lied
dem deutschen Vaterlande. Drum schallt das Thal entlang
zum frohen Hörnerklang, schallt laut, schallt laut und hoch
und hehr der Brüder Festgesang.

Dort hub das rasche Volk der Franken der Freiheitswelle
flücht'ger Schaum; doch es zerbrach die heil'gen Schranken,
da schwand der Freiheit goldner Traum; nicht blenden eitle
Truggestalten, mein Vaterland, dein treu Geschlecht, Germa=
nia's Kraft, Germania's Recht sei frei durch heil'ger Sitte Wal=
ten. Drum schallt u. s. w.

War's fremde Macht, die dich bezwungen, die Stärke
deinem Volk geraubt? Die Fesseln hast du selbst geschlungen,
die sonst den schönen Kranz entlaubt. Du selbst erbautest dir

Altäre, nährtest der Flamme Opferglut, doch frisch aus deinem Heldenblut entsproßte dir der Kranz der Ehre. Drum schallt u. s. w.

Was deine Jugend sich erkoren, was deiner Männer Kampf errang, für was dein Volk auf's Neu' geschworen, was uns wie Geisterruf erklang, nicht frecher Raub, nicht Herrschergabe, nicht ist's ein irres Traumgebild; der Ew'ge spendet klar und mild vom Himmelsborn der Freiheit Labe. Drum schallt u. s. w.

So schwing' dich auf, du Siegesweise, in freien Klängen hoch empor, begrüße über'm Sternenkreise froh der gefallnen Helden Chor. Im Nachhall aber tönt es wieder, dort strahlt der Freiheit ew'ges Licht; aus jenen Kreisen bannt man nicht den Jubelschall der Freiheitslieder. Drum schallt u. s. w.

Wurm.

1229.

Kennt ihr nicht den Herrn von Falkenstein? Er hat drei schöne Töchterlein. Trinket aus, schenket ein! bringet Bier, bringet Wein! langt den Becher mir herum! heidi dum! heidi dum, dum di dum! Kennt ihr nicht den Herrn von Falkenstein?

Und die erste, die heißt Adelheid, Gertrude heißt die zweite Maid. Trinket aus 2c.

Und die dritte will ich nennen nicht, man fühlt es besser, als man spricht. Trinket aus. 2c. Volkslied.

1230.

Kinder der verjüngten Sonne, Blumen der geschmückten Flur! euch erzog zur Lust und Wonne, ja euch liebte die Natur. Schön das Kleid mit Licht gesticket, schön hat Flora euch geschmücket mit der Farben Götterpracht; holde Frühlings=kinder, klaget, Seele hat sie euch versaget, und ihr selber wohnt in Nacht.

Nachtigall und Lerche singen euch der Liebe selig Loos, gaukelnde Sylphiden schwingen buhlend sich auf eurem Schooß. Wölbte eures Kelches Krone nicht die Tochter der Dione schwellend zu der Liebe Pfühl? Zarte Frühlingskinder, weinet! Liebe hat sich euch verneinet, euch das selige Gefühl.

Aber hat aus Nanny's Blicken mich der Mutter Spruch verbannt, wenn euch meine Hände pflücken ihr zum zarten Liebespfand? Leben, Sprache, Seelen, Herzen, stumme Boten süßer Schmerzen, goß euch dies Berühren ein, und der mächtigste der Götter schließt in eure stillen Blätter seine hohe Gottheit ein.

Schiller.

1231.

Kirmsengäste einzuladen, gab man jüngst den Auftrag mir unbedingt; doch kann's nicht schaden, Vorsicht zu gebrauchen hier. Drum bin ich so frei, zu sagen Jedem, welcher Ort entspricht seinem Sinne; denn vertragen ist der Bürger erste Pflicht.

Hoher Adel sucht zwar selten Schüsseln einer Bauersfrau; doch ist für die Auserwählten Hohenwart' und Gräfinau. Einzuladen sich erkühnet Herrschdorf gar die Excellenz; für Kosmopoliten dienet Allendorf als Residenz.

Männer von Verdienst, sie mögen kommen all' nach Ehrenstein; wer nicht kennt des Glückes Segen, stelle sich in Dörnfeld ein. Thälendorf ist für den schlichten Freund der Abgeschiedenheit; Habichtsbach ist filz'gen Wichten, so wie Geiersthal geweiht.

Egelsdorf gehöret eigen ganz der Advocatenschar; Platz für die Clienten reichen Breternitz und Storchsdorf dar. Wer gern tauscht und Witze liebet, sei in Tauschwitz Kirmsengast; Käsemarkt für den, der übet Hökerkram, am besten paßt.

Den Verliebten ich empfehle Blumenau und Rosenthal; wer dem Mammon dient, der wähle zum Asyl sich Goldisthal. Wen Fortuna neckt, der kehre wohlgemuth in Bechstädt ein; und dann wird sein Pech, auf Ehre! sicherlich kein hartes sein.

Finkenmühl' ist lust'gen Finken ganz ausschließlich aufgethan; Hengelbach und Cursdorf winken dem Servilen und Galan. Schwarzburg ist für schwarze Seelen, Singen für den Liederfreund, Gösselborn für durst'ge Kehlen, Schlotheim für des Lichtes Feind.

Mancher horcht gern in die Wicken — Wickendorf hilft auf die Spur. Zügellosen wird wohl glücken ihre Roll' in Schweinbach nur. Handwerksleuten ist am besten Hammersfeld und Meuselbach; allen Stich= und Sattelfesten Keilhau ist ihr rechtes Fach.

Und in Wildenspring da finden junge Mädchen Spiel und Tanz; alten Jungfern aber winden Sitzendörfer einen Kranz. Wer den rechten Weg verfehlet, gehe nur nach Zeigerheim; und wer sich mit Versen quälet, find't bei Lichstedt bald den Reim.

Viel wär' noch hinzuzufügen zur Ausführlichkeit, jedoch **pars pro toto** wird genügen, 's giebt ja andre Lieder noch! Jeder weiß nun, wie ich's meine; gilt etwas mein freundlich Wort: findet Jeder leichtlich seine Herberg', seinen Kjrmsenort.

G. F.

1232.

Eigne Melodie.

(Basila:) Kind! willst du ruhig schlafen, folge meinem Brauch, und tändle, wie mit Affen, mit den Männern auch: neck' und foppe sie.

(Myrrha:) Nur, wenn die Triebe schlafen, gilt es gleichviel dann, ob Vögel oder Affen, oder auch ein Mann uns die Zeit vertreibet.

(Beide:) Laß nicht dein Herz dir stehlen, dieses ist nicht klug; falsch sind der Männer Seelen, tückisch voll Betrug: keiner tauget 'was.

(Myrrha:) Die Männer können stehlen, seid auch noch so klug; wir glaubten ihre Seelen frei von allem Trug: ach so ging mir's auch.

(Beide:) Drum, willst du ruhig schlafen, höre keinen an; noch ärger, als die Affen, fürcht' den besten Mann! Jeder beißet dich.

(Myrrha:) Läßt gleich ein Mann nicht schlafen, liebt ihn doch das Herz, und art'ger als der Affen, ist der Männer Scherz: Ländeln, Kuß und Spiel.

„Unterbrochenes Opferfest."

1233.

Schill's Geisterstimme.

Klaget nicht, daß ich gefallen! lasset mich hinüber ziehn zu der Väter Wolkenhallen, wo die ew'gen Freuden blühn. Nur der Freiheit galt mein Streben: in der Freiheit leb' ich nun, und vollendet ist mein Leben, und ich wag' es auszuruhn.

Süße Lehnspflicht, Mannestreue, alter Zeiten sichres Licht, tausch' ich nimmer um das Neue, um die welsche Lehre nicht. Aber jenen Damm zerbrochen hat der Feind, der uns bedräut, und ein kühnes Wort gesprochen hat die riesenhafte Zeit.

Und im Herzen hat's geklungen, in den Herzen lebt das Recht: „Stahl, von Männerfaust geschwungen, rettet einzig dies Geschlecht!" Haltet darum fest am Hasse, kämpfe redlich, deutsches Blut! „Für die Freiheit eine Gasse!" dacht' ein Held im Todesmuth.

Freudig bin ich auch gefallen, selig schauend ein Gesicht, von den Thürmen hört' ich's schallen, auf den Bergen schien ein Licht. Tag des Volkes! du wirst tagen, den ich oben feiern will, und mein freies Volk wird sagen: „Ruh' in Frieden, treuer Schill!"

Max v. Schenkendorf. 1809.

1234.

Melodie: Ich will einst bei Ja und Nein.

Klang und Sang, und Sang und Klang, das ist meine Weise, sitz' ich so den Abend lang im vertrauten Kreise, lieb' auch, bin ich einmal froh, auf den Tisch zu schlagen, hat kein Teufel, bin ich froh, was darnach zu fragen.

Stoß' ich mit dem Gläschen an, soll es laut erklingen, soll dem Freund, so hell es kann, die Gesundheit bringen; lieblicher trinkt sich der Wein nach so schöner Weihe, goldnes Leben sprudelt drein, daß der Mann sich freue.

Und es fließet der Gesang froh aus frohem Herzen, und es nimmt der Freund den Klang wieder so zu Herzen. Luft will jedes frohe Herz, muß sich laut verkünden, anders drückt's geheimer Schmerz, oder — es hat Sünden.

Und bin ich dann auch so frei, auf den Tisch zu schlagen, will ich laut und ohne Scheu dann der Welt nur sagen, daß hier frohe Menschen sein, Herzen ohne Flecken, die sich nicht bei'm Glase Wein fürchten zu entdecken.

Freunde sind wir allzumal, und auch lust'ge Vögel; Klang und Sang bei dem Pokal ist dann bei uns Regel, und kommt uns das Trommeln an, sind wir nicht verlegen; jeder treibt's, so gut er kann, wer hat was dagegen?

Lehr.

1235.

Kinderlied.

Klapperstorch, Langbein, bring' uns doch ein Kind heim! leg' es in Garten, will es fein warten; leg' es auf die Stiegen, will es fein wiegen. *Kinder=Gärtlein.*

1236.

Trinkspruch.

Klares Wasser jedem Prasser, der nur schlinget und nicht singet, der nur trinket, bis er sinket! Uns erhebt der Wein nach oben, daß wir seinen Schöpfer loben. Hoch gelobet seist du, Schöpfer, hoch gelobt in deiner Pracht! und gesegnet sei der Töpfer, der den ersten Krug gemacht!

1237.

Kleen Mann will groß' Frau hab'n, he, juchhe! Kleen Mann will groß' Frau hab'n. He bideride vallala, he, wat ick seh'!

Groß' Frau nach'm Markte ging, he, juchhe! Kleen Mann muß zu Hause bleib'n. ꝛc.

Muß Messer und Gabeln abwasch'n, muß zehn Pfund Garne spinn'n.

Groß' Frau zu Hause kam: „Kleen Mann, wat hast gemacht?"

„'Hab' Messer und Gabeln abgewasch'n, hab' zehnmal 'rum gesponn'n.'"

Groß' Frau nahm'n Wockenstock, schlug kleen Mann uf en Kopp.

Kleen Mann zum Nachbar sprang: „'Meine Frau hat mir geschlag'n.'"

„'So ist mir gestern auch geschehn.'" „'So will ick wieder heime gehn.'"

Volkslied aus Berlin.

1238.

Kleine Blumen, kleine Blätter, reich' mir freundlich deine Hand! und das Band, das uns verbinde, sei kein zartes Rosenband!

Wie oft han wir zusammengesessen manche liebe lange Nacht, selbst den Schlaf han wir vergessen, und mit Lieben zugebracht.

Lieben sind zwei schöne Sachen, wenn man keine Falschheit übt; freudig thut das Herz mir lachen, wenn man stündlich scharmuzirt.

Was nützt mir mein schöner Garten, wenn ich nichts darinnen hab'; was nützt mir mein junges Leben, wenn ich nichts zu lieben hab'!

Spielet auf, ihr Musikanten, spielet auf ein Saitenspiel! mir und mein'm Schatze zu gefallen, mag's verdrießen, wen es will!

Vater und Mutter wolln's nicht haben, schönster Schatz, das weißt du wohl, drum thu' mir die Wahrheit sagen, ob ich wieder kommen soll? Volkslied.

1239.

Kleine Blumen, kleine Blätter streuen mir mit leichter Hand gute, junge Frühlingsgötter tändelnd auf ein luftig Band.

Zephyr, nimm's auf deine Flügel, schling's um meiner Liebsten Kleid; und so tritt sie vor den Spiegel all in ihrer Munterkeit.

Sieht mit Rosen sich umgeben, selbst wie eine Rose, jung. Einen Blick, geliebtes Leben! und ich bin belohnt genung.

Fühle, was dies Herz empfindet, reiche frei mir deine Hand, und das Band, das uns verbindet, sei kein schwaches Rosenband. Göthe.

1240.
Rundgesang.

Kling, klang! kling, klang! so ist es recht, und noch einmal gesungen und noch einmal gezecht. Herr Bruder, laß es laufen, du wirst dich nicht besaufen! Bravo! bravo, bravissimo!

1241.
Das arme Kinderchens Spiel.

Klopfer, Klopfer, Ringelchen! da stehn zwei arme Kinderchen! Gieb sie was und laß sie stehn! die Himmelsthür wird offengehn. Kommt Jesus aus der Schule, kocht Maria Aepfelbrei, setzen sich alle Engelchen bei, klein und groß, nackt und bloß, alle auf Maria's Schooß.

<small>Die beiden Kinder außerhalb des Kreises klopfen auf die Hände zweier Kinder im Kreise, welche, die verschlungenen Hände in die Höh', die Himmelspforte bilden, dadurch „die armen Kinderchen" eintreten und am Schlusse des Liedchens durch Handreichung die neuen armen Kinderchen wählen.</small>

Sammlung deutscher Volkslieder von Erk und Irmer.

1242.
Kinderlied.

Klosterfrau im Schneckenhäusle, sie meint, sie sei verborgen! Kommt der Pater Guardian, wünscht ihr guten Morgen.

1243.

Könnt ihr die Göttin Freude zwingen, vom Himmel sich herab zu schwingen, und euch zu Priestern einzuweihn? (Chor:) O nein!

Wenn aber Kelche klingen, und traute Freunde singen, erscheint die Göttin da? (Chor:) O ja!

Kann's im Genusse seltner Speisen bei ceremoniellen Schmäusen dem freien Mann behaglich sein? (Chor:) O nein!

Dünkt aber nicht dem Weisen in brüderlichen Kreisen sein Mahl Ambrosia? (Chor:) O ja!

Kann ohne Lieder, Schäkereien, und holde Mädchen, Wein erfreuen, selbst edler Cap= und Cyperwein? (Chor:) O nein!

Sind also Liebeleien und süße Melodeien als Nectarwürze da? (Chor:) O ja!

So laßt hinfort zum Geist der Reben uns singen und nach Küssen streben, giebt's einen klügeren Verein? (Chor:) O nein!

Doch, wann in's neue Leben wir endlich überschweben, sind wohl auch Weine da? (Chor:) O ja! *Haug.*

1244.

Könnt' ich euch grüßen, ihr blumigen Au'n, trügen zu euch hin mich Flügel! könnten die sehnenden Augen euch schaun, freundliche Thäler und Hügel! Glücklich dann wallt' ich auf wonnigen Höh'n kühlender, traulicher Haine! Wie seid ihr lieblich und lustig und schön, Fluren, nach denen ich weine!

Plätzchen, wo einst ich im Flügelgewand Freuden die Fülle gefunden, fern von des Lebens verwirrendem Tand, schlugen mir köstliche Stunden. Wie bin ich klagend von euch nun so weit, zärtliche Jugendgenossen! Ach, wohin flohst du, o goldene Zeit? Bist du auf ewig verflossen!

Weh mir, auf immer nun bist du dahin! Welk sind die duftenden Kränze, die ich gewunden mit kindlichem Sinn einst in dem rosigen Lenze. Nun ist es, ach! mir im Busen so leer; hier, in den traurigen Zonen, find' ich das Glück und die Liebe nicht mehr, die dich, o Heimath, bewohnen.

Sigismund.

1245.

Könnt'st du meine Aeuglein sehen, wie sie sind vom Weinen roth, ich soll in das Kloster gehen und allein sein bis in Tod.

Es sitzen auch zwei Turteltäublein drüben auf dem grünen Ast, wenn die von einander scheiden, so vergehen Laub und Gras. *Des Knaben Wunderhorn.*

1246.
Der Handelsgärtner.

Kommet all' in meinen Garten, viel Blumen stehen da; Jeder, der sie sieht, wird sagen, daß er niemals schönre sah! Auch wird gleich ein niedlich Sträußchen jedem Freunde abgepflückt, welches sich zu seiner Neigung und zu seiner Laune schickt.

Veilchen geb' ich dem Verliebten, Myrthen geb' ich einer Braut, Wintergrün den alten Frauen, jungen Mädchen Löffelkraut; jedem jungen Herrn Narcissen, Fürsten eine Kaiserkron', ihren Schranzen Sommerwinden, den Phlegmat'schen reich' ich Mohn.

Sinnpflanz' hab' ich für Poeten, Lorbeer auch für sie gebaut, nebenan blüht für die Geiz'gen vielfach Tausendgüldenkraut; Ehemännern reich' ich Männertreu' und den Schwärmern Frauenhaar, Eifersücht'gen Sauerampfer, Schwätzern Glockenblumen dar.

Stolzen biet' ich Hahnenkämme, Armen aber Münze an, Stachelbeere Recensenten, den Soldaten Löwenzahn; Ringelblumen den Schmarotzern, Tulpen jedem dummen Wicht, meinen Freunden Immortellen, Liebchen ein Vergißmeinnicht.

1247.

Weihelied.
(S. Bd. I. S. 17.)

Komm, du blanker Weihedegen, freier Männer freie Wehr! von durchbohrten Hüten schwer! Bringt ihn festlich mir entgegen.

Laßt uns festlich ihn entlasten; jeder Scheitel sei bedeckt! und dann laßt ihn unbefleckt bis zur nächsten Feier rasten!

Froh zum Fest, ihr trauten Brüder, jeder sei der Väter werth! Keiner taste je an's Schwert, der nicht edel ist und bieder!

Auf, ihr Festgenossen, achtet unsre Sitte, heilig, schön! Ganz mit Herz und Seele trachtet, stets als Männer zu bestehn.

*   *

So nimm ihn hin, dein Haupt will ich bedecken und drauf den Schläger strecken! So leb' auch dieser Bruder hoch! ein Hundsfott, der ihn schimpfen soll!

(Chor:) So lange wir ihn kennen, woll'n wir ihn Bruder nennen: es leb' auch Bruder N. N. hoch!

*   *

Ruhe von der Burschenfeier, blanker Weihedegen, nun! Jeder trachte, wackrer Freier um das Vaterland zu sein!

Jedem Heil, der sich bemühte, ganz zu sein der Väter werth! Keiner taste je an's Schwert, der nicht edel ist und bieder!

1248.

Komm, fein Liebchen, komm an's Fenster! alles still und stumm; die Verliebten und Gespenster wandeln nur herum.

Dein getreuer Buhle harret: komm in seinen Arm! seine Finger sind erstarret, doch sein Herz ist warm.

Zwar die Sternlein sich verdunkeln, Luna leuchtet nicht; doch wo Liebchens Augen funkeln, da ist helles Licht.

Drum, fein Liebchen, komm an's Fenster! alles still und stumm; die Verliebten und Gespenster wandeln nur herum.

August v. Kotzebue.

1249.

Komm, Freude, sei gesegnet, o komm in unsre Reih'n; wer deinem Blick begegnet, der, Himmlische, sei dein! :,:

Vom Lichtgewand umflossen, beginnst du deinen Lauf, von deinem Fußtritt sprossen Jasmin und Rosen auf.

Um deine Schläfe blühet des Lebens schönste Zier, von ew'ger Jugend blühet die holde Wange dir.

Von deiner Hand bekränzt, fühlt kühn der Jüngling sich; des Mädchens Schönheit glänzet bezaubernder durch dich.

Du spendest frohe Gaben, hilfst, wo die Unschuld weint, und deine Söhne laben verzeihend auch den Feind.

Du würzest unsre Mahle, giebst unsern Speisen Kraft, versüßend im Pokale der Traube goldnen Saft.

Du lehrest uns vollbringen, was biedre Herzen ehrt; um diesen Preis zu ringen, nur das macht deiner werth.

1250.

Die traurig schöne Braut.

Komm heraus, komm heraus, du schöne schöne Braut, deine guten Tage sind alle alle aus. O weyele Weh! o weyele Weh! was weinet die schöne Braut so sehr? Mußt die Jungfern lassen stehn, zu den Weibern mußt du gehn.

Lege an, lege an, auf kurze kurze Zeit darfst du ja wohl tragen das schöne Hochzeitskleid. O weyele Weh! ꝛc. Mußt dein Härlein schließen ein in dem weißen Häubelein.

Lache nicht, lache nicht, deine rothe rothe Schuh' werden dich wohl drücken, sind eng genug dazu. O weyele Weh! ꝛc. Wenn die andern tanzen gehn, wirst du bei der Wiege stehn.

Winke nur, winke nur, sind gar leichte leichte Wink', bis du an dem Finger einen goldnen Hochzeitsring. O weyele Weh! ꝛc. Goldne Ketten legst du an, mußt in ein Gefängniß gahn.

Springe heut', springe heut' deinen letzten letzten Tanz, morgen kannst du weinen auf den schönen Hochzeitskranz. O weyele Weh! ꝛc. Mußt die Blumen lassen stehn, auf den Acker mußt du gehn.

Volkslied aus des Knaben Wunderhorn.

1251.
Kinderlied.

Komm, lieber Mai, und mache die Bäume wieder grün, und laß uns an dem Bache die kleinen Veilchen blühn! Wie möchten wir so gerne ein Blümchen wieder sehn, und in die frische Ferne in's grüne Freie gehn!

Komm, mach' es bald gelinder, daß alles wieder blüht! dann wird das Flehn der Kinder ein lautes Jubellied. O komm und bring' vor allen uns viele Rosen mit! bring' auch viel Nachtigallen und schöne Kuckucks mit.

Lieder der Jugend.

1252.
Hirten-Abendlied.

Komm, stiller Abend, nieder auf unsre kleine Flur! dir tönen unsre Lieder, :,: wie schön bist du, Natur! :,:

Schon steigt die Abendröthe hinab in's kühle Thal, schon glänzt auf unsrer Flöte der Sonne letzter Strahl.

All überall herrscht Schweigen, es singt der Vögel Chor noch aus den dunkeln Zweigen den Nachtgesang empor.

Kommst, lieber Abend, wieder auf unsre stille Flur; dir tönen unsre Lieder, wie schön bist du, Natur!

Matthias Claudius.

1253.
Petrus und Pilatus auf der Reise.

Komm, wir wollen wandern, sprach Petrus; von einer Stadt zur andern, a, a, andern, sprach Pilatus

Komm, wir woll'n in's Wirthshaus gehn, sprach Petrus; und eine Kanne Bier geb'n, Bier, Bier, Bier geb'n, sprach Pilatus.

Wer will es denn bezahlen? sprach Petrus. Ich habe noch einen Thaler, Tha, Tha, Thaler, sprach Pilatus.

Wo hast du den bekommen? sprach Petrus. Den hab' ich einem Bauern genommen, Ba, Ba, Bauern genommen, sprach Pilatus.

Dann kommst du nicht in's Himmelreich, sprach Petrus. Dann reit' ich auf dem Rappen 'nein, Rap, Rap, Rappen 'nein, sprach Pilatus.

Dann fällst du 'runter und brichst ein Bein, sprach Petrus. Dann geh' ich als ein Krüppel 'nein, Krüp, Krüp, Krüppel 'nein, sprach Pilatus.

Zwei Kinder, die sich kreuzweis die Hände gereicht haben, gehn, solches singend, vorwärts, drehn sich bei „sprach Pilatus" durch einen Zug der Hände rasch herum und gehn wieder zurück.

1254.

Eigne Melodie.

Kommt a Vogerl geflogen, setzt sich nieder auf mein Fuß, hat a Zetterl im Goscherl und vom Dirndel an Kuß.

Und a Büchserl zum Schießen, und a Straußring zum Schlag'n, und a Dirndel zum Lieben muß a frischer Bub' trag'n.

Hast mi allweil vertröstet auf die Summeri=Zeit, und der Summer is kommen, und mein Schatzerl is weit.

Daheim is ma Schatzerl, in der Fremd bin i hie, und es fragt halt kein Katzerl, kein Hunderl nach mi.

Liebes Vogerl, flieg weiter, nimm Gruß mit und Kuß, und i kann di nit begleite, weil i hier bleiben muß.

„Wiener in Berlin."

1255.

Kommt, Brüder, trinket froh mit mir, seht, wie die Becher schäumen! Bei vollen Gläsern wollen wir ein Stündchen hier verträumen! Das Auge flammt, die Wange glüht, in kühnen Tönen rauscht das Lied, schon winkt der Götterwein! Schenkt ein! schenkt ein! schon winkt der Götterwein! Schenkt ein!

Doch was euch tief im Herzen wacht, das will ich jetzt begrüßen: dem Liebchen sei dies Glas gebracht, der Einzigen, der Süßen! das höchste Glück der jungen Brust, das ist der Liebe Götterlust, sie trägt euch himmelan! Stoßt an!

Ein Herz, im Kampf und Streit bewährt bei strengem Schicksalswalten, ein freies Herz ist Goldes werth, das müßt ihr fest erhalten. Vergänglich ist des Lebens Glück, drum pflückt in jedem Augenblick euch einen frischen Strauß! Trinkt aus!

Jetzt sind die Gläser alle leer: füllt sie noch einmal wieder! es wogt im Herzen hoch und hehr — wir sind ja alle Brüder, von einer Flamme angefacht — dem deutschen Volke sei's gebracht, auf daß es glücklich sei, und frei!

Theodor Körner.

1256.

Kommt die Nacht mit ihrem Schatten, schleich' ich still zum Garten hin, setz' mich lauschend auf die Moosbank, in die Laube von Jasmin. Doch allein so da zu sitzen wird die Zeit mir gar zu lang, :,: und mein Liebchen herzulocken, laß ich schallen meinen Sang. :,: La, la, la, la, la, la, la, la, la, la, la.

Und sie hört mein helles Singen, löscht geschwind das Lämplein aus, öffnet schnell das kleine Fenster, streckt ihr liebes Köpfchen 'raus; alles liegt in tiefem Schlummer, keine Seele ist mehr wach. Und zum Zeichen, daß sie komme, singt sie leis mein Liedchen nach. La ꝛc.

Ei wie wird geküßt, gekoset, wie geplaudert und gelacht; doch die Freude währt nicht lange, denn gar bald ist Mitternacht! Einen Kuß noch, eh' wir scheiden, einen heißen langen Kuß! Aus der Ferne noch erklinget meines Liedes letzter Gruß. La, la, la ꝛc. *Fliegendes Blatt.*

1257.

Eigne Melodie.

Kommt ein schlanker Bursch gegangen, blond von Locken oder braun, hell von Aug' und roth von Wangen: ei nach dem kann man wohl schaun!

Zwar schlägt man das Aug' auf's Mieder, nach verschämter Mädchen Art; doch verstohlen hebt man's wieder, wenn's das Herrchen nicht gewahrt.

Sollten ja sich Blicke finden, nun was hat auch das für Noth? man wird drum nicht gleich erblinden, wird man auch ein wenig roth.

Blickchen hin und Blick herüber, bis der Mund sich auch was traut. Er seufzt: Schönste! sie spricht: Lieber! bald heißt's Bräutigam und Braut.

Immer näher, lieben Leutchen, wollt ihr mich im Kranze sehn? Gelt, ich bin ein nettes Bräutchen, und der Bursch nicht minder schön. *F. Kind. „Freischütz" von Weber.*

1258.

Kommt, Freunde, setzt euch in die Runde, vergeßt des Lebens Last und Müh'n; nur freud'ger Jubel schall' aus unserm Munde, in Freude soll das Herz erglühn. (Chor:) Freudige Brüder, auf! jubelt und trinkt, bis in die Becher der Morgenstern blinkt.

Füllt eure Gläser bis zum hohen Rande, und trinkt ein jubelnd Lebehoch. Das erste gilt dem schönen Freundschaftsbande, das unsern Bruderbund umzog. (Chor:) Freudige Brüder, auf! jubelt und trinkt ꝛc.

Dem Vaterlande schall in Jubelklängen ein dreimal freud'ges Lebehoch. Auf! widmet euch bei freudigen Gesängen dem Vaterland, das uns erzog. (Chor:) Freudige Brüder, auf! jubelt und trinkt ꝛc.

Auch unserm Fürsten tön' ein hohes Lebe! er ist des Volkes Liebe werth; er ist es werth, daß ihn das Lied erhebe, daß ihn der treue Bürger ehrt. (Chor:) Freudige Brüder, auf! jubelt und trinkt ꝛc.

Ein dreimal Lebehoch der holden Schönen, die Wonn' in unsre Tage webt; ergreift die Becher, laßt es freudig tönen, daß ihr es durch die Seele bebt. (Chor:) Freudige Brüder, auf! jubelt und trinkt ꝛc.

Und will sich einst das Leben ernst gestalten, dann greifet rasch zum Becher, trinkt! Laßt nur der Freude Gluthen nicht erkalten, bis Todesnacht hernieder sinkt. (Chor:) Freudige Brüder, auf! jubelt und trinkt, bis uns hinüber das Ruheland winkt.

1259.

Eigne Melodie.

Kommt, geliebte Kaffeetassen, ihr erheitert meinen Sinn, wenn mir alle Menschen hassen, seh' ick euch — und stippe in.

Zwar des Kaffee's schwarze Quelle gleichet meinem Leben sehr, doch wie meine Unschuld, helle fließt die weiße Sahne her.

Und der süße, sanfte Zucker kommt der zarten Hoffnung bei, daß dereinst mir armen Schlucker Dörthe's Herz beschieden sei.

Wie sich Kaffee, Zucker, Sahne in die Tasse mengelirt, wird in meine Lebensbahne Dörthe eenstmals ingerührt.

„Berliner in Wien."

1260.

Kommt hinaus, laßt uns gehn, die Veilchen zu sehn! Brauchst nicht viel zu schmücken dein nußbraunes Haar: winde Kränze hinein, die der Frühling gebar!

Siehe dort in dem Schooß des Thals aus dem Moos, da blicken die Veilchen so lieblich heraus! Komm, pflück' dir geschwind die schönsten zum Strauß!

Pflücke immer sie ab, sinkt doch alles in's Grab! Und ist es nicht besser, am Herzen vergehn als verwelkend alleine an dem Grabe zu stehn.

Aus Jarnach's Volksliedern.

1261.

Kommt, laßt uns gehn spazieren durch den viel grünen Wald; die Vögel musiciren, :,: daß Berg und Thal erschallt. :,:

Wohl dem, der frei kann singen, wie du, du Volk der Luft! und seine Stimme schwingen zu der, auf die er hofft.

Ich werde nicht erhöret, schrei' ich gleich ohne Ruh', die so mich singen lehret, stopft selbst die Ohren zu.

O wohl dem, der frei lebet, wie du, du leichte Schar, in Trost und Frieden schwebet, und außer aller Fahr.

Ihr werdet zwar umgangen, doch hält man euch in Werth; ich bin von der gefangen, die meiner nicht begehrt.

Ihr könnt noch Mittel finden, entfliehen aus der Pein; sie muß noch mehr mich binden, soll ich erlöset sein.

Martin Opitz.

1262.

Melodie: Prinz Eugenius.

(Sansquartier:) Kommt nur, ihr Türken und ihr Mohren! kommt, der Tod ist euch geschworen; zwar hab' ich ein Aug' verloren, doch den Kopf verlor ich nie, wie man zu sagen pflegt.

(Bataille:) Hinter diesen alten Mauern wollen wir uns niederkauern und die Feinde schlau belauern. Das ist eine Kriegeslist, wie man zu sagen pflegt.

(Briquet:) Nichts von Kriegeslist wollen wir hier sprechen, im offenen Kampfe wollen wir die frechen Türkenhunde niederstechen, und wär'n's auch zweimal hunderttausend Mann, wie man zu sagen pflegt.

„Sieben Mädchen in Uniform."

1263.

Melodie: Alles schweige.

Kommt zum Mahle! Die Pokale sind schon voll vom edeln Wein. Setzt euch um die Tafelrunde! unser noch ist diese Stunde; laßt uns froh wie Götter sein!

Ihre stille Wolkenhülle breitet rings die Nacht schon aus; aber wir bei frohen Scherzen weilen hier im Glanz der Kerzen, und umschirmt von sicherm Haus.

Stürme sausen, Wellen brausen auf der kalten Winterflur; aber wir, bei'm Saft der Reben, trinken Kraft und frohes Leben von der Spende der Natur.

Laßt uns trinken! freundlich winken Freuden, die der Himmel gab. Eilend ist der wandelbare Flügelschwung der Lebensjahre, und das Stundenglas rollt ab.

Schneegestöber deckt die Gräber Mancher, die noch kaum gelebt; bald vielleicht, eh' wir es ahnen, sind auch wir in's Reich der Manen, wo nicht Reben blühn, entschwebt.

Am Gestade dunkler Pfade zu den Schatten stehn wir schon. Heute, morgen kann es fallen unser Loos, noch ist von allen keiner seinem Tag entflohn.

Mag er kommen! was kann's frommen, wenn wir angstvoll auf ihn sehn? Nützet klug die Augenblicke, und dann laßt uns dem Geschicke unverzagt wie Männer stehn.

Neuffer.

1264.

Melodie: **Mihi est propositum.**

Lachend roll' ich durch die Welt auf der Freude Wagen,
treibe Possen, ohne dich, Weisheit, erst zu fragen,
und am wonnigsten ist mir bei den Lustgelagen, wo man
küßt und singt und springt, bis die Wolken tagen.

O wie haff' ich steifen Stolz mit der Staatsperrücke; aber,
Scherz, du bist mir lieb, dem ich freundlich nicke: Freud'
und Minne, wo ihr fehlt, find' ich eine Lücke; an des Lebens
Horizont seid ihr Sonnenblicke.

Wer kann durch ein Feuer gehn, ohne sich zu sengen?
Wer kann hübsche Mädchen schaun und an keins sich hängen?
Froh will ich bei Mädchen sein und bei Trinkgesängen, bis
der dürre Störenfried mich in's Grab wird drängen.

Langbein.

1265.
Antwort des Rheines.

Lasset ab mich zu besingen, stellet ein die Litanei, macht
mich erst, vor allen Dingen, wahrhaft **deutsch** und wahrhaft
frei.

Räumet weg die fremden Zölle, räumet weg der Rede
Zwang, daß fortan so Wort als Welle ströme **frei** den **Rhein**
entlang.

Redet erst, wie deutschen Mannen ziemt, für euer
gutes Recht, sonst im Kampf mit den Tyrannen, Russen,
Welschen geht's euch schlecht.

Bis ihr so euch habt erschwungen, stellet ein die Litanei,
laßt mich lieber unbesungen, nennt mich weder **deutsch** noch
frei!

W. Cornelius.

1266.
Rundgesang.

Lasset die feurigen Bomben erschallen, piff! paff! puff! vivallerallera! Unser Bruder N. N., der soll leben, es lebe das ganze N. N.sche Haus! und sein Liebchen auch daneben, drauf trinkt er sein Gläschen aus. Aus! aus! aus! — Leeret die Gläser und schenkt wieder ein! laßt uns alle lustig sein!

1267.

Lasset die Freude froh euch umfangen, opfert der Holden mit Liebe und Lust. :,: Frohsinn und Liebe würzen das Leben, heitern die düstere trauernde Brust. :,:

Bringt auch das Leben mancherlei Sorgen, trübt sich zuweilen der heitere Blick, :,: ei, so bedenket, daß aus den Thränen blühet dem Innern ein edler Gewinn. :,:

Küsset die Freude, wo sie sich zeiget, sucht sie in Thälern, auf Bergen, im Hain! :,: Liebet euch Alle, freundlich, wie Brüder, euer Beruf ist ja, glücklich zu sein! :,:

1268.
Neujahrslied.

Melodie: Fröhlich tönt der Becherklang.

Lasset froh den Hochgesang diesem Tag erschallen; feiert ihn mit Gläserklang, er verdient's vor allen: denn ein neues Jahr bricht ein unserm freundlichen Verein, drum laßt herzlich froh uns sein. (Chor:) Theure Freunde, schenket ein! Stoßet an und trinkt den Wein!

Fröhlich sitzen wir noch hier, wie vor einem Jahre, glücklich noch entkamen wir der beflorten Bahre: drum freut euch der kurzen Zeit, die der Himmel noch verleiht, seid nicht gram der Fröhlichkeit! (Chor:) Werthe Freunde, schenket ein! Stoßet an und trinkt den Wein!

Was dem Schooß der Erd' entblüht, das muß auch vergehen. Alles um uns her entflieht; nichts kann hier bestehen: drum genießt den Augenblick, seht auch dankbar oft zurück, o, fühlt ganz des Daseins Glück! (Chor:) Gute Freunde, schenket ein! Seid vergnügt und trinkt den Wein!

Seines Lebens sich erfreun, Andrer Freuden mehren, das heißt erst ein Mensch zu sein, heißt die Gottheit ehren; drum erschalle unter Sang, schalle unter Gläserklang hoch der Freude unser Dank! (Chor:) Traute Freunde, schenket ein! Weiht der Freude diesen Wein!

Und nun auf ein glücklich Jahr unserm Freundschafts=
bunde! Besser werd', was nicht gut war! — Recht bald
schlag' die Stunde, wo in Gottes weiter Welt jede Sklaven=
kette fällt, die den Geist gefesselt hält! (Chor:) Liebe Freunde,
voll schenkt ein! Darauf trinkt den goldnen Wein!

1269.

Lasset heut' im edlen Kreis meine Warnung gelten!
nehmt die ernste Stimmung wahr, denn sie kommt so selten.
Manches habt ihr vorgenommen, manches ist euch schlecht be=
kommen, und ich muß euch schelten.

Reue soll man doch einmal in der Welt empfinden! So
bekennt, vertraut und fromm, eure größten Sünden! Aus des
Irrthums falschen Weiten sammelt euch und sucht bei Zeiten
euch zurecht zu finden.

Ja, wir haben, sei's bekannt, wachend oft geträumet,
nicht geleert das frische Glas, wenn der Wein geschäumet;
manche rasche Schäferstunde, flücht'gen Kuß vom lieben Munde
haben wir versäumet.

Still und maulfaul saßen wir, wenn Philister schwätzten,
über göttlichen Gesang ihr Geklatsche schätzten; wegen glück=
licher Momente, deren man sich rühmen könnte, uns zur
Rede setzten.

Willst du Absolution deinen Treuen geben, wollen wir
nach deinem Wink unabläßlich streben, uns vom Halben zu
entwöhnen, und im Ganzen, Guten, Schönen resolut zu leben.

Den Philistern allzumal wohlgemuth zu schnippen, jenen
Perlenschaum des Weins nicht nur flach zu nippen, nicht zu
liebeln leis mit Augen, sondern fest uns anzusaugen an ge=
liebte Lippen.
Göthe.

1270.

Lasset uns scherzen, blühende Herzen, lasset uns lieben
ohne Verschieben, Lauten und Geigen sollen nicht schweigen,
kommet zum Tanze, pflücket vom Kranze.

Drücket die Hände, legt euch zum Ende, gebet euch Küsse,
tretet die Füße, machet euch fröhlich, machet euch ehlich, lasset
die Narren einsam verharren.

Ehlich zu werden dienet der Erden, ledige Leute man=
geln der Freude; jeder muß sterben, machet euch Erben, euerem
Gute, Namen und Blute.

Lasset der Grauen Murren und Schauen, Rathen und
Wissen wenig ersprießen, eben sie selber waren auch Kälber;
blühende Herzen, lasset uns scherzen!
Georg Greflinger. 1651.

1271.
Bei einem Sternschießen.
Melodie: Ae Schüfferl und á Reindl.

Laß ab, o Stern, zu strahlen auf unsre Schützenbahn! sonst wird, nach langen Qualen, dein Ende dir sich nahn. Ja, ja, du Sternlein, hadre nicht, entströmt auch dir ein blendend Licht, dich stürzen :,: ist unsre Schützenpflicht.

Denn wärst auch du zu loben, und wärst auch noch so schön, bist doch kein Stern von oben, aus lichten Himmelshöh'n. Du glänzest uns auf naher Spur, ganz gegen alle Sternnatur, statt Abends :,: am hellen Tage nur.

Nie wird dein Stand es hindern, dringt unsrer Kugeln Tanz, dein Blenden zu vermindern, tief ein in deinen Glanz; drum spare klüglich dir die Qual, laß, ohne Murren, Strahl um Strahl entfallen :,: herab in's Erdenthal!

Und, wer dann dich erschüttert bis tief in's Herz hinein, wer wacker dich zersplittert, verdunkelnd deinen Schein, wer endlich dich zum Fallen zwingt, er sei für heute, unbedingt, hier König :,: vom treuen Volk umringt!

1272.

Laß mich los, dies Blendwerk goldner Scenen schwand schon längst vor dem verhüllten Blick, nimm die Bitten, Seufzer, Schwüre, Thränen, nimm die Locke, nimm den Kranz zurück. Es versiegt in diesem dürren Sande jede Thräne, die der Freude rinnt; laß mich los! und wären's Rosenbande, wie es Bande nur aus Dornen sind.

Kann ein Schatten dieses Herz beglücken, das sich selig fühlte durch Genuß? Ach umsonst! denn leises Händedrücken überwiegt des Schwärmers Flammenkuß. Warum zaubert inniges Verlangen mir im Traume stets dein Bild zurück? Laß mich los! verblüht sind meine Wangen, welk mein Herz und ohne Licht mein Blick.

Vor der Welt herzlosem Gaukelspiele wich die Einfalt meiner Knabenzeit; rege wurden schlummernde Gefühle, und erfüllten dieses Herz mit Leid. Stetes Schmachten, unnennbares Sehnen machten mich in Freud' und Leiden stumm; oft zerfloß dies Aug' in milden Thränen, aber selten wußt' ich recht, warum.

Doch das Glück entfloh, den Blüthenzeiten fielen bald die jungen Knospen ab, als die Liebe mir nur Bitterkeiten und die Hoffnung keinen Trost mehr gab. Schnell zerknickten ungestüme Winde all' die Blumen, die mein Lenz gebar, als ich fand, daß meine Liebe Sünde und mein Hoffen nichts als Schwachheit war.

Nimm zurück die Schwüre heil'ger Treue, nimm zurück dies vielgeliebte Band, alles, alles, Engel! nur verzeihe, daß mein Herz dich liebenswürdig fand! sprich mich frei von diesen Jugendsünden, trockne diesen thränenfeuchten Blick; löse nur die Ketten, die mich binden: nimm den Ring und gieb mein Herz zurück.

1273.

Melodie: Gaudeamus igitur.

Laßt bei Lust und Heiterkeit uns nicht müßig säumen! Auf, die Welt ist ja so weit — nur der Schlechte kann die Zeit im Genuß verträumen!

Ob auf Erden auch um Geld Mancher sich verknechte, Treue wohnt noch in der Welt. Laßt uns, auch von List umstellt, kämpfen für das Rechte.

Wenn der Geist, der Welt entrafft, schwebt in's Reich der Töne, wenn die Kunst uns Wunder schafft, wollen wir mit Jugendkraft glühen für das Schöne.

Bruder sei, wer frei und wahr, wie er spricht, auch handelt, wessen Geist der Fesseln bar, wessen Treu auch in Gefahr nimmermehr sich wandelt.

So wird unser Bund ein Stern für Erinnerungen, hält die Freunde nah und fern, jeden Edlen hält er gern traulich mit umschlungen.

Deutscher Sang und deutsches Wort sollen uns entflammen: ruft uns einst das Schicksal fort — unsre Herzen hier und dort bleiben stets zusammen.

R. Löwenstein.

1274.

Der Lorbeer und die Eiche.

Laßt den Fremden ihre Lorbeerwälder, denn die Ruhmsucht pflückte sie ja kahl, Ruhmsucht schritt dahin auf Leichenfelder und sie war's, die Lorbeerkronen stahl. Schmeichler wallten schon im frühen Lenze, flochten hier für Mörder junge Kränze; drum nicht Lorbeern, unser deutsches Haupt sei mit grünem Eichenblatt umlaubt.

Wo die Sonne brennend zum Ermatten tausendfach im Sande wieder glüht, wo die Bäume trauern sonder Schatten, dort ist's wo der Lorbeerbaum erblüht. Träg' und langsam steigt er in die Lüfte, um ihn wehen bange Moderdüfte; drum nicht 2c.

Und wo Lorbeer'n haben ihre Kronen, brüten Völker in Versunkenheit, Ketten rasseln, weinen Nationen, während Willkür Menschenrecht entweiht. Wider Sclaven siehst du Herrscher rasen, die den Sinn der Menschlichkeit vergaßen. Drum nicht 2c.

Kann der Lorbeer in der deutschen Erde Wurzel fassen, wie der Eichenbaum? Pflanzt ihn nur, damit er heimisch werde, siechend steht er in dem fremden Raum. Nordens Kraft und Südens matte Flammen, nimmer schmelzt ihr sie in Eins zusammen; drum nicht 2c.

Darum hat der Herr im Eichenstamme deutsche Kraft, dein Sinnbild aufgebaut. Jedem lodert der Begeistrung Flamme, wenn er hin auf seine Eichen schaut. Jeder schwört es bei der deutschen Eiche, daß er würdig sich den Ahnen zeige; drum nicht 2c.

Seht, wie kühn die Eichen sich erheben, wenn die Windsbraut ihre Zweige neckt! merkt ihr wohl ein frostiges Erbeben, wenn der Blitz an ihre Wurzeln leckt? So auch darf der Deutsche nicht verzagen, muß das Höchste für das Höchste wagen; drum nicht 2c.

Aber hab' ich einst das Ziel errungen, muthig für das Vaterland gekämpft, sind, vom kalten Hauch des Tod's bezwungen, meines Herzens Gluthen ausgekämpft, sink' ich nieder in des Grabes Schatten nach des Lebens endlichem Ermatten, o so streue auf das kühle Grab eine Eiche ihre Blätter ab.

1275.

Melodie: Gaudeamus igitur.

Laßt der Jugend Sonnenschein, Brüder, uns genießen! laßt bei Sang, bei Tanz und Wein unsern Lenz verfließen! sind die Rosen abgeblüht, schweigt der Sang, die Freude flieht vom erblaßten Munde.

Sagt mir doch, wo sind sie hin, die vor wenig Nächten, gleich wie wir, mit heiterm Sinn, unter Liedern zechten! Dunkel hüllt ihr Antlitz ein, und ihr moderndes Gebein schläft im Haus des Todes.

Schneller als die dünne Luft leichte Pfeile theilen, Brüder, wird zur nahen Gruft unser Leben eilen! und der dürre Knochenmann klopft an unsre Pforten an, mitten unter Küssen.

Bacchus lebe! dieser Saft scheuche trübe Grillen! soll mit neuer Jugendkraft Nerv' und Adern füllen. Jedem Fürst, der Reben schützt, den Minervens Lied ergötzt, tön' ein feurig Lebe!

Mädchen, deren Rosenmund unsern Lippen winken, gern zu süßer Liebe Bund in den Arm uns sinken, Mädchen, deren Nectarkuß jede Grille weichen muß, sei dies Glas geweihet!

Fahr' hinab, wo ich und du nie zu fahren denken, jeder, der des Nächsten Ruh' bitter sucht zu kränken! Eule sing' ein Todtenlied jedem, dem das Herz nicht glüht, wenn die Lippe schmeichelt.

Und auf immer Spott dem Mann; der, wenn Gläser blinken, fühllos sie erblicken kann, spottet, wenn wir trinken! aber Heil, dem Ehrenmann, ihm, der trinkt, so viel er kann, bis der Tod ihm winket.

1276.
Bekannte Melodie.

Laßt die Politiker doch sprechen; singt, Freunde, singt und seid vergnügt! Laßt sie die Köpfe sich zerbrechen, ob Frankreich oder England siegt; uns kapert man kein Schiff, kein Boot; was hat es denn mit uns für Noth?

Laßt Frankreichs roth' und weiße Weine im Preise steigen, immerhin; wächst doch noch Wein an unserm Rheine, und fast ertränkt man uns darin; denn unser Wirth — das seht ihr wohl — schenkt gar zu gern die Gläser voll.

Allein, Herr Wirth, nicht gar zu fleißig; denn jeder Kopf verträgt das nicht; wie scherzhaft war, wird sonst leicht beißig, und wer nur spottete, der sticht; das Liedchen wär' auf einmal aus, und schade wär's um unsern Schmaus.

Weg mit den Riesen von Pokalen, der andere Kriege leicht gebiert, als unsre Hand mit Mandelschaalen, mit Kernen und mit Stielen führt. Nimm dich in Acht, da drüben, du, jetzt fliegt ein Apfelkern dir zu.

Nun sagt ich's nicht, du würd'st es fühlen? Doch soll nicht etwa dieser Kern an dir vielleicht mein Müthchen kühlen; ei, was sich liebt, das neckt sich gern. Denk' Jeder, was er will dabei, denn Lieben heißt ja vielerlei.

Doch laßt das Beste nicht vergessen bei unsern Neckereien sein! Frau Wirthin, Danck für Euer Essen! Herr Wirth, habt Dank für euern Wein! Nicht wahr, wir waren bei Euch froh? Seid's nächstens bei uns wieder so.

Gökingk.

1277.

Laßt die verdammten Manichäer klopfen, ich verriegle meine Stubenthür. Der Gestank von solchen Wiedehopfen, kommt meiner Nase unerträglich für! Vor der Messe zahl' ich Niemand aus; nach der Messe wird wohl schwerlich was daraus! (Chor:) Vor der Messe ꝛc.

Kommt der Schneider und die Wäsch'rin mir zu Leibe, fordern das halbjähr'ge Quantum ab, pack' ich sie, und werf' zum Zeitvertreibe ihn und sie die Treppe plumps hinab! Vor der Messe ꝛc. (Chor:) Vor der Messe ꝛc.

Hält den Bratenrock der Schneider gleich zurücke, hab' ich doch den alten Gottfried noch, den ich mir zuweilen selber flicke, posito der Kerl bekäm' ein Loch. Und schaut mir auch das Hemde zu den Kleidern heraus, ei was macht sich denn der flotte Bursch' daraus! (Chor:) Und hängt ꝛc.

Als mich neulich mein Philister um den Wechsel quälte, macht' ich ihm ein burschikos Gesicht; als er aber drauf mir seine Noth erzählte, sagt' ich: armer Kerl, verzweifle nicht; weißt du, wie ein wackrer Bursche denkt: lang' geborgt und gut bezahlt, heißt nicht geschenkt. (Chor:) Weißt du ꝛc.

Als ich neulich meinen Schläger auf dem Pflaster wetzte, kam ein großer Knote angerennt, den ich dann zum Spaß ein wenig hetzte, Blitz, wie gab das Windspiel Fersengeld! solche Knoten werden fortgejagt, wenn der flotte Bursch sich lustig macht! (Chor:) Solche ꝛc.

Als ich einen Schnurren letzthin wacker zwickte, hat er mich beim Rector angeklagt, der mich dann zum Zeitvertreib in's Carcer schickte, denn ich hab' das Ding zu arg gemacht! glaubst du, daß mich dieser Spaß verdroß? nein! im Carcer lebt sich's burschikos! (Chor:) Glaubst du ꝛc.

Neulich ist der Pudel bei mir gewesen, hat mich ad **magnificum** citirt, konnte sein verdammt Geschmier nicht lesen, weil der Kerl so gar erbärmlich schmiert: und citirt er auch mein ganzes Haus, ei was macht sich denn der flotte Bursch daraus (Chor:) Und citirt ꝛc.

Altes Burschenlied.

1278.

Laßt die vollen Gläser klingen in dem kerzenreichen Saal! Was wir lieben! laßt uns singen, kränzt mit Rosen den Pokal, wie Anakreon, der Dichter, singt, trotz finstrer Splitterrichter: was wir lieben! hundertmal.

Doch gedenkt auch freundlich wieder, was in längst verklungner Zeit unsre Herzen, Schwestern, Brüder, wie ein Morgentraum erfreut; unsrer kindlichen Gefühle, unsrer unbefangnen Spiele, ach! wir lieben so noch heut'!

Denkt der süßen Schwärmereien, unsrer Sehnsucht Ideal; nichts kann diesen Rausch erneuen erster Liebe Lust und Qual;

doch von jenen zarten Trieben ist Erinn'rung uns geblieben. Was wir liebten! tausendmal!

Flüchtig ist er uns verschwunden, eines Plato's Zaubertraum, an die Erde festgebunden, schwand er, wie Champagnerschaum. Oft geprüft im Weltgewühle, hat für göttliche Gefühle doch das Herz auch immer Raum.

Unser besser Selbst zu retten bei der Freuden Unbestand, flicht aus Myrthen Hymen Ketten; uns umschlingt ein heil'ges Band. Was wir bis zum Tode lieben, hat Natur in's Herz geschrieben: Gattin, Kinder, Vaterland!

Laßt dies theure Kleeblatt leben! es gedeihe fort und fort! Unser Nachen wird dann schweben friedlich in der Ruhe Port. Bis wir einst zu Staub verstieben, sei dies frohe: was wir lieben! unsrer Herzen Losungswort!

Carl Müchler.

1279.

Melodie: Laßt die Politiker.

Laßt finstre Menschenfeinde zagen! und über Noth und Unglück schrein; nach fragen nichts nach ihren Klagen, ihr Spleen bringt nimmermehr Gedeih'n, wir haschen froh den Augenblick, und nützen ihn zum Lebensglück.

Was kümmern uns des Auslands Kriege; der großen Herren Mein und Dein? wir lieben nur der Gläser Siege, der Freundschaft süßen Hochverein. Wir leben für die Gegenwart; denn der verliert sie, der sie spart.

Drum soll auch im vertrauten Kreise, bei Scherz und frohen Melodien, nach unsrer guten Väter Weise, uns dieser Freudentag entfliehn; und angestoßner Becherklang ertön' in unsern Jubelsang.

Wer stets den Weg des Lasters scheuet, wer Bürgerglück im Busen nährt, den armen Bruder gern erfreuet, der ist der Bürgerkrone werth. Singt, Freunde! stoßt die Gläser an: hoch lebe jeder Biedermann!

Wer sich, des Lebens zu erfreuen, mit reinem Herzen an uns fügt, sei uns gegrüßt in unsern Reihen! er lebe hoch und sei vergnügt! Wer gut ist, wer es redlich meint, sei stets als Freund mit uns vereint!

Auch wir, wir wollen uns bestreben des guten Namens werth zu sein, stets andern gutes Beispiel geben, und unser Herz der Tugend weihn; daß wahres Lebensglück und Heil uns werde überall zu Theil.

Dann weilt in unserm frohen Kreise auch reine Freundschaft, Liebe gern, und jeder Gute, jeder Weise — folgt hei=

ter unsrer Freude Stern; sich unter guten Menschen freun, flößt jedem Edlen Wonne ein.

So folgen uns durch dieses Leben, auch Frauen, Mädchen, hochbeglückt, die freundlich Lieb' um Liebe geben und deren Busen Treue schmückt. Dann rufen wir am Grabe noch: es lebe, was wir lieben, hoch!

1280.

Bekannte Melodie.

Laßt, Freunde, die Gläser erklingen, ein fröhliches Bierlied uns singen, bei'm Gerstensaft singt sich's so gut. :,: Er stimmt unsre Seele so heiter, er macht uns beredt und so weiter, und rascher bewegt sich das Blut. :,:

Es gab ihn der Schöpfer uns Schwaben, daß wir einen Labetrunk haben, zur Stärkung nach Arbeit und Fleiß. Es schwanket in strotzender Schwere auf unsern Aeckern die Aehre der Gerste, dem Geber sei Preis!

Bei uns ziehen rastlose Hände die pyramidalischen Wände des Hopfens so malerisch schön! die hochaufgethürmten Stangen umschlingt er, und königlich prangen die Träubchen im wispelnden Grün.

O freut euch der herrlichen Gaben, die uns so erquicken, so laben, sie machen uns fröhlich und stark. Aus kraftvollen Lenden entsprungen uns Knaben, die nach uns noch singen, als Deutsche voll Kraft und voll Mark.

Was brauchen wir köstliche Weine aus Burgund, vom Kap und vom Rheine, wir wollen den Plunder nicht hier; laßt sie um Laubthaler moussiren, der Kopf und der Beutel wird's spüren, wir trinken das schäumende Bier.

Da steht er, der Becher und winket, er ist vaterländisch, drum trinket den Gerstensaft unter Gesang. Die Gerste auf blühenden Feldern, der Hopfen in künstlichen Wäldern gedeihen, dann leben wir lang.

1281.

Melodie: Bei Männern welche Liebe fühlen.

(Zwei Stimmen:) Laßt uns der Freundschaft Rosen streuen, sie ist's, die uns mit Wonne tränkt. (Zwei andere Stimmen:) Wir wollen uns der Freundschaft weihen, sie ist's, die uns der Himmel schenkt. (Chor:) Drum selig, wer an Freundes Hand den Trost für Erdenleiden fand!

(Zwei Stimmen:) Dem Freunde eine Zähre weihen, wenn Kummer seine Tage trübt — (Zwei andere Stimmen:) sich herzlich mit dem Freunde freuen, wenn ihm die Vorsicht Freuden giebt. — (Chor:) Dies hohe göttliche Gefühl! streut Blumen auf den Weg zum Ziel!

(Zwei Stimmen:) Die Liebe mag mit Küssen spielen, die Freundschaft drückt sich blos die Hand: (Zwei andere Stimmen:) Im biedern Händedrucke fühlen wir, daß sie ewig uns verband. (Chor:) Wir fühlen bei dem Druck der Hand, daß sie auf ewig uns verband.

(Zwei Stimmen:) So laßt uns denn im Erdenleben, der Brüder Wohlfahrt zu erhöhn, (Zwei andere Stimmen:) mit reinem Eifer stets bestreben: vereint den Weg der Tugend gehn. (Chor:) Am nahen Ziele winkt uns schon der Freundschaft und der Tugend Lohn! *Carl Schindler.*

1282.

Melodie: Sind wir vereint.

Laßt uns die deutschen Ströme singen im deutschen festlichen Verein, und zwischendurch die Gläser klingen, denn sie beschenken uns mit Wein. Auf ihre Töne laßt uns lauschen, die alle jetzt herüberweh'n und bald der Welle lautes Rauschen, bald ihren leisen Wink verstehn.

Zuerst gedenkt des alten Rheines, der fluthend durch die Ufer schwillt, und seines goldnen Labeweines, der aus der Traube lustig quillt. Denkt seiner schön bekränzten Höhen und seiner Burgen im Gesang, die stolz auf jene Fluren sehen, die jüngst das deutsche Volk bezwang.

Tief in des Fichtelberges Klüften, mit grauen Nebeln angethan, umweht von nördlich kalten Lüften, beginnt der Main die Heldenbahn. Er kämpft in muthigem Gefechte sich hin bis zu dem Vater Rhein, und drängt, bekränzt mit Weingeflechte, in seine Ufer sich hinein.

Im Land der Schwaben aufgezogen, eilt rasch und leicht der Neckar hin, wenn auch nicht mit gewölbten Bogen gewalt'ge Brücken drüber ziehn; doch spiegeln, gleich den schönsten Kränzen, sich Dörfer in der klaren Fluth, und dunkelblau mit sanftem Glänzen der Himmel, der darüber zieht.

Gestiegen aus verborgnen Quellen, im grünen, lustigen Gewand, um welches tausend Falten schwellen, strömt weit die Donau durch das Land. Die Städte, die sich drin erblicken, erzählen von vergangner Zeit, und fragen dann mit stillem Nicken: Wann wird die alte Pracht erneut?

Durch alle Gau'n der freien Sachsen ergeht sich stolz das Riesenkind, es sieht wie sonst, die Eichen wachsen, doch sucht es seinen Wittekind, und denkt es der gesunknen Helden dann zögert es im raschen Lauf, und wünscht, was alte Sagen melden, herauf, aus seiner Fluth herauf.

So nah' dem hochbeglückten Lande, wo Zwingherrnblut die Erde trank; und nach gelöstem Sclavenbande das Römerjoch zu Boden sank, vernimm, o Weser, unsre Grüße, sie sollen jubelnd zu dir ziehn, voll Ernst und stiller Würde fließe, du Freiheitsstrom, zum Weltmeer hin.

Der Weichsel Münden sind uns theuer, sie halten Wach' am Landesschild: und stürmt die Steppe ungeheuer, sie rast sich an drei Felsen wild. Hier haben Ost und West gerungen, der Alle warf, brach nicht hindurch; und Graudenz Jungfrau unbezwungen schirmt stark, wie sonst Marienburg.

Es sei der Oder jetzt gesungen der letzte schallende Gesang, einst hat ja laut um sie geklungen das deutsche Volk im Waffenklang. Als es sich still und stark erhoben in seiner ganzen Riesenmacht, da half der Helfer ihm von Oben, geschlagen ward die Völkerschlacht.

Bei allen, die zum Meere eilen in rastlos kühnem Küstenlauf, kann der Gesang nicht lange weilen; Vorkämpfer führt den Reigen auf; die Warnow hat den Held gewieget, der brach des Zwingherrn Wüthrerei; das Land und See zur Sperr' geschmieget, da strömte die Persante frei.

So rauscht, ihr Ströme, denn zusammen in ein gewaltig Heldenlied, zum Himmel schlagt, ihr hellen Flammen, die ihr im tiefsten Herzen glüht: Eins wollen wir uns treu bewahren, doch Eins erwerben auch zugleich; du Herr, beschütz' es vor Gefahren, und zu uns komm' dein freies Reich.

Max v. Schenkendorf.

1283.

Eigne Melodie.

Laßt uns die Freuden des Lebens genießen, in Saus und Braus! Lasset Champagner den schäumenden fließen, schenkt ein, schenkt ein und trinkt aus. Fort mit der Welt voll Sorgen und Pein. Alles verscheuchet der Götterwein. (Chor:) Singet ihr Brüder, fröhliche Lieder, singet und liebet, trinkt und schenkt ein.

Seht wie er perlet und schäumet und steiget, der edle Saft! Wahrlich kein andres Gewächse ihm gleichet, an Geist, an Feuer und Kraft. Bringet dem Braven ein donnerndes Hoch, der einst den ersten Champagner zog. (Chor:) Singet ihr Brüder 2c.

Lasset die schäumenden Becher erschallen, es leb' der Wein. Fröhlich durch's irdische Leben zu wallen, sei unser Trachten

allein. Fröhlichkeit herrschet in Zechers Bereich, Bacchus beglücket uns Fürsten gleich. (Chor:) Singet ihr Brüder 2c.
Jahn.

1284.

(Zwei Stimmen:) Laßt uns fröhlich um den Becher süßer Liebe Rosen schlingen. Klingt und singt vor allen Dingen edler Frauen Lob beim Wein! Wen der Wein nicht weckt zur Liebe, besser thäte der, er bliebe ganz allein. (Chor:) Fließe, goldner Saft der Rebe! Singet: Weib und Jungfrau lebe hoch, hoch, hoch! Für die Liebe hoch!

Schöner als des Maies Blüthe glüht der Reiz der Mädchenwange, ihm zu huld'gen steigt vom Range seines Thrones der Fürst herab. Schmäht ein Mann der Schönheit Gaben, legt den armen kalten Knaben in ein Grab. (Chor:) Fließe, goldner Saft der Rebe! Jenes schöne Mädchen lebe hoch, hoch, hoch! für die Liebe hoch!

Aber Mädchenwangen bleichen, wie die schöne Maienblüthe; Sittsamkeit und Seelengüte bleibt, und herrscht magnetisch still. Weiser sei der Mann und größer, reiner sei das Weib und besser, wenn es will. (Chor:) Fließe, goldner Saft der Reben! edle Weiberherzen leben hoch, hoch, hoch! uns zum Glücke hoch!

Männerwort ist wahr und edel, Männersinn ist rauh und spröde; nur des Weibes sanfte Rede schmelzet Herzen von Metall; Männer herrschen, wo sie können, Weiber, ohne sich zu nennen, überall. (Chor:) Fließe, goldner Saft der Reben! alle sanften Frauen leben hoch, hoch, hoch! sanft und liebend hoch!

Laßt des Dankes Hoch erklingen allen Frauen, so die Pflichten braver Mütter treu verrichten; Kindes Glück lohn' ihren Fleiß! Stolz verachtend Sorg' und Schmerzen schlagen edle Mutterherzen immer heiß. (Chor:) Fließe, goldner Saft der Reben! Treue Mütter sollen leben hoch, hoch, hoch! für die Kinder hoch!

In des Weibes reinem Busen ruht der Keim für Lieb' und Treue; daß er wachse und gedeihe, pflegt ihn, Männer! mit Verstand; dann wird Treu' und Lieb' euch leiten, durch das Leben euch begleiten Hand in Hand. (Chor:) Fließe, goldner Saft der Reben! Lieb' und Treue sollen leben hoch, hoch, hoch, hoch! Unsre Frauen hoch!
Nestorius.

1285.
Trinklied zum neuen Weine.

Laßt uns heut mit Geistern ringen: blickt der alte noch so klar, bringet jetzt den neuen dar, der dem Kerker will entspringen.

Hört sein unterirdisch Beben! aus der Nacht will er hinaus, mächtig dringt sein Geist durch's Haus, daß wir stehn von ihm umgeben.

Horcht! der weiß von Jugendwonne noch zu singen euch ein Lied: wie er hat in Duft geblüht, wie ihn hat durchglüht die Sonne,

Wie von hohen Bergen nieder frei er sah die Welt entlang, unter ihm der Flußgott sang, um ihn tönten Vogellieder.

Wie mit Sonn' und Stern im Bunde mächtig seine Traube schwoll, bis sie war der Traube voll, der von Geistern nun giebt Kunde.

Füllet muthig bis zum Rande den Pokal mit seiner Gluth! stoßet an! dem Jugendblut Heil im weiten deutschen Lande!

Ach! es liegt erstarrt, veraltet, mancher Völker großes Herz, Jugendwärme, Lust und Scherz sind in ihrer Brust veraltet.

Laßt der Jugend warmes Leben strömen euch in's Herz hinein! trinkt in Lust den neuen Wein, den der neue Stern gegeben.
J. Kerner.

1286.

Laßt uns, ihr Brüder, Freundschaft erhöhn, singet ihr Lieder, feurig und schön!

Sie ist die Gottheit, die uns beglückt, sie macht uns fröhlich himmlisch entzückt.

Unschuld und Freude reichet sie dar, kränzet mit Rosen lächelnd das Haar.

In ihrem Kreise wohnet nur Lust, sie macht uns weise, stärket die Brust.

Gießet das Schicksal Wermuth in's Herz, heilt sie die Wunden, lindert den Schmerz.

Sie machet Bettler Königen gleich, machet den Armen fröhlich und reich.

Drum, kommt ihr Brüder sie zu erhöhn, singet ihr Lieder feurig und schön.
Stollberg.

1287.

Laura betet, Engelharfen hallen Frieden Gottes in ihr krankes Herz, und wie Abel's Opferdüfte wallen ihre Seufzer himmelwärts.

Wie sie kniet in Andacht hingegossen, schön, wie Raphael die Unschuld malt, vom Verklärungsglanze schön umflossen, der am Himmelsthrone strahlt.

O sie fühlt in leisem, linden Wehen froh des Hocher=
habnen Gegenwart, sieht im Geiste schon die Palmenhöhen,
wo der Lichtglanz ihrer harrt.

So voll Andacht, so voll Gottvertrauen, ihre engelreine
Brust geschwellt, betend diese Heilige zu schauen, ist ein Blick
in jene Welt. Mathisson.

1288.

Laurentia, liebe Laurentia mein! wann werden wir wie=
der beisammen sein? „Am Sonntag!" Drum wollt' ich, daß
alle Tag' Sonntag wär', und ich bei meiner Laurentia wär',
Laurentia!

Laurentia, liebe Laurentia mein! wann werden wir wie=
der beisammen sein? „Am Montag!" Drum wollt' ich, daß
alle Tag' Sonntag, Montag wär', und ich bei meiner, bei
meiner Laurentia wär', Laurentia! (u. s. f. bis Samstag.)

Volkslied.

1289.

Lauriger Horatius, quam dixisti verum! fugit Euro-
citius tempus edax rerum! Ubi sunt o pocula dulciora
melle; rixae, pax et oscula rubentis puellae? (Chor:)
Ubi etc.

Crescit uva molliter, et puella crescit, sed poëta
turpiter sitiens canescit. Quid juvat aeternitas nominis,
amare nisi terrae filias licet et potare! (Chor:) Quid etc.

1290.

Lausch', o, Geliebte dem Tone der Saiten, höre mein
Lied in der schweigenden Nacht! Laß es der Sehnsucht nach
Liebe dir deuten, was mich zum nächtlichen Wanderer macht.

Denke zurück an die seligen Stunden, die uns bei schuld=
losen Scherzen entflohn; ach, sie sind fruchtlos mir Armen
entschwunden, gönnst du nicht Treue der Liebe zum Lohn!

Sieh', o Geliebte, des Frühlings Erwachen! Liebe durch=
athmet die ganze Natur. Doch diesen Frühling elysisch mir
machen, das kann dein Lächeln der Zärtlichkeit nur.

Freuden entfliehn auf dem Fittig der Zeiten, wenn sie
nicht Amor als Hüter bewacht; Sehnsucht nach Liebe durch=
strömt meine Saiten, Sehnsucht nach Liebe die schweigende
Nacht.

1291.

Eigne Melodie.

Laut zu kräftigem Kampfe dröhnt die Trommel in's Ohr, und aus wirbelndem Dampfe blitzt der Sieg empor. Drum schließt die Reih'n und drauf und drein! Wer fällt, dem ruft zu süßer Ruh' der Brüder Chor „Victoria" zu. Und lächelnd schläft er ein!

Treibt uns fernab vom Ziele eiserner Würfel Fall; — in der Lieb' und im Spiele geht's nicht überall! Nur frischen Muth, und auf der Huth! Dem Braven ist das Kriegsglück hold, und auch der Liebe süßen Sold erwirbt man nur durch Muth!
„Die Felsenmühle."

1292.

Lebe nicht so schnell und stürmisch! Sieh' den holden Frühling prangen, höre seine Wonnelieder! Ach, wie bleich sind deine Wangen!

Welkt die Rose, kehrt sie wieder mit den lauen Frühlingswinden, kehren auch die Nachtigallen; werden sie dich wiederfinden?

„Könnt' ich leben also innig, feurig rasch und ungebunden, wie das Leben jenes Blitzes, der dort im Gebirg' verschwunden!"
Nicolaus Lenau.

1293.

Typographen=Lied.

Lebet wohl, ihr Bundesbrüder, lebt wohl und bleibt gesund; vielleicht sehn wir uns bald wieder irgend auf dem Erdenrund. Leert die Gläser, laßt uns singen, welche Freude laßt erklingen, unsern frohen Lebensgang giebt die Weihe der Gesang.

Unser Guttenberg soll leben! Dieser edle brave Mann; ihn nach Würde zu erheben, keine Muse singen kann. Drum so holet aus dem Keller ein Paar Flaschen Muskateller. Auf, ihr Brüder! stimmet ein: es ist Weisheit froh zu sein.

Die Gelehrten sehn sollen leben! Wenn sie uns nach Franklin's Gunst: reine Manuscripte geben und sind Gönner unsrer Kunst, o dann schmecken uns vom Rheine stets die allerbesten Weine und der Wirth schenkt wieder wohl alle leeren Gläser voll.

Unsre Mädchen sollen leben! Wenn sie fleißig und geschickt nach der Pflicht der Mütter streben, bis sie selbsten Mütter sind, sie gebären uns dann Dichter, Philosophen, Sittenrichter, Männer deren Geist und Blut auf dem Pfad der Ehre ruht.

Freiheit und Vernunft umgeben unsre Kunst und Wissenschaft; drum soll auch die Ceres leben mit dem braunen Gerstensaft! sprudelt dann das Bier im Glase, dampft es wacker durch die Nase, o so denkt, nach altem Brauch, unsre Väter tranken auch.

1294.
Mollys Abschied.

Lebe wohl, du Mann der Lust und Schmerzen! Mann der Liebe, meines Lebens Stab! Gott mit dir, Geliebter! Tief zu Herzen halle dir mein Segensruf hinab!

Zum Gedächtniß biet' ich dir, statt Goldes, — was ist Gold und goldeswerther Tand? — biet' ich lieber, was dein Auge Holdes, was dein Herz an Molly Liebes fand.

Nimm, du süßer Schmeichler, von den Locken, die du oft zerwühltest und verschobst, wenn du über Flachs an Palas Rocken, über Gold und Seide sie erhobst!

Vom Gesicht, der Malstatt deiner Küsse, nimm, so lang' ich ferne von dir bin, halb zum mindesten im Schattenrisse für die Phantasie die Abschrift hin!

Meiner Augen Denkmal sei dies blaue Kränzchen flehender Vergißmeinnicht, oft beträufelt von der Wehmuth Thaue, der hervor durch sie vom Herzen bricht!

Diese Schleife, welche deinem Triebe oft des Busens Heiligthum verschloß, hegt die Kraft des Hauches meiner Liebe, der hinein mit tausend Küssen floß.

Mann der Liebe! Mann der Lust und Schmerzen! du, für den ich alles that und litt, nimm von allem, nimm von meinem Herzen, doch, — du nimmst ja selbst das Ganze mit!

Bürger. 1782.

1295.
Neujahrslied.

(Vor 12 Uhr.) Lebe wohl, du müdes Jahr, fahre hin in Frieden! steig' zu deiner Brüderschar, die vor dir geschieden, wild verbraust der Strom der Zeit über deinen Tagen, dich dem Meer der Ewigkeit fluthend zuzutragen.

Bald erstirbt dein letzter Hauch, bald bist du verschwunden; Sorgen schufst du zwar, doch auch manche frohe Stunden. Wußtest wechselnd Schmerz und Glück väterlich zu einen; nimm, o nimm bei'm Scheideblick noch den Dank der Deinen.

(Nach dem Schlage.) Glück auf! Glück auf! du frohes Kind! du neugebornes Leben! wie auch der Sand der Stunden rinnt, du bist uns erst gegeben, noch ist der Sinn mir unbekannt; doch faß' ich dich mit fester Hand.

Und traue dir, und hoff' auf dich, und will dich froh begrüßen. Erinn'rung soll, betrübst du mich, mir still den Schmerz versüßen; und deinen Freuden, deiner Lust hebt dankbar sehnend sich die Brust.

1296.

Melodie: Herz, mein Herz, warum so ꝛc.

Lebe wohl! du stiller Frieden, süße Heimath, theures Land! Glück und Ruhe sind geschieden, uns umschlingt ein neues Band. Waffen blinken, Fahnen winken: es gilt Kampf für's Vaterland!

Lebet wohl, ihr lieben Freunde, ländlich stilles Vaterhaus, an den Grenzen drohen Feinde; frische Jugend! eil' hinaus. Eh' wir siegen, voran fliegen, droht gar mancher harte Strauß.

Lebet wohl, ihr stillen Triebe, lebe wohl, du süße Braut! Einst hol' ich den Lohn der Liebe, wenn ich kühn den Feind geschaut. Glück und Ehre ruft zur Wehre, alle Herzen schlagen laut.

Lebet wohl! denn ich muß scheiden; einen Kuß und dann Ade! Jener Feind will euch bereiten wieder tausendfaches Weh'. Das zu rächen an den Frechen, muß ich fort. Ade, Ade!

Liebes Mädchen, gieb ein Zeichen! Frommer Vater, weih' dies Schwert! Keinem Feind' kann ich dann weichen, streiten muß ich ehrenwerth. Ist's gelungen, Sieg errungen, — Glück und Freude wiederkehrt.   Veit Weber d. J.

1297.

Lebe wohl, lebe wohl, mein Lieb'! muß noch heute scheiden. Einen Kuß, einen Kuß mir gieb! muß dich ewig meiden.

Eine Blüth', eine Blüth' mir brich von dem Baum im Garten! Keine Frucht für mich! darf sie nicht erwarten.

Uhland.

1298.

Lebe wohl! vergiß mein nicht! Schenke mir dein Angedenken! Liebe darfst du mir nicht schenken; denn das Schicksal will es nicht. Lebe wohl! vergiß mein nicht!

Lebe wohl! vergiß mein nicht! Ach, selbst in der weit'sten Ferne, in dem Grab, jenseit der Sterne, reißt das Band der Liebe nicht. Lebe wohl! vergiß mein nicht!

Lebe wohl! vergiß mein nicht! Denke oft der heil'gen Stunden, wo uns Seligkeit verbunden; ach, vergiß sie ewig nicht. Lebe wohl! vergiß mein nicht!

Lebe wohl! vergiß mein nicht! Ewig theuer meinem Herzen, denk' ich dein mit süßen Schmerzen, bis mein Aug' im Tode bricht. Lebe wohl! vergiß mein nicht!

Lebe wohl! vergiß mein nicht! Liebe hast du mir geschworen, ich bin ganz für dich geboren, halt' den Schwur, und brich ihn nicht! Lebe wohl! vergiß mein nicht!

Lebe wohl! vergiß mein nicht! Wann wir endlich ausgeweinet, ausgelitten, dann erscheinet Glück uns dort im höhern Licht. Lebe wohl! vergiß mein nicht!

1299.

Leb' wohl, der Erde Lust und Pracht, und alles Glück hienieden! ich wandle nun durch Grabesnacht auf zu des Himmels Frieden.

Leb' wohl, du süßer Liebestraum, mit allen deinen Wonnen, die froh zu kosten ich ja kaum mit heißer Brust begonnen.

Leb' wohl, Geliebte, die mir log einst in des Glückes Tagen, um meinen Frohsinn mich betrog, mit Kummer mich geschlagen.

Leb' wohl, mein Herz vergiebt dir gern, wo ach! dein Bild noch wohnet! dein bin ich noch auf jenem Stern, wo ew'ge Liebe thronet. *Sigismund.*

1300.

Leb' wohl! du altes Jahr, mit deinen Schwingen, dich trennt ein Machtgebot jetzt von uns fern; noch einmal soll ein Nachhall dir erklingen, du thronst ja schon auf einem andern Stern; leb wohl, den Frieden hast du uns erhalten, wir harren, was im Dunkeln bisher lag, was sich im Zeiten-Schooße wird entfalten: — Dir doch klingt unser heißer Segen nach.

Und du! des Jahres Erstling, sei gegrüßet. Dir tönt' ein Heil im frohen Rundgesang, ob Segen auch aus deinem Füllhorn fließet? Ob sich um dich des Heiles Palme schwang? dir huldiget ein fröhliches Willkommen von Reich und Arm, von Jedem, Groß und Klein; — du hast bei'm Eintritt Sorgen uns benommen, drum sollst du dreifach uns begrüßet sein.

Es hat der Mensch, zum Wechsel auserkohren, im frommen Herzen Wünsche sich erdacht; sie sind ihm von der Wiege angeboren, die Mode hat sie ihm zum Spiel gemacht; drum möge mit dem jungen Tag' von heute auch Glück in Fülle sich der Erde nahn; und was bisher Parteien oft entzweite, ein Pereat durch's neue Jahr empfahn.

Der Enkel les' in den Geschichts-Annalen: „die Neun-
unddreißig in dem Seculum sind's, die nur Friede, Kraft
und Wohlstand malen, denn Haß und Neid blieb fortan
kalt und stumm sie brachten Glück dem schönen deutschen
Lande, sie einten was die Zwietracht einst getrennt, und
zogen holde Brüderblumenbande, die man sonst nur in
Idealen kennt!"

1301.

Leb' wohl, du braves gutes Weib! weil's doch nicht
anders ist, als Gott es haben will, und bleib' was du gewesen bist.

Mein Auge, meine rechte Hand, mein Trost in aller
Noth! ich denk' an dich, an's Vaterland, und denk' an deinen
Tod!

Ich denk' an dich auf jedem Schritt, o du mein Hab'
und Gut! ich nehme dich im Herzen mit, und habe guten
Muth!

Zurück bring' ich, von Liebe voll, Ruhm und gesunden
Leib! das ist mein Abschied! — Lebe wohl, du braves, gutes
Weib!

1302.

Leb' wohl, du liebes altes Jahr, leb' wohl mit Freud'
und Leid! du eilst zu deiner Brüder Schar, die einst so nah'
wie du mir war, hin in Vergangenheit.

Manch' Stündchen froh und manches bang hast du mir
zugeführt. Nun dank' ich dir bei Gläserklang mit Kuß und
Scherz und Lobgesang, wie dir's mit Recht gebührt.

Du sollst mir immer heilig sein, in weiter Ferne noch,
sank gleich in meinen Freudenwein manch' bitt'res Thränchen
mit hinein; er schmeckte mir ja doch.

Und blinkt mir gleich kein Tröpfchen mehr am Glase
hell und klar, ist gleich mein Beutel wieder leer bei deinem
Abschiedsfest, wie er bei deiner Ankunft war;

Sind gleich die Stunden all' verrauscht, wo mich die
Freud' umschlang, wenn ich, von Neidern unbelauscht, von
Amors Fittig hoch umrauscht, mir Myrthen-Kränz' errang;

Labt doch mit süßem Nachgenuß noch die Erinn'rung
mich. Noch wächst ja Wein im Ueberfluß, noch giebt's ja
Lippen, weich zum Kuß, und Geld, das findet sich.

Doch was du mir an Lehr' und Rath tief schriebst in's
Herz hinein, das will ich denken früh und spat, damit mich's,
wenn der Herbst einst naht, mit Früchten mög' erfreun.

Und nun zum letzten Mal, leb' wohl! der Glockenschlag ist nah', der dich zu Grabe brummen soll; o horch! geschwind die Gläser voll! Juchhe! Neujahr ist da!

Heidelberger Commersbuch.

1303.

Bekannte Melodie.

Leb' wohl du theures Land, das mich geboren, die Ehre ruft mich wieder fern von hier. Doch ach, die süße Hoffnung ist verloren, die ich gehegt, zu ruhen einst in dir; der Held, deß Name füllt die weite Erde, hat mich mit Freundschaft, Güte überhäuft. Ich war in Ruhm und Glück stets sein Gefährte, ich will es auch in Noth und Tod ihm sein.

Viel Tausend sonnten sich an seinem Blicke, und dankten seiner Güte Ehr' und Glück; doch kaum verließ der Sieg des Helden Schritte, so zogen treulos sie von ihm zurück. — Doch mich schreckt nicht der Wechsel dieser Erde, ich bleib' ihm treu und will mich ganz ihm weihn. Ich war 2c.

Ein nackter Fels, fern von Europa's Küste, ist zum Gefängniß ewig mir bestimmt; nicht Freundes-Trost bringt je in diese Wüste, kein Wesen ist, das Theil am Schmerz hier nimmt. Doch wenn ich Tröster meinem Kaiser werde, so wird mein Schicksal dennoch glänzend sein. Ich war 2c.

Ich bin Soldat, mein höchstes Gut die Ehre, ich liebe sie auch ohne Glanz und Lohn; nicht, daß mein Name einstens sich verkläre, nicht darum folgte ich Napoleon; er hat nun nichts auf Gottes weiter Erde, wie könnt' ich je den Undank mir verzeihn? Ich war 2c.

Und ist die Siegesbahn ihm auch verschlossen, winkt ihm kein Lorbeer mehr und keine Kron', will ihn die Welt aus ihrem Schooß verstoßen, wird dieser Fels dein Grab, Napoleon! Vergebens ruft die Welt mich dann zurücke, ich kann nur dir des Herzens Triebe weihn: ich theilte stets des Helden Ruhm im Glücke, ich will auch über'm Grabe treu dir sein.

1304.

Leb' wohl! leb' wohl! — mit dumpfen Herzensschlägen begrüß' ich dich und folge meiner Pflicht. Im Auge will sich eine Thräne regen; was sträub' ich mich? die Thräne schmäht mich nicht. — Ach! wo ich wandle, sei's auf Friedenswegen, sei's wo der Tod die blut'gen Kränze bricht: da werden deine theuren Huldgestalten in Lieb' und Sehnsucht meine Seele spalten.

Verkennt mich nicht, ihr Genien meines Lebens, verkennt nicht meiner Seele ernsten Drang! begreift die treue Richtung meines Strebens, so in dem Liede, wie im Schwerterklang. Es schwärmten meine Träume nicht vergebens; was ich so oft gefeiert mit Gesang, für Volk und Freiheit ein begeistert Sterben: laß mich nun selbst um diese Krone werben.

Wohl leichter mögen sich die Kränze flechten, errungen mit des Liedes heiterm Muth; ein rechtes Herz schlägt freudig nach dem Rechten, die ich gepflegt mit jugendlicher Gluth, laßt mich der Kunst ein Vaterland erfechten, und gält' es auch das eigne wärmste Blut. — Noch diesen Kuß! und wenn's der letzte bliebe! es giebt ja keinen Tod für unsre Liebe.

Körner.

1305.

Melodie von Methfessel.

Leb' wohl, mein Bräutchen schön! muß nun zum Kampfe gehn. Das Sklavenjoch beginnt zu wanken, fort mit euch, übermüth'ge Franken! Auch unser Herz schlägt kühn und warm, und Heldenkraft stählt unsern Arm.

O Liebchen! weine nicht! mich rufet heil'ge Pflicht. Wie wollt' ich hier alleine zagen, wenn draußen sie die Feinde jagen fort weit, fort über'n deutschen Rhein! dabei muß dein Geliebter sein!

Du alter deutscher Rhein, wie wohl wird da uns sein, wenn wir erst deine Fluthen sehen, wenn unsre Siegesfahnen wehen an deinen Ufern schön und grün, die Feinde zagend heimwärts fliehn!

Und kehr' ich einst zurück, o Liebchen! welch ein Glück! Die Arme, die dich dann umschlingen, die Freiheit halfen sie erringen; dann kannst du sagen, stolz und laut: „Auch ich bin eines Helden Braut!"

Und graben sie mich ein, dort an dem schönen Rhein, so jammre nicht in bittern Klagen, des Kriegers Braut muß das ertragen! und wer für Freiheit gab sein Blut, mit dem ist's allewege gut!

1306.

Legt ein großes Scheit zum Heerde, daß mir's warm und munter werde; wann das Feuer sausend klingt, mein' ich, daß der Winter singt.

Stimmen wir mit diesen Flammen unsre Saiten dann zusammen! Einer pfeift auch draußen mit nach dem Takte, Schritt und Tritt.

Kennt ihr nicht den kleinen Pfeifer, unsern flinken Gassenläufer, wo ihr niedersetzt den Fuß, pfeift im Schnee der Musikus.

Einen Wein hab' ich erkoren, der im Eise hat gefroren, seines Phlegma's kaltes Naß, seht, es ist erstarrt im Faß!

Aber in der kalten Hülle glüht des Traubengeistes Fülle. Brüder, schlagt die Rind' entzwei, macht die Feuerseele frei!

Also laßt uns warm erhalten, auch in winterlichen Falten unser Herz und unsern Geist, wenn das Alter uns umeis't.

W. Müller.

1307.

Leichte Stunden meiner Tage, rauscht, o rauschet hin! denn mit keinem Glockenschlage stört ihr mir den Sinn.

Alles unter mir mag sinken, sinken und vergehn, doch die Sterne oben blinken ewig mild und schön.

Und es winkt aus ihrer Ferne mir ein lichter Geist, der das Vaterland der Sterne, meine Heimath, weist.

Und es klingt in meinem Herzen mir ein sichres Wort: Mit der Erde magst du scherzen, Himmel dein ist dort!

Arndt.

1308.

Leise flehen meine Lieder durch die Nacht zu dir, in den stillen Hain hernieder, Liebchen, komm zu mir.

Flüsternd schlanke Wipfel rauschen in des Mondes Licht, des Verräthers feindlich Lauschen fürchte, Holde, nicht.

Hörst du Nachtigallen schlagen? Ach, sie flehen dich, mit der Töne süßen Klagen flehen sie für mich.

Sie verstehn des Busens Sehnen, kennen Liebesschmerz, rühren mit den Silbertönen jedes weiche Herz.

Laß auch dir die Brust bewegen, Liebchen, höre mich, bebend harr' ich dir entgegen, komm, beglücke mich!

Rellstab.

1309.

Eigne Melodie.

Leise, leise, fromme Weise, schwing' dich auf zum Sternenkreise, Lied erschalle, feiernd walle mein Gebet zur Himmelshalle.

Zu dir wende ich die Hände, Herr ohn' Anfang und ohn' Ende. Vor Gefahren uns zu wahren, sende deine Engelscharen!

„Freischütz."

1310.

Leise rauscht es in den Bäumen, und die stille Liebe wacht; ist's vergönnt von dir zu träumen? Süße, komm! der Abend lacht; einen Kuß, dann gute Nacht!

Lächelst du nach Mädchen-Weise? Unten harr' ich, Liebe wacht; in den Liedern sanft und leise sang ich oft, wie ich gedacht: einen Kuß, dann gute Nacht!

Längst schon hat mich's fortgetrieben ungestüm mit süßer Macht; immer ist ein Wunsch geblieben, Sehnsucht hat ihn angefacht: einen Kuß, dann gute Nacht!

Laß, o laß mich glücklich scheiden, um mich an der süßen Pracht, in den schönsten Augen weiden! Sage, wenn mein Lied vollbracht: einen Kuß, dann gute Nacht!

1311.
Melodie von Mendelssohn-B.

Leise zieht durch mein Gemüth liebliches Geläute. Klinge, kleines Frühlingslied, kling' hinaus in's Weite!

Kling' hinaus, bis an das Haus, wo die Veilchen sprießen: wenn du eine Rose schaust, sag', ich laß sie grüßen.

Heinrich Heine.

1312.

Lenore fuhr um's Morgenroth empor aus schweren Träumen: „Bist untreu, Wilhelm, oder todt? wie lange willst du säumen?" Er war mit König Friedrich's Macht gezogen in die Prager Schlacht, und hatte nicht geschrieben, ob er gesund geblieben.

Der König und die Kaiserin, des langen Haders müde, erweichten ihren harten Sinn und machten endlich Friede; und jedes Heer mit Sing und Sang, mit Paukenschall und Kling und Klang, geschmückt mit grünen Reißern, zog heim zu seinen Häusern.

Und überall, all überall, auf Wegen und auf Stegen, zog Alt und Jung dem Jubelschall der Kommenden entgegen. Gottlob! rief Kind und Gattin laut, willkommen! manche frohe Braut. Ach! aber für Lenoren war Gruß und Kuß verloren.

Sie frug den Zug wohl auf und ab, und frug nach allen Namen; doch keiner war, der Kundschaft gab, von allen, so da kamen. Als nun das Heer vorüber war, zerraufte sie ihr Rabenhaar, und warf sich hin zur Erde mit wüthiger Geberde.

Lenore fuhr um's Morgenroth.

Die Mutter lief wohl hin zu ihr: „‚Ach daß sich Gott erbarme! du trautes Kind, was ist mit dir?'" und schloß sie in die Arme. „O Mutter, Mutter! hin ist hin! Nun fahre Wolt und alles hin! bei Gott ist kein Erbarmen. O weh, o weh mir Armen!"

„‚Hilf, Gott, hilf! Sieh' uns gnädig an! Kind bet' ein Vaterunser! Was Gott thut, das ist wohlgethan. Gott, Gott erbarmt sich unser!'" „O Mutter, Mutter! eitler Wahn! Gott hat an mir nicht wohlgethan! Was half, was half mein Beten? Nun ist's nicht mehr von nöthen."

„‚Hilf, Gott, hilf! Wer den Vater kennt, der weiß, er hilft den Kindern. Das hochgelobte Sacrament wird deinen Jammer lindern.'" „O Mutter, Mutter! was mich brennt, das lindert mir kein Sacrament! kein Sacrament kann Leben den Todten wiedergeben."

„‚Hör', Kind! wie, wenn der falsche Mann im fernen Ungerlande sich seines Glaubens abgethan, zum neuen Ehebande? Laß fahren, Kind, sein Herz dahin! er hat es nimmermehr Gewinn! Wann Seel' und Leib sich trennen, wird ihn sein Meineid brennen.'"

„O Mutter, Mutter! hin ist hin! verloren ist verloren! Der Tod, der Tod ist mein Gewinn! o wär' ich nicht geboren! Lisch aus, mein Licht, auf ewig aus! stirb hin, stirb hin in Nacht und Graus! bei Gott ist kein Erbarmen. O weh, o weh mir Armen!"

„‚Hilf, Gott, hilf! Geh' nicht in's Gericht mit deinem armen Kinde! sie weiß nicht, was die Zunge spricht. Behalt' ihr nicht die Sünde! Ach! Kind, vergiß dein irdisch Leid und denk' an deine Seligkeit! so wird doch deiner Seelen der Bräutigam nicht fehlen.'"

„O Mutter! was ist Seligkeit? o Mutter! was ist Hölle? bei ihm, bei ihm ist Seligkeit, und ohne Wilhelm Hölle! Lisch aus, mein Licht, auf ewig aus! stirb hin, stirb hin in Nacht und Graus! ohn' ihn mag ich auf Erden, mag dort nicht selig werden."

So wüthete Verzweifelung ihr in Gehirn und Adern. Sie fuhr mit Gottes Vorsehung vermessen fort zu hadern; zerschlug den Busen und zerrang die Hand, bis Sonnenuntergang, bis auf am Himmelsbogen die goldnen Sterne zogen.

Und außen, horch! ging's trap trap trap, als wie von Rosseshufen; und klirrend stieg ein Reiter ab an des Geländers Stufen; und horch! und horch! den Pfortenring ganz lose, leise, klinglingling! dann kamen durch die Pforte vernehmlich diese Worte:

„„Holla, holla! Thu' auf, mein Kind! schläfst, Liebchen, oder wachst du? wie bist du gegen mich gesinnt? und weinest oder lachst du?"" „Ach, Wilhelm, du? So spät bei Nacht? Geweinet hab' ich und gewacht; ach, großes Leid erlitten! wo kommst du hergeritten?"

„„Wir satteln nur um Mitternacht; weit ritt ich her von Böhmen. Ich habe spät mich aufgemacht, und will dich mit mir nehmen."" „Ach, Wilhelm, erst herein geschwind! den Hagedorn durchsaust der Wind, herein, in meinen Armen, Herzliebster, zu erwarmen!"

„„Laß sausen durch den Hagedorn, laß sausen, Kind, laß sausen! Der Rappe scharrt, es klirrt der Sporn; ich darf allhier nicht hausen. Komm, schürze, spring' und schwinge dich auf meinen Rappen hinter mich! muß heut' noch hundert Meilen mit dir in's Brautbett eilen.""

„Ach! wolltest hundert Meilen noch mich heut' in's Brautbett tragen? Und horch! es brummt die Glocke noch, die elf schon angeschlagen." „„Sieh hin, sieh her! Der Mond scheint hell. Wir und die Todten reiten schnell! Ich bringe dich, zur Wette, noch heut' in's Hochzeitbette.""

„Sag' an, wo ist dein Kämmerlein? wo? wie dein Hochzeitbettchen?" „„Weit, weit von hier! — still, kühl und klein! sechs Bretter und zwei Brettchen!"" „Hat's Raum für mich?" „„Für dich und mich! komm, schürze, spring' und schwinge dich! die Hochzeitgäste hoffen; die Kammer steht uns offen.""

Schön Liebchen schürzte, sprang und schwang sich auf das Roß behende; wohl um den trauten Ritter schlang sie ihre Lilienhände; und hurre hurre, hopp hopp hopp! ging's fort in sausendem Galopp, daß Roß und Reiter schnoben, und Kies und Funken stoben.

Zur rechten und zur linken Hand, vorbei vor ihren Blicken, wie flogen Anger, Haid' und Land, wie donnerten die Brücken! „„Graut Liebchen auch? — Der Mond scheint hell! Hurrah! die Todten reiten schnell! Graut Liebchen auch vor Todten?"" „Ach nein! Doch laß die Todten!"

Was klang dort für Gesang und Klang? Was flatterten die Raben? Horch Glockenklang! Horch Todtensang: Laßt uns den Leib begraben! und näher zog ein Leichenzug, der Sarg und Todtenbahre trug. Das Lied war zu vergleichen dem Unkenruf in Teichen.

„„Nach Mitternacht begrabt den Leib, mit Sang und und Klang und Klage! Jetzt führ' ich heim mein junges Weib. Mit, mit zum Brautgelage! Komm, Küster, hier!

Lenore fuhr um's Morgenroth.

komm mit dem Chor, und gurgle mir das Brautlied vor! Komm Pfaff' und sprich den Segen, eh' wir zu Bett uns legen.""

Still Klang und Sang. Die Bahre schwand. Gehorsam seinem Rufen, kam's, hurre hurre! nachgerannt, hart hinter's Rappen Hufen. Und immer weiter, hopp hopp hopp! ging's fort in sausendem Galopp, daß Roß und Reiter schnoben und Kies und Funken stoben.

Wie flogen rechts, wie flogen links Gebirge, Bäum' und Hecken! wie flogen links, und rechts, und links die Dörfer, Städt' und Flecken! „„Graut Liebchen auch? — Der Mond scheint hell! Hurrah! die Todten reiten schnell! Graut Liebchen auch vor Todten?"" „Ach! laß sie ruhn, die Todten."

Sieh' da! sieh' da! Am Hochgericht tanzt um des Rades Spindel, halb sichtbarlich bei Mondenlicht, ein luftiges Gesindel. „„Sasa! Gesindel, hier! komm hier! Gesindel, komm und folge mir! tanz' uns den Hochzeitreigen, wann wir zu Bette steigen!""

Und das Gesindel, husch husch husch! kam hinten nachgeprasselt, wie Wirbelwind am Haselbusch durch dürre Blätter rasselt. Und weiter, weiter, hopp hopp hopp! ging's fort in sausendem Galopp, daß Roß und Reiter schnoben, und Kies und Funken stoben.

Wie flog, was rund der Mond beschien, wie flog es in die Ferne! Wie flogen oben über hin der Himmel und die Sterne! „„Graut Liebchen auch? — Der Mond scheint hell! Hurrah! die Todten reiten schnell! Graut Liebchen auch vor Todten?"" „O weh! Laß ruhn die Todten!"

„„Rapp'! Rapp'! Mich dünkt, der Hahn schon ruft! Bald wird der Sand verrinnen. Rapp'! Rapp'! Ich wittre Morgenluft — Rapp'! tummle dich von hinnen! Vollbracht, vollbracht ist unser Lauf! das Hochzeitbette thut sich auf! die Todten reiten schnelle! wie sind, wir sind zur Stelle!""

Rasch auf ein eisern Gitterthor ging's mit verhängtem Zügel. Mit schwanker Gert' ein Schlag davor zersprengte Schloß und Riegel. Die Flügel flogen klirrend auf, und über Gräber ging der Lauf. Es blinkten Leichensteine rundum im Mondenscheine.

Ha sieh'! ha sieh'! im Augenblick, Huhu! ein gräßlich Wunder! des Reiters Koller, Stück für Stück, fiel ab wie mürber Zunder, zum Schädel ohne Zopf und Schopf, zum nackten Schädel ward sein Kopf, sein Körper zum Gerippe mit Stundenglas und Hippe.

Hoch bäumte sich, wild schnob der Rapp', und sprühte Feuerfunken; und hui! war's unter ihr hinab verschwunden und versunken. Geheul, Geheul aus hoher Luft, Gewinsel kam aus tiefer Gruft; Lenorens Herz mit Beben rang zwischen Tod und Leben.

Nun tanzten wohl bei Mondenglanz, rund und herum im Kreise, die Geister einen Kettentanz, und heulten diese Weise: Geduld! Geduld! Wenn's Herz auch bricht! Mit Gott im Himmel hadre nicht! Des Leibes bist du ledig; Gott sei der Seele gnädig!
Bürger. 1773.

1313.
Bekannte Melodie.

Lenora, mein Täubchen, mein' Herzenstrompet', mein' Kanone, Heerpauke und mein' Musquet', hör' mich, du goldenes Liebchen fein, in deinem stillen Kämmerlein.

Mein Herz, ach Lenora, steht stets auf der Wacht, hat auf Liebesparole und Runde wohl Acht. Dein Bild macht immerdar die Rund', Lenora! ruf ich jede Stund'.

Mein Herzenstornister ist voll stets von dir, deine Blicke die liegen bei mir im Quartier, und beiß' ich die Patrone ab, dünkt mich, daß ich einen Kuß dir gab.

Kommando und Ordre bist du mir allein, ja mein Rechtsum, mein Linksum, Kommisbrod und Wein. Wird commandirt: Gewehr bei'm Fuß! denk' ich, du rufst: Gieb her einen Kuß.

Dein' Augen, sie blitzen, wie eine Batt'rie, ach! wie Bomb' und Granaten blessiren auch sie! So schwarz wie Pulver ist dein Haar, wie Zelttuch weiß dein Händchenpaar.

Ja, du bist die Lunte, ich bin die Kanon' — hab' doch Mitleid, mein Engel, und gieb mir Pardon! Und commandire: Schwenkt euch ein! Zu mir in's stille Kämmerlein.
Conradi.

1314.
Eigne Melodie.

Leuchtet dir kaum Aurorens Schimmer, halt' dich zur Arbeit stets bereit, nur stets fleißig und rasten nimmer, der Abend ist der Ruh' geweiht; doch Arbeit allein will nicht behagen, theilend wird sie leichter getragen, hülfreich steht dann ein jeder da: — drum Courage, nicht verzaget, immer sind die Freunde nah!

Bald lohnt den Fleiß der Sonntagmorgen, Frohsinn erhebt und erheitet das Herz; vergessen sind nun Müh' und Sorgen, man trinkt, man lacht bei Tanz und Scherz. Trinken allein will nicht behagen, theilend kann man weit mehr vertragen, gern leert die Flasche ein jeder da: — drum Courage ꝛc.

Hat dir dein Fleiß Liebe erworben, lächelt dir ein holdes Weib: dann nur für sie gelebt und gestorben, suche nicht andern Zeitvertreib; die Flasche theilen, läßt sich ertragen, sein Weibchen muß man jedoch versagen, glaubt mir, die Laurer sind stets da: — drum Courage, das Haus bewacht, immer sind die Freunde nah!

„Maurer und Schlosser" von Auber.

1315.

Liebchen, ade! Scheiden thut weh! Weil ich denn scheiden muß, so gieb mir einen Kuß! Liebchen, ade! Scheiden thut weh!
Liebchen, ade! Scheiden thut weh! Wahre die Liebe dein, stets will ich treu dir sein. Liebchen, ade! Scheiden thut weh!
Liebchen, ade! Scheiden thut weh! Wein' nicht die Aeuglein roth, trennt uns ja selbst kein Tod. Liebchen, ade! Scheiden thut weh!
Volkslied.

1316.

Liebchen, ich komm' mit der Zitter, mache dir ein Ständchen hier; sieh', durch das verschloßne Gitter weih' ich dir das Ständchen hier. Sieh, mein Liebchen, nur heraus, hör' mir zu, es ist bald aus.

(Zweite Stimme:) Jetzt komm' ich grad' zum Wirthshaus heraus, hab's Geldel versoffen, nun ist der Spaß aus! Ich hab' a Räuscherl, daran ist ka Zweifel, und all' mein Geldel das ist nu bei'm Teufel. Weib! Weib! komm mit der Laterne, leucht' mir, mein Everl, nun geh' ich gar gerne. Alte Kraxen mit dem krummen Haren, macht mer kene Faxen, sonst werd' ich dich paxen. Schau, du alte Kratzsche, du Charfreitags-Prätsche, jetzt sing' ich den lieben Augustin. O du lieber Augustin, alles ist hin! 's Geld ist weg, 's Mädel ist weg! nu han mer alle beed an Dreck! O du lieber Augustin, alles ist hin!

1317.

Liebchen, öffne doch das Fenster, dieses Lied gilt dir; sieh, zur Stunde der Gespenster weilt dein Treuer hier. :,:
Wolken hüllen Mond und Sterne, Regen strömt herab; doch, um dich zu sehn, wie gerne eilt' ich nicht in's Grab!
Kannst du mich so schmachten sehen? rühret nichts dein Herz? laß doch einmal dich erflehen, lindre meinen Schmerz.
„Fort hier unter meinem Fenster! winselst du für mich? fort, ich hasse Nachtgespenster nicht so sehr, als dich!
Nicht zu Menschen, nein, zu Affen! merk' dir's, lieber Mann, hat euch, Männer, Gott geschaffen; dich zum Pavian!"

Was, zum Pavian und Affen machst die Männer du? mit dir hab' ich nichts zu schaffen; mach' dein Fenster zu.

Doch, eh' du entschlummerst, höre mich, den Pavian, und beherz'ge meine Lehre: traue keinem Mann!

Wisse, nur zum Zeitvertreibe liebt' ich Gänschen dich; aber eh' ich dich zum Weibe nähm', erhängt' ich mich.

1318.

Lieben Brüder, zu dem Festgelage hat ein guter Gott uns hier vereint; allen Sorgen jeder heut' entsage, trinke mit dem Freund, der's redlich meint! Da wo Nektar glüht, holde Lust entblüht, wie den Blumen, wenn der Frühling scheint.

Laßt uns froh die goldne Zeit durchschwärmen, hangen an des Freundes treuer Brust! An dem Freunde wollen wir uns wärmen, in dem Weine kühlen unsre Lust! In der Traube Blut trinkt man neuen Muth, wird der Mann sich höh'rer Kraft bewußt.

Nippet nicht, wo Bacchus Quelle fließet, ängstlich an des vollen Bechers Rand! Wer das Leben tropfenweis genießet, hat des Lebens Deutung nie erkannt. Nehmt ihn frisch zum Mund, leert ihn bis zum Grund, den ein Gott vom Himmel uns gesandt.

Auf des Geistes göttergleichen Schwingen stürzt der Jüngling muthig in die Welt; wackre Freunde will er sich erringen, die er fest und immer fester hält. Bleibt die Meinen all' bis zum Welteinfall, treu dem Freund auf ewig zugesellt.

Laßt nicht Jugendkraft umsonst verrauchen, in dem Becher winkt der goldne Stern, Honig laßt uns von den Lippen saugen: Lieben ist des Lebens süßer Kern! Ist die Kraft versauft, ist der Wein verbraust, folgen, alter Charon, wir dir gern!

1319.

Melodie: Laßt uns fröhlich um den Becher.

Lieben Freunde! seid willkommen! nur vor allem Platz genommen! aber soll die Mahlzeit frommen setzet bunt euch allzumal! Wahlspruch ist's bei unserm Feste: „gut genug für uns ist's Beste!" überall. (Chor:) Fließe, goldner Saft der Reben! gute Nachbarschaft soll leben hoch, hoch, hoch! gute Nachbarn hoch!

Seid ihr glücklich angesessen, nun so munde wohlgemessen, was an Trinken und an Essen uns der Himmel hat bescheert! Ist der Mund so abgefunden, machen sich die frohen Stunden unbeschwert. (Chor:) Fließe, goldner Saft der Reben! was das Leben hält, soll leben hoch, hoch, hoch! Küch' und Keller hoch!

Sirach spricht: „wie Edelsteine leuchten in des Goldes Feine (wohlgemerkt bei gutem Weine), also ziert Gesang das Mahl;" also frohe Lieder lassen wir in Rebengolde fassen ohne Zahl. (Chor:) Fließe, goldner Saft der Reben! Sang und Klang — sie sollen leben hoch, hoch, hoch! Sang und Sänger hoch!

Noch einmal dem Wein die Ehre gebt! er mindre oder mehre das Gewicht der Sittenlehre bei der nassen Brüderschaft: glühend in der feur'gen Klarheit komme sie zur trocknen Wahrheit — mehr geschafft! (Chor:) Fließe, goldner Saft der Reben! laßt den Wein im Weine leben hoch, hoch, hoch! Wein im Weine hoch!

Guter Weingeist facht die Flammen Amor's über'm Kopf zusammen — schöne Frauen! nicht verdammen. Wollet mich! — ich muß, ich muß erst auf euer Wohlsein trinken — dann zur Rechten, wie zur Linken Gruß und Kuß! (Chor:) Fließe, goldner Saft der Reben! lasset hoch die Frauen leben! hoch, hoch, hoch! alle drei Mal hoch!

Süß'res ist nicht zu genießen, darum, Freunde! will ich schließen — doch laßt noch ein Tröpfchen fließen, stoßet an — auf gute Zeit! funfzig Jahre noch wie heute! Segen über Land und Leute weit und breit! (Chor:) Fließe, goldner Saft der Reben! Land und Leute sollen leben hoch, hoch, hoch! allerwegen hoch!

Spiritus Asper.

1320.

Kindergebet.

Lieber Gott und Engelein, laßt mich fromm und gut sein! laßt mir doch auch mein Hemdlein recht bald werden viel zu klein!

Des Knaben Wunderhorn.

1321.

Liebes Glas, geh hin im Kreise, gehe frisch von Hand zu Hand! raube nur auf deiner Reise uns nicht Sinne und Verstand. (Chor:) Stoßet an! Es sollen leben alle Mädchen lieb und hold, die uns süß're Freuden geben, als des Weinstocks Traube zollt!

Wer sein Herz für sanfte Triebe in der wilden Welt verdarb, lach' als Narr der edlen Liebe, für die mancher Weise starb. (Chor:) Stoßet an! ꝛc.

Einen Kuß acht' ich so theuer, als das Faß vom Königstein, hätt' auch gleich das Ungeheuer seinen Bauch voll Cyperwein. (Chor:) Stoßet an! ꝛc.

1322.

Liebes Mädchen, hör' mir zu, laß dir doch was sagen, dann wünsch' ich dir gute Ruh', will dich nicht mehr plagen. Du sollst dich des Lebens freun, schmachtest noch in Ketten; gerne möcht' ich dich befrein, möchte dich gern retten.

(Baß:) Wie? was wollt ihr? was soll das Singen, packt euch von hier, was soll das Singen, was soll das Singen, ihr besoffnen Flegel, ihr, ihr Flegel ihr, wollt ihr fort! wollt ihr fort! Potz Himmeltausendsapperment! potz Himmeltausendsapperment! Währt es noch lange, hat euer Lärm nicht bald ein End', nicht bald ein End', nicht bald ein End'?

Glaub' mir, schöne Dulderin, deinem Vielgetreuen, lang' schon dacht' ich her und hin, dich einst zu befreien, Nacht und stille wär' es nun, bei des Mondes Schimmer, willst du heut' bedenklich thun, so geschieht es nimmer.

(Baß:) Hansel! geh', hol' die Wache, daß sie einmal Friede mache, Friede mache, denn die Kerle sind ganz toll; besoffne Schlingel, seid ihr von Wein und Punsch schon wieder voll? Von Wein und Punsch ganz voll. Weib sperr' Nannerl ein, gieb ihr doch den vollen Topf, den vollen Topf, jetzt geht, sonst kriegt ihr eine Portion, eine Portion Wasser auf den Kopf, auf euren Kopf.

Hier, wo düstre Schwermuth wohnt unter öden Mauern, wo kein Freudenstrahl dir lohnt, wirst du doch nicht lauern? Komm, was auch der Alte sagt, mag er poltern, schreien, wenn er morgen nach dir fragt, bist du schon im Freien.

(Baß:) O, ihr schlechten Kerle! ihr verdammten Hundejungen! wollt ihr nicht fort, so komm' ich an die Thür' und brech' euch das Genick.

1323.

Andreas an die Anna.

Liebes Mädchen, sahst du nicht, wie gestern ich auf hohem Berge lang' gelegen, blickend auf das weiße Kreuz im Thale, das die Flügel deines Fensters bilden?

Glaubt' ich schon, du kämst durch's Thal gewandelt, sprang ich auf, da war's ein weißes Blümlein, das sich täuschend mir vor's Auge stellte.

Lange harrt' ich, aber endlich breiten aus einander sich des Fensters Flügel, und an seinem weißen Kreuze stehst du, Berg und Thal ein stiller Friedensengel.

Vöglein ziehen nah' an dir vorüber, Täublein sitzen auf dem nahen Dache, kommt der Mond und kommen alle Sterne, blicken all' dir keck in's blaue Auge.

Steh' ich einsam, einsam in der Ferne, habe keine Flügel, hinzufliegen, habe keine Strahlen hinzusenden, steh' ich einsam, einsam in der Ferne!

Gehst du, sprach ich mit verhaltnen Thränen: ruhet süß, ihr lieben, lieben Augen! ruhet süß, ihr weißen, weißen Lilien! ruhet süß, ihr lieben, lieben Hände!

Sprechen's nach die Sterne an dem Himmel, sprechen's nach die Blumen in dem Thale. Weh! o weh! du hast es nicht vernommen! J. Kerner.

1324.
Kinderlied.

Liebliches Kind, ich wiege singend dich ein in Schlummer! Kindlein, lächle noch einmal!

Kindlein, o lächle nochmals! Schließe dann still die Aeuglein, schlummre sanft, ich behüt' dich!

Lächelst du dann mir wieder, öffnest die muntern Aeuglein, o dann spielen wir wieder!

Schlummre, die Englein wachen freundlich an deiner Wiege. Träume, Kindlein, von Engeln!

Jakob's Singschüler.

1325.
Turners Heimzug.

Melodie: Feinde ringsum.

Lieder stimmt an! Grüßt die geschiedenen Stunden, die uns so eilig entschwunden; Freunde, heran!

Spiele sind aus; freudig in freudigem Schwarme stärken wir Herzen und Arme; ziehn jetzt nach Haus.

Der nur ist frei, welchem die Sehnd durchziehet Muth, der im Busen ihm glühet; und wir sind frei.

Seliges Glück! Friede und Freundschaft und Freude lächle uns immer, wie heute; kehr' uns zurück!

So lebt denn wohl! Wenn auch die Sonnen uns sinken, werden doch neue uns winken; Freunde lebt wohl!

1326.

Melodie: Umschlingt das Haar mit Epheulaub.

Löst ab vom Stamm das Eichenlaub, und schwingt es um die Locken! Laßt Bücherwitz bei'm Bücherstaub zur Zeit der Maienglocken; wer nicht sein Herz in sich begräbt, wer nicht nach Rang und Flittern strebt, wem Kraft und Geist den Busen hebt, der juble mit und singe, daß Thal und Hügel klinge! (Chor:) Uns klopft die Brust von Geist und Kraft, es lebt in uns, es strebt und schafft; der Hügel klingt. Der Jüngling singt, das Lied, das sich vom Herzen schwingt.

Am blauen Firmamente ziehn die Wolken gleich den Lämmern. Geschloßner wird das Blättergrün, uns traulich zu umdämmern. Was schwirrt der Vogel in der Luft? was tanzt die Mück' im Blumenduft? es tanzt und lebt; es spricht und ruft: entsagt bethörtem Leide! Naturheruf ist Freude. (Chor:) Wir freun uns, wenn die Lerche steigt und wenn der Sturm die Aeste beugt. Der Hügel klingt. Der Jüngling singt, was freudig Seel' und Sinn durchdringt.

Wer sich sein frisches Blut vergällt mit schwülem Mißbehagen, für den ist nicht das hohe Zelt des Himmels aufgeschlagen. Wer eins mit seinem Herzen ist! der lebt; nicht, wer, mit sich im Zwist, Fortunens kalte Lippen küßt. Das Lied soll die erhöhen, die von sich selbst bestehen. (Chor:) Mit uns im Sinn und Herzen eins genießen wir des Sonnenscheins, der Hügel klingt. Der Jüngling singt, das Glück, das ihr von euch empfingt.

Was ist es, das wie Morgenlicht dem innern Auge leuchtet? was füllt mit hoher Zuversicht, wenn Schmerz die Wange feuchtet? was ebnet auch den Felsenpfad? was streut die freudenvollste Saat? was lockt zur schönen Männerthat? Steht auf! mit Herz und Munde, lobsingt dem Freundesbunde! (Chor:) Wir stehn, bei'm feuerhellen Wein den Bund des Bundes zu erneun. Der Hügel klingt. Der Jüngling singt, das Glück, das Herz in Herz erringt.

Noch nicht gesetzt! Noch immer fehlt die Ros' in unserm Kranze, es seufze nur, wer sich's verhehlt, nach Kronengold und Glanze! Im Arm der Liebe, rein und hold, vergißt man, ohne Rang und Gold, wohin des Schicksals Kugel rollt. Wer wird in Frühlingskreisen nicht Weib und Mädchen speisen? (Chor:) Hoch lebe Weib und Mädchen! hoch! und höher noch! und höher noch! Schenkt ein! Schenkt ein! der letzte Wein soll Opfertrank der Liebe sein!

Bouterweck.

1327. Die Blutzeugen.

Löwen, laßt euch wieder finden wie im ersten Christenthum, die nichts konnte überwinden! Seht nur an ihr Marterthum! wie in Lieb' sie glühen, wie sie Feuer sprühen, daß sich vor der Sterbenslust selbst der Satan fürchten mußt'.

In Gefahren unerschrocken und von Lüsten unberührt, die auf's Eitle konnten locken, war man damals, die Begierd' ging nur nach dem Himmel; fern aus dem Getümmel war erhoben das Gemüth, achtete was zeitlich nit.

Ganz großmüthig sie verlachten, was die Welt für Vortheil hält und wornach die meisten trachten, es mocht' sein Ehr', Wollust, Geld; Furcht war nicht in ihnen; auf die Kampfschaubühnen sprangen sie mit Freudigkeit, hielten mit den Thieren Streit.

O daß ich, wie diese waren, mich befänd' auch in dem Stand! Laß mich doch im Grund erfahren dein' hülfreiche, starke Hand, mein Gott, recht lebendig! Gieb, daß ich beständig bis in Tod durch deine Kraft übe gute Ritterschaft!

Ei wohlan, nur fein standhaftig, o ihr Brüder tapfer drauf! Lasset uns doch recht herzhaftig folgen jener Zeugen Hauf! Nur den Leib berühret, was ihm so gebühret; er hat's Leiden wohl verdient, und die Seel' darunter grünt.

Mindestens zu Anfange des 18. Jahrh.

1328.

Melodie: Mihi est propositum.

Lorbeerheld Horatius! wie du sprachst das Wahre: schneller als der Ostwind muß hin die Flucht der Jahre. Wo ist, o! der Becher Weins, mehr als Honigsüße, wo des ros'gen Mägdeleins Zank und Fried' und Küsse? (Chor:) Wo ist ꝛc.

Schwellend weich die Traube steht, Mädchens Busen hebt sich; doch der dürstende Poet schmählich überlebt sich: ach es muß des Ruhmes Licht dem vergeblich winken, der der Erde Töchter nicht lieben darf und trinken. (Chor:) Ach es ꝛc.

1329.

Wächterruf.

Loset, was i euch will sage! D'Glocke het Zehni gschlage. Jez betet und jez göhnt in's Bett, und wer e rueihig G'wisse het, schlof sanft und wohl! Im Himmel wacht e heiter Aug die ganzi Nacht.

Loset, was i euch will sage! D'Glocke het Oelfi gschlage. Und wer no an der Arbet schwitzt, und wer no by der Charte sitzt, dem bieti jez zuem letztemol, — 's isch hochi Zit — und schlofet wohl!

Loset, was i euch will sage! D'Glocke het Zwölfi gschlage. Und wo no in der Mitternacht e Gmüeth in Schmerz und Chummer wacht, se geb der Gott e rueihige Stund, und mach di wieder froh und gsund!

Loset, was i euch will sage! D'Glocke het Eis gschlage. Und wo mit Satans G'heiß und Noth e Dieb uf dunkle Pfade goht, — i will's nit hoffen, aber gschieht's — gang heim! der himmlisch Richter sieht's.

Loset, was i euch will sage! D'Glocke het Zwei gschlage. Und wem scho wieder, eb's no tagt, die schweri Sorg am Herze nagt, du ärme Tropf, di Schlof isch hi! Gott sorgt! es wär' nit nöthig gsi.

Loset, was i euch will sage! D'Glocke het Drü gschlage. Die Morgestund am Himmel schwebt, und wer im Friede de Tag erlebt, dank Gott, und saß e frohe Mueth und gang an's G'schäft, und — halt di guet! J. P. Hebel.

1330.

Losreißend ohn' Erbarmen aus des theuren Mädchens Armen stürzen wir in die Welt, und lieben, was uns gefällt. Wir flattern zwar und wandern von einer zu der andern: doch erster Liebe Kraft bleibt ewig Leidenschaft.

Weit über Flur und Hügel trägt uns des Leichtsinns Flügel: aber ein Stachel bleibt, der uns zur Heimath treibt, denn nichts zerstört die Keime der ersten Jugendträume, und erster Liebe Kraft bleibt ewig Leidenschaft.

"Joconde", von Isouard.

1331.

Lüftchen, woher und wohin trägst du so lieblichen Duft? Sicher mit liebendem Sinn Schönes, Geliebtes dich ruft!

Bächlein, woher und wohin kosend und küssend gelind? Blumen voll freundlichem Sinn deine Gespielinnen sind.

Lerche woher und wohin? Jubelnd der Sonn' an die Brust schwingt sich dein himmlischer Sinn, hast nur am Himmlischen Lust!

Vöglein und Lüftchen und Bach, könnt' ich nur ziehen mit euch! liebend den Liebenden nach, käm' in ein liebliches Reich. J. J. v. Weßenberg.

1332.

Luise komm, uns ruft der Ton, der Ton des sanften Walzers hin! O riefe mir doch einst zu dir, dein Herz zum Lohne hin! — Allein ich seh', du willst mich quälen; du willst und das ist mir genug! Dein Herz wird einen Andern wählen, und mich erlöst ein sanfter Tod. Dann will ich sterbend für dich beten: O Gott, mach' doch Luise glücklich-froh! Ich habe viel für sie gelitten, o strafe sie nicht eben so.

Die Sonne sinkt, der Abend winkt, der Mond der scheint, dein Karl der weint, er weint um dich, Luise, ach, verlassen, o Geschick! — Allein ich seh' du willst mich kränken; du willst, und das ist mir genug! Dein Argwohn wird in's Grab mich senken, und dann bin ich Luise los. So liebe dann bis zu dem Grabe, bald hier, bald dort, was dich nur glücklich macht und denke dann noch jeden Abend: du warst mir einst zur Qual gemacht. *Berliner Gassenhauer.*

1333.

Lustigen Saitenklang, fröhlichen Rundgesang hör' ich im Saale erschallen! Brüder, stimmt munter ein, mischt euren Jubel drein, ehe die Saiten verhallen!

Wilder Champagner-Wein ladet zur Freude ein, sehet ihn perlen und schäumen! Trinkt, eh' der Geist verfliegt; fühlt, wie das Herz sich wiegt selig in luftigen Träumen!

Rosige Wangen blühn, purpurne Lippen glühn, freundliche Augen sind helle; heimlich, wie Mädchen fliehn, Lieb' und Lust weiter ziehn, — küßt sie behend auf der Schwelle!
A. Schumacher.

1334.

Lustiger Matrosensang, hoiho! töne laut das Meer entlang, hoiho! Bald im Süden, bald im Nord, sing' ich hier und singe dort, werf' die Grillen über Bord; hoiho! hoihoi!

In der Woge nassen Bauch, hoiho! blas' ich meines Pfeifchens Rauch, hoiho! Fischlein springt im Sonnenschein, Seehund schwimmt uns hinterdrein, und die wilden Möven schrei'n; hoiho! hoihoi!

Hat der Sturm den Kiel erfaßt, hoiho! klett'r ich auf den höchsten Mast, hoiho! Seid nicht bange, Capitain: Wind und Wetter werden schön; laßt die Flagge ruhig wehn! Hoiho! hoihoi!

Eines machet mir Verdruß, hoiho! ich entbehre Liebchens Kuß, hoiho! Denk' ich auf bewegter See an des Busens Lilienschnee: foltert mich der Liebe Weh'. Hoiho! hoihoi!

Aber wenn der Hafen winkt, hoiho! und ihr schwarzes Auge blinkt, hoiho! küss' ich bei so mildem Strahl nach der langen Trennung Qual Liebchen hunderttausendmal! Hoiho! hoihoi!

1335.
Bekannte Melodie.

Lustig gerüstet das Herz und den Mund! heidnische Weisheit und christlicher Glaube sitzen in Eintracht bei'm Nectar der Traube; rund heißt die Losung, auf, singet sie rund! Rund, o du süßes, du heiliges Wort! rund ist — o selige Rundung! — die Tonne, rund ist das Mädchen, rund meine Sonne, rund ist der Zapfen, der Tonnen durchbohrt.

Denken wir Großes, wir denken es rund. Rund läuft die Erde in rollenden Polen, rund ist die Schönheit der Flaschen und Bowlen, Lippen und Wangen der Liebe sind rund. Schauet nach oben, — ich singe nicht Spott! — rund und läuft auf Sternen das Leben der Frommen, kugelrund heißet, was himmlisch vollkommen; kugelrund ist der platonische Gott.

Laufen die Sonnen und Sterne denn rund — brauchet, ihr Brüder, die Freude den Trichter, rollet euch selig, wie himmlische Lichter, schlaft und erwachet am fröhlichen Spund.

Heil mir! ich grüße dich, fließendes Gold, grüße dich, Traube, dich, Liebling der Sonne, grüße dich, Bowle, und grüße dich, Tonne, grüße dich, Trinker, der neben ihr rollt.

Offen schon steht das olympische Haus, offen die Sterne, wo Götter sich rollen, irdisches Dichten und irdisches Wollen fliegen schon über die Himmel hinaus.

Eins noch, es gilt unser heiligstes Rund; rund sei die That und rund sei die Rede! rund sei die Freundschaft und rund sei die Fehde, klinget zusammen und haltet den Bund!

E. M. Arndt.

1336.

Bekannte Melodie.

Lustig leben die Kosacken! überall, sogar in den Baracken, giebt es schöne Mädchen, Bier und Brandtewein, Brüder laßt uns lustig, munter sein. Rauh in Schlachten, sanft bei Mädchen sind Kosacken immer froh und wohlgemuth, schwingen rasch die Lanze und die Dirn' zum Tanze, zechen brav und tanzen gut. Lustig leben 2c.

Geht's zum Kampfe, geht's zum Streite, Brüder, giebt es rechte Beute, unser Lohn! Seht! o seht, geschlagen sind die stolzen Feinde, alle sind sie schnell entflohn. Lustig leben 2c.

Dirnen winken, Hurrah trinken mit Polacken wir und Mahomeden! Brüder, laßt uns spielen, Brüder, laßt uns singen, hoch wall' uns das Herz empor. Lustig leben 2c.

Nach dem Tanze, nach dem Schmause, liegt das Mädchen liebend uns im Arm. Meint es treu und redlich, wie es sich geziemet, liebt Kosacken treu und warm. Lustig leben 2c.

1337.

Das Mädchen am See.

Mädchen, du liegst mir im Sinn, und ich arbeite in Wien, o du holdes Mädchen am See, du nur bist meine Freude!

Wenn ich in ruhsamer Eil', an einem Schlüsselloch feil', denk' ich, o Mädchen am See, du nur bist meine Freude!

Mach', nach französischer Art, ich an dem Schlüssel den Bart, denk' ich, o Mädchen am See, du nur bist meine Freude!

Wenn ich fest schlafend noch wach, und denk' der Sache so nach, denk' ich, o Mädchen am See, du nur bist meine Freude!

Bist du betrübsam vergnügt, wie es so manchmal sich fügt; o so denk' Mädchen am See auch an mich armen Bursche.

Wenn du fest zweifelnd mir traust, auf meine Redlichkeit baust, o so glaub' Mädchen am See, dir nur schlägt stets mein Herze.

Und komm' ich einstens nach Haus, so wird aus uns zwei was draus; o holdes Mädchen am See das versteht sich am Rande.

Nun noch zum Schluß viele Grüß, Wiedersehn ist ja so süß; Mädchen, hold' Mädchen am See, das ist so klar wie Wichse.

So schick' in ängstlicher Ruh, ich dir mein Briefchen jetzt zu; bald komm', o Mädchen am See, ich selbst in deine Arme.
Brief eines Schlossergesellen.

1338.

Mädchen mit dem rothen Mündchen, mit den Aeuglein süß und klar, du mein liebes kleines Mädchen, deiner denk' ich immerdar.

Lang ist heut' der Winterabend und ich möchte bei dir sein, bei dir sitzen, mit dir schwatzen im vertrauten Kämmerlein.

An die Lippen wollt' ich pressen deine kleine weiße Hand, und mit Thränen sie benetzen, deine kleine weiße Hand!

1339.
Mannesthräne.

Mädchen, sahst du jüngst mich weinen? — sieh, des Weibes Thräne dünkt mir der klare Thau des Himmels, der in Blumenkelchen blinkt.

Ob die trübe Nacht ihn weinet, ihn der Morgen lächelnd bringt, stets doch labt der Thau die Blume und ihr Haupt hebt sie verjüngt.

Doch es gleicht des Mannes Thräne edlem Harz aus Ostens Flur, tief im Herz des Baums verschlossen, quillt freiwillig selten nur.

Schneiden mußt du in die Rinde bis zum Kern des Marks hinein, und das edle Naß entträufelt dann so golden, hell und rein.

Bald zwar mag der Born versiegen, und der Baum grünt fort und treibt, und er grüßet noch manchen Frühling, doch der Schnitt, die Wunde — bleibt.

Mädchen, denk' des wunden Baumes auf des Ostens fernen Höhn; Mädchen, denke jenes Mannes, den du weinen einst gesehn.
Grün.

1340.
Eigne Melodie.

Mädchen! seht die helle, glanzumstrahlte Welle, seht das schaukelnde Boot wiegt euch auf und nieder; horcht den Klang der Lieder grüßt den Widerschall. Auch die strengste aller Schönen widersteht nicht langem Schmerz, und der Liebe Freuden krönen endlich ein getreues Herz.

Schwärme, süße Kleine, um des Trauten Blick! träum' dich schon die Seine, sing der Liebe Glück! Horch, vom fernen, stillen Wald, wie des Echo's Ruf erschallt! Ach, der Liebe Freuden krönen endlich ein getreues Herz; auch die strengste aller Schönen lohnet ein getreues Herz.
„Zampa."

1341.

Mädchen, warum :/: weinest du, :/: weinest du so sehr? Weinest, daß ich von dir gehe, daß ich dich nicht wieder sehe, Mädchen darum weinest du? weine nicht so sehr!

Mädchen, ich kehr' bald zurück, kehre bald zurück. Will dich lieben in der Ferne, und wer liebet, kehrt so gerne; darum, Mädchen, traure nicht, traure nicht so sehr!

Fliegendes Blatt.

1342.

Mädchen, wenn ich dich von fern erblicke, wird vor Sehnsucht mir das Auge naß; nahst du dich, dann hält es mich zurücke wie mit Fesseln, und ich weiß nicht, was?

Fern von dir hab' ich so viel zu klagen, und dir gegenüber bin ich stumm, kann dir nicht ein Sterbenswörtchen sagen, stammle nur, und weiß doch nicht, warum?

Stundenlang häng' ich an deinem Blicke, aber trifft der deinige mich so, o dann fährt der meinige zurücke, will sich bergen, ach! und weiß nicht, wo?

Seh' ich dich mit einem andern scherzen, o dann möcht' ich vor mir selber fliehn, möchte weinend mit betrübtem Herzen, mich entfernen und weiß nicht, wohin?

Einsam laß ich, statt mich zu zerstreuen, meinen Thränen ungestörten Lauf; wiege mich in süßen Träumereien, freue mich, und weiß doch nicht worauf?

Denke mir das höchste Glück auf Erden, das ein Jüngling sich nur wünschen kann, hoffe, daß sie einmal kommen werden, ach! und weiß nicht, wann?

Denke von zwei gleich gestimmten Seelen mir die schönste, reinste Harmonie, möchte dich vor allen andern wählen mir zur Gattin, ach! und weiß nicht, wie?

Und so läßt bei meinen regen Trieben weder Wie, noch Wo, noch Wenn sich sehn; doch erlaubt man mir dereinst zu lieben und zu wählen, o dann weiß ich — wen!

1343.

Mädchen, willst du freien, so schicke dich dazu; so nimm dir einen Schuster, der macht dir knappe Schuh'.

Doch die Schusterweiber müssen Leder schneiden; lieber will ich ein'n Pastor nehmen, trag' ich Sammet und Seide.

Doch die Pastorweiber dürfen sich nicht putzen; lieber will ich ein'n Amtmann nehmen, fahr' ich in der Kutsche.

Doch die Amtmannsweiber müssen Butter waschen; lieber will ich ein'n Fuhrmann nehmen, trag' ich's Geld in Taschen.

Doch die Fuhrmannsweiber müssen Wagen schmieren; lieber will ich ein'n Soldaten nehmen, kann ich brav marschiren.

Doch die Soldatenweiber müssen's Brot weit holen; lieber will ich ein'n Bäcker nehmen, hab' ich Brot im Ofen.

Doch die Bäckerweiber müssen Butter schmelzen; lieber will ich ein'n Schlächter nehmen, ist mir Wurst nicht selten.

Doch die Schlächterweiber müssen Blut auffangen; lieber will ich ein'n Gastwirth nehmen, klapper' ich mit der Kanne.

Doch die Gastwirthsweiber müssen Bier auffüllen; lieber will ich ein Mädchen bleiben, hab' ich meinen Willen.

Sammlung von Erk u. Irmer.

1344.

Mädchen zu küssen, ei, schadet ja nicht! macht dir ein Mädchen ein freundlich Gesicht, wärst du ein Narr ganz und gar, bötest du schnell nicht ein Küßchen dar.

Trinken, ihr Lieben, das schadet ja nicht! Wahrheit am ersten der Trinker ja spricht; schenkt mir drum fein fleißig ein, daß ich ein wahrhafter Freund kann sein.

Lustig, ihr Brüder, und thut es uns nach! Küsset und trinket! Freund Luther schon sprach: Weiber und Wein müssen sein, sollen wir weidlich bei'm Lied uns freun!

Fliegendes Blatt.

1345.

Melodie von Danzi.

Mädel, 's ist Winter, der wolligte Schnee, weiß wie dein Busen, deckt Thäler und Höh'. Horch wie der Nordwind um's Hüttlein her pfeift! Hecken und Bäume sind lieblich bereift.

Mädel, 's ist Winter, die Bäche sind Eis; Dächer der ländlichen Hütten sind weiß. Grau und ehrwürdig, im silbernen Flor, streckt sich der stattliche Kirchthurm empor.

Mädel, 's ist Winter. Mach's Stüblein fein warm; setz' dich zum Ofen und nimm mich in Arm! lieblich und kosend, wie rosigten Mai, führt uns die Liebe den Winter vorbei.

Drehst du mit Fingern, so reinlich wie Wachs, seidene Fäden vom silbernen Flachs, schüttl' ich die Acheln dir schäkernd vom Schurz, mache die Nächte mit Mährlein dir kurz.

Mädel 's ist Winter. O wärst du schon mein! schlüpft' ich in's blähende Bettlein hinein; nähm dich, mein herziges Liebchen, in Arm, trotzte dem Winter; denn Liebe macht warm.

Schubart. 1787.

1346.

„Mädel, warum betrübst du dich, dieweil ich dich verlassen muß? Ich kann nicht immer bei dir sein, drum gieb dich drein!"

"'Geh' nur hin und lebe wohl! Geht dir's gut, so gefällt mir's wohl; geht dir's übel, so kränkt es mich, weil du betrübest dich.'" Volkslied.

1347.

„Mädel wirst zwanzig alt, Mädel 's ist Zeit, Peter kehrt nicht so bald, daß er dich freit! Häng' deine Schürz' vor's Haus, such' dir'n Andern aus, Mädel, 's ist Zeit."

Mädel hängt Schürz' vor's Haus, Mutter 's so will! Hochzeit mit Tanz und Schmaus, Mädel bleibt still. Hochzeitstag über's Jahr, legt man sie auf die Bahr, Mutter 's so will. W. Cornelius.

1348.
Kinderlied.

Mäh Lämmchen, mäh! Das Lämmchen lauft in Wald, da stieß sich's an ein Steinchen, that ihm weh sein Beinchen, da schrie das Lämmchen mäh!

Mäh Lämmchen ꝛc. Da stieß sich's an ein Stöckelchen! that ihm weh sein Köppelchen, da schrie das Lämmchen mäh!

— Da stieß sich's an ein Sträuchelchen, that ihm weh sein Bäuchelchen ꝛc.

— Da stieß sich's an ein Hölzchen, that ihm weh sein lschen ꝛc.

Wird gesungen, wenn sich das Kind gestoßen hat.

1349.
Tanzliedchen.

I.

Männchen, Männchen, geig' mjr mal, Karlchen will mal tanzen! hat ein buntes Röckchen an, rings herum mit Franzen.

II.

Margritchen, Margritchen, dein Hemdchen guckt für, zieh's nauß, zieh's nauß, so tanz' ich mit dir!

III.

Ringel, Ringel Rosenkranz! setz' en Töpken Wasser bei, morgen woll'n wir waschen, kleine Wäsche, große Wäsche, Kikerikiki!

IV.

Tanz', Kindele, tanz', die Schühle sind noch ganz! laß sie dich nicht reue, der Schuster macht dir neue.

V.

Ringel, Ringel Rosenkranz, wir treten auf die Kette, daß die Kette klingen soll, sieben Jahr zerronnen, sieben Jahre um und um, liebes Hannchen dreh' dich um!

1350.

Männer heran! brecht euch die Bahn; stürmt in die Reihen der Feinde! Deutschlands Volksgemeinde, zeige dich treu, mach Deutschland frei, Männer heran!

Männer heran! wer kämpfen kann — wer eine Waffe kann führen, mög keine Stunde verlieren, Volk ins Gewehr, zu Deutschlands Ehr! Männer heran!

Männer heran! ob Euch umfahn Weiber, Kinder und Bräute, denkt an die Ehre nur heute — denkt an die Schand im Vaterland! Männer heran!

Männer heran! Feinde nahn! werft Eure Brust in die Schanze, macht aus der Sens' eine Lanze — Pflugschar als Schwert rettet den Heerd. Männer heran!

Männer heran! zur Herrmannsfahn'! laßt euch an Kugeln erschöpfen; ladet die Flinten mit Knöpfen. Holzaxt und Beil wirkt auch sein Theil! Männer heran!

Männer heran! Mann gegen Mann tretet dem Feinde entgegen! Zornentflammt, stark und verwegen! Kräftig vereint, stürzet den Feind! Männer heran!

Männer heran! bald ist's gethan; bald wird der Sieg uns umleuchten, wenn unsre Adern erst feuchten. Vaterlands Erd' drum auf zum Schwert.

1351.
Deutschland und Welschland.

Mag alles Wunder von dem Lande singen, wo Mandoline und Guitarre klingen, im dunkeln Laub die Goldorangen glühn; ich lobe mir die deutschen Buchenhallen, wo durch die stolze Wölbung Hörner schallen, und über Erdbeern wilde Rosen blühn.

Mich reizen nicht Oliven, Mandeln, Feigen, an blätterlosen, halbversengten Zweigen, aus welchen drohend rings die Natter zischt; ich lobe mir die deutsche Purpurpflaume, und Borsdorfs Apfel am belaubten Baume, der mich durch Frucht und Schatten gleich erfrischt.

Mich rühret nicht das welsche Trillerschlagen, mich nicht, wenn feiler Liebe freches Klagen durch der Guitarre steife Saiten klingt; ich lobe mir ein Lied der holden Minne, das mit Gefühl und zartem keuschen Sinne zur deutschen Harfe Deutschlands Tochter singt.

Mich schaudert vor der giftig süßen Miene, womit der meuchlerische Malandrine, die rechte Hand am Dolch, die linke reicht; ich lobe mir des Deutschen Händedrücke mit jenem offnen, seelenvollen Blicke, der seinem heitern, blauen Himmel gleicht.

Was kümmern mich des Berges Lavawunder, versunk'ne Städte mit gelehrtem Plunder, die eitle Kunst aus runden Kohlen bricht; ich Deutscher lobe mir vor allen Dingen die Berge, welche Thäler nicht verschlingen; des Brockens sichre Feste wanket nicht.

Was prahlst denn du von einem freien Staate, von deinen alten Römern mir, Castrate, ein Zwerg auf Trümmern einer Riesenwelt! Der Deutsche, wenn die Eichen ihn umdüstern, hört in den Wipfeln Hermanns Stimme flüstern, und seiner Barden Ruf vernimmt ein Held.

Friedrichsen.

1352.

Melodie: Ich bin ein Preuße.

Mag, wer da will, des Innern Mängel rügen, wenn Außen höhnisch uns der Feind bedräut, mag immerhin zum Freiheits-Freund sich lügen, wer feige sonst ein freies Wort gescheut, was heimlich sonst mich plagte, was offen ich beklagte, vergessen ruht's, nur Eines fällt mir ein: „ich bin ein Deutscher, will ein Deutscher sein!"

Entsprossen bin ich ja aus deutschem Blute, von einem Vater, der in Freud' und Leid mir Vorbild war von deutschem Männermuthe, von deutscher Treue, deutscher Biederkeit, der glühend heiß entbrannte in Lieb' zum Vaterlande bei meines Vaters moderndem Gebein, ich bin ein Deutscher, will ein Deutscher sein!

Zerstreuungssucht hat nicht von ihrem Kinde nach Frankenart die Mutter früh gescheucht, die Mutter selber hat, nicht feil Gesinde, mich treu gepflegt, mit deutscher Milch gesäugt der Sprache erste Kunde entnahm ich ihrem Munde. Nicht Undank soll der Mutter Grab entweihn, ich bin ein Deutscher, will ein Deutscher sein!

Der Deutschen Sänger kräftig schöne Lieder, sie formten mir, wie Andern, Geist, Gemüth, so fand ich Freunde, gleichgestimmte Brüder, so schlingt ihr Sang, in deutscher Brust erglüht unsichtbar starke Bande um alle deutsche Lande. Bei unsrer Sänger hehrem Geisterreih'n, ich bin ein Deutscher, will ein Deutscher sein!

Es ist die Freiheit keine Treibhauspflanze, so man aus
fremden Zonen sich verschreibt; der jungen Eiche gleich im
Sonnenglanze, aus Männerherzen dort sie Keime treibt, wo
Wissenschaften leuchten, die Dunkelheit verscheuchten. Beim
Strahlenglanz im deutschen Eichenhain, ich bin ein Deutscher,
will ein Deutscher sein!

Bei meiner Heimath schönen grünen Auen, und bei der
Schönen, die mein Herz entzückt, bei deutscher Kunst, die überall
die Gauen mit manchem Denkmal geisterhebend schmückt, bei'm
alten deutschen Dome, bei'm deutschen Rheinesstrome, bei die=
sem Glas mit Rheinlands goldnem Wein, ich bin ein Deut=
scher, will ein Deutscher sein!

1353.
Lob des Punsches.
Melodie: Bekränzt mit Laub.

Mag immerhin im schäumenden Pokale der stolze Wein
sich blähn; so ist und bleibt in seiner vollen Schale der Punsch
nicht minder schön.

Zwar sprudelt hoch bei Fürstenhuldigungen der Wein im
kühnsten Sprung; doch auch nur Wein jauchzt laut aus tau=
send Zungen, nicht Herzenshuldigung.

Der Patriot braucht deshalb nicht zu dürsten bei'm nectar=
vollen Punsch; nein, wärmer tönt für's Wohl des besten
Fürsten des Bürgers reiner Wunsch.

Vom Wein berauscht verheeren erst Tyrannen voll Wuth
das ganze Land, und nehmen, wenn sie nüchtern sich besannen,
den Oelzweig in die Hand.

Der Wein vermehrt auf Universitäten nur der Systeme
Kampf; bei'm Punsche flieht der Streit der Fakultäten wie
leichter Punschesdampf.

Der Wein erfreut bei Visitationen zwar manches Kirchen=
licht; doch wissen auch gar oft die Herrn Patronen von ihren
Köpfen nicht.

Der Wein wird leicht des stärksten Mannes Meister; der
Punsch verdünnt das Blut; weckt aus dem Schlaf die trägen
Lebensgeister, und giebt den Schwachen Muth.

Der Wein trennt Mann und Weib am frohen Feste, und
das ist doch nicht recht! der Punsch ergötzt dagegen alle Gäste
von beiderlei Geschlecht.

Wenn um den Greis des Jubels Kränze grünen, die ihm
der Enkel weiht; wie würde da der Wein den Kleinen dienen
ie doch der Punsch erfreut!

Ja, wollten wir uns auch ein Gläschen zähmen vom schönsten Ungarwein; wie oft schenkt uns dafür Stettin und Bremen den ärgsten Krätzer ein?

Dem Punsche darf man aber sicher trauen, er ist für Freund und Feind, da, wie bekannt, wir ihn uns selber brauen, das immer, was er scheint.

Punsch ist und bleibt dem Kranken und Gesunden die wahre Panacee; beflügelt dem den Schneckengang der Stunden, und heilt des Andern Weh.

Wenn russisch wir am Pipse laboriren, und hüten Bett und Haus; dann hilft er uns zum bessern Transpiriren, und treibt den Teufel aus.

Wenn wir bei ihm das Buch der Weisheit lesen, steht er uns redlich bei, und lehret uns, daß Fröhlichkeit das Wesen, der wahren Weisheit sei.

Ihn rühmen laut bei allen Nationen Kind, Jüngling, Mann und Greis! drum steigt ja auch tagtäglich der Citronen, des Rack's und Zuckers Preis!

Daß es jedoch auch mathematisch scheine, wie: Zweimal zwei ist vier! so sagen wir: Der Punsch verhält zum Weine sich wie der Wein zum Bier!

So würde dann, aus obgenannten Gründen, des Punsches größern Werth, lebt er ja noch, sogar Herr Kästner finden, hätt' er dies Lied gehört.

Laßt Lieb' und Wein hinfort die Dichter leiern; wir wollen fröhlich sein! und unser Fest mit warmem Punsche feiern, und nicht mit kaltem Wein!

Doch, daß darob die Gläser nicht erkalten, stoßt, Freunde, fröhlich an! stoßt alle an! Es bleibt mit uns beim Alten! Und das für Weib und Mann!

1354.
Der Gott und die Bajadere.

Indische Legende.

Mahadöh, der Herr der Erde, kommt herab zum sechsten Mal, daß er unsres gleichen werde, mit zu fühlen Freud' und Qual. Er bequemt sich hier zu wohnen, läßt sich alles selbst geschehn. Soll er strafen oder schonen, muß er Menschen menschlich sehn. Und hat er die Stadt sich als Wandrer betrachtet, die Großen belauert, auf Kleine geachtet, verläßt er sie Abends, um weiter zu gehn.

Als er nun hinausgegangen, wo die letzten Häuser sind, sieht er mit gemalten Wangen, ein verlornes, schönes Kind.

Grüß' dich, Jungfrau! — Dank der Ehre! wart', ich komme
gleich hinaus — und wer bist du? — Bajadere, und dies ist
der Liebe Haus. Sie rührt sich, die Cymbeln zum Tanze zu
schlagen; sie weiß sich so lieblich im Kreise zu tragen, sie
neigt sich und biegt sich und reicht ihm den Strauß.

Schmeichelnd zieht sie ihn zur Schwelle, lebhaft ihn in's
Haus hinein. Schöner Fremdling, lampenhelle soll sogleich
die Hütte sein. Bist du müd', ich will dich laben, lindern
deiner Füße Schmerz. Was du willst, das sollst du haben,
Ruhe, Freuden oder Scherz. Sie lindert geschäftig geheuchelte
Leiden. Der Göttliche lächelt; er siehet mit Freuden durch
tiefes Verderben ein menschliches Herz.

Und er fordert Sclavendienste; immer heiterer wird sie
nur, und des Mädchens frühe Künste werden nach und nach
Natur, und so stellet auf die Blüthe bald und bald die Frucht
sich ein; ist Gehorsam im Gemüthe, wird nicht fern die Liebe
sein. Aber sie schärfer und schärfer zu prüfen, wählet der
Kenner der Höhen und Tiefen Lust und Entsetzen und grim-
mige Pein.

Und er küßt die bunten Wangen, und sie fühlt der Liebe
Quaal, und das Mädchen steht gefangen, und sie weint zum
ersten Mal; sinkt zu seinen Füßen nieder, nicht um Wollust,
noch Gewinnst, ach! und die gelenken Glieder, sie versagen
allen Dienst. Und so zu des Lagers vergnüglicher Feier bereiten den dunklen behaglichen Schleier die nächtlichen Stunden
das schöne Gespinnst.

Spät entschlummert unter Scherzen, früh erwacht nach
kurzer Rast, findet sie an ihrem Herzen todt den vielgeliebten
Gast. Schreiend stürzt sie auf ihn nieder; aber nicht erweckt
sie ihn, und man trägt die starren Glieder bald zur Flam-
mengrube hin. Sie höret die Priester, die Todtengesänge, sie
raset und rennet und theilet die Menge. Wer bist du? Was
drängt zu der Grube dich hin?

Bei der Bahre stürzt sie nieder, ihr Geschrei durchdringt
die Luft; meinen Gatten will ich wieder! und ich such' ihn in
der Gruft. Soll zu Asche mir zerfallen dieser Glieder Götterpracht? nein! er war es, mein vor allen! ach, nur eine
süße Nacht! Es singen die Priester: wir tragen die Alten
nach langem Ermatten und spätem Erkalten, wir tragen die
Jugend, noch eh' sie's gedacht.

Höre deiner Priester Lehre: dieser war dein Gatte nicht,
lebst du doch als Bajadere, und so hast du keine Pflicht.
Nur dem Körper folgt der Schatten in das stille Todtenreich;
nur die Gattin folgt dem Gatten: das ist Pflicht und Ruhm
zugleich. Ertöne, Drommete, zu heiliger Klage! o nehmet,

ihr Götter! die Zierde der Tage, o nehmet den Jüngling in Flammen zu euch!

So das Chor, das ohn' Erbarmen mehret ihres Herzens Noth; und mit ausgestreckten Armen springt sie in den heißen Tod. Doch der Götter=Jüngling hebet aus der Flamme sich empor, und in seinen Armen schwebet die Geliebte mit hervor. Es freut sich die Gottheit der reuigen Sünder; Unsterbliche heben verlorene Kinder mit feurigen Armen zum Himmel empor.

1355.

Melodie von M. von Weber.

Maienblümlein so schön, mag euch gern blühen sehn draußen im Freien, im grünen Maien, Blümlein in Garten und Wiese, keine so schön sind, als diese.

Maienblümlein so süß, seid aller Lieb' gewiß draußen im Garten, von allen Arten, Blümlein in Garten und Wiese, keine so lieb sind, als diese.

Maienblümlein so jung, seid noch nicht groß genung, müßt euch bemühen, wachsen und blühen, Blümlein auf duftiger Wiese, keine so jung sind, als diese.

Maienblümlein so still, ich dich bald pflücken will, pflücken für eine, die ich wohl meine, Mägdlein gehn viel auf der Wiese, einzig gefällt mir nur diese.

1356.
Kinderlied.

Maikäfer flieg'! dein Vater ist im Krieg, deine Mutter ist im Pommerland, Pommerland ist abgebrannt. Maikäfer, flieg'!

1357.

Maikäferchen, Maikäferchen, fliege weg! dein Häuschen brennt, dein Mütterchen flennt, dein Vater sitzt auf der Schwelle, flieg' in Himmel aus der Hölle!

1358.

Maler, mal' er mein Liebchen, mal' er ihr schönes Gesicht, und die schelmischen Grübchen, Maler, vergiß er sie nicht.

Mal' er ihr reizendes Leibchen, mal' er's, so schön wie es ist; mal' er sie mir als mein Weibchen, wie sie die Kinderchen küßt.

Mal' er den Sohn mir zum Scherzen und mich als Vater dabei, und in ihr liebendes Herzchen mal' er mir Liebe und Treu'.

1359.

„Mama, Papa! ach sehn Sie doch den Knaben, :,: den möcht' ich gern, :,: den möcht' ich gerne haben; er hat ein allerliebst Gesicht, ach sehn Sie doch, ach sehn Sie doch, :,: wie freundlich daß er spricht." :,:

‚„Mein Kind, mein Kind! laß du den Knaben gehen, sonst ist's um dich, sonst ist's um dich geschehen! ein Kuß ist schlimmer als die Pest; du stirbst; mein Kind, du stirbst, mein Kind, wenn du dich küssen läßt!"'

„Mama, Papa! Sie wär'n schon längst gestorben, hätt' Sie der Tod durch einen Kuß erworben! Gestern Abend kam der Tod gewiß, als der Papa die Frau Mama so zärtlich hat geküßt!"

‚„Mein Kind, mein Kind, du eilst dem Tod entgegen; doch wünsch' ich dir den allerbesten Segen. Sei fruchtbar und vermehre dich, und handle so, und wandle so, und handle so, wie ich!"'
Fliegendes Blatt.

1360.

Mancher schnöde Erzphilister hat mich liederlich genannt; hatte wohl der Thor des Wortes inhaltschweren Sinn erkannt? liederlich kommt her von Liedern, wer viel Lieder hat gemacht, der ist liederlich zu nennen, und so weit hab' ich's gebracht.
Gaudy.

1361.

Man glaubt von den Männern jetzt immer, daß keiner beständig mehr sei, ihr Mädchen, ich beff're mich immer, nur ich bin allein noch getreu. Ich bin für die Treue geboren, und käme ein Engel daher, verstopft' ich mit Baumwoll' die Ohren, und hörte und sähe nichts mehr. Sonst lockten die Mädchen: pst, pst, ha, ha! So rief ich erwiedernd: ja, ja, ja, ja!

Doch jetzt bin ich stark wie ein Riese, unbiegsam und härter wie Stein; wenn eine ihr Herzchen mir wiese, bei mir geht gewiß nichts mehr ein. Doch, Mädchen, bleibt immer von Ferne; denn drückte mir eine die Hand, so drückt' ich sie wieder so gerne, so würden wir näher bekannt. Sie lockten mich freundlich; pst, pst, ha, ha! So rief ich: ja, ja, ja, ja!

Doch Weibchen, wollt Ihr uns bestricken, so stellt nur manierlich es an, den zärtlichen schmachtenden Blicken entgeht ja nicht leichtlich ein Mann; Ihr dürft uns nur winken und deuten, so sind wir verloren und schwach; wir lassen wie Kinder uns leiten, und laufen geduldig Euch nach. Ihr lok=

ket uns freundlich; pst, pst, ha, ha! Wir rufen erwiedernd: ja, ja, ja, ja!

1362.

Man hat auf Erden weit und breit, seit Anbeginn der alten Zeit — so sagt uns der Bericht — man hat gepflügt, gepflanzt, gebaut; es hat geregnet und gethaut; doch schöner ward es nicht.

Es gab Propheten hier und da, man hat gepredigt fern und nah, vom Himmel und Gericht; man hat geschrieben und gelehrt, man hat gerädert und bekehrt; doch besser ward es nicht.

Man hat geforscht, geprüft, gedacht, man hat beschworen und verlacht den Weisen und den Wicht. Den Schleier hat man aufgedeckt, und hundert Fackeln angesteckt; doch heller ward es nicht.

Man hat gehuldigt und gefrohnt, man hat geächtet und entthront, gestempelt Recht und Pflicht; die Ketten hat man abgesprengt, und die Tyrannen aufgehängt; doch freier ward es nicht.

Man hat getheilt durch Loos und Bund die kleinste Spanne Haide-Grund, den Schatten und das Licht. Es ist gestritten und gekriegt, und hundertmal die Welt besiegt; doch Friede ward es nicht.

Die Götter steckten uns das Ziel, und das Geschlecht, es stieg und fiel, wie sich die Woge bricht; aus Zukunft ward Vergangenheit, und jünger ward die alte Zeit; doch neuer ward sie nicht.

Drum suche draußen nicht das Glück, und zieh' dich in dich selbst zurück, wo dich der Dorn nicht sticht; bestelle du daheim das Haus, und pflege deinen Veilchenstrauß denn anders wird es nicht.

1363.

Melodie: Ein Leben wie im Paradies.

Man pries schon längst den edeln Wein, noch eh' das Glas erfunden; drum schenkt man ihn in Gläser ein, muß doppelt er uns munden. Drum tön' dem Glase mein Gesang im Kreise wackrer Zecher. So lieblich, wie sein heller Klang, war nie der Ton der Zecher.

Das Glas im Teleskopen zeigt weit in des Himmels Ferne, wohin kein menschlich Auge reicht, dem Forscher neue Sterne; ihn freun, das Fernrohr in der Hand, die neu entdeckten Wunder, uns mehr noch an des Glases Rand die Sterne im Burgunder.

Im Myrthenkranze prangt die Braut, und lobt das Glas im Spiegel. Doch der, der in das Weinglas schaut, wächst der Begeistrung Flügel, er schwingt empor sich zum Parnaß, entflammt von Dichterfeuer, ein spitziges Champagnerglas, wird ihm Apollo's Leyer.

Durch ein Vergrößrungsglas erscheint das Kleinste uns weit größer, wer's mit dem Weinglas redlich meint, sieht doppelt, das ist besser. Wer sich mit süßem Rebenblut das Glas läßt fleißig füllen; sieht ohne die Lorgnette gut, und brauchet keine Brillen.

Allein ein wahres Sprichwort spricht, das wollet ihr bedenken, das Glück und Glas sehr bald zerbricht, drum eilt, euch einzuschenken. Erhascht das Glück, eh es entflieht; man darf darauf nicht pochen, und leeret schnell das Glas, vielleicht ist morgen es zerbrochen. *K. Müchler.*

1364.

Man sagt, wenn Jemand nießet, wohl zur Genesung drauf, doch ob's von Herzen fließet im ganzen Lebenslauf? Ob sie im Sinn nicht haben: o läßt du doch be — (er nießt). Zur Genesung!

Der sagt, er sei entzücket, nun wieder uns zu sehn. Wie er an's Herz uns drücket — wer kann da wiederstehn; doch denkt er ohne Zweifel: o hol' dich doch der — (Herzi!) Zur Genesung!

Betheuert uns ein Mädchen, mit Herz und Hand und Schwur, sie hätt' im ganzen Städtchen ja dich zum Liebsten nur, so glaubt gewiß, die Hexe hat nebenllei noch — (Herzi!) Zur Genesung!

Thut Jemand uns ganz schöne, nennt uns den besten Freund, und spricht mit heißer Thräne, er wär' mit uns vereint: so kommt er sicher morgen, will hundert Thaler — (Herzi!) Zur Genesung!

Wie gerne wollt' ich spinnen, noch weiter fort dies Lied; braucht' gar nicht viel zu sinnen, weil Vieles man so sieht; doch werdet ihr wohl denken, wir wollen dir es — (Herzi!) Zur Genesung!

1365.

Melodie: Auf, auf zum fröhlichen Jagen.

Man sagt wohl, in dem Maien, da sind die Quell' gesund: ich glaubs nicht, meiner Treuen, es schwenkt ein'm nur den Mund und thut im Magen schweben; drum will mirs auch nicht ein: ich lieb die edlen Reben, die bringen uns gut Wein.

Wo Heu wächst auf der Matten, dem frag' ich gar nichts nach: es hab' Sonn' oder Schatten, ist mir geringe Sach. Gut Heu, das wächst an Reben, dasselbe woll'n wir han; gut Streu thut es auch geben, das weiß wohl Weib und Mann.

Und wer es nicht kann kauen, der geh auch nicht zu Wein: doch seh ich an dem Hauen, daß wir gut Mäher sein. Wir rechen's mit den Zähnen und worfeln's mit dem Glas, der Magen muß sich dehnen, daß er's in Scheuer laß.

Wir han gar kleine Sorgen wohl um das Römisch Reich; es sterb' heut' oder morgen, das gilt uns Alles gleich: und ging es auch in Stücke, wenn nur das Heu geräth! draus drehen wir ein Stricke, der es zusammen näht.

Das Liedlein will sich enden; wo ist daheime nu? Tappt hin nur an den Wänden und legt das Heu zur Ruh; der Wagen schwankt hereine, sie han geladen schwer, er bräch, wenn nicht am Rheine der Strick gewachsen wär.

Ich bind' mein Schwert zur Seiten und mach' mich bald davon; hab' ich dann nit zu reiten, zu Fuße muß ich gon. Ich taumle als ein Gänsel, das ziehet auf die Wacht, das macht das Heu vom Weine. Ade zur guten Nacht!

1366.
Großmutter Schlangenköchin.

„Maria, wo bist du zur Stunde gewesen? Maria, mein einziges Kind!"

Ich bin bei meiner Großmutter gewesen, ach weh! Frau Mutter, wie weh!

„Was hat sie dir zu essen gegeben? Maria, mein einziges Kind!"

Sie hat mir gebackne Fischlein gegeben, ach weh! Frau Mutter, wie weh!

„Wo hat sie dir denn das Fischlein gefangen? Maria, mein einziges Kind!"

Sie hat es in ihrem Krautgärtlein gefangen, ach weh! Frau Mutter, wie weh!

„Womit hat sie denn das Fischlein gefangen? Maria, mein einziges Kind!"

Sie hat es mit Stecken und Ruthen gefangen, ach weh! Frau Mutter, wie weh!

„Wo ist denn das Uebrige vom Fischlein hinkommen? Maria, mein einziges Kind!"

Sie hat's ihrem schwarzbraunen Hündlein gegeben, ach weh! Frau Mutter, wie weh!

„Wo ist denn das schwarzbraune Hündlein hinkommen? Maria, mein einziges Kind!"

Es ist in tausend Stücke zersprungen, ach weh! Frau Mutter, wie weh!

„Maria, wo soll ich dein Bettlein hinmachen? Maria, mein einziges Kind!"

Du sollst mir's auf den Kirchhof machen, ach weh! Frau Mutter, wie weh!

Aus mündlicher Ueberlieferung. 1802.

1367.
Kinderlied.

Marienwürmchen, setze dich auf meine Hand, auf meine Hand, ich thu' dir nichts zu Leide! es soll dir nichts zu Leid geschehn, will nur deine bunte Flügel sehn, bunte Flügel, meine Freude.

Marienwürmchen fliege weg, dein Häuschen brennt, die Kinder schrein so sehre, wie so sehre! die böse Spinne spinnt sie ein, Marienwürmchen, flieg' hinein, deine Kinder schreien sehre.

Marienwürmchen, fliege hin zu Nachbars Kind, zu Nachbars Kind, sie thun dir nichts zu Leide! Es soll dir da kein Leid geschehn, sie wollen deine bunte Flügel sehn, und grüß' sie alle beide!

Des Knaben Wunderhorn.

1368.
Des alten Soldaten letzter Ausmarsch.

Marsch! was klingen die Trompeten? Marsch? klingt das nicht Todtenmarsch? helles Blasen nicht und Flöten, ernst und still, nicht wild und barsch? Marsch! es muß gewandert werden! nicht zum Tanz und Kriegesspiel, nein, der letzte Marsch auf Erden und der nächste Marsch zum Ziel.

„Marsch! zum Abzug wird geblasen und des Lebens hast du satt, nimm das letzte Grün vom Rasen, nimm vom Baum das letzte Blatt, nimm vom Strauch die letzte Rose: denn es muß geschieden sein, all vergriffen sind die Loose, keines steht für dich noch ein."

Sei's! Trompeten und Posaunen schallt! und donn're Paukenschlag! donn're Schrecken und Erstaunen! mir entbebt kein Weh noch Ach; und ich will es selber sagen: ja des Lebens hab ich satt, falle still und ohne Klagen, wie vom Baum das gelbe Blatt.

Denn ich bin Soldat gewesen, und in manchem heißen Strauß bliesen Kugeln auserlesen mir fast Licht und Athem aus, wilde Scharen aller Farben drangen stürmend auf mich ein, Schrammen, Striemen, Wunden, Narben, müssen deß mir Zeuge sein.

Mehr ist doch Niemand.

Nicht auf weichen seidnen Sitzen wiegte mich das Leben durch, scharf mit Donnerschlag und Blitzen traf's mich auf der Himmelsburg: denn wo gute Kämpfer standen, bot ich mich den Schützen voll, und der Schütz' hat wohl verstanden, wie in's Herz er treffen soll.

"Welcher Schütze? welche Fabeln? Wohin träumt der irre Greis, spielt in Bildern und Parabeln aus, wovon er selbst nichts weiß?" Schweigt! hier müßt ihr alle lallen, Kinder, kindsche Träumer sein, beten, knien und niederfallen vor des Schützen Blitzesschein.

Marsch! o Freudenmarsch! und munter spielt mir auf zum letzten Gang! klingt mir fröhlich noch hinunter in das stille Grab der Klang! Kam'raden, bald hinnieder folgt ihr mir zu gleichem Ziel — doch getrost wir kämpfen wieder droben beßres Kriegesspiel.
Arndt.

1369.

Mehr ist doch Niemand, meiner Treu! auf Erden zu beneiden, als kleine Kindlein; ohne Scheu küßt sie die Jungfrau. Leiden muß es ein kleiner Wildfang schon; doch ist ihm an dem süßen Lohn gar wenig oft gelegen.

Doch er mag wollen oder nicht: geherzt geküßt muß werden. Des kleinen Engels Milchgesicht mag freundlich sich geberden, mag es zum Weinen sich verziehn: die Spende wird ihm doch verliehn; wer mag die Küßchen zählen?

Und ach! wie mancher Troubadour, wie mancher hübsche Junge bät' gern auch um ein einz'ges nur, — gelähmt ist ihm die Zunge! Und hat er ja den Muth dazu, so wird die heiße Bitt' im Nu ihm rundweg abgeschlagen!

Ist das nicht reiner Eigensinn von unsern holden Schönen? Hier geben dutzendweis sie's hin; dort wollten sie's verpönen! Sehn sie ein kleines, wie geschwind wird es geküßt! Ein großes Kind kann aber lange warten.

Und doch ist's euch nicht so um's Herz mit dem verkehrten Spiele! gesteht es nur, ihr treibt nur Scherz mit euerem Gefühle! Warum, o Mädchen, wollet ihr um nichts und wieder nichts uns schier darob verschmachten lassen?

Hört nicht die Wohlthat, wird sie nicht am rechten Ort geübet, es auf zu sein? — Fürwahr, die Pflicht der Milde auch betrübet: wenn sie mit Herz und Mund und Hand da, wo sie nicht ist, angewandt, will ihre Stärke zeigen.

Drum spielet nicht verkehrte Welt, ihr Mädchen! — laßt euch rathen! Nur wer die Mittelstraße hält, der wandelt ohne Schaden; — und gebt, wenn ihr zum Ueberfluß die kleinen küsset, einen Kuß auch manchmal großen Kindern!

1370.

Mei Mutter mag mi net, und kei Schatz hab' i net, ei warum sterb' i net! was thu i da?

Gestern ist Kirwe g'weh, mi hat mer g'wiß nit g'seh, denn mir ist gar so weh, i tanz jo net.

Laßt die drei Rösle stehn, die an dem Kreutzle blühn! hent ihr das Mädle kennt, die drunter leit?

Schwäbisches Volkslied.

1371.

Mei Mueter will mi zwinge des wunderbare Weib, i soll en Weber neme, do wär i brav net g'scheut. Sonst heißt me mi Frau Webere en alte Schnellerstehlere. Des Ding, des thuer i et koin Weber nem i net.

Mei Mutter will ni zwinge, des wunderbare Weib, i soll en Bäcke neme, do wär i jo net g'scheut. Sonst heißt me mi Frau Bäckers en alte Weckefressere. Des Ding, des thuer i et, koin Bäcke nem i net.

Mei Mueter will mi zwinge, des wunderbare Weib, i soll en Schneider neme, do wär i brav net g'scheut. Sonst heißt me mi Frau Schneidere en alte Stubenschmeißere. Des Ding, des thuer i et, koin Schneider nem i net.

1372.

Mein Arm wird stark und groß mein Muth, gieb, Vater, mir ein Schwert! verachte nicht mein junges Blut, ich bin der Väter werth!

Ich finde fürder keine Ruh' im weichen Knabenstand, ich stürb', o Vater, stolz wie du, den Tod für's Vaterland.

Schon früh in meiner Kindheit war mein täglich Spiel der Krieg; im Bette träumt' ich nur Gefahr und Wunden nur und Sieg.

Mein Feldgeschrei erweckte mich aus mancher Türkenschlacht, noch jüngst ein Schwerthieb, welchen ich dem Bassa zugedacht.

Als neulich unsrer Krieger Schar auf dieser Straße zog, und wie ein Vogel der Husar am Haus vorüber flog:

Da gaffte starr und freute sich der Knaben froher Schwarm: ich aber, Vater, härmte mich und prüfte meinen Arm.

Mein Arm wird stark und groß mein Muth, gieb Vater mir ein Schwert! verachte nicht mein junges Blut, ich bin der Väter werth!

Friedrich Leop. Graf zu Stollberg. 1774.

1373.

Mein Bübli isch e Stricker, er strickt e manche Nacht, er strickt an einer Haube, Haube, Haube, f isch noch nit ausgemacht.

Von Seiden isch die Haube, von Sammet isch die Schnur. "Bisch du ein wackres Mädle, Mädle, Mädle, bind' du dein Härle zu."

Ach nein, will sie nit binden, will's noch mehr fliegen lahn, bis ander Jahr im Sommer, Sommer, Sommer will zu dem Tanze gahn.

Mit Freuden zu dem Tanze, mit Trauren wieder heim, so geht es jedem Mädle, Mädle, Mädle, und nit nur mir allein.
Schwäbisches Volkslied.

1374.

Meine Liebe gleicht der Schwalbe, die zwar ihre Wohnung flieht, aber immer wiederkehret und von Neuem ungestöret ihr gewohntes Nest bezieht.

Meine Liebe gleicht der Bäume unbeständig grünem Haupt; hat der Frost es gleich entblößet, wenn der Mai das Eis zerflößet, steht es wiederum belaubt.

Meine Liebe gleicht dem Schatten, der sich auf den Boden malt, mit des Lichtes Scheine schwindet, mit dem Licht sich wiederfindet, wenn sein Glanz von neuem strahlt.
Joh. Elias Schlegel. † 1749.

1375.
Der Besuch.

Meine Liebste wollt' ich heut beschleichen, aber ihre Thüre war verschlossen. Hab' ich doch den Schlüssel in der Tasche! öffn' ich leise die geliebte Thüre!

Auf dem Saale fand ich nicht das Mädchen, fand das Mädchen nicht in ihrer Stube, endlich da ich leis die Kammer öffne, find' ich sie gar zierlich eingeschlafen, angekleidet auf dem Sopha liegen.

Bei der Arbeit war sie eingeschlafen; das Gestrickte mit den Nadeln ruhte zwischen den gefaltnen zarten Händen; und ich setzte mich an ihre Seite, ging bei mir zu Rath', ob ich sie weckte.

Da betrachtet' ich den schönen Frieden, der auf ihren Augenliedern ruhte: auf den Lippen war die stille Treue, auf den Wangen Lieblichkeit zu Hause, und die Unschuld eines guten Herzens regte sich im Busen hin und wieder, jedes ihrer

Glieder lag gefällig aufgelöst vom süßen Götterbalsam. Freudig saß ich da und die Betrachtung hielte die Begierde, sie zu wecken, mit geheimen Banden fest und fester.

O du Liebe, dacht' ich, kann der Schlummer, der Verräther jedes falschen Zuges, kann er dir nichts schaden, nichts entdecken, was des Freundes zarte Meinung störte.

Deine holden Augen sind geschlossen, die mich offen schon bezaubern; es bewegen deine süße Lippen, weder sich zur Rede, noch zum Kusse; aufgelöst sind diese Zauberbande deiner Arme, die mich sonst umschlingen, und deine Hand, die reizende Gefährtin süßer Schmeicheleien, unbeweglich. Wär's ein Irrthum, wie ich von dir denke, wär's ein Selbstbetrug, wie ich dich liebe, müßt' ich's jetzt entdecken, da sich Amor ohne Binde neben mich gestellet.

Lange saß ich so und freute herzlich ihres Werthes mich und meiner Liebe; schlafend hatte sie mir so gehalten, daß ich mich nicht traute, sie zu wecken.

Leise leg' ich ihr zwei Pomeranzen und zwei Rosen auf das Tischchen nieder: sachte, sachte schlich ich meiner Wege. Oeffnet sie die Augen, meine Gute, gleich erblickt sie diese bunte Gabe, staunt, wie immer bei verschloss'nen Thüren dieses freundliche Geschenk sich finde.

Seh' ich diese Nacht den Engel wieder, o wie freut sie sich, vergilt mir doppelt dieses Opfer meiner zarten Liebe.

Göthe.

1376.

Mein Muß' ist gegangen in des Schenken sein Haus, hat die Schürz' umgebunden, und will nicht heraus; will Kellnerin werden, will schenken den Wein — da steht sie am Thore und winkt mir herein.

Und über ihrem Haupte da spielet die Luft mit grünenden Zweigen und würzigem Duft. Seht, wie sie sich drehet so flink so gewandt, die Kann unterm Arme, das Glas in der Hand!

„Herein, lieber Zecher! ich schenke dir Wein, ich schenke dir Lieder noch oben darein. Nur mußt du hübsch bleiben im Wirthshaus bei mir — ich geb' freie Zeche und freies Quartier."

„Drum locke mich nimmer hinaus in den Hain zu einsamen Klagen ob sehnlicher Pein. Hier unter den Zweigen vor unserem Haus, da schlafen die Leiden gar lustig sich aus.

„Auf, laßt uns nicht schweifen umher in der Welt, einen Helden zu suchen, der Allen gefällt. Gar lang sind die Wege, gar kurz ist die Zeit, und auf den Karpathen sind die Wege beschneit."

So ließ sie sich hören — wer hielte das aus? Flugs bin ich gesprungen ihr nach in das Haus. Nun schenke mir Lieder und schenke mir Wein, und rufe mir frohe Gesellen herein! Wilhelm Müller.

1377.

„Meinen Aeltern hab' ich versprochen, das ich will ein Priester sein; meiner Liebsten hab' ich versprochen, sie in Treue einst zu frein."

„Soll ich vergessen das Versprechen, wie den Eltern ich verhieß? Oder soll das Wort ich brechen meinem Liebchen, zart und süß?"

„Wenn zur ersten Meß' ich schreite, Mädchen, knie' am Altar hin, schmuck, wie sich's geziemt für Bräute, vorn wo Herrn und Damen knien."

Als man Sanctus läuten hörte, wurde Liebchen todtenblaß; als der Priester zum Volk sich kehrte, Liebchen todt im Stuhle saß.

„Grabt ein Grab ihr an die Schwelle, an der Kirchenpforte Fuß, daß, betret' ich diese Schwelle, stets ich ihrer denken muß."

1378.

Melodie: Frisch regt in uns sich Jugendkraft.

Mein erstes Glas, mein bestes Glas, für des Gelags Genossen! für die viel tausend Mal das Faß sich lustig leer geflossen. Die vor dem Zapfenloch so gern gejubelt und gesündigt, und welchen oft der Morgenstern bei'm Wein den Tag verkündigt.

Mein zweites Glas, mein schönstes Glas, für Bacchus und Cytheren! Wer je als Held beim Trunke saß, der hält sie hoch in Ehren: kein Herz ist fest vor Hieb und Stich, das Bacchus Kraft bezwungen, doch haben sie bei'm Wasser sich nie hohes Lob errungen.

Der Freundschaft dieses dritte Glas zur Heiligung des Festes! Durch sie bezwang der Hölle Haß mit Pylades Orestes; durch sie ist manche Männerbrust zur Götterheimath worden, und sie versammelte in Lust auch diesen Zecherorden.

Mein viertes Glas, ein heil'ges Glas, soll vollen Klangs erschallen für die, so im Tyrannenhaß für's Vaterland gefallen, für die auch, so im Sorgenhaß den Wein auf Fässer faßten, und jubelnd bei dem vollen Glas hinsanken und erblaßten.

Mein fünftes Glas, mein letztes Glas, die heil'ge Fünfe lebe! Es grün' und blüh' ohn' Unterlaß der süße Strauch der Rebe! Es blühen Mädchen rosenjung mir noch beim grauen Haare! und Becherklang und Sang und Trunk begleiten mir die Bahre!
E. M. Arndt.

1379.
Gretchens Lied.

Meine Ruh' ist hin, mein Herz ist schwer; ich finde sie nimmer und nimmermehr.

Wo ich ihn nicht hab', ist mir das Grab, die ganze Welt ist mir vergällt.

Mein armer Kopf ist mir verrückt, mein armer Sinn ist mir zerstückt.

Meine Ruh' ist hin, mein Herz ist schwer, ich finde sie nimmer und nimmermehr.

Nach ihm nur schau' ich zum Fenster hinaus, nach ihm nur geh' ich aus dem Haus.

Sein hoher Gang, sein' edle Gestalt, seines Mundes Lächeln, seiner Augen Gewalt,

Und seiner Rede Zauberfluß, sein Händedruck, und ach, sein Kuß!

Meine Ruh' ist hin, mein Herz ist schwer; ich finde sie nimmer und nimmermehr.

Mein Busen drängt sich nach ihm hin, ach dürft' ich fassen und halten ihn!

Und küssen ihn so wie ich wollt', an seinen Küssen vergehen sollt'!
Göthe.

1380.
Melodie: Es war mal ein jung jung.

Mein' Schuhe sind zerrissen, mein Stiefeln sind entzwei, :,: und draußen auf der Landstraß', da singt der Vogel frei. :,:

Ein Heller und ein Batzen war'n alle beide mein, der Heller ward zu Wasser, der Batzen ward zu Wein.

Die Wirthsleut' und die Mädel, die schreien beid': o weh! die Wirthsleut', wenn ich komme, die Mädel, wenn ich geh'.

Und wär' kein' Landstraß' draußen, da säß' ich still zu Haus, und wär' kein Loch im Fasse: so tränk' ich auch nicht draus.
A. Graf v. Schlippenbach.

1381.

Mein guter Michel liebet mich aus deutscher Redlichkeit, und wie er liebt, liebt sicherlich kein Bauer weit und breit.

Mein Herr Maler will er wohl.

Er hat ein schönes Gärtchen hier mit einer Hufe Feld, er hat auch Schaf' und gute Küh', und tausend Thaler Geld.

Er giebt sich um mich alle Müh', er macht mir dies und das, beschicket mir das liebe Vieh und mäht mir Heu und Gras.

Komm' ich in's Holz, ist er schon da und giebt mir Käs' und Brot; er fällt das Holz, ich bind's zusamm'n, wir küssen uns bald todt.

Er sitzt bei mir die halbe Nacht und spinnt das Garn so fein, daß meine Mutter freundlich lacht, und denkt, ich spinn's allein.

Und wenn der liebe Sonntag kommt, so tanzt er nur mit mir; da springen wir wer weiß wie sehr und trinken gutes Bier.

Und wenn wir nun vom Tanzen gehn, und gehen von dem Schmaus; da führt mein guter Michel mich mit Lieb' und Freud' nach Haus'.

Des Nachbars Gretchen ärgert sich, denkt wunder wer sie sei; ich denk': „mein Gretchen ärg're dich, das gilt mir einerlei."

„Du stichst mir Micheln doch nicht aus, er kennt mich zu genau; eh' Fastnacht kommt ist er mein Mann, und ich bin seine Frau."

Was scher' ich mich jetzt um die Welt, ich bin vergnügt und reich. Hab' ich nur Micheln mit dem Geld, ist mir kein Städter gleich.

1382.

Mein Herr Maler, will er wohl uns abconterfeien? Mich, den reichen Bauer Troll und mein Weib Mareien; Michel, meinen ält'sten Sohn, meine Töchter kennt er schon, Gretchen, Urseln, Trinen, haben hübsche Mienen.

Mal' er mir das ganze Dorf und die Kirche drinnen, Michel fährt ein Fuder Torf, viele Weiber spinnen. Hart am Kirchhof liegt das Haus, wo wir gehen ein und aus, drauf steht renovatum, Jahreszahl und Datum.

In der Kirch' muß Sonntag sein, wir communiciren. Draußen pflügt mein Sohn am Rain mit vier starken Stieren. Wie am Werktag mal' er da und in voller Arbeit ja, meine Töchter alle, occupirt im Stalle.

Mal' er, wie mir Hans das Heu auf den Heustall bringet und „Wach' auf mein Herz" brummend vor sich singet. Auf dem Feld, von Weizen voll, muß mein Sohn studiren, wie viel ich am Scheffel wohl könnte profitiren.

Mal' er mir, wie ich vor'm Schlaf nehme eine Prise, und mach' er, daß ich auch brav hinterdrein noch niese. In dem Stalle, höret es, wiehert mein Kroater; meiner Frau fällt unterdeß von dem Schooß der Kater.

Bunte Farben lieb' ich, traun! sonderlich das Rothe; mich mach' er ein wenig braun, wie das Braun am Brote. Meinem Weib, vergeß er's nicht, mal' er ein kreid'weiß Gesicht, unsern beiden Rangen kirschenrothe Wangen.

Spar' er ja die Farben nicht, handhoch aufgetragen! Da er jetzt zween Thaler kriegt, hat er nicht zu klagen. Das Gemälde kann ja klein, ungefähr zwölf Ellen sein. Bald hätt' ich's vergessen, er kann bei uns essen.

Balthasar A. Dunker.

1383.

Mein Herz, ich will dich fragen: was ist denn Liebe? sag'! — „Zwei Seelen und ein Gedanke, zwei Herzen und ein Schlag!"

Und sprich, woher kommt Liebe? „Sie kommt und sie ist da!" Und sprich, wie schwindet Liebe? „Die war's nicht, der's geschah!"

Und wann ist Lieb' am reinsten? „Die ihrer selbst vergißt." und wann ist Lieb' am tiefsten? „Wenn sie am stillsten ist."

Und wann ist Lieb' am reichsten? „Das ist sie, wenn sie giebt." Und sprich: wie redet Liebe? „Sie redet nicht, sie liebt."

Mein Herz, ich will dich fragen: was ist nun Liebe? sag'! — „Zwei Seelen und ein Gedanke, zwei Herzen und ein Schlag!"

1384.

„Mein Knappe, wie kommst du an Stirn und an Brust und Arm von Blut so roth; und reitest, als wie in erquicklicher Lust, als gäb' es nicht Jammer und Noth?" „„Drei Rosen,"" sagt er, „„drei Rosen, die pflückt' ich aus feindlichem Tosen, :‚: die pflückt' ich aus drohendem Tod. :‚:

Und als er nun kam vor des Königs Haus, der junge siegende Held, da trat die Königin selber heraus: „Nun fordre, was dir gefällt!" „„Drei Rosen, hätt' ich drei Rosen, wie wollt' ich noch hundert Mal losen um's Leben auf eisernem Feld."

Die Königin wußte, was Helden gebührt, was Helden kann machen gesund. Da haben ihn schweigende Mägdlein geführt in's Zimmers verschwiegenes Rund. Drei Rosen gab sie, drei Rosen, drei Küsse mit freundlichem Kosen von ihrem hellrosigen Mund.

Und drauf im erleuchteten, festlichen Saal stand Herzog und Grafen bereit. Da sagte die Herrin: „Zu dieser Zahl sei künftig mit Ehren gereiht, und heiße: Der Ritter von Rosen, und führe im Wappen drei Rosen, und rosenfarb Helmbusch und Kleid!" **La Motte Fouqué.**

1385.

Mein Lebenslauf ist Lieb' und Lust und lauter Liederklang! ein frohes Lied aus heitrer Brust macht froh den Lebensgang. Man geht bergauf, man geht bergein, heut' grad' und morgen krumm, durch Sorgen wird's nicht anders sein, drum kümmr' ich mich nichts drum. Heida! juchhe! drum kümmr' ich mich nichts drum!

Die Zeit ist schlecht, mit Sorgen trägt sich schon das junge Blut; doch wo ein Herz für Freude schlägt, da ist die Zeit noch gut. Herein, herein, du lieber Gast, du, Freude, komm zum Mahl, würz' uns, was du bescheret hast, kredenze den Pokal. Heida 2c.

Fort Grillen, wie's in Zukunft geht, und wer den Scepter führt; das Glück auf einer Kugel steht und wunderbar regiert. Die Krone nehme Bacchus hin, nur er soll König sein, die Freude sei die Königin, die Residenz am Rhein.

Bei'm großen Faß zu Heidelberg, da sitze der Senat, und auf dem Schloß Johannisberg der hochwohlweise Rath. Der Herr Minister Regiment soll bei'm Burgunderwein, der Kriegsrath und das Parlament soll bei'm Champagner sein.

So sind die Rollen ausgetheilt und alles wohl bestellt, so wird die kranke Zeit geheilt, und jung die alte Welt. Der Traube Saft kühlt heiße Gluth, drum hoch das neue Reich! ein trunkner Muth ein wahrer Muth, der Wein macht alles gleich. **Mahlmann. 1803.**

1386.

Jägerliebe.

Mein Lieb ist die Haide, der Hochwald mein Lieb, dem ich mich auf ewig zu eigen verschrieb; die grünende Dämmrung, der rauschende Baum ist Tags mein Gedanke, ist Nachts mein Traum.

Das hallende Hüfthorn, der Wald ist mein Lieb, dem ich mich auf ewig verschrieb, mein Lieb ist das Hüfthorn, das Männersinn weckt, in Bergen und Thälern den Wiederhall neckt.

Die sichere Büchse, der Wald ist mein Lieb, dem ich mich auf ewig zu eigen verschrieb; mein Lieb ist die Büchse mit sicherem Blitz, da rettet nicht Stärke, nicht Schnelle, nicht Witz.

Das weidende Rehlein, der Wald ist mein Lieb, dem ich mich auf ewig zu eigen verschrieb; mein Lieb ist das Rehlein am sprudelnden Quell; zieh' hin nur für heute, du schlanker Gesell!

Mein Lieb ist die Haide, der Hochwald mein Lieb, dem ich mich auf ewig zu eigen verschrieb; dort raget ein Giebel, dort stehet ein Haus, da schauet ein schwarzbraunes Mägdlein heraus.

Mein Lieb ist die Haide, der Hochwald mein Lieb, dem ich mich auf ewig zu eigen verschrieb; wohl nenn' ich vor andern den Wald und die Haid', doch mein' ich im Herzen die schwarzbraune Maid! *Friedrich Kind*

1387.

Mein Mädchen blüht in voller Jugend von Unschuld, Schönheit, Reiz und Tugend, ihr Lied ist rein wie Silberton; ihr Auge gleicht den Sonnenstrahlen, kein Maler kann dies Feuer malen, ein Blick von ihr entzündet schon; an ihrer Brust, in ihrem Arm ruht sich's so wohl, so sanft und warm; ein Kuß von ihr macht mich den Göttern gleich und zaubert mich in's Himmelreich.

Doch auch das Mädchen fühlt die Triebe; es lohnt des Jünglings heiße Liebe und liebt ihn wieder froh und warm. Es drückt voll Liebe und Verlangen ihn sanft an ihre Rosenwangen und hält ihn fester in dem Arm. Da fühlet reiner Liebe Lust des Mädchens unschuldvolle Brust; es schmiegt sich sanft am Jüngling an und wandelt froh des Lebens Bahn.

Und wenn der Lenz im Blumenkleide auch Liebende beglückt mit Freude und Alles liebt in der Natur: dann windet bunte Blumenkränze für die Geliebte in dem Lenze der Jüngling auf geschmückter Flur. Und wenn in Blumenduft gehüllt der Abend ist so schön, so mild: dann singt die Holde: du bist mein! und er: ich bleibe ewig dein!

1388.

Mein Mädchen ward mir ungetreu, das machte mich zum Freudenhasser; da lief ich an ein fließend Wasser, das Wasser lief vor mir vorbei.

Da stand ich nun, verzweifelnd, stumm, im Kopfe war mir's wie betrunken, fast wär' ich in den Strom gesunken, es ging die Welt mit mir herum.

Auf einmal hört' ich was, das rief, ich wandte just den Rücken, es war ein Stimmchen zum Entzücken: „nimm dich in Acht! der Fluß ist tief."

Da lief mir was durch's ganze Blut, ich seh', so ist's ein liebes Mädchen; ich frage sie: wie heißt du? „Käthchen." O schönes Käthchen, du bist gut!

Du hältst vom Tode mich zurück, auf ewig dank' ich dir mein Leben; allein das heißt mir wenig geben, nun sei auch meines Lebens Glück!

Und dann klagt' ich ihr meine Noth; sie schlug die Augen lieblich nieder; ich küßte sie und sie mich wieder, und — vor der Hand nichts mehr vom Tod. *Göthe.*

1389.
Melodie von M. v. Weber.

Mein Schatz der ist auf die Wanderschaft hin, ich weiß aber nicht, was ich so traurig bin; vielleicht ist er todt und liegt in guter Ruh', drum bring' ich meine Zeit mit Weinen zu.

Als ich mit meinem Schatz in die Kirche wollt' gehn, viel falsche Zeugen unter der Thüre stehn, die eine red't dies, die andre red't das, das macht mir noch heute die Aeuglein naß.

Die Dornen und die Disteln, die stechen all so sehr, die bösen bösen Zungen aber noch viel mehr; kein Feuer auf Erden ach brennet so heiß, als heimliche Liebe, die Niemand nicht weiß.

Ach Gott, was hat mein Vater und Mutter gethan, sie haben mich gezwungen zu einem ehrlichen Mann! einem ehrlichen Mann, den ich nie geliebt, das macht mir so sehr mein Herz betrübt.

Ach herzliebster Schatz, ich bitt' dich gar fein, du möcht'st bei meinem Begräbniß sein, bei meinem Begräbniß in's kühle Grab, dieweil ich so treulich geliebet dich hab'! *Volkslied.*

1390.
Melodie von M. v. Weber.

Mein Schatzerl is hübsch, aber reich is es net. Was nützt mir der Reichthum? das Geld küß' i net.

Schön bin i nit, reich bin i wohl, Geld hab' i a ganz Beutel voll, gehn mir nur drei Batzen ab, daß i grad' zwölf Kreuzer hab'! *Fliegendes Blatt.*

1391.

Mein Stübchen ist mir lieber als aller Säle Pracht, sie wohnt mir gegenüber, mein Stern in dunkler Nacht! Ich

kann hinüber blicken, ich seh' ihr hold Gesicht, und ach ihr
freundlich Wesen :,: giebt Hoffnung mir und Licht. :,:

Am offnen Fenster stehen der Frühlingskinder viel, und
hinter diesen Blumen treibt sie ihr loses Spiel. Doch sinkt
der Abend nieder und schweiget das Gewühl, dann tönet
meine Laute, und sie lauscht meinem Spiel.

Ich sing' mit bangem Herzen dann oft: ich liebe dich!
da wiederholt ein Echo gar sanft: ich liebe dich! O Echo,
süße Stimme! wie dringt dein Ton in's Herz, seit du mir
nachgesungen, durchbebt mich Freud' und Schmerz.

Jüngst sah ich sie am Fenster bei hellem Mondenschein,
da schlug das Herz mir höher, da rief: o wärst du mein!
Sie sah zu mir herüber, das Aug' voll Liebesschein, und
flüsterte durch Blumen wie Echo: ewig dein!

1392.
Bauernglück.

Mein Vater hat gesagt, ich soll das Kindlein wiegen,
er will mir auf den Abend drei Gackeleier sieden; sied't er
mir drei, ißt er mir zwei, und ich mag nicht wiegen um ein
einziges Ei.

Mein' Mutter hat gesagt, ich soll die Mägdlein verra=
then, sie wollt' mir auf den Abend drei Vögelein braten;
brät't sie mir drei, ißt sie mir zwei; um ein einziges Vöglein
treib' ich kein' Verrätherei.

Mein Schätzlein hat gesagt, ich soll sein gedenken, er
wöllt' mir auf den Abend drei Küßlein schenken; schenkt er
mir drei, bleibt's nicht dabei; was kümmert mich's Vöglein,
was schiert mich das Ei!

Des Knaben Wunderhorn.

1393.

Mein Vater ist kein Edelmann, das sieht man sein' Ge=
berden an, vertraulich, aufrichtig, wacker, sein Kutschen ist
ein Ackerpflug, die Rößlein haben Arbeit g'nug den ganzen
Tag im Acker.

Der Apfel fällt nicht weit vom Stamm, hab' ich doch
meines Vaters Nam', und hab' auch seine Tugend; ich setz'
mein Leben nach dem Ziel, was ich im Alter treiben will, be=
weis' ich in der Jugend.

Die golden Kett' und Silberg'schmeid seind von den
Bauern fern und weit, es tragen's nur die vom Adel. Kein
Bau'r mit einem Kleinod prangt, sein Kleinod an ein'm
Strohhalm hangt, das ziert sein Hof und Stadel.

Mein Verwandter ... sehr Bekannter.

Den ganzen Tag wohl durch und durch, wenn ich im Acker mach' ein' Furch', geht alles wohl von Handen; die Lerchenvögel mancherlei, sie singen schöne Melodei, sind meine Musikanten.

Die Schwalben trösten mich immerzu, zu Mitternacht, zu Morgenfruh, in meinem Haus sie nisten; sie singen, kosten doch nicht viel, ich liebe dieses Federspiel vor sieben Lautenisten.

Zu Morgens, wenn der Tag angeht, die blumenfarbe Morgenröth' vergold't die Spitz' der Eichen, den Tag hat schon gekündet an der Gockelhahn, der Henne Mann, auf, auf! giebt er ein Zeichen.

Ihr Bürger, bleibt ihr in der Stadt, bedeckt mit eurer Häuser Last, verschlossen hoch mit Mauern. Wir wohnen gern im freien Ried, da wird gleichwohl ein frisch Gemüth vergönnt uns armen Bauern.

Nur eins ist, sei es Gott geklagt, so das uns arme Tropfen plagt: die Pfleger und Verwalter, die zwacken uns und schinden gleich, wollt' lieber, sie wär'n im Himmelreich, ich betet' g'wiß ein Psalter.

Nach Abraham a Sancta Clara.

1394.
Lanner im Olymp.

Mein Verwandter ... sehr bekannter Mann von Jahren ... hoch erfahren, starb vor Zeiten ... schickt mit Freuden aus dem Elisium einen Brief. O! lieber Vetter, schreibt er dann, jüngst kam bei uns der Lanner an, und den die Götter euch seit Jahr'n weg'n seine Walzer neidig war'n. Drum hat sich Juno kapricirt und den Jupiter kascholirt, der hat dem Typhus streng befohl'n, daß er den Lanner schnell soll hol'n.

Lieber Himmel ... das Getümmel zu beschreiben ... laß ich bleiben, wie die Narren .. sinds umg'fahren, wie die Götter den Lanner hab'n g'sehn. Das war ein Drängen und a G'schrei, es haben die Götter alle glei, ohne daß eins sich hat genirt, freundlich den Lanner ambrasirt. D' Musiker hab'n ihn glei herob'n auf ein' Triumpfwag'n aufig'hob'n, hab'n ihn bekränzt und durch ein Bog'n siegreich im Olymp einizog'n.

Der Apollo ... fangt in Solo, thut ihn küssen ... hätt ihn z'rissen, hät' nit aner ... g'schrien: der Lanner muß gleich auf ein'n Ball dirigiren. Kaum habn die Götter das gehört, war'n ihre Köpf' auch gleich verkehrt und springen alle froh in d' Höh, freu'n sich auf d' Walzer und Francé.

Ich bitte, schaffen's doch ein' Ruh'r, sagt jetzt der Lanner zum Merkur, eh' sie den Ball thun arrangir'n thun, s' mir den Mozart präsentir'n.

Auf Verlangen . . . kam gegangen Mozart freudig . . . und geschmeidig; ich könnt wana . . . sagt der Lanna, hast du den Don Juan componirt? ja, sagt der Mozart, ich bin der; zu meiner Zeit war's aber schwer, denn damals hat's für unser Plag'n noch nicht Brillanten eintragen. O! sagt der Lanner, stichel nit, wir nehmen keiner etwas mit, mein kleinen Ruhm wird bald vergehn, dein Monument wird ewig stehn.

Durch das Loben . . . hoch erhoben, ruft mit Freuden . . . sehr bescheiden Mozarts Kehle . . . an der Stelle Bacchus bringe Champagner Wein! O! deinen Gusto kenn ich a, Champagner lieb'n wir alle zwa, sagt der Lanner, ich hab's g'hört, daß er dir, Freund, war auch was werth; und beide stoßen fröhlich an, d' Musen die eil'n mit Sturm heran, rufen gleich Vivat so mit G'walt, daß fast der Olymp z'samafallt.

Cherubini . . . und Bellini, Bach und Haydn . . . sind voll Freuden, doch Beethoven . . . ist betroffen, sagt, vom Lanner hab ich noch nix g'hört. Kaum haben's a bißl discurirt, hat's gleich der Lanner engagirt und sagt: heut geht's nach Gusto z'sam kein beßre G'sellschaft könnt' ich hab'n; — könnt' ich in Wein d'runt bei der Birn mit diese Geister musizir'n, so wahr ich im Olymp da steh, zehn Gulden Münz wär g'wiß Entree.

Und der Lanna . . . war gleich ana, sprach gesellig, ist's gefällig mitzuspielen . . . ganz nach Willen; wir machen d' Schönbrunner vor all'n. D'rauf packt der Haydn 's Bombardon und der Bellini den Violin, und mit Begierd' zum Biloncell setzt sich der feine Mozart schnell. Cherubini blast Fagott, d'rauf wird erst von Beethoven flott, daß an dem Ganzen soll nichts fehl'n, schlagt er die Trommel und Chinelln.

Nur der Lanna . . . und sonst kana hat vor Allen . . . sehr gefall'n; und sein Bogen . . . hat gezogen, 's war der Saal gleich mit Göttern angefüllt. Jupiter macht den ersten Tanz mit der Frau Juno ganz im Glanz; Apollo führt d' Minerva auf und alle Grazien tanzen d'rauf; der Vulkan mit dem steifen Fuß tanzt mit der Venus, weil er muß. So macht die Götter, alt an Jahr'n, jetzt erst der Lanner ob'n zum Narr'n.

Voll Entzücken . . . in den Blicken, schrein die Götter . . . Donnerwetter, wie der Lanna . . . kommt bald kana, an dem hat d' Unterwelt sehr viel verlor'n. O! sagt' der Lanner, glaub'n Sie mir, da hab' ich längst schon gesorgt dafür, ich hab' drunt' einen kleinen Sohn, der dirigirt 's Orchester schon; giebt er sich noch ein Paar Jahr' die Müh', Steh ich ein' jeden gut dafü, daß er nicht nur wird musizir'n, er wird auch Walzer componir'n.

1395.
Melodie von Grosse und Reiniger.

Mein Vaterland, an deiner Brust, hab' ich mir Muth und Stolz gesogen, für dich bin ich mit froher Brust hinaus zum ersten Kampf gezogen; dir weiht' ich Geist und Herz und Hand, ich bin dein Sohn, mein Vaterland.

Es konnte nicht in fremden Au'n den Blick das Fremde zu sich lenken, mit hohem, heiligem Vertraun konnt' ich nur Dein und dein gedenken, dich hab' ich nur mit Stolz genannt, mein Vaterland, mein Vaterland.

Wie Fleiß und Kunst so schön dich schmückt, wie deine Fluren lohnend blühen, muß nicht das Herz, was auf dich blickt, für dich und deinen Ruhm erglühen, wie mir das meine heiß entbrannt, mein Vaterland, mein Vaterland.

Und er, dem zu des Thrones Glanz der treue Vatersinn gegeben, der in den frischen Rautenkranz, deß Zweige rühmlich ihn umweben, der Liebe neue Blüthen wand, dein ist er werth, mein Vaterland.

Dein Volk ist stark, dein Volk ist gut, du sahst es nicht im Sturm erbeben, dir giebt es willig all' sein Blut und willig seiner Söhne Leben, und wer für dich im Kampfe stand, den lohnst du schön, mein Vaterland.

O! schöner Tod, o! süßer Tod, für dich, mein Vaterland, zu sterben, und deine heil'ge Erde roth mit seines Herzens Blut zu färben und rühmlich sein der Welt genannt, er starb für Fürst und Vaterland.

Von deinen Töchtern schön und zart will ich nur die mir einst erlesen, die, nach der Sachsenmädchen Art, der grünen Raute treu gewesen, und die ich deiner werth erfand, mein Vaterland, mein Vaterland!

Und weil mein Arm vom Streite ruht nach manchem rühmlichen Vollbringen, will ich in meines Herzens Gluth indeß zu deinem Lobe singen, doch fertig bleibt zum Kampf die Hand für König und für Vaterland!

1396.

Mei Schatz ischt e Reiter, e Reiter mueß sein, das Pferd ischt dem König, der Reiter ist mein. La la la la la la ꝛc.

Mei Schatz ischt e Schreiber, e Schreiber mueß sein, er schreibt mir ja all' Tag, sei Herzla sei mein.

Mei Schatz ischt e Gärtner, e Gärtner mueß sein, der setzt mir die schönsten Vergißmeinnicht' ein.

Mei Schatz ischt e Schneider, e Schneider mueß sein, der macht mier'n Mieder so nett und so fein.

Mei Schatz ischt e Schreiner, e Schreiner mueß sein, er macht mir e Wiegle und e Kindle darein.

Mei Schatz ischt kein Zucker, was bin i so froh, sonst hätt' en schon gesse, jetzt ha en doch no.

Mei Schatz ischt so geschmeidig, mei Schatz ischt so nett, und d'Leut' sind so neidig und gönnen mir'n net.

Schwäbisches Volkslied.

1397.

Menschen, wollt ihr glücklich sein, seid's durch euer Herz! alles Außenwerk ist Schein, ist ein Schnee im März.

Gold und Silber blenden nur, machen nicht beglückt. O die mäßige Natur segnet und entzückt.

Stille Freuden, sich bewußt mancher schönen That, dies sind Güter einer Brust, die Empfindung hat.

Unter'm Strohdach neidet nie Tugend den Palast; glücklich bist du, wenn du sie, Mensch, im Herzen hast!

1398.

Mich ergreift, ich weiß nicht wie, himmlisches Behagen. Will mich's etwa gar hinauf zu den Sternen tragen? doch ich bleibe lieber hier, kann ich redlich sagen, bei'm Gesang und Glase Wein auf den Tisch zu schlagen!

Wundert euch, ihr Freunde, nicht, wie ich mich geberde; wirklich ist es allerliebst auf der lieben Erde: darum schwör' ich feierlich und ohn' alle Fährde, daß ich mich nicht freventlich wegbegeben werde.

Da wir aber allzumal so beisammen weilen, dächt' ich, klänge der Pokal zu des Dichters Zeilen. Gute Freunde ziehen fort wohl ein hundert Meilen, darum soll man hier am Ort anzustoßen eilen.

Lebe hoch, wer Leben schafft! das ist meine Lehre. Unser König denn voran, ihm gebührt die Ehre. Gegen inn= und äußern Feind setzt er sich zur Wehre; an's Erhalten denkt er zwar, mehr noch, wie er mehre.

Nun begrüß' ich sie sogleich, sie die einzig Eine. Jeder denke, ritterlich, sich dabei die Seine. Merket auch ein schönes Kind, wen ich eben meine: nun so trinke sie mir zu: leb' auch so der Meine!

Freunden gilt das dritte Glas, zweien oder dreien, die mit uns am guten Tag sich im Stillen freuen, und der Nebel trübe Nacht leis und leicht zerstreuen: diesen sei ein Hoch gebracht, alten oder neuen!

Breiter wallet nun der Strom, mit vermehrten Wellen. Leben jetzt im hohen Ton redliche Gesellen! die sich mit gedrängter Kraft brav zusammenstellen, in des Glückes Sonnenschein und in schlimmen Fällen.

Wie wir nun zusammen sind, sind zusammen viele. Wohl gelingen denn, wie uns, andern ihre Spiele! Von der Quelle bis an's Meer mahlet manche Mühle, und das Wohl der ganzen Welt ist's, worauf ich ziele! Göthe.

1399.

Mich fliehen alle Freuden, ich sterb' vor Ungeduld; an allen meinen Leiden ist blos die Liebe schuld. Sie quält und plagt mich immerhin, ich weiß vor Angst nicht mehr wohin. Wer hätte das gedacht? Die Liebe, ach die Liebe hat mich so weit gebracht.

1400.

Mihi est propositum in taberna mori, vinum sit appositum morientis ori, ut dicant, cum venerint angelorum chori: „Deus sit propitius huic potatori!"

Poculis accenditur animi lucerna, cor imbutum nectare volat ad superna. Mihi sapit dulcius vinum in taberna, quam quod aqua miscuit praesulis pincerna.

Suum cuique proprium dat natura munus. Ego nunquam potui scribere jejunus. Me jejunum vincere posset puer unus; sitim et jejunium odi tanquam funus.

Tales versus facio, quale vinum bibo; neque possum scribere nisi sumto cibo; nihil valet penitus quod jejunus scribo, Nasonem post calices carmine praeibo.

Mihi nunquam spiritus prophetiae datur, non nisi cum fuerit venter plene satur. Cum in arce cerebri, Bacchus dominatur, in me Phoebus irruit ac miranda fatur. Gualterus de Mappes. 12. Jahrh.

1401.

Mein' Hütten laß i nit, i hab's geschwor'n, so lang i leb zieh i von dort nit aus, mein guter Vater is ja hier gebor'n, die Hütten geb i nit für's schönste Haus. Und wenn auch Wetter sie zerbricht, halt sie die Kindesliebe stets in Ehr'n, denn hier erblickte ich des Tages Licht, drum hab' die Hütten i halt gar so gern.

Die Hütten laß i nit für alle Zeit, mein eigen muß sie bleiben bis in's Grab, sie ist aus dem Grund schon mein einz'ge Freud', weil ich sie von mein' guten Vater hab'. Die ersten Jugendfreuden fühlt' ich hier, hier lernt' ich kindlich das Gebet des Herrn, drum is das Platzel a so theuer mir, drum hab' die Hütten i halt gar so gern.

Die Hütten laß i nit, i bleib schon hier, es binden Freuden mich und 's größte Leid; mein alter Vater, lieb und theuer mir, ging von der Hütten in die Ewigkeit. Lebt, Kinder, einig stets im Bruder=Bund, habt stets vor Augen das Gebot des Herrn; das sprach er hier in seiner Sterbestund', drum hab' die Hütten i halt gar so gern.

A. Müller.

1402.
Palmsonntag.

Mildes, warmes Frühlingswetter! Weh' mich an, du laue Luft! Allen Bäumen wachsen Blätter, Veilchen senden süßen Duft.

Zu des alten Domes Hallen hell und menschenreich der Pfad; frohe Botschaft hör' ich schallen, daß der Liebeskönig naht.

Eilet, geht ihm doch entgegen, wandelt mit ihm Schritt vor Schritt auf den blutbesprengten Wegen, in den Gärten, wo er litt.

Habt ihr auch die Mähr vernommen, wie der Frühling mit ihm zieht, und im Herzen aller Frommen süßes Wunder schnell erblüht?

Kindlein stehn mit grünen Zweigen um den heiligen Altar, und die Engel Gottes neigen sich herab zur Kinderschar.

Blüht empor, ihr Himmelsmaien! Psalmen, blüht aus meiner Brust! Christi Wege zu bestreuen, der euch hegt in Lieb' und Lust.

Max v. Schenkendorf.

1403.

Mir auch war ein Leben aufgegangen, welches reichbekränzte Tage bot, auf der Hoffnung jugendlichen Wangen strahlte noch das erste Morgenroth.

Auf der Gegenwart umrauschten Wogen graut' ein Morgen, schön, wie Opfergluth, tausend hohe Traumgestalten zogen, stolz, wie Schwäne, durch die rothe Fluth.

Leichte Stunden rannen schnell und schneller an dem halb erwachten Träumen hin, und die Gegend lag bald hell und heller, und auch wüster da vor meinem Sinn.

Forschend sah ich durch die weiten Räume, aber bei dem zweifelhaften Lichte sah ich nichts, als meine bunten Träume, Wahrheit selten, Wahrheit sah ich nicht.

O der Helle, die dem guten Schwärmer nichts zu zeigen hat, als seine Nacht! O des Lichtes, das den Glauben ärmer, und die Weisheit doch nicht reicher macht!

Tiedge, in der Urania.

1404.

Mir blühet kein Frühling, mir lacht keine Sonne, mir duftet kein Blümchen, für mich ist alles dahin.

Mir blühte der Frühling, mir lachte die Sonne, mir dufteten Blümchen, ich war der Glücklichste sonst.

Jetzt irr' ich in den Nächten zu Stätten voll Grausen, und weine und jamm're, und fleh' um Tröstung zu Gott.

Wie war mir's so anders, als sie mir zur Seite, bei'm Schimmer des Mondes die Fluren durchstrich.

O stille die Thränen, nie kehren sie wieder die Tage der Wonne, sie sind dir ewig entflohn.

O senke dein Auge, von Thränen umdüstert, zur Erde hernieder, gern nimmt sie den Leidenden auf.

Schläfst du ihr im Schooße, so findest du Ruhe, sie trocknete Manchem der Liebe Thränen schon ab.

1405.

Bekannte Melodie.

(Chor): Mir ist Alles eins, mir ist Alles eins, ob i Geld hab' oder keins.

(Solo): Wer e Geld hat, der muß auch sterben, und wer keins hat, der kann noch ein's erben.

Wer e Geld hat, der kann spekuliren, und wer kein's hat, der kann nichts verlieren.

Wer e Geld hat, der kann grob sein, und wer kein's hat, der kann's auch sein.

Wer e Geld hat, kann in's Theater fahren, und wer kein's hat, macht sich z'Haus 'n Narren.

Wer e Geld hat, kann e Weib haben, und wer kein's hat, kann von Glück sagen.

Wer e Geld hat, kann zum Feuerwerk gehen, und wer kein's hat, kann's von Weitem sehen.

Wer e Geld hat, darf nach Mädchen schillen, und wer's nicht thut erspart sich manche Grillen.

Wer e Geld hat, der zahlt baar den Kauf und wer kein's hat, sagt: ei schreibt's auf.

Wer e Geld hat, kann sich Orden kaufen, und wer kein's hat, kann au so rum laufen,

Wer e Geld hat, trinkt viel fremde Wein', und wer nicht viel trinkt, der kriegt kein Zipperlein.

Wer e Geld hat, der hat viel Sorgen, und wer kein's hat, schläft sanft bis am Morgen.

1406.

„Mir ist der Frühling ganz zuwider, ich rott' ihn aus und mach' ihn todt. Und vollends all die Frühlingslieder sind mir noch eklicher als Koth. 's soll Winter bleiben.

Ihr Knecht' und Mägde, frisch zu Werke, und rottet alle Keime aus, und wo man auch ein Knöspchen merke: rasch abgestreift mit Mann und Maus! 's soll Winter bleiben.

Und alle, die mir angehören, sie fangen alle Vögel ein; ich will der Vögel Sang nicht hören, ihr Zwitschern, Jodeln, Jubeln, Schrei'n. 's soll Winter bleiben.

Ihr Tischler, macht den größten Laden und schließt damit die Sonne zu, daß Licht und Wärme nicht kann schaden und Alles bleib' in alter Ruh. 's soll Winter bleiben."

So sprach ein reicher Lord der Britten zu allen seinen Hörigen, und sie gehorchten, und sie schritten zum Werke rasch, die Thörigen. 's soll Winter bleiben.

Sie ließen sich's recht sauer werden, weil es dem Herren wohl gefiel; vertilget sollte auf der Erden der Frühling sein mit Stumpf und Stiel. 's soll Winter bleiben.

Da ließ der Lord von vorn anfangen, und dacht': ich werd' am Ende doch zu meinem hohen Ziel gelangen; 's soll Winter bleiben.

Ihr lieben Deutschen, laßt das Lachen und seid nicht allzu schadenfroh! Denn kurz und gut, viel Deutsche machen es heutzutage grade so: 's soll Winter bleiben!

H. Beta.

1407.

Mir ist doch nie so wohl zu Muth, als wenn du bei mir bist, und deine Brust an meiner ruht, dein Mund den meinen küßt; dann schwindet alles um mich her, ich weiß von aller Welt nichts mehr.

Im Freudenkreis, bei'm Becher Wein, da bin ich freilich gern; doch, fällst du mir, mein Mädchen, ein, schnell ist die Freude fern; und bis ich wieder bei dir bin, kömmt keine Ruh' in meinen Sinn.

O wäre doch die Zeit schon da, die noch so ferne scheint, da am Altar ein freudig Ja auf ewig uns vereint! dann wär' ich Tag und Nacht bei dir, dann raubte nur der Tod dich mir!

Miller von Ulm.

1408.
Winterlied.

Mir ist leide, daß der Winter beide, Wald und auch die Haide, hat gemachet kahl.

Sein Bezwingen läßt nicht Blumen entspringen, noch die Vöglein singen ihren viel süßen Schall.

Graf v. Toggenburg.

1409.
Das Königskind.

Mir träumte von einem Königskind', mit nassen, blassen Wangen; wir saßen unter der grünen Lind', und hielten uns liebumfangen.

„Ich will nicht deines Vaters Thron, ich will nicht seinen Scepter von Golde, ich will nicht seine demantene Kron', ich will dich selber, du Holde!"

Das kann nicht sein, sprach sie zu mir, ich liege ja im Grabe, und nur des Nachts komm' ich zu dir, weil ich so lieb dich habe.
Heinrich Heine.

1410.

Mir träumt' ich wär' ein Vöglein, und flog auf ihren Schooß, und zupft' ihr, um nicht laß zu sein, die Busenschleifen los; und flog mit gaukelhaftem Flug dann auf die weiße Hand, dann wieder auf das Busentuch und pickt' am rothen Band.

Dann schwebt' ich auf ihr blondes Haar und zwitscherte vor Lust, und ruhte, wenn ich müde war, an ihrer weißen Brust. Kein Veilchenbett im Paradies geht diesem Lager vor, wie schlief sich's da so süß, so süß an ihres Busens Flor.

Sie spielte, wenn ich tiefer sank, mit leisem Fingerschlag, der mir durch Leib und Seele drang, mich frohen Schlummerer wach, sah mich so wunderfreundlich an, und bot den Mund mir dar, daß ich es nicht beschreiben kann, wie froh, wie froh ich war.

Da trippelt' ich auf einem Bein, und hatte so mein Spiel, und spielt' ihr mit dem Flügelein die rothe Wange kühl. Doch ach! kein Erdenglück besteht, Tag sei es oder Nacht, schnell wär mein süßer Traum verweht, und ich war aufgewacht.
Hölty.

1411.
Melodie von Haßler.

Mir träumt' in einer Nacht gar spät, wie ich mein feins Lieb bei mir hätt', thät' mich freundlich umfangen und sprach zu mir: „Mein Schatz, zu dir trag' ich gar groß Verlangen!"

Und ich vor Freud' demüthiglich hiergegen wiedrum zu ihr sprich: „Ach Schatz, könnt'st du mir werden! denn dich allein im Herzen mein lieb' ich vor all'n auf Erden."'

Drauf ihr'n schönen rothen Mund bot sie mir her zur selben Stund'. Als ich mit ihr wollt' scherzen, erwachte ich, sie von mir wich; das macht mir Angst und Schmerzen.

1266.

1412.

Mit Andacht grüßt das neue Jahr! es bringt uns neuen Segen dar, von unserm Gott gesendet, der nicht begann, noch endet! ein neuer Tropfen aus dem Meer der Ewigkeit gegossen, erquickt mit Heil die Welt umher, das seinem Heil entflossen.

Wo ist der Tropfen, welcher war? er schwand und heißt das alte Jahr! auch Bitt'res eingemischet, hat unser Herz erfrischet. Ein dunkles Bild des Traums erscheint, den wir geträumet haben: hier ward gelacht und dort geweint; gewiegt hier, dort begraben.

Der du am Grabe stehst und weinst, an deinem Grab' auch steht man einst; doch bald vergißt man deiner; bald kennt die Stätte Keiner; stets wechselnd lebt das Staubgeschlecht, das bald zum Staube kehret. Der nimmt gewaltsam, der durch Recht; der bauet, der zerstöret.

Es hafte nicht des Menschen Geist an eitlem Gute, das nur gleißt! wir sind des Himmels Erben, und leben auf das Sterben! Empfangt dann, was auch Gott verhängt, mit Dank, und schafft auch Gutes, das keiner Zeiten Wechsel engt, und legt euch frohes Muthes!

1413.

Mit der Fiedel auf dem Nacken, mit dem Käppel in der Hand, ziehn wir Prager Musikanten durch das weite Christenland. Unser Schutzpatron im Himmel heißt der heilige Nepomuck, steht mit seinem Stern und Kränzel mitten auf der Prager Bruck. Als ich da vorbei gegangen, hab' ich Reverenz gemacht, ein Gebet ihm aus dem Kopfe recht bedächtig dargebracht.

's steht also in keinem Büchel, wie man's auf dem Herzen hat: Wanderschaft mit lerem Beutel und ein Schätzel in der Stadt! Wenn das Mädel singen könnte, wär's gezogen mit hinaus; doch es hat 'ne heis're Kehle, darum ließ ich es zu Haus. Ei, da gab es nasse Augen, 's war mir selbst nicht einerlei, sprach ich: 's ist ja nicht für ewig, schönstes Nannerl, laß mich frei!

Und ich schlüpft' aus ihren Armen, aus der Kammer, aus dem Haus, konnt' nicht wieder rückwärts schauen, bis ich war zur Stadt hinaus. Und da hab' ich's Lied gesungen, hab' die Fiedel zugespielt, bis ich's in den Morgenlüften um die Brust mir leicht gefühlt. Manches Vöglein hat's vernommen, flög' nur eins ans Liebchens Ohr, säng' ihr, wenn sie weinen wollte, dieses frische Liedel vor!

Wenn ich aus der Fremde komme, spiel' ich auf aus anderm Ton, Abends unter ihrem Fenster, Schätzel, Schätzel, schläfst du schon? Hochgeschwenkt den vollen Beutel, ach da giebt's 'ne Musika! 's Fenster klirrt, es rauscht ein Laden, heilige Cäcilia! All' ihr Prager Musikanten, auf, heraus mit Horn und Baß, spielt mir auf den Hochzeitsreigen, morgen leeren wir ein Faß! *Wilhelm Müller.*

1414.

Eigne Melodie.

Mit dem Pfeil, dem Bogen, durch Gebirg und Thal kommt der Schütz gezogen früh im Morgenstrahl.

Wie im Reich der Lüfte König ist der Weih', durch Gebirg und Klüfte herrscht der Schütze frei.

Ihm gehört das Weite; was sein Pfeil erreicht, das ist seine Beute, was da kreucht und fleucht.

Schiller, im „Wilhelm Tell."

1415.

Mit der Lerche möcht' ich schweben fröhlich über Berg und Au, mit dem Adler mich erheben in des Himmels reines Blau!

Nach dem schönen Abendsterne streck ich meine Arme hin, blicke sehnend nach der Ferne, wo ich nicht ein Fremdling bin.

Ach ich trag' ein Weh im Herzen, wandle immer auf der Flucht, ach ich bin ein Kind der Schmerzen, welches seine Heimath sucht.

Eine Heimath muß ich haben, wo ich nicht ein Fremdling bin. Einer speist die jungen Raben, zu dem Einen möcht' ich hin!

Meine Schuld macht mich erbleichen, doch er ist so gut und mild, hoch am Himmel steht das Zeichen, des erneuten Bundes Bild.

Konnt ich auch Gemeines lieben, da ich in der Irre lief: mit des Sohnes Blut geschrieben ist der heil'ge Sühnungsbrief.

1416.
Die Löwenbraut.

Mit der Myrthe geschmückt und dem Brautgeschmeid, des Wärters Tochter, die rosige Maid, tritt ein in den Zwinger des Löwen; er liegt der Herrin zu Füßen, vor der er sich schmiegt.

Der Gewaltige wild und unbändig zuvor, schaut fromm und verständig zur Herrin empor; die Jungfrau, zart und wonnereich, liebstreichelt ihn sanft und weinet zugleich:

„Wir waren in Tagen, die nicht mehr sind, gar treue Gespielen wie Kind und Kind, und hatten uns lieb, und hatten uns gern; die Tage der Kindheit, sie liegen uns fern.

Du schütteltest machtvoll, eh' wirs geglaubt, dein mähnen=umwogtes königlich Haupt; ich wuchs heran, du siehst es, ich bin das Kind nicht mehr mit kindischem Sinn.

O wär' ich das Kind noch und bliebe bei dir, mein starkes, getreues, mein redliches Thier; ich aber muß folgen, sie thaten mir's an, hinaus in die Fremde dem fremden Mann.

Es fiel ihm ein, daß schön ich sei, ich wurde gefreiet, es ist nun vorbei; — der Kranz im Haare, mein guter Gesell, und nicht vor Thränen die Blicke mehr hell.

Verstehst du mich ganz? schau'st grimmig dazu; ich bin ja gefaßt, sei ruhig auch du; dort seh ich ihn kommen, dem folgen ich muß, so geb' ich denn, Freund, dir den letzten Kuß!"

Und wie ihn die Lippe des Mädchens berührt, da hat man den Zwinger erzittern gespürt; und wie er am Gitter den Jüngling erschaut, erfaßt Entsetzen die bangende Braut.

Er stellt an die Thür sich des Zwingers zur Wacht, er schwinget den Schweif, er brüllet mit Macht; sie flehend, gebietend und drohend begehrt hinaus; er im Zorn den Ausgang wehrt.

Und draußen erhebt sich verworren Geschrei, der Jüngling ruft: bringt Waffen herbei, ich schieß ihn nieder, ich treff' ihn gut!" auf brüllt der Gereizte schäumend vor Wuth.

Die Unselige wagt's, sich der Thür zu nah'n, da fällt er verwandelnd die Herrin an; die schöne Gestalt, ein gräßlicher Raub, liegt blutig, zerrissen, entstellt in dem Staub.

Und wie er vergossen das theure Blut, er legt sich zur Leiche mit finsterm Muth, liegt er so versunken in Trauer und Schmerz, bis tödtlich die Kugel ihn trifft in das Herz.

A. v. Chamisso.

1417.

Melodie: Der Bursch von echtem Schrot und Korn.

Mit Eichenlaub den Hut bekränzt! Wohlauf! und trinkt den Wein, der duftend uns entgegen glänzt! ihn sandte Vater Rhein!

Ist einem noch die Knechtschaft werth, und zittert ihm die Hand, zu heben Kolbe, Lanz' und Schwert, wenn's gilt für's Vaterland:

Weg mit dem Schurken, weg von hier! er kriech' um Schranzenbrot, und sauf' um Fürsten sich zum Thier, und buhl' und lästre Gott!

Und putze seinem Herrn die Schuh', und führe seinem Herrn sein Weib und seine Tochter zu, und trage Band und Stern!

Für uns, für uns ist diese Nacht! für uns der edle Trank! man keltert' ihn, als Frankreichs Macht in Hochstätt's Thälern sank!

Drum Brüder, auf! den Hut bekränzt! und trinkt, und trinkt den Wein, der duftend uns entgegen glänzt! uns sand't ihn Vater Rhein.

Uns, uns gehöret Herrmann an, und Tell, der Schweizerheld, und jeder freie deutsche Mann! Wer hat den Sand gezählt?]

Zur Rach' erwacht, zur Rach' erwacht der frohe deutsche Mann. Trompet' und Trommel ruft zur Schlacht! Weht Fahnen weht voran!

Des Feindes Heer ist uns ein Spott, es rauscht mit stolzem Klang: ein feste Burg ist unser Gott! und Klopstock's Schlachtgesang.

Sie fliehn! der Fluch der Länder fährt mit Blitzen ihnen nach; und ihre Rücken kerbt das Schwert mit feiger Wunden Schmach!

Auf rothen Wogen wälzt der Rhein die Sclavenäser fort, und speit sie aus und schluckt sie ein und jauchzt am Ufer fort.

Der Rebenberg am Leichenthal tränkt seinen Most mit Blut. Dann trinken wir bei'm Freudenmahl, Triumph! Tyrannenblut.   **Joh. Heinrich Voß, um 1780.**

1418.

Mit frohem Muth und heiterm Sinn — Hurrah! Hurrah! Hurrah! ziehn Jäger wir nach Frankreich hin, — Hurrah! Hurrah! Hurrah! Erwerben uns dort Ruhm und Glück, das Liebchen lassen wir zurück, :,: und scheiden, und scheiden, und scheiden mit: Hurrah! :,:

Frei ziehn wir Preußen in das Feld! :,: Hurrah! :,: nicht durch das Loos, nicht für das Geld, :,: Hurrah! :,: vereinigt durch ein heilig Band: mit Gott für König und Vaterland! :,: Heil König, Heil König, Heil König, wir Hurrah! :,:

Dort steht der Feind; ihr Jäger vor; Hurrah! Schon tönt uns dieser Ruf in's Ohr, Hurrah! Das Horn erschallt, die Büchse kracht; wir rücken muthig in die Schlacht; und Alles, und Alles, und Alles ruft: Hurrah!

Seht, wie der stolze Franke flieht! Hurrah! wenn er uns deutsche Jäger sieht. Hurrah! Zu rächen ist des Frevels viel: Sieg, oder Tod ist unser Ziel! Frisch Jäger, frisch Jäger, frisch Jäger drauf: Hurrah!

Mit Gott wird uns der Sieg zu Theil! Hurrah! Heil Vaterland, ja dir sei Heil! Hurrah! Sie winden uns den Siegeskranz, die Väter unsers Vaterlands. Heil König! Heil Deutschland! wir jauchzen's froh: Hurrah!

Und kehren wir mit Ruhm zurück, Hurrah! macht's treue Liebchen unser Glück, Hurrah! In Deutschland an dem heim'schen Heerd sind wir des preuß'schen Namens werth, und jauchzen, und jauchzen, und jauchzen froh: Hurrah!

1419.

Mit Gesang und mit Tanz sei gefeiert o du Tag und o Nacht auch du! denn es kommt der Fried' und erneuert die Gefild' uns mit Heil und Ruh'! Von der Grenze kehrt, wer gestritten, mit der Eichen Laub in die Hütten! O wie eilt ihr Gang nach der Trommel Klang, in der Hörner Getön und im Siegsgesang!

Wer daheim in Angst sich gegrämet, o hinaus, und begrüßt das Heer mit der Lieb' Umarmung, und nehmet das Gepäck und das Mordgewehr! Ja, er lebt, dein Sohn, du Betrübter! Ja, er lebt, o Braut, dein Geliebter! Ja, der Vater lebt — wie er sehnend strebt nach der Kindlein Schwarm, und vor Freude bebt!

Wie umzog uns schwarz das Gewitter der Verschwornen zu Fuß und zu Roß, der Tyrannen Schwarm und der Ritter — ein unzählbarer Miethlingstroß! Doch ein Hauch verweht das Getümmel, und es strahlt die Sonn' an dem Himmel. Nun beginnt der Tanz in dem Eichen-Kranz um der Freiheit Altar und des Vaterland's!

Nun erhebt euch, frei der Befehdung, die Gewerb' und das Land zu bau'n! Daß erblühe von Fleiß, aus der Verödung, der Verbrüderten Berg' und Au'n! Dem Gebornen pflanzt und dem Gatten, und der Säugling spiel' in dem Schatten. Kein Bezwinger schwächt uns Gesetz und Recht: es gebeut uns kein Herr, es gehorcht kein Knecht!

O du Vaterland der Gemeine, die für All' und für Einen wirbt! wo für Aller Wohl auch der Eine mit Entschlossenheit lebt und stirbt. Wir, Vereinte, schwören dir wieder:

zu beharren frei und wie Brüder! Ja, mit Herz und Hand, sei geknüpft das Band für Gemein' und Altar, o du Vaterland!

1420.
Lied des Cassian.

Mit grünem Laub zu kränzen das Leben, wie den Hut, durchschweifen wir die Grenzen in Frohsinn, Lust und Muth; wir haben keine Sorgen, wir fürchten keine Macht; der Abend ist uns Morgen, der Tag ist unsre Nacht.

"Adlers Horst" von Holtey.

1421.
Feldjägerlied.

Mit Hörnerschall und Lustgesang, als ging' es froh zur Jagd: so ziehn wir Jäger wohlgemuth, wann's Noth dem Vaterlande thut, hinaus in's Feld der Schlacht.

Gewöhnt sind wir von Jugend auf an Feld- und Waldbeschwer. Wir klimmen Berg und Fels empor, und waten frisch durch Sumpf und Moor, durch Schilf und Dorn einher.

Nicht Sturm und Regen achten wir, nicht Hagel, Reif und Schnee. In Hitz' und Frost, bei Tag und Nacht, sind wir bereit zu Marsch und Wacht, als gält' es Hirsch und Reh.

Wir brauchen nicht zu unserm Mahl erst Pfanne, Topf und Rost. Im Hungersfall ein Bissen Brot, ein Labeschluck in Durstesnoth, genügen uns zur Kost.

Wo wackre Jäger Helfer sind, da ist es wohl bestellt. Die sichre Kugel stärkt den Muth; wir zielen scharf, wir treffen gut, und was wir treffen, fällt.

Und färbet gleich auch unser Blut das Feld des Krieges roth: so wandelt Furcht uns doch nicht an; denn nimmer scheut ein braver Mann für's Vaterland den Tod.

Und jeder Jäger preist den Tag, als er in's Schlachtfeld zog. Bei Hörnerschall und Becherklang ertönet laut der Rundgesang: "Wer brav ist, lebe hoch!"

Bürger. 1794.

1422.

Mit Männern sich geschlagen, mit Weibern sich vertragen, und mehr Credit als Geld, so kommt man durch die Welt. :,: Traleralalalala, traleralalalala. :,:

Heut' lieb' ich die Johanne, und morgen die Susanne, die Lieb' ist immer neu, das ist Studententreu'!

Und kommt der Wechsel heute, so sind wir reiche Leute, und haben Geld, wie Heu, doch morgen ist's vorbei!

Dann kommen die Philister mit ihrem Pumpregister von allen Seiten her, und brummen wie die Bär'.

Bestaubt sind unsre Bücher, der Bierkrug macht uns klüger, das Bier schafft uns Genuß, die Bücher nur Verdruß.

Das Hemd' vom Leib' verkeilen und bei'm Champagner weilen, bespitzt nach Hause gehn, das heißt Comment verstehn. Aus dem Heidelberger Commersbuche v. 1824.

1423.
Die Franzosen in Rußland.

Mit Mann und Roß und Wagen, so hat sie Gott geschlagen! Es kriecht im Schnee umher der mächt'gen Franken Heer; der Kaiser auf der Flucht, Soldaten ohne Zucht! Mit Mann und Roß und Wagen, so hat sie Gott geschlagen!

Der Kaiser ohne Heer, die Jäger ohne Gewehr, der Stiefel ohne Sporn, die Ohren abgefrorn. Mit Mann ꝛc.

Der Trommler ohne Stock, Kürassier im Weiberrock, der Ritter ohne Schwert, der Reiter ohne Pferd! ꝛc.

Der Fähndrich ohne Fahn', die Flinten ohne Hahn, die Büchsen ohne Schuß, das Fußvolk ohne Fuß! ꝛc.

Die Feldherrn ohne Witz, Stückleute ohne Geschütz, die Flüchter ohne Schuh, an keinem Orte Ruh! ꝛc.

Mit Hunger ohne Brot, an allen Orten Noth, mit Wagen ohne Rad, das Herz im Leibe matt, mit Kranken ohne Wagen, so hat sie Gott geschlagen!

Fliegendes Blatt. 1813.

1424.
König Enzio. *)

Mit meinem Vater, dem Kaiser, gern säß' ich im Kriegsgezelt, zu Häupten uns Lorbeerreiser, zu Füßen uns die Welt.

Mit meiner Frauen im Lenze gern säß' ich am Eichenstamm, zu Häupten uns Blumenkränze, zu Füßen uns ein Lamm.

Die Beiden, weh! zerstäubten, der König ist allein. Legt ihm ein'n Stein zu Häupten, zu Füßen ihm einen Stein!

---

*) Sohn Kaiser Friedrichs II., starb im Kerker zu Bologna.

1425.

Mitten im Garten ist ein schönes Paradies, ist so schön anzusehn, daß ich möcht' drinnen gehn.

Als ich im Gärtlein war, nahm ich der Blümlein wahr, brach mir ein Röselein, das sollt' mein eigen sein.

Das Röslein glänzt so fein, wie Gold und Edelstein, war so fein übergüld't, das es mein Herz erfüllt.

Ich nahm das Röslein fein, schloß es in's Kämmerlein, stellt' es an einen Ort, daß es ja nicht verdorrt.

Komm' ich in's Kämmerlein, find' nicht mein Röselein, als ich herummer sah, sitzt ein schön Jungfrau da.

Sprach: ach erschrick nur nicht, denn ich bin dir verpflicht, denn ich bin dir vertraut, denn ich bin deine Braut.

Des Knaben Wunderhorn.

1426.
Der Weber.

Mit Ueberlegung und Vernunft bin ich ein Weber worden, und tausche diese meine Zunft nicht mit dem reichsten Orden.

Der Liebsten web' ich ein Gewand, und hoff', es soll gerathen; zu dem Gewebe meiner Hand Gedanken sind die Faden.

Da werf' ich selig ganz und gar, mein Schifflein hin und wieder; zum Schleier in ihr Ambrahaar verweb' ich meine Lieder.

Die schönsten Blumen weit und breit in tausend bunten Reimen streu' ich auf meiner Liebsten Kleid, da soll'n sie duftig keimen.

Was blüht und lebt in der Natur in überreicher Fülle, die schönen Muster sind es nur zu meiner Liebsten Hülle.

Und immer, immer web' ich dran mit rastlos sel'gem Streben, und wenn ich nicht mehr weben kann, will ich auch nicht mehr leben.

Lichtenstein. Aus Ferdusi von Eberwein.

1427.
Deutschlands Blöße.

Melodie: Preisend mit viel schönen Reden.

Mit wie herrlich weitem Kleide, ganz bedeckend deinen Leib, könntest du in Sammt und Seide prangen, Deutschland, edles Weib!

Da du aus dem Sack der Aschen, wo du hieltest lange Rast, aufstandst, und dein Kleid gewaschen in dem Blut der Feinde hast.

Wenn nur in der Hand des Bösen deines Kleides nicht ein Stück, statt es dir ganz einzulösen, man vergessend ließ zurück.

Wenn nur jetzt nicht deine Kinder, in nicht liebevollem Streit, jedes für sich einen Flinder riß aus ihrer Mutter Leib.

Mit wie herrlich weitem Kleide, ganz bedeckend deinen Leib, könntest du in Sammt und Seide prangen, Deutschland, edles Weib! *Friedrich Rückert. 1814.*

1427.

Mögen Stürme draußen schalten, lacht doch hier der Himmel schön; heute wird die Welt schon halten, mag sie morgen untergehn. Diese Nacht, wer will sie rauben? hier, bei Küssen, Sang und Wein stimmet gern die Freude ein und beschützt den alten Glauben: wer nicht liebt Weib, Wein und Gesang, der bleibt ein Narr sein Lebenlang.

Holder Frauen zarter Weise führt des Mannes kecke Gluth durch der Sitte sichre Gleise in der Schönheit heil'ge Hut. Weg, hinweg, wer ihr Vertrauen als Verräther je besaß, ihn vergifte dieses Glas auf das Wohlsein holder Frauen. Wer nicht liebt Weib, Wein und Gesang, der bleibt ein Narr sein Lebenlang.

Gläser voll! — der in die Reben seines Athems Balsam gießt, jener heitre Gott soll leben, dessen Gunst heut' überfließt; Heil dir, Bacchus! Liebesblicke, wie an Ariadnens Brust, bring' in dieser Nacht der Lust dir Saturnus Huld zurücke. Wer nicht liebt Weib, Wein und Gesang, der bleibt ein Narr sein Lebenlang.

Und ein Strom von hohen Liedern rausche durch den frohen Bund allen Schwestern, allen Brüdern auf dem weiten Erdenrund! Gläser voll emporgeschwungen! Luthern auch, dem deutschen Mann, der den alten Spruch ersann, sei zum Vivat nachgesungen: wer nicht liebt Weib, Wein und Gesang, der bleibt ein Narr sein Lebenlang. *F. Laun.*

1428.

Melodie: So viel Stern' am Himmel stehn.

Morgen müssen wir verreisen, und es muß geschieden sein. Traurig ziehn wir unsere Straße, lebe wohl, mein Schätzelein!

Lauter Augen, feucht von Thränen, lauter Herzen, voll von Gram, keiner kann es sich verhehlen, daß er schweren Abschied nahm.

Kommen wir zu jenem Berge, schauen wir zurück in's Thal, schaun uns um nach allen Seiten, sehn die Stadt zum letzten Mal.

Wenn der Winter ist vorüber und der Frühling zieht in's Feld, will ich werden wie ein Vöglein, fliegen durch die ganze Welt.

Dahin fliegen will ich wieder, wo's mir lieb und heimisch war. Schätzlein! muß ich heut' auch wandern, kehr' ich heim doch über's Jahr.

Ueber's Jahr zur Zeit der Pfingsten pflanz' ich Maien dir an's Haus, bringe dir aus weiter Ferne einen frischen Blumenstrauß! Hoffmann v. Fallersleben.

1429.

Morgen muß ich weg von hier, und muß Abschied neh=men; o du allerhöchste Zier! Scheiden das bringt Grämen! da ich dich so treu geliebt, über alle Maßen, soll ich dich verlassen!

Wenn zwei gute Freunde sind, die einander kennen, Sonn' und Mond bewegen sich, ehe sie sich trennen. Noch viel größer ist der Schmerz, wenn ein treu verliebtes Herz in die Fremde ziehet.

Dort auf jener grünen Au steht mein jung frisch Leben soll ich dann mein Lebelang in der Fremde schweben? Hab' ich dir was Leids gethan, bitt' dich woll's vergessen, denn es geht zu Ende.

Küsset dir ein Lüftelein Wangen oder Hände, denke, daß es Seufzer sein, die ich zu dir sende, tausend schick' ich täg=lich aus, die da wehen um dein Haus, weil ich dein gedenke.

Volkslied aus des Knaben Wunderhorn.

1430.
Reiters Morgenlied.

Morgenroth! Morgenroth! leuchtest mir zu frühem Tod? bald wird die Trompete blasen, dann muß ich mein Leben lassen, :,: ich und mancher Kamerad. :,:

Kaum gedacht, kaum gedacht, wird der Lust ein End' gemacht! gestern noch auf stolzen Rossen, heute durch die Brust geschossen, morgen in das kühle Grab.

Ach, wie bad! ach, wie bald! schwindet Schönheit und Gestalt! prahlst du gleich mit deinen Wangen, die wie Schnee und Rosen prangen; ach die Rosen welken all'!

Und was ist, und was ist dieses Lebens kurze Frist? unter Kummer unter Sorgen sich bemühen früh am Morgen, bis der Tag vorüber ist.

Darum still! darum still! füg' ich mich, wie Gott es will. Und so will ich wacker streiten, und sollt' ich den Tod erleiden, stirbt ein braver Reitersmann.

Wilhelm Hauff. 1824.

1431.

Morgens wenn ich früh aufsteh' und den Schornstein fegen geh', klopf' ich leise an die Thür: "Schöne Jungfer komm herfür!"

"'Wer ist draus? und wer klopft an? der so leis' mich wecken kann?'" "Ich steh' hier in aller Still', der den Schornstein fegen will."

"'Wart't ein bissel, junger G'sell, das ich bringe den Schlüssel, und euch sperr' die Hausthür' auf, daß ihr kommt zu mir herauf.'"

"Jungfer, ich nur eins begehr', langt mir Licht und Besen her, nicht zu groß und nicht zu klein, daß er geht zum Schornstein ein."

"'Junger G'selle höret an, was ich euch will sagen an: sei der Schornstein groß oder klein, seht selbst, wie ihr kommt hinein!'" Volkslied aus Franken.

1432.

Morgen wird es besser werden! Also seufzt mein schwacher Geist, den die Menge der Beschwerden über allen Abgrund reißt.

Aber ach, wenn bricht der Morgen und das Licht der Hoffnung an, da ich die so langen Sorgen nach und nach vergessen kann?

Sclaven auf den Ruderbänken wechseln doch mit Müh' und Ruh, dies mein unaufhörlich Kränken läßt mir keinen Schlummer zu.

Niemand klagt mein schweres Leiden, dies vergrößert Last und Pein. Himmel, laß mich doch verscheiden, oder gieb mir Sonnenschein!

Will ich mich doch gerne fassen, wenn mich nur der Trost erquickt, daß dein ewiges Verlassen mich nicht in die Grube schickt. Günther. † 1723.

1433.
Nachtgebet.

Müde bin ich, geh' zur Ruh', schließe beide Aeuglein zu: Vater, laß die Augen dein über meinem Bette sein!

Hab' ich Unrecht heut gethan, sieh' es lieber Gott nicht an! deine Gnad' und Jesu Blut macht ja allen Schaden gut.

Alle die mir sind verwandt, Herr laß ruhn in deiner Hand. Alle Menschen groß und klein, sollen dir befohlen sein.

Kranken Herzen sende Ruh', nasse Augen schließe zu; laß den Mond am Himmel stehn und die stille Welt besehn!

Diepenbrock.

1434.

Muß i denn, muß i denn zum :,: Städtele 'naus :,: und du, mein Schatz, bleibst hier? Wenn i komm, wenn i komm, wenn i :,: wiederum komm, :,: kehr' i ein mei Schatz, bei dir. Kann i gleich nit allwil bei dir sei, han i doch mei Freud' an dir! Wenn i komm, wenn i komm, wenn i wiederum komm, kehr' i ein, mei Schatz, bei dir.

Wie du weinst, wie du weinst, daß i wandere muß, wie wenn d'Lieb jetzt wär' vorbei! sind au draus, sind au draus der Mädele viel, lieber Schatz, i bleib' dir treu. Denk' du net, wenn i en andere seh', so sei mein' Lieb' vorbei; sind au draus der Mädele viel, lieber Schatz, i bleib' dir treu!

Uebers Jahr, übers Jahr, wenn me Träubele schneid't, stell' i hier mi wiederum ein; bin i dann, bin i dann dein Schatzele noch, so soll die Hochzeit sein. Uebers Jahr da ist mein' Zeit vorbei, da g'hör i mein und dein; bin i dann bei Schatzele noch, so soll die Hochzeit sein.

Schwäbisches Volkslied.

1435.

Muß i denn sterben, bin no so jung, jung, jung! Wenn des mein Vater wüßt', daß i schon sterben müßt', der thät sich kränken bis in den Tod.

Muß i denn sterben, bin no so jung, jung, jung! Wenn des die Mutter wüßt', wenn des die Schwester wüßt', thäten sich härmen bis in den Tod.

Muß i denn sterben, bin no so jung, jung, jung! Wenn des mein Mädel wüßt', daß i schon sterben müßt', es thät sich kränken bis in den Tod. Volkslied.

1436.

Mutter, ich freue mich! Pagen, Cadetten, Studenten und alle flüchtigen Tänzer sind heute beim Balle. Freundliche Mutter, ich bitte dich, schmücke zum Balle mich.

Mutter, dann führe mich, führ' mich zum Tanz und wär es zum Tode, nichts laß mich hören vom vierten Gebote; mit Worten und Winken verschone mich; denn wer nicht folgt, bin ich.

Amor herrscht königlich, in des Cotillons endloser Weise, ha! in des Walzers erschöpfendem Kreise waltet die Liebe so wonniglich! Mutter, ich sehne mich!

Mutter, ich sehne mich! Lieben und Walzen, die streiten ums Leben; walzen will nehmen, was Liebe gegeben, zum Lieben und Tanzen erzogst du mich, daran erkenn' ich dich.

Mutterherz fasse dich! laß im Tanzen zum Himmel mich schwingen! magst du einst jammernd die Hände auch ringen, weil so frühe dein Kind verblich — sei es! Ich opfere mich!

Tod! dir ergeb' ich mich! hin zu des Schenktisches Lethe-Gestade zieht mich das kühlende Gift, Limonade, mir ist das Sterben nicht schauerlich tödtet — der Walzer mich.

1437.
Der Bergmannsjunge.

Mutter, soll ich noch nicht frei'n? bin ich doch schon achtzehn Jahr! Tingel, Tingel, Tingel, Tingel.

Unser Nachbar hat en Mädle, das gefallt mir trefflich wohl! Tingel. 2c.

Es ist ein scharmantes Mädle, is so rund und is so voll.

Juch! das Mädle sollt ju sehn, juch! das Mädle sollt ju sehn.

Mutter, Mutter, schaffet Mittel, daß es was zu freien giebt.

Kauft mir einen neuen Kittel und ein neues Schurzfell für.

Samml. von Büsching und v. d. Hagen.